KB076661

한국어교육능력검정시험 대비
필수 핵심 이론서

(제1회부터 제14회까지 기출문제 완전 분석)

편저 : 정훈

인하대학교 다문화교육학 박사 수료
前) 신한대학교 한국어 강사
前) 김포시외국인주민지원센터 TOPIK 강사
前) 인천 한누리학교 한국어 강사
前) 시흥시 군서중학교 한국어 강사
前) 시흥시 군서초등학교 한국어 강사
前) 부천시 삼정초등학교 한국어 강사
現) 아바서비스커리어센터 한국어교원 3급 양성과정 강사
現) 한국기독교방송주식회사 편집국장
現) 한국기독교방송주식회사 부설 한국어교육센터 센터장
논문) 외국인 성실근로자의 한국어 학습 경험에 관한 의미 탐색(2019), 문화교육연구 8(1), 145-172.

감수 : 박철우

서울대학교 국어국문학 박사
現) 안양대학교 교육대학원 외국어로서의 한국어교육학 주임 교수

Ⅰ. 한국어학

Ⅱ. 일반·응용언어학

Ⅲ. 한국어교육론

1장 한국어학 개론

1. 언어란 무엇인가?

(1) 언어의 정의

• 생각이나 느낌의 표현
• 의사소통의 수단
• 임의적 부호 사용
• 관습화된 기호 체계
• 음성 혹은 문자 매체
• 말소리를 형식으로 하고 의미를 내용으로 가지는 기호 체계
• 국가, 민족, 인종 등의 사용자 집단 전제
• 단어들의 모음
• 더 작은 언어 단위들을 조합하여 사용하는 방법의 체계

(2) 언어의 특성

① 기호성 : 모든 언어는 소리(형식)와 의미(내용)로 구성되어 있음

② 자의성: 언어의 형식인 음성과 내용인 의미 사이에는 필연적인 관계가 아닌 자의적, 임의적 관계만 존재함

㉠ 동일한 내용에 대해 각 언어마다 표현 형식이 다름
예) '사랑' : 한국어 [saraŋ], 영어 [lʌv]

㉡ 동음어와 동의어 존재
예) 동음어 : 예) 배(선박) - 배(복부) - 배(과일), 동의어 : 예) 계란 - 달걀

㉢ 역사성은 자의성의 근거가 됨
• 내용의 변화 : 예) 어리다 (어리석다 → 나이가 적다)
• 형식의 변화 : 거츨다 > 거칠다

㉣ 의성어·의태어
예) 닭 울음소리 : 한국어 '꼬끼오', 영어 'cock-a-doodle-doo', 일본어 'kokekko'

③ 사회성 : 음성과 의미가 일단 사회적 약속으로 수용되면 이를 개인이 마음대로 바꿀 수 없음 (불역성, 규약성)

④ 체계성 : 일정한 원리에 따라서 낱낱의 부분이 짜임새 있게 조직되어 통일된 전체를 이룸

⑤ 역사성 : 시간의 경과에 따라 생성, 변화, 사멸의 변화를 겪을 수 있음 (가역성)

⑥ 창조성 : 언어는 정해져 있는 말을 외워서 하는 것이 아니라 전에 들어보지 못한 무한히 많은 말을 만들어서 사용 (개방성)

⑦ 분절성 : 언어는 연속적인 세계를 불연속적으로 끊어서, 분절하여 표현함

㉠ 기호의 분절 : 자음, 모음, 형태소, 단어, 문장
㉡ 의미의 분절 : 얼굴 (이마, 눈, 눈썹, 코, 입 등)

⑧ 전위(轉位)성 : 언어를 통해 시간적, 공간적 위치를 바꾸어 표현할 수 있음

⑨ 추상성 : 대상들 사이의 공통된 성질을 뽑아서 음성과 의미를 연결하는 특성
예) 꽃 : 실제로 존재하는 대상인가? 아니다.

개별 사물 (무궁화, 진달래, 장미, 개나리)	→ 공통성을 뽑는 추상화의 과정	개념 (꽃)	→	상위 개념

⑩ 상대성 : 사용하는 언어에 따라 세계관, 인식 체계 등이 달라짐 (언어는 사고와 문화에 영향을 미침)

(3) 언어의 기능

① 지시적(정보적, 제보적) 기능 : 내용이나 정보를 전달하고 서술함

② 감정적(표현적) 기능 : 화자의 감정 상태나 태도를 표현함

③ 지령적(환기적, 명령적) 기능 : 청자의 심리나 태도에 변화를 일으킴

④ 친교적(사교적) 기능 : 사회적 관계의 허용·확인·유대를 형성시킴

⑤ 주해적(메타언어적, 관어적) 기능 : 언어 표현 자체를 언어로 다시 설명함

⑥ 시적 기능(미적 기능) : 듣는 이가 감상할 수 있도록 아름답게 만듦

(4) 언어의 종류

① 음성 언어
㉠ 사람의 발음 기관을 통해 만들어지고 실제 말에 쓰이는 소리
㉡ 의사소통을 위해 사용되는 청각적인 기호체계
㉢ 음성 언어의 실현은 일회적·순간적·직접적

② 문자언어
㉠ 의사소통을 위해 사용되는 시각적인 기호 체계
㉡ 정서법(正書法)에 따라 기록하기 때문에 구어에 비해 변이(變異)가 적고 시공간의 제약 없이 전달 가능
㉢ 기록 시 퇴고(推敲)가 필요함

2. 한국어학 연구

(1) 한국어학 연구 방법

① 공시적인 연구

- 고정된 언어의 체계를 연구하는 방법
- 일정한 시대를 대상으로 그 시대의 언어 특성을 탐구

② 통시적인 연구

- 변화된 언어 특성을 연구
- 여러 시대를 걸쳐 변천하는 언어를 탐구

(2) 한국어학의 연구 분야

① 음운론 : 뜻 차이를 가져오는 음성이 어떤 언어적 기능을 수행하는가에 대해 탐구 (추상적 소리 체계 연구)

② 문법론

- 형태론 : 형태소와 단어의 내적 구조를 지배하는 규칙 연구
- 통사론 : 단어 또는 형태소가 합하는 방식과 문장의 구조 및 이것을 지배하는 규칙 연구

③ 의미론 : 어휘의미론과 통사의미론으로 나뉨

④ 계통론

- 비교언어학 : 다른 언어와의 비교를 통해 해당 언어의 계통을 밝힘
- 역사언어학 : 한 언어의 통시적 과정을 연구

⑤ 문자론 : 언어를 표기하는 문자의 체계 연구

⑥ 방언론

- 지역방언 : 지역적 차이로 인해 형성된 언어 특성 연구
- 사회방언 : 사회 계층에 따라 달리 나타나는 언어 특성 연구

(3) 소리의 연구

① 음성과 음운

㉠ 음성

- 인간이 발음 기관을 통해 내는 구체적이고 물리적인 소리, [ ]로 표시
- 사람마다 다르므로 무한대의 종류

㉡ 음운

- 머릿속에서 같은 소리로 인식되는 추상적, 관념적 소리, / /로 표시
- 개수가 한정되어 있다. (한국어의 자음과 모음 : 40개)
  예) /국민/ [궁민]

㉢ 음절

- 한 번에 낼 수 있는 소리 마디를 나타내는 문법 단위
- 의미와 관계가 없는 음성학적 문법 단위

② 소리의 종류

㉠ 자음 : 소리를 만드는 조음 기관에 영향을 받고 나오는 소리

㉡ 모음 : 성대의 진동을 받은 소리가 조음 기관에 영향을 받지 않고 나오는 소리

3. 한국어 개념과 특징

(1) 개념

- 국어는 대한민국의 공용어로서 한국어를 말함 (국어기본법 제1장 제1항)
- 개별적, 구체적 언어로서 국가가 배경, 공식어, 표준어

(2) 종류

<table>
<tr><td rowspan="3">어원에 따라</td><td>고유어</td><td colspan="2">토박이말</td><td>고뿔, 시나브로</td></tr>
<tr><td rowspan="2">외래어</td><td>귀화어</td><td>외래어 느낌 없이 우리말처럼 쓰이는 말</td><td>붓, 빵, 담배, 고무, 보라매, 가위, 호미</td></tr>
<tr><td>차용어</td><td>외국어 의식이 남아있는 말</td><td>커피, 아르바이트</td></tr>
<tr><td rowspan="4">사회성에 따라</td><td>표준어</td><td colspan="3">• 교양 있는 사람들이 두루 쓰는 현대 서울 말
• 기능 : 통일, 독립, 우월, 준거</td></tr>
<tr><td rowspan="2">방언</td><td>지역방언</td><td>지역적 특징이나 요인으로 달라진 언어</td><td></td></tr>
<tr><td>사회방언</td><td>사회적 계층, 연령, 성별에 따라 분화된 언어</td><td></td></tr>
<tr><td colspan="4">은어, 비속어, 전문어, 관용어, 속담</td></tr>
</table>

(3) 일반적인 특징

① 한국어는 형태상 뜻을 나타내는 말에 문법적 관계를 표시하는 말이 덧붙는 언어인 교착어(첨가어)에 속함

② 문자의 갈래에 있어 표음문자에 속함

(4) 음운적 특징

① 자음은 무성음과 유성음이 변이음으로 발음되기는 하지만 음운, 즉 표기되는 글씨로는 구별하지 않음

- 15C 순경음 소멸 이후 변별성 없어짐
- 파열음과 파찰음은 삼중체계(평음, 경음, 격음)로 구성되어 있음
- 마찰음의수(3개)는 적고, 단모음의 수(10개)는 많음

② 자음에는 순치음(이입술소리 - /f, v/), 치간음(잇사이소리 - /ð, θ/)이 없음

③ 전설모음보다 후설모음이 발달했음

④ 음절의 초성이나 종성에 두 개 이상의 자음이 올 수 없다. 겹받침이 올 수 있지만 발음할 때는 하나의 자음 소리만 냄

⑤ 종성은 7개의 자음으로만 소리가 남

⑥ 음운 환경에 따라 다르게 발음함

⑦ 모음조화 현상이 있음

⑧ 두음 법칙이 있음 (일부 소리가 단어의 첫 머리에서 발음되지 않고 다른 소리로 발음됨)

⑨ 음상(音相)의 차이로 인하여 어감이 달라지고 낱말의 뜻이 분화되기도 함

예) • 빙빙-삥삥-핑핑(자음의 어감 차이), 졸졸-줄줄(모음의 어감 차이)
• 맛[구미]-멋[풍미](낱말의 의미를 분화시킴)

(5) 어휘적 특징

① 고유어, 한자어, 외래어로 구성되어 있음

② 고유어는 감각어(색깔, 맛), 음성 상징어(의성어, 의태어)가 발달하였으며, 음성 상징어에 접미사가 붙어 명칭을 나타 내기도 함

예) • 개굴개굴-개구리, 맴맴-매미 (의성어)
• 깜빡-깜빡이, 살살-살살이 (의태어)

③ 친족 어휘가 발달하였음

④ 다량의 한자어 (학문 관련 개념어)

• 한자어 > 고유어 > 혼종어 > 외래어

⑤ 2·3·4음절의 어휘가 대부분

⑥ 성(性)과 수(數)의 구별이 없고 관형사나 서술어와의 일치현상이 없음

⑦ 관계대명사, 관사, 접속사 등이 없음

⑧ 친족 호칭과 높임법이 발달하였음

(6) 문법적 특징

① 어미와 조사가 발달하였음

② 어절 말에 나타나는 어미와 조사는 문법적 기능을 가짐

③ 어미는 문장의 확대 기능을 함

④ 수식어가 피수식어 앞에 옴(좌분지 언어)

• 관형사(형) + 명사, 부사(형) + 동사, 부사 + 부사
• 예외) 본용언 + 보조용언

⑤ 문법 형태는 대체로 한 형태가 하나의 기능을 가짐

⑥ 유정 명사와 무정 명사의 구분이 문법에서 중요성을 가짐

⑦ 분류사(단위성 의존명사)가 발달해 있음

⑧ 어미와 조사는 미묘한 의미 차이를 만듦

⑨ 일반적으로 SOV 어순을 갖지만, 도치가 비교적 자유로움

• 어미는 파생접사보다 뒤에 위치함
• 수식어 위치와 서술어의 위치 제외

⑩ 명사는 격변화 없이 조사와 결합함

⑪ 성(性)의 구분이 없음

⑫ 복수의 개념이 엄격하지 않음 (복수 대상에 반드시 복수 표지가 연결되어야 하는 것은 아님)
예) 교실에 사람이 많다.

⑬ 대명사가 발달하지 않은 언어로, 구어에서는 3인칭 대명사를 거의 사용하지 않음

⑭ 접속사가 없으며 부사나 연결어미를 사용하여 문장과 문장을 이어줌

⑮ 관형사가 있고 관계대명사, 관사, 접속사가 없음

⑯ '명사 + 이다'의 형태로 서술어가 됨

⑰ 의문문과 평서문의 어순 동일

⑱ 주어와 목적어가 두 개 이상인 '중출 현상' 발달
예) • 코끼리가 코가 길다. (주어 두 개)
• 아버지는 시장에서 생선을 세 마리를 사 오셨다. (목적어 두 개)

⑲ 핵-끝머리(핵 후행) 언어

⑳ 큰 것부터 작은 것으로, 전체에서 부분으로 범위를 좁혀 들어가면서 명사를 나란히 씀

㉑ 가주어와 같은 허형식이나 존재문의 잉여사와 같은 요소가 없음

㉒ 주제 부각형 언어의 특성이 강함

언어의 보편성	① 형식(음성 형식)과 의미라는 두 가지 측면이 있음 ② 말소리에 자음과 모음이 있음 ③ 음운, 음절, 단어, 문장 등의 언어 단위가 있음 ④ 명사, 동사 등의 문법적 범주가 있음 ⑤ 긍정문과 부정문, 평서문과 의문문, 명령문 등의 구분이 있음
한국어의 특수성	① 파열음(폐쇄음)에 평음, 경음, 격음(유기음)의 세 계열이 있음 ② 어두나 음절말 위치에서 오직 하나의 자음만 발음될 수 있음 ③ 교착어 ④ SOV형 언어 ⑤ 어순이 비교적 자유로움 ⑥ 의문문에서 어순이 바뀌지 않음 ⑦ 근간 성분(주어, 목적어)이 잘 생략되는 언어임 ⑧ 경어법이 발달되어 있음 ⑨ 색채어가 발달되어 있음 ⑩ 친족 명칭이 친족 아닌 다른 사람에게도 흔히 쓰임

4. 한국어의 문법

(1) 음운과 음절

① 음운 : 의미를 구별해 주는 최소의 소리 단위

㉠ 분절음

• 자음 : 19개
가. 조음 위치에 따라 : 양순음, 치조음, 경구개음, 연구개음, 후음
나. 조음 방식에 따라 : 파열음, 마찰음, 파찰음, 비음, 유음
• 모음 : 21개
가. 단모음 : 10개
나. 이중모음 : 11개

㉡ 비분절음 : 성조, 강세, 장단, 억양, 연접

② 음절

• 낱낱의 소리로서 가장 작은 발음의 단위
• 음절의 수는 모음의 수와 일치

(2) 형태소

① 형태소 : 뜻을 가지고 있는 말의 가장 작은 단위

② 이형태와 상보적 분포

㉠ 이형태 : 주위 환경에 따라 형태가 달라지는 것. 의미는 같다.

㉡ 상보적(배타적 분포) : 한 형태소 내의 이형태는 그것이 나타날 수 있는 환경이 서로 겹치지 않는다.
예) 주격조사 '이/가'

③ 형태소의 종류

㉠ 자립성 기준

• 자립형태소 : 혼자 쓰일 수 있는 형태소 (체언, 수식언, 감탄사)
• 의존형태소 : 혼자 쓰일 수 없는 형태소 (조사, 용언의 어간, 어미, 접사)

㉡ 의미 기준

• 실질형태소 : 실질적인 의미 (자립형태소, 용언의 어간)
• 형식형태소 : 문법적인 의미만 가짐 (조사, 어미, 접사)

구분	철수	는	빵	을	먹	었	다
자립형태소	O		O				
의존형태소		O		O	O	O	O
실질형태소	O		O		O		
형식형태소		O		O		O	O

(3) 단어

① 자립할 수 있는 말 : 자립형태소, 용언

② 자립형태소에 붙어 분리할 수 있는 말 : 조사

③ 단어의 개수 : 띄어쓰기 개수 + 조사

④ 단일어 : 하나의 어근으로 된 단어

⑤ 복합어 : 둘 이상의 어근이나 어근과 파생 접사로 이루어진 단어

㉠ 합성어 : 어근과 어근으로 구성된 단어

㉡ 파생어 : 어근과 파생 접사로 구성된 단어

(4) 품사

① 품사를 나누는 기준

• 형태의 변화 유무 : 불변어, 변화어(가변어)
• 문장에서의 기능 : 체언, 용언, 수식언, 독립언, 관계언
• 의미 : 명사, 대명사, 수사, 관형사, 부사, 동사, 형용사, 감탄사, 조사

(5) 문장

① 문장 성분 : 문장 안에서의 어떤 구실을 하느냐에 따라 나눈 단어의 유형

② 문장 성분 종류 : 주어, 목적어, 서술어, 보어, 관형어, 부사어, 독립어

③ 문장의 종류

㉠ 홑문장 : 주어와 서술어가 한 번 나타나는 문장

㉡ 겹문장 : 주어와 서술어가 두 번 이상 나타나는 문장

• 내포문 : 안은 문장, 안긴 문장
• 접속문(연결문) : 이어진 문장(대등하게 이어진 문장과 종속적으로 이어진 문장)

안긴 문장	명사절	• 절 전체가 문장에서 주어, 목적어 등의 기능을 함 • 명사형 어미 : '-(으)ㅁ, '-기'
	관형절	• 절 전체가 문장에서 관형어의 기능을 함 • 관형사형 어미 : '-(으)ㄴ', '-는', '-(으)ㄹ', '-던'
	부사절	• 절 전체가 문장에서 부사어의 기능을 함 • 부사형 어미 : '-게', '-도록', '-듯이'......
	서술절	• 절 전체가 문장에서 서술어의 기능을 함 • 특정한 절 표지가 없음
	인용절	• 다른 사람의 말을 인용한 것이 절의 형식으로 안김 • 인용 조사(어미) : '-라고', '-고'

5. 언어의 의미

(1) 언어는 말소리와 의미로 이루어져 있다

① 말소리 : 언어의 형식, 물리적 현상

② 의미 : 언어의 내용

(2) 단어 간의 의미 관계

① 동의(유의) 관계 : 둘 이상의 서로 다른 형태가 동일한 의미를 가지는 관계
예) 아버지 : 아빠, 달걀 : 계란

② 상하 관계 : 단어의 의미적 계층 구조에서 한 쪽이 의미상 다른 쪽을 포함하거나 포함되는 관계
예) 과일 : 사과, 새 : 비둘기

③ 반의(대립) 관계 : 서로 공통된 동질성을 공유한 가운데 한 가지 속성이 달라서 이질성을 드러낼 때 성립되는 관계
예) 살다 : 죽다, 크다 : 작다, 가르치다 : 배우다

④ 다의 관계 : 하나의 단어가 둘 이상의 관련된 의미를 지닌 것으로 기본의미와 파생의미로 구분되는 관계
예) 먹다 : 밥을 먹다/마음을 먹다/나이를 먹다/겁을 먹다/욕을 먹다 (의미가 다의적임)

⑤ 동음 관계 : 한 형태의 어휘소에 여러 개의 서로 다른 의미가 대응하는 의미 관계
예) 반드시 : 반듯이, 손(手) : (손)客

(3) 의미의 종류

① 중심적 의미와 주변적 의미

- 중심적 의미 : 가장 기본적이고 핵심적인 의미
- 주변적 의미 : 여러 가지 다른 의미

② 외연적 의미와 내포적 의미

- 외연적 의미 (개념적, 사전적 의미) : 기본적인 의미
- 내포적 의미 (함축적 의미) : 연상이나 관습 등에 의해 형성되는 의미

③ 사회적 의미와 정서적 의미

- 사회적 의미 : 사회적 환경과 관련되는 의미
- 정서적 의미 : 화자나 청자의 개인적인 태도나 감정 등을 알 수 있게 해 주는 의미

④ 주제적 의미와 반사적 의미

- 주제적 의미 : 어순, 초점, 강조, 발음 등을 통해 특별히 드러내는 의미
- 반사적 의미(반영적 의미) : 특정한 반응을 불러일으키는 의미 (예 : 그 사람도 거기에 안 갔구나.)

⑤ 연어적 의미 : 어떤 단어가 배열된 문맥에 의해서 얻게 되는 연상 의미

2장 한국어 음운론

음소 → 음운 → 음절 → 형태소 → 단어 → 어절 → 구 → 절 → 문장

1. 음성과 음운

★ 훈몽자회 : 자모의 이름이 처음 등장
★ 명칭 확정 : '한글맞춤법통일안' (1933년)

(1) 음운

• 말의 뜻을 구별해 주는 소리의 최소 단위 (추상적, 관념적 소리)

① 음소 : 음운론상의 최소 단위
  • 소리마다의 경계를 나눌 수 있음 : 분절음
  • 자음, 모음, 활음(= 반모음)

② 운소
  • 비분절음
  • 강세, 성조, 장단, 연접(발화 가운데 오는 경계 또는 휴지 - 끊어 읽기), 억양

(2) 최소대립쌍

• 하나의 음운만 달라 그것으로 뜻이 구별되는 단어의 묶음   예) 달 - 딸 - 탈
• 변별적 : 최소의 차이로 의미 분화가 가능   예) [ㄷ] : [ㄸ] : [ㅌ]
• 비변별적 : 영어에서는 [l], [r]이 'light, right'와 같이 변별적이나 한국어에서는 비변별적임

2. 자음

▶ 장애음 , 닿소리 (자음만으로 음절을 이룰 수 없음) ------- 타악기, 현악기 - 19개

(1) 분류 기준

① 조음 위치

  ㉠ 양순음 - ㅂ, ㅃ, ㅍ, ㅁ

  ㉡ 치조음 (치경음) - ㄷ, ㄸ, ㅌ, ㄴ, ㅅ, ㅆ, ㄹ

  ㉢ 경구개음 - ㅈ, ㅉ, ㅊ

  ㉣ 연구개음 - ㄱ, ㄲ, ㅋ, ㅇ

  ㉤ 성문음 (후음) - ㅎ

② 조음 방식

㉠ 파열음
- 공기가 '폐쇄-지속-파열'의 순서를 거치면서 나오는 소리로서 음절의 끝(받침)에서는 파열되지 않고 닫히면서 소리가 남
- ㅂ, ㅃ, ㅍ, ㄷ, ㄸ, ㅌ, ㄱ, ㄲ, ㅋ

㉡ 마찰음
- 공기가 좁은 틈을 통과하면서 '마찰'이 일어나 발음되는 소리
- ㅅ, ㅆ, ㅎ

㉢ 파찰음
- 앞부분은 파열음, 뒷부분은 마찰음과 같은 소리
- ㅈ, ㅊ, ㅉ

㉣ 비음
- 파열음의 과정을 거치지만 공기의 일부가 비강으로 흘러가 나오는 소리
- ㅁ, ㄴ, ㅇ

㉤ 유음
- 기류가 장애를 받지 않고 나오는 소리
- ㄹ

① 파열음: 공기가 막혔다가 터지며 나는 소리
- 입술/양순음/입술소리 - ㅂ, ㅃ, ㅍ
- 혀끝/치조음/설단음/윗잇몸소리/혀끝소리 - ㄷ, ㄸ, ㅌ
- 혀뿌리/연구개음/혀뒤소리 - ㄱ, ㄲ, ㅋ

② 마찰음: 공기 마찰로 나는 소리
- 혀끝/치조음/설단음/윗잇몸소리/혀끝소리 - ㅅ, ㅆ
- 목청/후음 - ㅎ

③ 파찰음: 파열과 마찰이 동시에 나는 소리
- 센입천장/경구개음/혓바닥소리 - ㅈ, ㅉ, ㅊ

~ 안 울림소리/무성음(15개) - 입을 통해 공기가 나가는 소리

④ 비음: 콧구멍으로 공기가 나가면서 나는 소리
- 입술/양순(ㅁ), 혀끝/치조/설단(ㄴ), 혀뿌리/설단/연구개(ㅇ)

~ 울림소리/유성음(3개) - 코를 통해 나가는 소리

⑤ 유음: 흐르는 소리
- 혀끝/치조/설단(ㄹ)

~ 울림소리/유성음(1개) - 입을 통해 공기가 나가는 소리

③ 기식성과 긴장성에 따른 분류

㉠ 평음 : 성문에서 공기의 압축이 없음
- ㄱ, ㄷ, ㅂ, ㅅ, ㅈ

㉡ 경음 : 성문에서 공기를 압축한 후 공기를 조금만 방출하면서 조음하는 소리
- ㄲ, ㄸ, ㅃ, ㅆ, ㅉ

ⓒ 격음 : 공기를 압축한 후 강하게 방출하면서 조음하는 소리
- ㅋ, ㅌ, ㅍ, ㅊ

(2) 성대 떨림의 유무

① 유성음(공명음) : 비음, 유음, 모음, 활음

② 무성음 : 비음과 유음을 제외한 자음

조음 방식 \ 조음 위치			양순	전설	후설		성문
			양순음	치조음	경구개음	연구개음	성문음
안울림소리	파열음	예사소리	ㅂ	ㄷ		ㄱ	
		된소리	ㅃ	ㄸ		ㄲ	
		거센소리	ㅍ	ㅌ		ㅋ	
	파찰음	예사소리			ㅈ		
		된소리			ㅉ		
		거센소리			ㅊ		
	마찰음	예사소리		ㅅ			
		된소리		ㅆ			
		기음					ㅎ
울림소리	비음		ㅁ	ㄴ		ㅇ	
	유음			ㄹ			

3. 모음

▶ 비장애음(공명음), 홀소리, 성절음, 유성음 ------- 관악기 - 21개

(1) 모음 분류의 기준

① 혀의 높이 : 고·중·저

② 혀의 위치 : 전설모음, 후설모음

③ 입술의 모양 : 평순모음, 원순모음

(2) 단모음과 이중모음

① 단모음 : 소리를 내는 도중에 입술 모양이나 혀의 위치가 달라지지 않는 모음 (10개)

② 이중모음 (11개) : 소리를 내는 도중에 입의 모양이 달라지는 모음소리로서 단모음에 활음이 더해져 나오는 소리
ⓐ 상향 이중모음 : 반모음으로 시작되어 뒤에 단모음 소리가 나는 것
ⓑ 수평이 중모음(하향 이중모음) : 단모음으로 시작되어 단모음으로 끝나는 것 - '의'
ⓒ 반모음 (활음) : [j]는 '이', [w]는 '오/우'와 비슷하다. 단모음과 결합하여 이중모음으로 나타남

혀의 위치	전설 모음		후설 모음	
입술 모양	평순	원순	평순	원순

혀의 높이				
고모음	이	위	으	우
중모음	에	외	어	오
저모음	애		아	

상향 이중모음	[j] + 단모음 (6개)	ㅑ, ㅕ, ㅛ, ㅠ, ㅒ, ㅖ
	[w] + 단모음 (4개)	ㅘ, ㅙ, ㅝ, ㅞ
하향/수평 이중모음	단모음 + [j] / ㅡ + ㅣ (1개)	ㅢ

★ 한국어 음운의 체계와 종류

분절음	자음(19개)	ㅂ, ㅃ, ㅍ/ㄷ, ㄸ, ㅌ/ㄱ, ㄲ, ㅋ/ㅈ, ㅉ, /ㅅ, ㅆ/ㅎ/ㅁ, ㄴ, ㅇ/ㄹ	
	모음(21개)	단모음(10개)	ㅏ, ㅓ, ㅗ, ㅜ, ㅡ, ㅣ, ㅐ, ㅔ, ㅚ, ㅟ
		이중모음(11개)	ㅑ, ㅕ, ㅛ, ㅠ, ㅒ, ㅖ, ㅘ, ㅙ, ㅝ, ㅞ, ㅢ
비분절음	소리의 길이, 강세, 억양, 성조 등		

4. 음절

(1) 개념과 특성

- 한 번에 낼 수 있는 소리마디 (발음의 단위)
- 의미와 전혀 관계가 없는 음성학적 문법 단위일 뿐임
- 한국어의 음절의 숫자는 모음의 숫자와 일치한다.
- 자음이나 반모음은 스스로 음절을 이루지 못한다.

(2) 한국어의 음절의 구조 (음절수 = 모음의 수)

- 모음 (V) - 반모음 불가
- 자음 + 모음 (CV)
- 모음 + 자음 (VC)
- 자음 + 모음 + 자음 (CVC)
- 자음 19자, 모음 21자, 종성자음 27자를 모두 곱하면 10,773자 + 받침 없는 글자 399자
  ↳ 총 글자 수 = 11,172 자

★ 개음절 : 종성(받침)이 없는 음절 - 일본어의 음절 구조는 개음절임
★ 폐음절 : 종성이 있는 음절
★ 한국어는 개음절과 폐음절이 모두 존재한다.

(3) 음절 형성 규칙

- 음절 초에는 자음 하나만 나타남
- 초성 : ㅇ, ㄹ(외래어 가능), 'ㄴ'+'ㅣ, ㅑ, ㅕ, ㅛ, ㅠ' : 제약
- 'ㅈ, ㅉ, ㅊ' + 이중모음(ㅑ, ㅕ, ㅛ, ㅠ, ㅒ, ㅖ) : 제약

★ **음소배열제약**

- 연속되는 두 자음 중 앞 자음은 뒤 자음보다 자음 강도가 클 수 없음
- 한국어의 자음 강도 : 유음 < 비음 < 장애음 < 경음, 격음
- 장애음(평음)끼리 만난 경우 → 뒤 자음의 강도를 올림

★ **동화** : 어떤 소리가 주위에 있는 다른 소리의 영향을 받아서 그 소리와 같거나 비슷하게 바뀌는 현상

① 직접동화 : 동화음과 피동화음이 직접 붙어 있을 때 일어나는 동화, '인접동화'라고도 함
② 간접동화 : 동화음과 피동화음이 직접 붙어 있지 않을 때 일어나는 동화, '원격동화'라고도 한다.
③ 순행동화 : 동화음이 피동화음보다 앞에 있을 때 일어나는 동화, 앞소리의 흔적이 남아 있다가 뒷소리에 영향을 미치는 동화
④ 역행동화 : 동화음이 피동화음보다 뒤에 있을 때 일어나는 동화, 뒤에 올 소리의 발음이 미리 시작되어 앞소리에 영향을 미치는 동화
⑤ 완전동화 : 피동화음이 동화음을 완전히 닮는 동화로 전체동화라고도 함
⑥ 부분동화 : 피동화음이 동화음의 일부만 닮는 동화로 불완전동화라고도 함

★ **변이음과 상보적 분포**

① 동일한 음운이 발음되는 자리에 따라 서로 다르게 실현되는 것
예) • /ㄹ/은 [l] - 설측음(종성), [r] - 탄설음(초성)
※ 설측음 : 혀끝이 윗잇몸에 계속 닿은 채 혀의 양 측면으로 공기가 나가면서 발음되는 소리
※ 탄설음 : 혀끝이 윗잇몸에 살짝 닿았다가 떨어지면서 발음되는 소리
• 'ㄱ'의 변이음 : 고¹깃²국³
가. 모음 앞에 놓이면 [k]　나. 모음과 모음 사이에 놓이면 [g]　다. 어말에 놓이면 [k˺]
② 상보적 분포 : 한 음소에 속하는 변이음들이 실현될 때, 그 실현 환경이 서로 겹치지 않고 상호 보완적으로 각각의 음들로 발음되는 것

5. 음운 현상

(1) 음절의 끝소리 규칙 (중화현상, 평폐쇄음화, 평파열음화)

• 자음이 받침에 올 때 대표음으로만 소리 나는 현상
• 음절의 끝은 입이 닫히는 위치여서 평음까지만 발음됨
• 음절에서 종성, 즉 받침은 [ㄱ, ㄴ, ㄷ, ㄹ, ㅁ, ㅂ, ㅇ]
• 겹자음: ㄱㅅ/ㄴㅈ/ㄹㅂ/ㄹㅌ/ㄹㅅ/ㅂㅅ (뒤 자음 탈락), ㄹㄱ/ㄹㅁ/ㄹㅍ (앞 자음 탈락)
예) ㄴㅎ/ㄹㅎ (뒤 자음 탈락, 축약) - 않+으면[아느면] 않다[안타]

(2) 음운의 동화 : 인접한 두 음운이 서로 닮는 현상에 대한 규칙

① 자음 동화 : 자음과 자음이 만날 때 어느 한쪽이 다른 쪽을 자음을 닮아서 비슷한 소리로 발음되는 현상

㉠ 비음동화 : 앞 음절의 받침의 소리가 'ㄱ, ㄷ, ㅂ'으로 끝나고 다음 초성에 비음 'ㅁ, ㄴ'이 오면, 앞 음절의 받침의 소리도 비음인 [ㅇ, ㄴ, ㅁ]으로 변한다. (입이 아닌 코로 똑같이 공기가 지나가게 하는 현상)

	원음	변동음 (비음)
밥물[밤물], 앞문[암문], 섭리[섬니]	ㅂ, ㅍ	ㅁ
닫는[단는], 겉문[건문], 종로[종노]	ㄷ, ㅌ, ㄹ	ㄴ

국민[궁민], 부억만[부엉만], 깎는[깡는]	ㄱ, ㅋ, ㄲ	ㅇ

㉡ 비음화 : 종로 [종노], 국력 [궁녁]

㉢ 유음화 : 일정한 음운론적 환경에서 'ㄴ' 이 유음 'ㄹ' 의 영향 때문에 유음 'ㄹ' 로 동화되는 현상
(입으로 똑같이 공기가 지나가게 하는 현상)

• 'ㄴ'과 'ㄹ'의 연결 → 'ㄴㄴ'으로 발음 되는 예외 (알아듣기 어려울 경우)
예) 생산량[생산냥], 공권력[공꿘녁], 입원료[이뷘뇨]
• 고유어와 외래어는 한자어와는 달리 역행적 유음화를 거의 보이지 않음
예) 다운로드 [다운노드]

	원음	변동음 (유음)
칼날[칼랄], 설날[설랄], 달님[달림]	ㄴ	ㄹ
신라[실라], 난로[날로], 천리[철리]	ㄴ	ㄹ

② 모음 동화

• 'ㅣ' 모음 역행동화(전설모음화, 움라우트)
예) • 남비 → 냄비, 멋장이 → 멋쟁이, 서울나기 → 서울내기
• 고기 → [괴기], 죽이다 → [쥐기다] : 비표준 발음

③ 모음조화 : 양성 모음(ㅏ, ㅓ)끼리, 음성 모음(ㅓ, ㅜ, ㅡ)끼리 어울리는 현상

• 16세기 중반 이후 '•(아래아)'의 음가가 동요되면서부터 그 규칙성이 상실되기 시작
예) • 막- + 아서 = 막아서, 먹- + 어서 = 먹어서
• 파랗다 - 퍼렇다 (깡충깡충 예외)

④ 구개음화 : 앞 음절 받침 'ㄷ, ㅌ'과 '이'나 반모음[j] 'ㅑ, ㅕ, ㅛ, ㅠ'로 시작되는 형식형태소와 만나면 구개음인
'ㅈ, ㅊ'으로 변하는 현상
• 'ㅈ, ㅊ, ㅉ'과 'ㅣ'의 조음 위치가 비슷해서 동화가 일어남
• 현재는 구개음화 거의 소멸 되고 형태소의 경계에만 남아 있음
• 한 형태소 안에서나 합성어에서는 일어나지 않음
• 실질형태소+형식형태소 : 역행동화 • 굳이 → [구지], 같이 → [가치]
예) 견디다, 버티다, 느티나무, 밭이랑 : 일어나지 않음

	원음	변동음 (구개음화)
해돋이[해도지], 굳이[구지], 같이[가치]	ㄷ, ㅌ, ㄸ (설단음/혀끝소리)	ㅈ, ㅊ, ㅉ (입천장소리)

(3) 음운의 축약

① 자음 축약 (거센소리되기, 격음화, 유기음화)
• 'ㅂ, ㄷ, ㅈ, ㄱ' + 'ㅎ' → [ㅍ, ㅌ, ㅊ, ㅋ]
예) 잡히다 → [자피다], 앉히고 → [안치고]

★ 'ㅎ'으로 끝나는 용언에 일어나는 음운 현상들

• 놓- + -고 [노코] : 'ㄱ, ㄷ, ㅂ, ㅈ'과 만나면 유기음화
• 놓- + -는 [논는] : 'ㄴ'과 만나면 비음화
• 놓- + -소 [노쏘] : 'ㅅ'과 만나면 경음화

• 놓- + -아 [노아] : 모음과 만나면 'ㅎ' 탈락

② 모음 축약

• 활음(단모음의 앞이나 뒤에 자리하여 이중모음을 형성하는 과도음)화

↳ 음절이 하나로 합쳐지면서 단모음이던 것이 활음으로 변하는 현상

예) 피- + -어 [펴], 바꾸- + -어 [바꿔]

용언의 활용형에 나타나는 '져, 쪄, 쳐'는 발음할 때 반모음이 탈락하고 장모음화도 일어나지 않아 [저, 쩌, 처]로 발음함 (<표준 발음법> 제5항 참조)

(4) 음운의 탈락

① 자음군 단순화 : 음절 끝의 겹받침 가운데 하나가 탈락하고 나머지 하나만 발음되는 현상

앞 자음이 탈락하는 경우	ㄺ, ㄻ, ㄿ → [ㄱ, ㅁ, ㅂ] 예) 밝다 → [박따], 젊다 → [점:따], 읊다 → [읍따]
뒤 자음이 탈락하는 경우	ㄳ, ㄵ, ㄼ, ㄽ, ㄾ, ㅄ → [ㄱ, ㄴ, ㄹ, ㅂ] 예) 넋 → [넉], 앉다 → [안따], 얇다 → [얄:따], 곬 → [골], 핥다 → [할따] 값 → [갑]

② 'ㄹ' 탈락

용언 어간의 받침 'ㄹ' 탈락	특정 어미('ㄴ, ㅂ, ㅅ', '-오, -ㄹ' 등)와 결합할 때 예) 울-+ㄴ → 운, 날-+는 → 나는, 팔-+는 → 파는
파생어나 합성어의 'ㄹ' 탈락	'ㄴ, ㄷ, ㅅ, ㅈ' 앞에서 'ㄹ'이 탈락 예) 불+나비 → 부나비, 바늘+질→ 바느질, 달디달다 → 다디달다

③ 'ㅎ' 탈락 : 'ㅎ' 뒤에 모음으로 시작되는 어미가 결합할 때

예) 낳-+은 → [나은], 끓이다 → [끄리다]

④ 모음 탈락

㉠ 'ㅡ' 탈락

예) 쓰-+어 → 써, 따르-+아 → 따라, 우러르-+어 → 우러러

㉡ 동음 탈락

예) 가-+아서 → 가서, 건너-+어서 → 건너서

㉢ 'ㅐ, ㅔ'와 'ㅏ, ㅓ'의 결합에서 뒤의 모음이 탈락하는 것도 인정됨

예) 깨-+어 → [깨어/깨:], 내-+었고 → [내얻꼬/낻:꼬], 베-+어 → [베어/베:]

(5) 된소리되기 현상

• 안울림소리 뒤에 안울림 예사소리가 올 때 뒤의 소리가 된소리로 발음되는 현상

• ㅂ, ㄷ, ㅈ, ㄱ + ㅂ, ㄷ, ㅈ, ㄱ → [ㅃ, ㄸ, ㅉ, ㄲ]

예) 국밥[국빱], 옷고름[옫꼬름]

★ 된소리되기 유형 • 이화(서로 같거나 비슷한 소리의 하나를 다른 소리로 바꾸는 현상) : 강화 ① 음절의 마지막에 [ㄱ, ㄷ, ㅂ] 소리를 가진 음절 뒤에 오는 예사소리는 무조건 된소리로 발음

▶ 국밥 [국빱], 닭장 [닭짱]

② 음절의 마지막이 'ㄴ, ㅁ'의 용언 뒤에 어미가 올 경우

▶ 신고 [신:꼬], 감고[감:꼬], 닮고[담꼬]

③ 한자어 중에 'ㄹ'로 끝나는 소리 뒤에 'ㄱ, ㄷ, ㅅ, ㅈ'이 올 경우

▶ 갈등 [갈뜽], 물가 [물까], 물질 [물찔]

④ '-ㄹ' 어미 뒤에 체언이 올 경우

▶ 펼칠 것 [펼칠 껏], 먹을 밥 [머글 빱]

⑤ 합성어의 앞 음절의 마지막이 비음과 유음이어도 뒤 음절의 첫소리가 된소리가 된다.

▶ 눈-동자 [눈똥자], 문-고리 [문꼬리], 강-줄기 [강쭐기], 길-가 [길까]

▶ 문고리 - 문의 고리 (바닷가 - 바다의 가) / 김밥 - 김으로 만든 밥, 김의 밥 (X)

• 음절말 불파화에 이은 경음화

불파란 허파에서 나온 공기가 입 밖으로 나가기 전에 공기의 흐름을 차단하는 조음 방식이다. 이러한 조음상의 특성으로 인해 뒤에 평음이 오면 높아진 공기의 압력이 평음에 영향을 주어 평음이 경음으로 교체된다. 예를 들면 '입병[입병], 닫다[닫따], 먹고[먹꼬]' 등이 있는데 이들은 음절말 자음을 불파시키는 국어의 조음적인 특성으로 인해 야기되며 순수하게 음운론적인 원인에 의해 일어난다.

• 형태·통사론적으로 조건화된 경음화

경음화에는 용언 어간말 비음 뒤 경음화, 관형사형 어미 '-을' 뒤에서의 경음화, 한자어 /ㄹ/ 뒤 /ㄷ, ㅅ, ㅈ/의 경음화, 합성어에서 사이시옷 첨가에 의한 경음화가 있다. (경음화의 조건 환경에는 '용언 어간말 비음 뒤'라는 형태·통사론적인 정보가 요구된다.)

예) 안다/안고/안지[안따/안꼬/안찌]

(6) 첨가

① 사잇소리 현상

• 명사와 명사가 만나서 합성명사를 이룰 때
• 파생어에는 불가 - 해님
• 뒤의 명사 초성이 '된소리' 또는 '거센소리'일 경우 불가 - 위쪽, 뒤뜰, 아래층
• 한자어와 한자어 사이 불가' - 초점, 대가
• 울림소리 + 안울림 예사소리 → 된소리 예) 등+불 → 등불[등뿔]
+ ㅁ, ㄴ → 'ㄴ' 소리 첨가 예) 코+날 → 콧날[콘날]
+ 'ㅣ'나 반모음[j] → 'ㄴㄴ' 소리 첨가 예) 예사+일 → 예삿일[예:산닐]

② 'ㄴ' 첨가 현상

• 앞말이 자음으로 끝나는 형태소
• 뒷말이 '이, 야, 여, 요, 유'로 시작하는 형태소
• 뒷말이 어휘 형태소

예) 솜이불 [솜니불], 한여름 [한녀름], 막일 [망닐]

③ 반모음 첨가 : 모음으로 끝나는 용언의 어간 뒤에 '-아/어'로 시작하는 어미가 결합할 때 반모음이 생기는 현상

예) 되-+-어 → [되어/되여], 피-+-어 → [피어/피여]

(<표준발음법> 제22항)

(7) 유성음화 : 무성음이 유성음 사이에서 발음되는 현상

- 모음 + 무성음 + 모음
  예) 저고리, 아버지, 자주
- 비음, 유음 + 무성음 + 모음
  예) 얼굴, 감동, 양반, 언제

★ 음소의 분포 제약

① 한국어에서의 단어의 첫머리와 음절의 첫머리에 [ㅇ(ng)]이 나타나지 못함
② [ㄹ]도 단어의 첫머리에 나타나지 못함 (외래어 제외)
③ [ㄴ]의 경우 모음 'ㅣ'와 반모음 'j' 앞에서는 분포하지 못함 (외래어 제외)
④ 음절 초나 음절 말에 하나의 자음만 올 수 있음

★ 음절구조제약 : 일부 음소가 음절의 특정 위치나 어떤 음소에 연이어 나올 수 없는 제약

① 초성 제약

㉠ 초성에는 [ㅇ(ng)] 소리를 허용하지 않음
㉡ 고유어의 경우에 초성에 [ㄹ]을 허용하지 않음
㉢ 초성에는 자음이 하나만 허용됨

② 중성 제약

㉠ 양순음 'ㅂ, ㅃ, ㅍ, ㅁ'과 'ㅡ' 모음의 연결을 허용하지 않음 (외래어 제외)
㉡ 단모음이나 이중모음 중 하나여야 함
㉢ 반모음은 상향 이중모음이 많다. 'ㅢ'를 제외하고 모두 하향 이중모음

③ 종성 제약

㉠ 종성에는 일곱 소리만 올 수 있음
㉡ 앞 음절의 종성의 장애음과 다음 음절 초성의 비음의 연결을 허용하지 않음
㉢ 앞 음절 종성의 비음과 뒤 음절의 초성의 유음의 연결을 허용하지 않음
㉣ 종성에서 받침이 파열되지 않음 (불파음으로 발음됨)
㉤ 평폐쇄음과 'ㅎ'의 연결을 허용하지 않음

★ 두음 법칙 : 일부 소리가 단어의 첫머리에서 발음되는 것을 꺼려 다른 소리로 발음되는 현상

① 'ㅇ[ŋ]'
② 어두 자음군 예) Spring – ㅅㅍ링[스프링]
③ ㄹ
④ ㄴ ('ㅣ' 모음이나 'ㅑ, ㅕ, ㅛ, ㅠ' 앞)

★ 강도

① 자음
- 유기음, 경음 > 평음 > 비음 > 유음
- 폐쇄음, 파찰음 > 마찰음

② 모음 : 저모음 > 중모음 > 고모음 > 반모음

★ 음운의 변동

음소가 환경에 따라 발음이 달라지거나 다른 음소로 바뀌는 현상, 나아가 없어지는 현상 (대부분 보다 편하고 쉽게 발음하기 위해 발생함)

① 대치 : 한 음소가 음절의 끝에서 다른 음소로 바뀌는 현상
- 음절의 끝소리 규칙, 비음화, 유음화, 경음화(첨가로 보는 의견도 있음), 구개음화

② 축약 : 두 음소가 하나의 음소로 줄어드는 현상
- 격음화, 모음 축약

③ 탈락 : 두 음소 중 어느 하나가 없어지는 현상
- 자음군 단순화, 'ㅎ' 탈락, 'ㄹ' 탈락, 'ㅡ' 탈락, 동음 탈락

④ 첨가 : 형태소가 합성될 때 그 사이에 음소가 덧붙는 현상
- 'ㄴ' 첨가, 사잇소리 현상

⑤ 도치 : 음절끼리 순서가 바뀌는 현상

★ 자질

① 개념

- [ㅂ]을 더 작은 요소로 쪼갤 수 있는데 [ㅂ]은 양순음이면서 파열음, 그리고 평음임
- 음성 자질 : 한 음을 이루고 있는 음성적 성질
  예) /ㅍ/과 /ㅂ/
  - /ㅍ/ : 양순음, 폐쇄음, 격음 [p^h]로 표기
  - /ㅂ/ : 양순음, 폐쇄음, 평음 [p]로 표기
  - [+유기성]이 변별자질임
- 변별자질 : 두 음소의 분립에 관여하는 음성자질

② 기능

㉠ 분류의 기능 : 분절음을 자음, 모음, 공명음, 폐쇄음, 비음 등 여러 가지 부류로 나눔
㉡ 변별의 기능 : 음소와 음소가 대립을 하는 것은 각 음소가 가진 자질이 다르기 때문에 두 음을 구분하는 기준이 됨

음운 현상		음운 현상의 종류			
필수적 현상	환경만 갖추면 필수적으로 일어나는 현상	대치	동화	자음 동화	비음화, 유음화
				모음 동화	전설모음화, 모음조화
				자음·모음 동화	구개음화, 유성음화
			이화	강화 - 경음화	
수의적 현상	환경을 갖추어도 일어나지 않기도 하는 현상	축약	자음 축약	격음화(유기음화)	
			모음 축약	활음화	
음운론적 현상	음운과 음운의 연쇄로 설명 가능한 현상	탈락	자음 탈락	'ㄹ' 탈락	
			모음 탈락	'ㅡ' 탈락	
형태론적 현상	형태론적 정보에 따라 현상의 적용이 달라지는 현상	첨가	자음 첨가	'ㄴ' 첨가	
			모음 첨가	'으' 첨가, 활음 첨가	

3장 한국어 문법론

< 형태론 >

★ 접사

- 접사들이 어근에 미치는 영향에 따라 굴절접사와 파생접사로 구분함
- 굴절접사는 일반적으로 수, 격, 시제, 성 등을 나타내는 형태소로서 그 종류는 제한되어 있지만, 많은 어간(stem)들과 비교적 자유롭게 결합됨
- 굴절접사는 일반적으로 이것이 붙는 어간의 원래의 품사를 변경시키지 않는 것이 특징임
- 파생접사는 굴절접사와는 달리 이것이 붙은 어간(stem)의 품사를 변화시키는 것이 보통이나, 항상 품사가 변하는 것은 아님
- 접두사는 파생접사이지만 품사에는 아무런 영향을 미치지 않음
- 일반적으로 파생접사는 조어 과정에서 매우 중요한 역할을 함
- 파생접사는 굴절접사와는 달리 대부분의 경우에 결합할 수 있는 어간선택에 많은 제약을 받음

1. 형태소와 단어

(1) 형태소 : 의미의 최소 단위 (최소의 유의적 단위) - 문법단위 가운데 가장 작은 단위

① 자립성 유무
㉠ 자립형태소 : 체언, 수식언, 감탄사
㉡ 의존형태소 : 조사, 용언의 어간과 어미, 접사

② 실질적 의미 유무
㉠ 실질형태소 : 자립형태소, 용언의 어간
㉡ 형식형태소 : 조사, 용언의 어미, 접사

나는 빵을 먹는다.							
	나	는	빵	을	먹	는	다
자립	O		O				
의존		O		O	O	O	O
실질	O		O		O		
형식		O		O		O	O

자립성 여부	자립형태소	체언, 수식언, 감탄사
	의존형태소	조사, 용언의 어간, 어미, 접사
의미의 실질성 여부	실질형태소	자립형태소 + 용언의 어간
	형식형태소	의존형태소 - 용언의 어간

(2) 이형태

- 하나의 형태소가 주위 환경에 따라 다른 형태를 가지는 것
- 기본형 : 대표 이형태
  예) 이/가, 로/으로, 시/으시, 았/었 등

① 음운론적 이형태 : 음운 환경에 따라 다른 형태를 가지는 경우

예) 이/가, 을/를, -아요/어요, -았/었-
② 형태론적 이형태 : 음운 환경으로 이형태를 설명할 수 없는 경우
예) 하였<았>다, 가거<가>라/오너<나>라
③ 어휘론적(의미론적) 이형태
예) 에(무정명사와 결합)/에게(유정명사와 결합)

★ 변이

예) 흙 : • 흙이[흘기], 흙으로[흘그로] --- [흙]
• 흙도[흑또], 흙보다[흑뽀다] --- [흑]
• 흙만[흥만], 흙먼지[흥먼지] --- [흥]

(3) 단어 : 최소 자립 단위, 분리 불가능성

- 자립할 수 있는 말 : 자립형태소, 용언의 어간+어미
- 자립형태소에 붙어 쉽게 분리할 수 있는 말 : 조사
- 단어의 개수 = 어절의 수(띄어쓰기) + 조사의 수
- 사전에 실리는 기본 단위

2. 품사

	형태	기능 (문장 성분)	의미
단어	불변어	체언	명사, 대명사, 수사
		수식언	관형사, 부사
		독립언	감탄사
		관계언	조사
	가변어 (활용어)	용언	동사, 형용사
			서술격 조사 '이다'

(1) 체언 : 문장의 주체, 어형 고정, 조사 결합, 관형어 수식을 받음

① 명사 : 사람이나 사물의 이름을 표현

㉠ 특징
- 불변어
- 조사와 결합하여 문장에서 여러 가지 문장 성분이 됨
- 관형사의 수식을 받음 (대명사와 수사는 관형사의 수식을 받지 못함)

㉡ 종류

분류 기준	종류	예
의미 사용 범위	고유 명사 / 보통명사	철수 / 빵
자립 여부	자립 명사 / 의존명사	나 / 것
구체성 여부	구체 명사 / 추상 명사	책상 / 꿈
감정 표현 능력	유정 명사 / 무정명사	영희 / 책상

㉢ 의존 명사 : 의미가 형식적이어서 관형어의 도움을 받는 명사

• 단위성 의존 명사 : 앞에 있는 명사의 수량을 단위로 표시, 수관형사 뒤에 쓰임
  예) 분, 마리, 그루, 원, 켤레, 상자

의존 명사 : 관형사의 수식을 받음, 띄어쓰기 적용 / 조사 : 체언 뒤에 위치, 띄어쓰기 비적용

예) 아는 대로 - 의존 명사 / 너는 너대로 - 조사
먹을 만큼 - 의존명사 / 너만큼 - 조사

★ 의존 명사 종류

• 보편성 의존 명사 (두루 쓰임) : 분, 이, 것, 데, 바
• 주어성 의존 명사 (주어로만 쓰임) : 지, 수, 리, 나위
• 서술성 의존 명사 ('이다'와 함께 서술어로만 쓰임) : 따름, 뿐, 터
• 부사성 의존 명사 (부사어로만 쓰임) : 대로, 양, 듯, 채, 척, 만큼, 등, 뻔, 만
• 단위성 의존 명사 (선행 명사의 수량 단위를 나타냄) : 원, 명, 마리

★ 단위 명사

• 신, 양말, 버선 1켤레 → 2개가 모여 갖추는 덩어리
• 옷, 버선 1벌 → 2개가 모여 갖추는 덩어리
• 배추 / 고등어 / 조기 1손 → 2통, 2마리
• 옷, 접시, 버선 1죽 → 10벌 or 10개
• 1고리 → 소주 10사발
• 1꾸러미 → 달걀 10개
• 1뭇 → 미역 10장, 생선 10마리
• 1동 → 먹 10장이나 붓 10자루
• 1갓 → 굴비나 비웃 따위의 10마리를 한 줄로 엮은 것
• 다스 → 물건 12개
• 1쾌 → 북어 20마리, 엽전 10냥
• 1가리 → 곡식이나 장작 따위의 20단
• 오징어 1축 → 20마리
• 조기 1두름 → 20마리
  (두름 : 고사리 따위의 산나물을 10모숨쯤씩 엮은 것)
• 낙지 1코 → 20마리
• 명태 1태 → 20마리
• 한약 1제 → 20첩(봉지)
• 바늘 1쌈 → 24개
• 달걀 1판 → 30개
• 길이 1자 → 30.3cm
• 오이, 가지 1거리 → 50개
• 가마 : 갈모, 쌈지 따위의 100개
• 강다리 : 쪼갠 장작 100개비
• 쌈 : 금 100냥쭝
• 접 : 과일이나 마늘 100개
• 톳 : 김 따위의 100장 묶음
• 인삼 1채 → 100개
• 밭 1마지기 → 100평
• 종이 1연 → 500장
• 기와 1우리 → 2000장

② 대명사 : 명사가 놓일 자리에서 대신 쓰이는 단어

㉠ 특징
- 명사와 달리 관형사에 의해서 수식되지 않고 용언의 관형사형에 의해 수식됨
- 대명사에 조사가 붙을 때 형태가 바뀌는 경우가 있음
  예) 나는 : 내가, 저는 : 제가
- 부정칭 대명사와 미지칭 대명사가 형태적으로 동일한 경우가 있음
  예) 누구, 어디, 무엇
- 재귀 대명사는 높임의 등급이 다른, 상이한 형태가 존재함
  예) 당신(높임말), 자기(예사말), 저(낮춤말)

㉡ 종류
- 인칭대명사 : 사람을 대신 나타내는 말
  예) 1인칭(화자), 2인칭(청자), 3인칭(제3의 인물), 미지칭, 부정칭

★ 미지칭과 부정칭

- ㉠모르는 사물이나 사람을 가리키는 미지칭 대명사와 ㉡정해지지 아니한 사람, 물건, 방향, 장소 따위를 가리키는 부정칭 대명사가 있음
- '네가 방금 가져간 것이 무엇이냐?'의 '무엇'은 물음의 대상이 되는 사물을 모르기 때문에 그것을 알기 위한 미지칭 대명사이고, '배가 고프니 무엇을 좀 먹어야겠다.'의 '무엇'은 정해지지 않은 대상을 두루 가리키는 부정칭 대명사임

① ㉠ 아무도 나를 기다리지 않았다.
㉡ 아무에게나 네 속마음을 털어놓지 마.

② ㉠ 과제물을 언제까지 제출해야 합니까?
㉡ 물건은 언제든 찾아가실 수 있습니다.

③ ㉠ 네가 원한다면 나는 어디든 가도 좋아.
㉡ 어제 내가 지갑을 어디에 두었더라?

④ ㉠ 그것은 누구나 한 번은 겪는 일입니다.
㉡ 밖에서 어슬렁대는 사람은 누구입니까?

⑤ ㉠ 무엇에 쫓길 때처럼 다리가 움직이지 않았다.
㉡ 그가 무엇 때문에 그렇게 고민하는지 궁금하다.

- 지시대명사 : 사물이나 처소를 나타내는 말

분류	근칭	중칭	원칭	미지칭
사물 대명사	이것	그것	저것	무엇
처소 대명사	여기	거기	저기	어디

★ 대명사 '우리'와 '당신'

(1) 우리

① 말하는 사람이 자기와 듣는 사람 또는 이를 포함한 여러 사람들을 가리키는 말
예) 얘들아, 올여름에는 우리 다 함께 여행 가자.
② 말하는 사람이 자기보다 높지 않은 사람에게 자기를 포함한 여러 사람들을 가리키는 말
(청자를 제외한 1·3인칭만 포함)
예) 이 문제는 우리만의 문제니까 너희들은 빠져 있어.
③ 말하는 사람이 자기보다 높지 않은 사람에게 자기와 관련된 것을 친근하게 나타낼 때 쓰는 말
(화자만 지칭)
예) 우리 엄마만큼 나를 이해해 주는 사람은 세상에 없다.

(2) 당신

① 조금 높여서 듣는 사람을 가리키는 말 (2인칭 대명사)
예) 우리 중에서 당신이 제일 잘 아는 것 같아요.
② 부부 사이에서 상대편을 높여 가리키는 말 (2인칭 대명사)
예) 당신과 결혼해서 같이 산 지 벌써 이십 년이 넘었네요.
③ 듣는 사람을 낮잡아 가리키는 말 (2인칭 대명사)
예) 당신 몇 살인데 계속 나한테 반말이야?
④ 앞에서 이미 말한 사람을 아주 높여서 도로 가리키는 말
예) 선생님은 당신의 뜻을 이해하는 것은 나뿐이라고 하셨다.

③ 수사 : 수량이나 순서를 나타내는 말

㉠ 특징
• 관형사, 형용사 수식을 받을 수 없으며, 복수 표시 불가능
• 날짜와 시간을 나타내는 말은 명사임
예) 하루가 지났다. / 비는 사흘 동안 계속되었다.
• 수사와 관형사의 구별 : 조사가 결합되어 있거나 결합될 수 있으면 수사임

㉡ 종류

종류	특징	구분	계통	예시
양수사	수량	정수(定數)	고유어계	하나, 둘, 셋………
			한자어계	일, 이, 삼……..
		부정수(不定數)	고유어계	한둘, 서넛, 예닐곱……..
			한자어계	일이, 이삼, 삼사………
서수사	순서	정수	고유어계	첫째, 둘째, 셋째………
			한자어계	제일, 제이, 제삼……….
		부정수	고유어계	한두째, 서너째, 너덧째……..
			한자어계	없음

★ 명사와 수사의 띄어쓰기

• 단위를 나타내는 명사(의존명사)는 띄어 씀 예) 한 개, 백 원
• 순서를 나타내는 경우나 숫자에 어울리어 쓸 때는 붙여 쓸 수 있음
예) 두시 삼십분, 삼학년, 육층, 10개
• 수를 나타내는 단어는 만(萬) 단위로 띄어 씀
예) 12,345 → 일만 이천삼백사십오
• 수관형사 : 바로 뒤에 명사가 오는 경우, 고유어는 띄어 쓰지만 한자어는 붙여 씀

예) 다섯 사람, 오인(5인)

▶ 나는 새 책을 샀다. (O) / 나는 새 그것을 샀다. (X) / 나는 새 하나를 샀다. (X)
- 대명사와, 수사는 관형사의 수식을 받을 수 없음

▶ 의존명사
- 꾸미는 말이 있어야만 문장에 나타날 수 있음 (명사와 다른 점)
  예) 사람이 집에 간다. (O) / 분이 집에 간다. (X)
- 조사가 붙음 (명사와 같은 점)

▶ 띄어쓰기
- 체언(의존명사) + 조사
- 용언 어간 + 관형형 어미(은/는/을) <띄어쓰기> 의존명사
  예) 나만큼 문법을 좋아하는 사람은 없다. / 문법 공부는 할 만큼 했다.
  나는 나대로 문법 공부 방식을 찾고 있다. / 나는 틈나는 대로 문법 공부를 한다.
- 오늘은 가능한 빨리 집에 오세요. ??? → 오늘은 가능한 한 빨리 집에 오세요.
  관형사(어) <띄어쓰기> 부사 (X) 관형사(어) <띄어쓰기> 명사(의존명사) (O)

(2) 수식언 : 체언이나 용언 앞에서 뜻을 꾸미거나 한정하는 말

① 관형사

㉠ 특징
- 불변어
- 체언 수식
- 조사와 결합하지 않음

㉡ 종류

관형사	기능	예시
성상 관형사	체언의 성질과 상태를 꾸며 줌	새, 헌, 옛, 첫, 한, 온갖
지시 관형사	어떤 대상을 가리킴	이, 그, 저, 이런, 무슨, 어느, 아무
수 관형사	수량과 순서를 표시	한, 두, 세, 네, 다섯, 여러, 모든, 몇

★ 접미사 '-적(的)'

- 조사가 결합되어 있지 않으면 관형사 예) 적극적 사고
- 조사가 결합되어 있으면 명사 예) 적극적인 사고
- 부사어로 쓰인 것은 부사 예) 비교적 느리다. / 가급적 참자.

② 부사

㉠ 특징
- 용언, 부사, 관형사, 명사, 대명사, 문장 등을 수식
- 보조사와는 결합하지만 격조사와는 결합 불가
- 접속하는 말은 접속 부사에 속함

㉡ 종류

<table>
<tr><th colspan="2">종류</th><th>기능</th><th>예시</th></tr>
<tr><td rowspan="5">성분
부사</td><td>성상 부사</td><td>문장의 한 성분을 수식하며, '어떻게'의 의미를 지님</td><td>• 매우, 잘, 자주
• 문법은 참 쉽다.
• 문법을 매우 빨리 배울 수 있다. (부사 수식)
• 이것은 아주 새 문법이다. (관형사 수식)
• 내가 배우고 싶은 것이 바로 문법이다. (명사 수식)
• 문법은 그렇게 빨리는 배울 수 없다. (보조가 결합 가능)</td></tr>
<tr><td>지시 부사</td><td>앞에 나온 말을 지시</td><td>이리, 그리</td></tr>
<tr><td>부정 부사</td><td>용언의 의미를 부정</td><td>• 안, 못
• 문법은 안 쉽다.</td></tr>
<tr><td>의성 부사</td><td>사람이나 사물의 소리를 흉내 냄</td><td>철썩철썩, 콸콸</td></tr>
<tr><td>의태 부사</td><td>사람이나 사물의 모양이나 움직임을 흉내 냄</td><td>뒤뚱뒤뚱, 콸콸</td></tr>
<tr><td rowspan="2">문장
부사</td><td>양태 부사</td><td>화자의 다양한 심리적 태도를 나타냄</td><td>• 과연, 설마, 제발
• 과연 문법은 쉽다.</td></tr>
<tr><td>접속 부사</td><td>단어와 단어, 문장과 문장을 이어 줌</td><td>• 그리고, 그러나, 및
• 그러니까 문법은 쉽다.</td></tr>
</table>

(3) 관계언

① 특징

- 자립성은 없지만 분리성이 강해 단어에 속함
- 주로 체언에 붙어 쓰이는 의존형태소
- 보조사는 부사나 용언과 어말 어미와 결합 가능
- 생략 가능하며 조사끼리 결합할 수 있음
- 서술격 조사 '이다'는 활용 가능

② 종류

㉠ 격조사 : 선행 체언에 문법적 자격(문장 성분)을 부여하는 조사

- 주격조사 : 이/가, 께서, 에서
- 목적격조사 : 을/를
- 보격조사 : 이/가 + 되다, 아니다
- 관형격조사 : 의
- 부사격조사 : 에, 에서, 으로, 에게, 와/과, 로(로서, 로써), 보다, 만큼, 처럼, 고, 라고
- 서술격조사 : 이다
- 호격조사 : 아/야, (이)시여

★ '-이에요/예요/에요'

- 받침 명사 뒤 : -이에요　　예) 집이에요
- 받침 없는 명사 뒤 : -예요　　예) 나무예요

• 명사가 아닌 용언의 어간 뒤 : -에요　　예) 아니에요

㉡ 보조사

• 선행하는 체언, 부사, 활용 어미에 특별한 뜻(일정한 의미)를 더함
• 격조사 자리에 쓰여 특정한 의미를 더함
예) 영희가 사과는 좋아한다. - 보조사가 목적어 자리에 쓰임
• 보조사 앞, 뒤에 격조사를 쓰기도 함
예) 나만의 방, 교실에서는 조용히 하세요.

의미	보조사	예시
대조	은/는	형은 키가 크고 동생은 작다.
역시	도	친구도 한국에 간다.
단독, 유일	만, 뿐	철수만 사과를 먹는다.
극한, 한계, 첨가	까지, 마저, 조차	너마저 나를 떠났다.
시작, 출발	부터	이거부터 해야 한다.
균일, 보편	마다	국가마다 정책이 다르다.
강조	(이)야	설마 그럴 리야 있겠니?
최후 선택	(이)나	커피나 주세요.
불만	(이)나마	초라한 밥이나마 먹었다.
수의적 선택	든지	배든지 사과든지 먹어라.
한정	야말로	너야말로 먼저 가야 하지 않니?
청자 존대	요	눈이 많이 내리네요.

㉢ 접속조사 : 단어나 구 따위를 같은 자격으로 이어줌
• -와/과, -(이)랑, -(이)며, -이든지, 하고, -에다(가)
예) • 국어 문법은 영어 문법**과** 비슷한 점이 있다. (부사격 조사 - 생략 불가능)
• 나는 국어 문법**과** 영어 문법을 잘 안다. (접속 조사 - 생략 가능)

★ 조사 '와/과'

• 문장접속조사　예) 철수와 영희는 우등생이다. → 철수는 우등생이다. + 영희는 우등생이다.
• 단어접속조사　예) 순희와 영희는 자매다. → 순희는 자매다. + 영희는 자매다 (X)
• 공동부사격조사　예) 순희는 영희와 여행을 떠났다.
• 비교부사격조사　예) 순희는 영희와 다르다.

★ 형태가 비슷한 조사의 구별

① • 에게 : 유정 명사 다음에 씀
예) 일본 총리**에게** 항의했다.
• 에 : 무정 명사 다음에 씀
예) 한국 정부는 일본**에** 항의했다.

② • (으)로서 : 지위나 신분 또는 자격, 동작이 일어나는 곳
예) 그것은 교사로서 할 일이 아니다. / 이 문제는 너로서 시작되었다.
• (으)로써 : 재료, 수단, 도구, 시간을 셈할 때
예) 말로써 천 냥 빚을 갚는다. / 고향을 떠난 지 올해로써 20년이 된다.

(4) 용언 : 문장의 주체를 서술하는 기능을 지닌 말

★ 어간과 어미, 어근과 접사

• 어간 : 용언이 활용할 때 변하지 않고 고정되는 부분, 단어의 근간
• 어미 : 용언이 활용할 때 변하는 부분, 어간의 뒤, 단어의 꼬리
• 어근 : 한 낱말에서 실질적인 의미를 나타내는 부분 (단어의 중심 의미를 나타내는 부분)
• 접사 : 어근에 붙어서 뜻을 더하거나, 품사를 바꾸는 기능을 하는 형태소
• 활용 : 어간 + 어미
• 단어 형성(조어) : 어근 + 접사

예) 먹 다 / 먹 이 다
어간 어미 / 어근 사동접사 어미
(어근 + 사동접사 = 어간)

① 개념

㉠ 동사 : 문장의 주체가 되는 사람의 동작이나 자연의 작용을 표시
• 자동사 : 주어만 필요한 동사
• 타동사 : 주어와 목적어가 필요한 동사
• 불완전 동사 : 활용상의 제약을 받아 몇 개의 국한된 활용형만 가지고 있는 비생산적인 동사
예) 서슴다, 데리다, 가로다, 대하다, 비롯하다, 의하다, 위하다, 말미암다, 즈음하다, 더불다, 다그다(접근하다)

㉡ 형용사 : 주체의 속성(성질)이나 상태 표시
• 속성이나 성질 표시 : 성상형용사 예) 예쁘다, 푸르다
• 지시성 표시 : 지시형용사 예) 그러하다, 이러하다, 어떠하다, 저렇다

② 동사와 형용사의 구별

㉠ 현재 관형사형 어미
예) • 동사 : -는 예) 지금 먹**는** 음식의 이름이 무엇인가요?
• 형용사 : -ㄴ/은 예) 우리 집은 작**은** 방이 두 개 있어요.
• 알맞은(O)/알맞는(X) 답을 고르세요. 걸맞은(O)/걸맞는(X) 일을 하세요.
㉡ 현재 시제 선어말어미
예) • 동사 : -ㄴ/는- 예) 친구가 밥을 먹**는**다.
• 형용사 : 없음 예) 꽃이 예쁘다. 예쁜다 (X)
㉢ 명령형, 청유형 어미
예) • 동사 예) 먹어라 / 먹자
• 형용사 예) 예뻐라 / 예쁘자 (X)
㉣ 동작상(動作相) '-고 있다'
예) • 동사 예) 먹고 있다
• 형용사 예) 예쁘고 있다 (X)
㉤ 목적의 어미 '-(으)러'나 의도의 어미 '-(으)려'

예) • 동사 예) 먹으러 가요.
• 형용사 예) 예쁘러 가요. (X)

ⓑ '없다, 계시다, 아니다'는 형용사

★ 동사와 형용사로 모두 쓰이는 단어

① 크다
- 동사 예) 날씨가 건조하면 나무가 크지 못한다.
- 형용사 예) 키가 큰 사람이 제 형입니다.

② 밝다
- 동사 예) 이제 곧 날이 밝는다.
- 형용사 예) 오늘은 날이 맑아서 별빛도 밝다.

③ 있다
- 동사 예) 나는 계속 집에만 있는다고 했다
- 형용사 예) 그는 신이 있다고 믿는다. / 오늘은 왠지 좋은 일이 있을 것 같다. / 그 정도 돈은 나한테도 있어.

④ 늦다
- 동사 예) 철수는 약속 시간에 항상 늦는다.
- 형용사 예) 철수는 약속 시간보다 한 시간이나 늦게 왔다. / 지수는 걸음이 늦어서 같이 걷기가 힘들다.

⑤ 길다
- 동사 예) 머리가 빨리 기는 편이라 자주 다듬어 줘야 한다.
- 형용사 예) 그 여자는 긴 치마를 입고 있다.

★ 한국어의 형용사와 영어의 형용사

- 예쁜 소녀가 간다. : 용언이 2개임
  ↳ 소녀가 예쁘다. / 소녀가 간다. ⇨ 예쁜 : 예쁘- + ㄴ(관형사형 어미)

★ 존재사

	있다	없다
평서형 종결	책상 위에 책이 있다.	책상 위에 책이 없다.
관형사형	책상 위에 있는 책을 보고 싶다	책상 위에 없는 책이 무엇이냐?
의문형	어디에 있느냐?	거기에 없느냐?
감탄형	여기에 있구나.	거기에 없구나.
명령형	여기에 있어라.	*여기에 없어라.
청유형	같이 있자.	*같이 없자.

- 평서형에서는 형용사와 활용방식이 같고, 관형사형에서는 활용방식이 동사와 같음
- 의문형에서는 동사와 같고, 감탄형에서는 형용사와 같은 활용형을 보임
- '있다'는 명령형과 청유형을 취할 수 있으며, '없다'는 그렇지 못함을 알 수 있음
- 현재 표준국어대사전에는 '없다'는 형용사로, '있다'의 경우 '머물다. 상태를 유지하다'의 뜻일 때는 동사로, '존재하다'의 의미일 때는 형용사로 구분하고 있음

③ 본용언과 보조용언

용언의 어간 + 보조적 연결 어미 (아/어, 게, 지, 고) + 보조 동사/보조 형용사

예)	먹	+	어	+	보다
	맑	+	지	+	않다

㉠ 본용언 : 실질적인 뜻이 담겨 있으며 자립 가능
㉡ 보조 용언 : 다른 용언의 뒤에 붙어 의미를 더하여 주는 용언으로서 자립성은 없음
㉢ 보조 용언 종류

구분	의미	형태	예시
보조 동사	당위	(-아야/어야) 하다	• 사람은 그저 건강해야 한다.
	시행	(-어/아) 보다	• 말을 들어 보다.
	강세 반복	(-어/아) 대다, 쌓다	• 아이들이 깔깔 웃어 댄다. • 아이가 울어 쌓는다.
	보유 결과 유지	(-어/아) 두다, 놓다, 가지다	• 가방을 책상 위에 올려 두었다. • 더우니 문을 열어 놓아라. • 좋은 내용을 알아 가지고 왔다.
	행위	(-어/아) 주다, 드리다	• 친구의 자동차를 수리해 주다.
	피동	(-어/아)지다	• 새로운 말이 만들어지다.
	사동	(-게) 하다	• 숙제를 하게 하다.
	진행	• (-어/아) 가다, 오다 • (-고) 있다	• 책을 다 읽어 간다. • 그는 지금까지 아픔을 잘 견뎌 왔다. • 넥타이를 매고 있다.
	종결	(-어/아) 내다, 버리다	• 추위를 이겨 내다. • 동생이 과자를 다 먹어 버렸다.
	상태	(-어/아) 있다, 계시다	• 꽃이 피어 있다. • 할머니는 새벽 4시부터 깨어 계신다.
	부정	동사 + (-지) 말다, (-지) 아니하다, (-지) 못하다	• 이곳에서 수영하지 마시오. • 밥을 먹지 아니하다. • 배가 아파 밥을 먹지 못했다.
	시인	동사 + (-기는/기도/기나) 하다	• 먹기는 하는데 조금밖에 먹지 않는다.
보조 형용사	희망	(-고) 싶다	• 어릴 적에는 선생님이 되고 싶었다.
	추측	• [-는가/ㄴ가/(으)ㄹ까] 싶다, 보다 • 용언, 서술격 조사 '이다'의 관형사형 + 듯하다	• 비가 오는가 싶어 빨래를 걷었다. • 야단맞을까 봐 얘기도 못 꺼냈어. • 비가 온 듯하다.
	부정	형용사 + (-지) 아니하다, 못하다	• 얼굴이 곱지 아니하다. • 편안하지 못하다.
	시인	형용사 + (-기는/기도/기나) 하다	• 옷이 좋기는 한데 가격이 비싸다.

④ 용언의 불규칙 활용과 탈락

활용형	형태소 분석	불규칙한 부분	불규칙 이름	불규칙 용언	대범주
물어	묻- + -어	묻- → 물-	'ㄷ' 불규칙	싣다, 붇다, 긷다, 일컫다	어간 불규칙
지어	짓- + -어	짓- → 지-	'ㅅ' 불규칙	젓다, 붓다, 잇다	

누워	눕- + -어	눕- → 누우	'ㅂ' 불규칙	줍다, 굽다, 깁다	
흘러	흐르- + -어	흐르- → 흘ㄹ	'르' 불규칙	부르다, 타오르다, 가르다, 누르다	
퍼	푸- + -어	푸- → ㅍ	'우' 불규칙	푸다	
이르러	이르- + -어	-어 → -러	'러' 불규칙	푸르다, 누르다, 노르다	어미 불규칙
하여	하- + -어	-어 → -여	'여' 불규칙	'-하다'로 끝나는 동사와 형용사	
다오	달- + 아	-아 → -오	'오' 불규칙	달다	
하얘	하얗- + -어	-얗어- → 얘	'ㅎ' 불규칙	누렇다, 빨갛다, 까맣다, 보얗다	어간·어미 불규칙

④ 어미

㉠ 어말 어미
- 단어나 어절의 끝에 붙는 어미
- 어간이나 선어말어미 뒤 위치 (문장의 성격 결정)

㉡ 선어말 어미
- 어말 어미의 앞에 오는 어미
- 어간과 어말어미 사이에 위치

예) • 김남미는 공부했다 ('-ㅆ-' - 과거 시제 선어말 어미)
• 김남미는 공부하겠다. ('-겠-' - 미래 시제 선어말 어미)
• 김남미는 공부했겠다. ('-겠-' - 추측 선어말 어미)
• 김남미는 공부하더라. ('-더-' - 회상 선어말 어미)
• 김남미 선생님은 문법을 공부하신다. ('-시-' - 주체 높임 선어말 어미)

- 선어말 어미의 배열 순서

예문) 그 선생님이 가시었겠더라. (① 높임 ② 시제 ③ 추측 ④ 회상)

㉢ 전성 어미
- 단어의 기능을 달라지게 하는 어미
- 접사는 단어 자체를 바꾸는 것이고 전성 어미는 기능만 달라지게 함

★ 명사형과 파생 명사의 구별

① 명사형
- 어간에 전성 어미가 붙어 형성
- 서술어의 성격을 유지
- 문장 성분의 자리에서 명사처럼 형태가 바뀜
- 품사는 용언임
- 부사어의 수식을 받음

② 파생 명사
- 어간에 접사가 붙어 형성
- 품사가 명사로 바뀐 경우
- 서술성이 없음
- 관형어의 수식을 받음

③ 예시
- 그리고 싶은 **그림**을 마음대로 **그리기**란 어렵다.

파생 명사 / 명사형(품사는 동사임)

관형어의 수식을 받음	서술성이 있으며 부사어의 수식을 받음

어미				형태
어말어미	종결어미		평서형	-다, -네, -ㅂ/습니다
			의문형	-는가, -니, ㄹ까
			감탄형	-는구나, -네, -로구나
			명령형	-(으)세요, -어라/아라
			청유형	-자, -(으)ㅂ시다, -세
	비종결 어미	연결어미	대등적	-고, -(으)며, -지만, -거나
			종속적	-어서, -(으)려고, -(으)면
			보조적	-아/어, -게, -지, -고
		전성어미	명사형	-(으)ㅁ, -기
			관형사형	-(으)ㄴ, -는, -(으)ㄹ, -던
			부사형	-게
선어말어미	분리적 어미		주체높임	-(으)시-
			시제	-는-(현재), -었/았-(과거), -더-(회상), -겠-(미래)
			공송	-옵-
• 양태 : 사건 자체에 대한 화자의 태도 (추측, 의지, 가능 등) • 서법 : 청자와 관련된 화자의 태도 (명령, 의문, 청유, 허락, 약속)				

★ '-(으)ㅁ'과 '-기' : 기정과 미정

• '드러나다, 발견하다' 등과 같이 이미 이루어지거나 결정된 일과 관련된 서술어가 쓰인 구문의 경우에는 '-(으)ㅁ'이, 반면에 '두렵다, 기원하다'와 같이 계획되거나 미정(未定)된 일의 서술어가 쓰인 구문에는 '-기'가 쓰임

★ 어미의 다양한 사용 예시

• 너는 문법 공부하**기**가 좋냐? ('기' : 명사형 전성 어미)
• 네가 공부하**는** 문법은 뭐니? ('는' : 현재 시제 관형사형 전성 어미)
• 네가 공부**한** 문법은 뭐니? (과거 시제 관형사형 전성어미)
• 네가 공부**할** 문법은 뭐니? (미래 시제 관형사형 전성 어미)
• 공부하면 간단**한** / 간단할 (X) / 간단하는 (X) 문법이다. (형용사 어간 + 'ㄴ/은'<관형사형 전성 어미>)
• 공부하면 간단했**던** 문법이다. (과거 회상 관형사형 어미)
• 문법을 치밀하**게** 공부한다. (부사형 전성 어미)
• '-게' : 보조용언 '하다, 되다'와 사용 될 때는 보조적 연결어미, 형용사와 사용될 때는 부사형 전성어미로 봄

★ -았/었-

• 철수는 아까 밥을 먹**었**다. → 과거 시제
• 철수는 지금 청바지를 입**었**다. → 완료 또는 지속의 의미상 현재
• 철수는 이제 망**했**다. → 앞날을 인식하는 의미상 미래

★ **'-겠-'**

• 내일은 비가 오**겠**다. → 미래 추측
• 지금은 학원에서 열심히 공부하**겠**지. → 현재 추측
• 어제는 굉장히 신이 났**겠**네. → 과거 추측
• 내가 학교로 가**겠**다. → 미래 의지
• 그런 건 삼척동자도 알**겠**다. / 이걸 어떻게 혼자 다 하**겠**니? → 가능성이나 능력
• 네가 와 주면 고맙**겠**구나. → 완곡하게 말하는 태도

(5) 독립언

① 감탄사

㉠ 특징
• 놀람이나 느낌, 부르거나 대답하는 말
• 문장 내에서 위치가 자유로움
• 활용하지 않고 조사도 결합하지 않음
• 감탄사 하나로 하나의 문장을 이룸
예) 조용히!, 어서!, 싫어! → 일어문(一語文)
• 감탄사는 모두 독립어가 되나, 독립어가 모두 감탄사는 아님
예) • 체언(유정명사) + 호격조사 예) **영희야**, 집에 가자.
• 제시어(표제어) 예) **어머니**, 지금 어디 계세요?

★ **품사 통용** : 단어가 둘 이상의 품사로 쓰이는 것

① 의존 명사와 조사
예) • 아는 **만큼** 말해라. - 의존 명사
• 나**만큼** 해 봐. - 조사

② 의존 명사와 접사
예) • 시장에는 사과, 배, 감 **들**이 많이 있다. - 의존 명사
• 과일**들**이 많다. - 복수 접미사

③ 수사와 명사
예) • **첫째**, 부모님의 말을 잘 들어라. - 수사
• **첫째**는 선생이고 **둘째**는 공무원이다. - 명사

④ 수사와 관형사
예) • 사과 **하나**를 먹어라. - 수사
• 여기에 **다섯** 사람이 모였다. - 관형사

⑤ 관형사와 대명사
예) • **이** 책이 내가 좋아하는 것이다. - 관형사

- **이**는 우리가 본받아야 할 점이다. - 대명사
- **아무** 사람이나 만나서는 안 된다. - 관형사
- 아직 **아무**도 안 왔다. - 대명사

⑥ 관형사와 형용사
예) • **다른** 사람은 오지 않았다. - 관형사
• 모양이 **다른** 신발이다. - 형용사

⑦ 부사와 명사·대명사
예) • 설악산은 **언제** 보아도 아름답다. - 부사
• 보고서를 **언제**까지 제출해야 하나요? - 대명사
• **오늘** 해야 할 일을 미루어서는 안 된다. - 부사
• **오늘**부터 열심히 공부할 것이다. - 명사

⑧ 부사와 감탄사
예) • **아니** 먹다. - 부사
• **아니**, 안 가. - 감탄사

⑨ 어미와 조사
예) • 배**든지** 사과**든지** 마음껏 골라라 - 조사
• 집에 가**든지** 여기 남**든지** 선택해라. - 어미

3. 단어 형성법 (조어법)

단일어	하나의 어근(실질형태소)으로 이루어진 단어	
복합어	파생어	접두사 + 어근(실질형태소)
		어근(실질형태소) + 접미사
	합성어	어근(실질형태소) + 어근(실질형태소)

(1) 단어의 종류

① 단일어
- 물, 달, 별, 나무, 구름, 산, 강, 시나브로 → 단일어 (단일 형태소)
- 먹다, 부르니까, 먹고, 살자, 노느라, 예쁘니 → 단일어 (어간 + 어미)

② 복합어
- 파생어 : 어근(실질형태소) + 접사(형식형태소)
- 합성어 : 어근(실질형태소) + 어근(실질형태소)

★ **직접 구성 성분** : 단어를 두 조각으로 한 번만 나누어 나온 구성 요소

① 합성어 + 접사 - 파생어
예) (손 + 가락) + 질 - 손가락질

② 파생어 + 어근 - 합성어
예) 손 + (놀리- + ㅁ) - 손놀림, 통 + (조리- + ㅁ) - 통조림

(2) 파생어의 형성

① 접두사에 의한 파생어 형성 : 품사의 변화 없이 어근의 뜻만 제한함 (한정적 접사)
예) **날**고기, **맨**발, **풋**사과, **들**볶다, **새**빨갛다, **휘**감다, **강**추위, **개**떡, **군**불

② 접미사에 의한 파생어 형성 : 품사가 바뀌는 경우도 있음 (지배적 접사)

㉠ 어근에 뜻을 더해 주는 한정적 접미사
예) 건축**가**, 비상**구**, 청년**기**, 잠**꾸러기**, 소리**꾼**, 사장**님**, 귀염**둥이**, 깨**뜨리다**. 잠**보**, 생김**새**, 한국**인**, 가위**질**, 밀**치**다, 호색**한**

㉡ 품사를 바꾸는 지배적 접미사
예) • 파생 명사 : 웃**음**, 길**이**, 크**기**, 지우**개**, 울**보**,
• 파생 동사 : 공부**하다**, 끄덕**이다**
• 파생 형용사 : 정**답다**, 자랑**스럽다**
• 파생 부사 : 많**이**, 진실**로**, 마음**껏**
• 파생 관형사 : 비교**적**, 이**까짓**

★ **비고**

• 부터 : 붙- + **-어** → 동사 + 접사 → 조사
• -이 : 명사를 만드는 접미사이며 생산성이 높다.
• 생산력을 잃은, 죽어버린 접사들은 어원을 밝히지 않고 그냥 받침을 연결해서 적음
예) 모가지, 목거리(병), 해님 ('님'을 높임 의미의 접사로 처리하기 때문에 'ㅅ'을 넣지 않음)
• 지붕 : 집 + -웅, 주먹 ⇨ 줌 + -억 ('웅', '억'은 생산성을 상실해서 소리 나는 대로 표기)
• 목걸이 : 목 + 걸- + -이 (원형을 밝혀 적음으로써 의미 파악을 쉽게 하기 위함)
• 며칠 : 몇 + 일 → 파생어로 봄

(3) 합성어의 형성

① 분류

㉠ 통사적 합성어 : 두 어근 또는 단어가 연결된 방식이 문장에서의 구나 어절의 구성 방식과 일치하는 것

조사의 생략	본받다(본을 받다), 손쉽다(손이 쉽다), 힘들다(힘이 들다), 애쓰다(애를 쓰다), 꿈같다(꿈과 같다), 앞서다(앞에 서다), 값싸다(값이 싸다). 빛나다(빛이 나다), 낯설다(낯이 설다), 귀먹다(귀를 먹다)
명사+명사	앞뒤, 논밭, 밤낮, 집안, 집사람, 길거리, 들짐승, 꽃게, 불꽃, 이슬비, 눈짓, 돌다리, 책상, 낮잠
관형사+명사	그동안, 새해, 새아기, 새마을, 온종일, 이승, 저승, 첫사랑, 이것, 어느덧, 매주
용언(어간+어미)+명사	큰집, 큰형, 작은집, 작은아버지, 늙은이, 어린이, 굳은살, 매운탕, 단팥죽, 볼거리, 날짐승, 열쇠
부사+용언	못하다, 못나다, 안되다, 잘하다, 가로지르다, 그만두다
부사+부사	잘못
용언+아/어+용언	알아보다, 벗어나다, 돌아가다, 찾아보다, 뛰어가다, 스며들다

㉡ 비통사적 합성어 : 일반적인 우리말의 통사적 구성 방법과 어긋나는 방법으로 형성된 것

용언(어간)+명사	늦잠, 늦더위, 늦봄, 덮밥, 검버섯, 곶감, 접칼, 꺾쇠, 먹거리
용언(어간)+용언	굳세다, 붙잡다, 뛰놀다, 날뛰다, 오르내리다, 여닫다, 굶주리다, 돌보다, 잇따르다, 검푸르다, 검붉다
부사+명사	부슬비, 보슬비, 산들바람, 척척박사, 볼록거울, 촐랑새
한자어	독서, 급수, 등산, 귀향
사이시옷이 있을 경우	바닷가

② 종류

㉠ 대등(병렬) 합성어
예) 마소, 여닫다, 높낮이, 손발, 한두, 오가다, 논밭, 똥오줌

㉡ 종속(유속) 합성어
예) 돌다리, 눈물, 손수건, 책가방, 갈아입다, 도시락밥

㉢ 융합합성어
예) 내외 (부부), 춘추 (나이), 밤낮 (항상), 광음(시간이나 세월), 빈말(헛된 말), 보릿고개 (빈궁한 시기)

★ 파생과 굴절의 차이(접사와 어미의 차이) 그리고 전성

① 접사는 새 단어를 만들고, 어미는 새 단어를 만들 수 없음
예) • 까불- + -이(접사) = 까불이: 까부는 사람('까불다'와 다른 새 단어)
• 까불- + -고(어미) = 까불고('까불다'와 다르지 않음)

② 접사는 어기의 품사를 바꿀 수 있고, 어미는 바꿀 수 없음
예) • 먹-(동사) + -이(접사) = 먹이(명사)
• 먹-(동사) + -고(어미) = 먹고(동사)

③ 접사는 어휘적인 의미를 더해 주지만, 어미는 문법적 의미만 더함
예) • 멋- + -쟁이 : '멋'을 부리는 '사람'
• 먹- + -다 : '먹'는 행동을 '서술함'

④ 어미는 거의 대부분의 용언에 붙을 수 있지만, 접사는 붙을 수 있는 용언이 한정되어 있음

예)

	높-	낮-	길-	짧-
접사 : '-이'	높이	X	길이	X
어미 : '-고'	높고	낮고	길고	짧고

⑤ 어미는 의미가 일정하지만 접사는 의미가 일정하지 않음
예) • 먹다, 높다, 깊다... '다'는 모두 '사실에 대한 서술'
• 구두닦이 : '-이'는 사람
• 손잡이 : '-이'는 물체
• 봄맞이 : '-이'는 행위

⑥ 어미가 붙은 형식들은 의미를 예측해볼 수 있지만(어미의 의미가 일정하므로), 접사가 붙은 형식들은 의미 예측이 어려움(접사는 의미가 일정하지 않으므로)

⑦ 파생과 전성의 차이

예) 이런 ①삶을 ②삶은 운명이다. (①'-ㅁ' - 접사, ②'-ㅁ' - 명사형 전성 어미)

4. 한국어의 형태적 특성

(1) 어미와 조사 발달
(2) 문법 형태는 대체로 한 형태가 하나의 기능을 가짐
(3) 유정명사와 무정명사의 구분이 문법에서 중요한 경우 있음
(4) 분류사(단위성 의존명사 또는 단위 명사)가 발달해 있음
(5) 한국어는 대명사가 발달하지 않은 언어이며, 대명사의 쓰임이 극히 제약되는 언어
(6) 한국어에는 관계대명사가 없음
(7) 한국어에는 관사가 없음
(8) 한국어에는 접속사가 없음
(9) 한국어에는 가주어와 같은 허형식이나 존재문의 잉여사와 같은 요소가 없음
(10) 한국어에는 인도유럽언어적 의미에 있어서 일치 현상이 없음
(11) 한국어에서는 복수 대상에 반드시 복수 표지가 연결되어야 하는 것은 아님
(12) 한국어는 동사와 형용사의 활용이 매우 유사한 특징을 가짐

5. 한국어의 통사적 특성

(1) 평서문의 타동사문을 중심으로 하는 언어 유형 가운데 '주어(S)-목적어(O)-동사(V)'의 어순을 가지는 SOV형 언어 즉 한국어는 동사-말 언어에 속함
(2) 수식 구성에서 수식어는 반드시 피수식어의 앞에 옴
(3) 핵-끝머리(핵후행) 언어에 속함
(4) 문장 성분의 순서를 비교적 자유롭게 바꿀 수 있는, 자유 어순 또는 부분적 자유 어순으로 표현됨
(5) 주어나 목적어가 쉽게 생략될 수 있음
(6) 담화 중심적 언어
(7) 통사적 이동이 드물거나 없음
(8) 대우법이 정밀하게 발달했음

< 통사론 >

1. 문장의 개념

(1) 문장의 이해

• 인간의 생각이나 감정을 완결된 내용으로 표현하는 최소의 언어 형식
• 주어와 서술어로 이루어진 진술의 완결 단위
• 서술어가 무엇인지에 따라 앞에 놓이는 문장 성분이 결정됨
• 문장이 끝났음을 나타내는 표지가 있음
• 다양한 조사와 어미가 문장 속의 단어의 성분을 결정함

(2) 문법 단위 (문장 성분의 재료)

단위	의미	특성
문장	생각이나 감정이 완성되어 나타나는 최소 형식	문장 부호로 마침
절	주어와 서술어를 갖는, 문장보다 작은 형식	전체 문장의 한 성분이 됨
구	둘 이상의 어절로 주어 서술어 관계를 갖지 않는 형식	하나의 단어와 동등한 기능을 함

어절	조사나 어미와 같은 문법적 기능을 하는 요소들이 단어에 붙어 구성한 문장 구성의 최소 형식	문장 성분을 이룸, 띄어쓰기 단위 필수 성분일지라도 화자와 청자가 공통적으로 인식하는 경우 생략 가능 (생략된 부분은 맥락을 고려하여 복원 가능)
단어	최소의 자립 형식	자립성, 분리성, 조사와 결합, 단독으로 성분이 됨

(3) 문장 성분의 갈래

주성분	주어	• 체언 + 주격 조사, 체언 + 보조사
	서술어	• 용언, 체언 + 이다(서술격조사)
	목적어	• 체언 + 목적격 조사, 체언 + 보조사
	보어	• 체언 + 보격 조사(이/가), 체언 + 보조사
부속 성분	관형어	• 관형사, 용언의 관형사형, 체언 + 의(관형격 조사), 체언 단독
	부사어	• 부사, 체언 + 부사격 조사, 용언의 부사형
독립 성분	독립어	• 감탄사, 체언 + 호격 조사

① 주어

㉠ 체언/명사구/명사절 + 주격조사/보조사
㉡ 인원수 + (이)서 예) 혼자서 집에 갔다.

② 서술어

㉠ 용언의 종결형과 서술절 예) 코끼리가 코가 길다.
㉡ 체언 + 이다 예) 이것은 책상이다.
㉢ 본용언 + 보조 용언 예) 철수가 빵을 모두 먹어 버렸다.

③ 목적어

㉠ 체언/명사 상당 어구 + 목적격 조사/보조사 예) 나는 책을 읽기를 원한다.
㉡ 체언 + 보조사 + 목적격 조사 예) 철수는 빵만을 먹는다.

④ 보어

㉠ 체언 + 보격 조사(이/가) +되다/아니다
예) 철수가 선생님이 되었다.

⑤ 관형어 : 체언 없이 홀로 쓰이지 못함

㉠ 관형사 단독 예) 새 옷
㉡ 체언 + 의(관형격 조사) 예) 나의 책
㉢ 체언 단독 예) 철수는 도시 사람을 좋아한다.
㉣ 용언의 어간 + 관형사형 어미(-는, -(으)ㄴ, -던, -ㄹ)
예) 큰 교실이 좋다.

⑥ 부사어 : 서술어 수식, 문맥 속에서 단독으로 쓰일 수 있다.

㉠ 부사 단독　예) 꽃이 매우 예쁘다.
㉡ 체언 + 부사격조사/보조사　예) 밥을 식당에서 먹는다. / 참 빨리도 먹는구나.
㉢ 접속 부사　예) 비가 내린다. 그리고 바람이 분다.

⑦ 독립어

㉠ 감탄사 단독　예) 아, 이제 겨울이구나.
㉡ 체언 + 호격 조사　예) 철수야, 지금 어디 있니?
㉢ 제시어　예) 사랑, 듣기만 해도 가슴이 뛴다.

(4) 서술어의 자릿수

- 서술어가 문장을 이루기 위해 반드시 필요한 문장 성분의 개수
- 문장 속에 꼭 필요한 성분이 무엇이냐를 결정하는 것이 서술어임
- 필수 부사어 : 서술어가 문장을 이루기 위해 반드시 필요한 부사어
- 대칭 서술어 : 주어 외에 짝(대칭)을 이루는 부사어가 필요한 서술어

① 서술어의 종류

구분	필요한 성분	서술어의 종류	예시
한 자리 서술어	주어	자동사	새가 노래하다.
	주어	형용사	꽃이 예쁘다.
	주어	체언+이다	철수는 학생이다.
두 자리 서술어	주어, 목적어	타동사	철수는 밥을 먹는다.
	주어, 보어	되다, 아니다	나는 선생님이 되었다.
	주어, 필수 부사어	대칭 서술어	이 책은 저 책과 다르다.
세 자리 서술어	주어, 목적어, 보어	주다, 드리다, 삼다, 여기다, 바치다, 가르치다, 넣다, 얹다, 간주하다 등	그는 철수를 자식으로 여겼다. 어머니께서 나에게 용돈을 주셨다. 그는 나를 제자로 삼았다.

② 서술어 자릿수의 변화

- 아이들이 논다. - 한자리 서술어 / 아이들이 윷을 논다. - 두 자리 서술어
- 달이 밝다. - 한 자리 서술어 / 철수는 서울 지리에 밝다. - 두 자리 서술어
- 차가 멈추었다. - 한 자리 서술어 / 경찰이 차를 멈추었다. - 두 자리 서술어

2. 문장의 종류

문장	홑문장	주어 + 서술어	
	겹문장	안은문장	명사절을 안은문장
			서술절을 안은문장
			관형절을 안은문장

			부사절을 안은문장
			인용절을 안은문장
		이어진문장	대등하게 이어진문장
			종속적으로 이어진문장

(1) 홑문장 : 주어와 서술어가 한 번 나타나는 문장

(2) 겹문장 : 주어와 서술어가 두 번 이상 나타나는 문장

① 이어진문장 : 홑문장과 홑문장이 대등하거나 종속적으로 연결된 문장

㉠ 대등하게 이어진문장 : 대등적 연결 어미를 사용하여 의미상 대칭 구조를 만듦
예) 나는 사과를 <u>좋아하지만</u> 영희는 배를 <u>좋아한다.</u>

분류	의미	종류	예문
대등적 연결 어미	나열	-고, -며, -면서	삶은 차갑고 죽음은 뜨겁다.
	대조	-나, -지만, -만	사랑은 뜨거우나 속은 차갑다.
	선택	-든지, -든, -거나	삶이 어렵거나 운명이 어렵거나.

㉡ 종속적으로 이어진문장 : 종속적 연결 어미를 사용하여 종속적인 관계를 표시
예) 눈이 <u>오니</u> 날씨가 <u>포근하다.</u>

분류	의미	종류	예문
종속적 연결 어미	원인	-서, -니까, -므로, -느라고	문법이 쉬워서 행복하다.
	연속	-자마자, -자	만나자마자 헤어졌다.
	양보	-어도, -더라도, -은들, -든지, -ㄹ지라도	이별하더라도 슬퍼하지 마라.
	의도	-러, -고자, -려, -려고	문법을 잘하려 애썼다.
	파급	-게, -도록	삶이 아름답도록 노력하자.
	당위	-어, -야	문법을 공부해야 한다.
	전환	-다가	그녀는 슬퍼하다가 바로 웃었다.
	비유	-듯이	계절이 기울듯이 인생도 기운다
	심화	-ㄹ수록	사랑이 클수록 고통도 크다

★ 대등 접속과 종속 접속

- 접속에서는 선행절이 후행절에 대등적으로 이어질 수도 있고 종속적으로 이어질 수도 있음
- 대등적으로 이어지는 것을 대등 접속, 종속적으로 이어지는 것을 종속 접속이라고 함
- 대등 접속은 등위 접속이라고도 함
- 대등 접속과 종속 접속을 구별하는 문제가 어렵기는 하지만, 몇 가지 기준을 살피면 다음과 같음

① 대등 접속의 가장 두드러진 특징은 접속된 두 문장이 대칭적이라는 점임
접속된 두 문장의 위치를 서로 바꾸어도 문장의 진리치에는 변화가 없음을 의미하는 것임

② 대등 접속 구성의 선행절은 후행절 속으로 이동할 수 없으나, 종속 접속 구성의 선행절은 후행절 속으로 이동할 수 있음

③ 대등 접속 구성에서는 후행절에서 대명사화나 재귀화 현상이 나타나지 않으나, 종속 접속 구성에서는 나타날 수 있음
한국어 문장에서는 후행절에 대명사화나 재귀화 현상이 나타나는 것이 자연스럽지는 않지만, 대등 접속 구성에 비해 종속 접속 구성에서 그 가능성이 높다고 할 수 있음

④ 대등 접속 구성에서는 선행절과 후행절에 주제 보조사 '은/는'이 결합할 수 있지만 종속 접속 구성에서는 결합될 수 없음

② 안은문장

- 문장 안에 작은 문장(절)이 들어가 안겨 있는 문장
- 절이 더 큰 문장 안에서 하나의 문장 성분으로 쓰이는 경우

㉠ 명사절을 안은문장
- 문장에서 주어, 목적어, 관형어, 부사어 등의 기능을 함
- 명사형 어미 '-(으)ㅁ, -기', '-는 것' 등이 결합

예) • 밥을 먹기가 어렵다. - 주어 기능
• 밥을 먹기를 좋아한다. - 목적어 기능
• 밥을 먹기 전에 공부해라. - 관형어 기능
• 밥을 먹기에 늦은 시간이다. - 부사어 기능

㉡ 서술절을 안은문장
- 서술어 자리에 주술 구조의 문장이 들어온 경우

예) 토끼는 귀가 길다.

㉢ 관형절을 안은문장
- 관형사형 어미인 '-(으)ㄴ, -는, -(으)ㄹ, -던' 등과 결합

예) 이것은 내가 읽은 책이다.

★ 관형절

① 관계 관형사절
- 수식받는 명사(관계명사)가 수식하는 관형절의 논항인 경우.
- 공통적인 요소들이 있는 두 문장을 합하여 이루어진 관형사절
- 관형절 내의 성분이 생략되어 있는 문장

예) • 나는 어제 산 자전거를 친구에게 빌려 주었다.
• 나는 자전거를 친구에게 빌려 주었다.
• 나는 어제 자전거를 샀다.

② 동격 관형사절(보문절)
- 수식받는 명사가 수식하는 관형절의 논항이 아닌 경우, 이때의 피수식명사(보문명사)는 선행 관형절의 내용과 동격이 됨.
- 공통적인 요소가 없는 두 문장이 결합하여 이루어진 관형사절

예) • 친구들은 내가 어제 자전거를 산 사실을 안다. • 친구들은 그 사실을 안다. • 내가 어제 자전거를 샀다.

ⓔ 부사절을 안은문장
- '-아서/어서, -도록, -게, -이' 등이 결합
  예) 비가 소리도 없이 내린다. / 그 집은 벽이 아름답게 장식되어 있었다.

ⓜ 인용절을 안은문장 : 마이클은 자기가 미국인이라고 말했다. (성분상 부사어로 판단)
- 간접 인용 : '다, -라, -냐, -자' + 고
  예) 철수는 책을 좋아한다고 나에게 속삭였다.
- 직접 인용 : 인용 내용의 문장 + '-라고, -하고'
  예) 철수는 "많이 드세요."라고 권했다.
- 특성
  ㉠ 다른 동사구 내포문이나 기타 내포나 접속된 문장과 달리 종결 형식을 취함
  ㉡ 인용절을 이끄는 어미는 '-고'인데 이것은 일반 어미처럼 동사 어간에 직접 붙는 것이 아니라 종결어미 뒤에 붙음
  ㉢ 국어의 각종 문형을 결정하는 어말어미는 그 어떤 경우에도 생략이 불가한데, 유독 인용 어미 '-고'는 다른 어미와 달리 생략이 되는 경우도 있음

3. 문장 종결 표현

(1) 평서문

- 간접 인용절로 안길 경우 종결 어미는 '-다'('이다'는 '-라')로 바뀜
  예) • 철수는 책을 읽었습니다. → 철수는 책을 읽었다고 말했다.
  • 이것이 인생이다. → 그는 이것이 인생이라고 말했다.

(2) 의문문

① 간접 인용절로 안길 경우 종결 어미는 '-느냐, -(으)냐'로 바뀜
  예) 이 꽃이 예쁘니? → 철수는 이 꽃이 예쁘냐고 물었다.

② 종류

㉠ 판정 의문문(가부, 선택) : 청자에게 긍정, 부정의 대답을 요구, 의문사가 없고 상승억양을 가짐
  예) 너도 지금 떠나겠느냐?
㉡ 설명 의문문 : 의문사가 포함되며, 어떤 사실에 대하여 구체적인 정보의 설명을 요구
  예) 지금 거기서 무엇을 하니?
㉢ 반어(수사) 의문문 : 강한 긍정 진술을 내포함
  예) 철수한테 책 한 권 못 사줄까?
㉣ 명령 의문문 : 명령, 금지, 권고
  예) 빨리 문을 못 닫겠느냐? / 왜 참견입니까? / 빨리 가지 못하겠느냐?
㉤ 부정 의문문 : 부정문 형태
  예) 철수는 안 왔니?
㉥ 확인 의문문 : 어떤 사실을 알고 그것을 확인함
  예) 철수는 갔지 않니?

(3) 명령문 : 시제 표현과 함께 쓰지 않음

① 간접 인용절로 안길 경우 종결 어미는 '-(으)라'로 바뀜
예) 책을 많이 읽어라. → 어머니께서는 책을 많이 읽으라고 하셨다.

② 종류

㉠ 직접 명령문 : 어간 + 아라/어라/여라/거라/너라
예) 보아라/먹어라/공부하여라/가거라/오너라

㉡ 간접 명령문
- 불특정 다수를 대상으로 함
- 높임과 낮춤의 중화된 표현으로 쓰임
- 어간 + (으)라
예) 영광이 있으라. / 이것을 먹으라. / 답을 고르라.

(4) 청유문 : 시제 표현과 함께 쓰이지 않음

- 간접 인용절로 안길 경우 종결 어미는 '-자'로 바뀜
예) 함께 책을 읽읍시다. → 함께 책을 읽자고 말했다.

(5) 감탄문 : 화자의 강한 느낌을 나타냄

- 간접 인용절로 안길 경우 종결 어미는 '-다'로 바뀜
예) 철수는 노래도 잘 부르는군! → 나는 철수가 노래도 잘 부른다고 말했다.

★ 억양

- 음의 높낮이의 차이가 발화 차원에서 화자의 발화 의도나 감정, 태도를 직접적으로 표시하는 기능을 가지면 '억양'이 됨
- 한국어의 억양은 중국어의 성조처럼 단어의 의미를 변화시키지는 않지만, 실제 발화 차원에서 화자의 감정이나 태도를 표현하는 데 중요한 기능을 함
- 일반적으로 문장의 끝 부분에 얹히는 억양이 의미 전달 측면에서 가장 중요한 부분을 차지하고 있음
- 일반적으로 서술문, 명령문, 청유문의 억양은 내림조로 끝나고, 의문문은 오름조로 끝나는 것으로 알기 쉬우나, 억양은 늘 문장 형식에 따라서만 결정되는 것이 아니므로, 대화 상황에 따라 서술문, 명령문, 청유문에서도 오름조 억양이 쓰일 수 있고, 의문문에서도 내림조 억양이 쓰일 수 있는 것임
- 말토막 억양에는 화자의 감정과 태도가 마지막 음절에 얹혀 표현된다. 마지막 음절의 억양 패턴은 오름조, 수평조, 내림조, 오르내림조의 유형으로 나누어 볼 수 있음
- '철수는 친구한테 선물을 줬다.'라는 문장의 첫 번째, 두 번째, 세 번째 말토막의 끝 음절을 나머지 음절보다 높게 오름조로 발음하는 경우는 화자와 청자 사이의 친분 관계가 있을 때 가능하며, 수평조로 발음하면 주로 사무적인 말투의 발화임이 느껴짐
내림조로 발음하면 흥미 없거나 기운 빠진 태도를 전달하게 된다. 오르내림조는 강조하여 전달할 때 사용됨
- 의문문의 경우는 판정 의문문(예/아니오)은 높은수평조로, 설명 의문문(의문사 포함)은 낮은 수평조, 부정(주)의문문은 높은수평조, 선택의문문의 경우는 앞부분은 낮오름조나 가운데수평조로 뒷부분은 낮내림조로 실현된다. 자문하는 경우는 낮오름조, 수사의문문은 낮은수평조로 실현됨

4. 높임 표현

- 존경법 : 행동의 주어를 존경하는 의미를 나타냄 (주어를 높임) - 주체 존대법 (화자)

• 겸양법: 겸손하게 사양함 (대상을 높임) - 객체 높임법 (대상)
• 공손법: 상대를 겸손하게 대함 (상대를 높임) - 상대 존대법 (청자)
• 상하 관계와 친소 관계에 따라서 높임과 낮춤 표현을 사용

(1) 주체 높임

① 개념 : 화자보다 서술어의 주체가 나이나 사회적 지위 등에서 더 우위에 있을 때, 서술어의 주체를 높이는 방법

㉠ 선어말 어미 '-(으)시-'
예) 할아버지께서 오신다.
㉡ 조사 '께서'
예) 어머니께서 말씀하셨다.
㉢ 접사 '-님'
예) 아버님께서 말씀하셨다.
㉣ 특수어휘 : 계시다, 드시다, 잡수시다, 주무시다, 편찮으시다, 돌아가시다 등
예) 아버지께서 주무신다.

② 직접높임과 간접높임

㉠ 있다/없다
• 직접높임 : 계시다 / 안 계시다
• 간접높임 : 있으시다 / 없으시다
㉡ 간접높임 : 높임 대상인 주체의 신체, 소유물, 친분 관계, 성품, 심리, (밀접한 관계) + '-(으)시-'
예) • 할아버지께서는 귀가 밝으시다. - 신체
• 선생님, 가방이 무거우시죠? - 소유물
㉢ 제약
예) • 사장님의 말씀이 계시겠습니다.(X) → 있으시겠습니다.(O)
• 전해 드릴 용건이 계신 분, 있으세요?(X) → 전해 드릴 용건이 있으신 분, 계세요?(O)
• 주문하신 커피 나오셨습니다.(X) → 나왔습니다.(O) (밀접한 관계가 아님)

③ 압존법
• 문장의 주체가 화자보다는 높지만 청자보다는 낮아, 그 주체를 높이지 못하는 어법
• '화자-주체-청자' 간의 관계에서 청자 중심의 높임법
• 사적 관계에서만 적용되며 직장에서는 사용되지 않음
예) • 화자(평사원) / 주체 (과장) / 청자 (사장님)
• 사장님, 이 과장 어디 갔습니까?(X) → 사장님, 이 과장님 어디 가셨습니까?(O)

(2) 객체 높임

① 개념 : 목적어나 부사어, 즉 서술어의 객체를 높이는 방법

㉠ '뵙다, 드리다, 모시다, 여쭙다' 등의 특수 어휘 사용
예) • 나는 아버지를 모시고 병원으로 갔다.
• 나는 선생님께 과일을 드렸다.
• 제가 선생님을 뵙자고 부탁한 사연이 있습니다.
• 나는 할아버지께 그 말씀을 여쭈어봤다.

㉡ 부사격조사 '께' 사용
예) 나는 부모님께 용돈을 드렸다.

(3) 상대 높임 : 화자가 청자를 높이거나 낮춤

① 개념
- 주로 종결 어미로 표현
- 높임법 중에서 가장 발달한 표현으로, 격식체와 비격식체가 있음

② 상대 높임법이 실현된 문장 종결법

문형	격식체				비격식체	
	해라체	하게체	하오체	하십시오체	해	해요
평서형	-(는/ㄴ)다.	-네.	-오.	-(ㅂ니)다.	-어.	-어요.
의문형	-(느)냐?	-(느)ㄴ가?	-오?	-(ㅂ니)까?	-어?	-어요?
감탄형	-(는)구나!	-(는)구먼!	-(는)구료!	(빈칸)	-어!	-어요!
명령형	-어라.	-게.	-오.	-(ㅂ)시오.	-어.	-어요.
청유형	-자.	-세.	(빈칸)	-(ㅂ)시다.	-어.	-어요.

★ 호칭어와 지칭어

- 호칭어: 어떤 대상을 직접 부를 때 쓰는 말
- 지칭어: 어떤 대상을 가리켜 이르는 말

구분		호칭어	지칭어	
		내가 부를 때	내가 남에게 말할 때	남이 나에게 말할 때
부	생존	아버지	가친, 엄친, 가군	춘부장, 춘장, 춘당
	사후	현고	선고, 선친	선대인, 선고장
모	생존	어머니	자친, 가자	자당, 훤당, 대부인
	사후	현비	선비, 선자	선부인, 선대부인
아들		혼인 전: 이름, 혼인 후: 아비(아범)	가아, 가돈	아드님, 영식, 영윤
딸		혼인 전: 이름, 혼인 후: 어미(어멈)	여아, 여식	따님, 영양, 영애, 영교

5. 시간 표현 (시제)

- 시제는 시간을 나타내기 위한 언어 표현으로 시간을 인위적으로 구분하는 문법 범주
- 시제는 발화시와 사건시가 어떤 관계에 있느냐에 따라 대개 과거 시제, 현재 시제, 미래 시제로 나뉨
- 시간 표현은 선어말어미, 시간 부사어, 관형사형 어미를 통해서 실현

(1) 절대 시제와 상대 시제

① 절대 시제 : 발화시를 기준으로 결정되는 시제 (선어말 어미로 표현)
② 상대 시제 : 사건시를 기준으로 결정되는 시제 (관형사형과 연결형으로 표현)
예) 나는 어제 식당에서 밥을 먹는 친구를 봤다.
→ 먹다 : 절대 시제(발화시)는 과거, 상대 시제(사건시)는 현재

과거	현재	미래
선어말 어미: -았/었-	선어말 어미: -ㄴ/는-	선어말 어미: -겠-
관형사형 어미: -ㄴ(동사만)	관형사형 어미: -ㄴ(형용사), -는/ㄴ(동사)	선어말 어미: -리-
회상 시제 선어말 어미: -더-	선어말 어미 없이 (형용사)	관형사형 어미: -ㄹ
시간 부사	시간 부사	시간 부사

(2) 종류

① 과거 시제 : 사건시가 발화시보다 앞서 있는 시제

㉠ 선어말 어미 '-았-/-었-/-였-'
예) • 나는 어제 밥을 먹었다.
• 나는 어제 공부를 하였다.

㉡ 관형사형 어미 '-(으)ㄴ'
예) 아까 네가 먹은 우유는 유통 기한을 넘긴 것이었다.

㉢ 선어말 어미 '-더-'(회상)
예) • 철수는 어제 도서관에서 책을 읽더라.
• 그렇게 예쁘던 순희가 지금 이렇게 변했다니.
• 당시 학생이던 사람들이 이제는 성인이 되었어.
(형용사나 서술격 조사 다음에는 회상 선어말 어미 '더-와 관형사형 어미 '-(으)ㄴ'이 결합된 -'던'이 쓰임)

㉣ '-았었-/-었었-'(대과거형) : 발화시보다 이전에 발생하여 현재와 단절된 사건을 표현
예) 나는 전에 이 책을 읽었었다. - 현재는 아님

㉤ '어제, 옛날'과 같은 시간을 나타내는 부사어가 사용되기도 함

★ '-었'과 관련된 실현인식

• 일반적으로 '-았-/-었-'은 과거 시제를 표현하는 선어말 어미로 알려져 있음
• 기본적으로 과거 시제를 나타내지만 상황에 따라서는 '완료' 또는 '완결 지속'의 의미를 나타내기도 하고, '실현 인식'이라는 다소 추상적인 의미를 띠기도 함
• 실현 인식은 미래에 어떤 일이 실현될 것을 인식함을 나타내는 것임

• 예)

① 누구 닮았니? 저는 엄마를 닮았어요.
→ 과거에도 닮았고 지금도 닮아 있기 때문에 이때 '-았-/-었'은 '완료' 또는 '완결 지속'의 의미

② 나는 조금 전에 왔고 경숙이는 지금 왔어.
→ 앞 절의 '았'은 과거 시제를 나타내지만 뒷 절의 '았'은 '지금'이라는 시간 부사어와 함께 사용되고 있으며 앞 절보다 약간 뒤의 행동을 표현하고 있으므로 이때 '-았'은 뚜렷하게 과거를 나타낸다기보다 이미 실현된 것을 나타냄 ('실현 인식' 또는 '완결'이라고 부름)

③ (방 안에 막 들어서면서) 늦었어요, 죄송해요.

→ 도착과 동시에 발화되는 것으로 지금의 시점에서 보면 과거로 볼 수도 있지만 다소 애매한 개념임 ('실현 인식', '완결'의 의미로 볼 수 있음)

④ 숙제를 하나도 안 했어? 넌 내일 학교 가면 혼났다.
→ 앞 문장의 '었'은 과거로 생각할 수 있으나, 뒤의 '었-'은 엄밀하게 따져 보면 미래의 일이므로 과거 시제 선어말 어미가 올 수 없음
이때의 '었'은 실현될 것을 확신하는 사건이나 사태에 쓰여, 실현된 것에 대한 '실현 인식'을 의미한다고 볼 수 있음

② 현재 시제 : 발화시와 사건시가 일치하는 시제

㉠ 종결형
- 동사 어간 + '-ㄴ/는-'
  예) 나는 밥을 먹는다. / 나는 지금 집에 간다.
- 형용사와 서술격 조사는 선어말 어미 사용 안 함
  예) 꽃이 예쁘다. / 나는 학생이다.

㉡ 관형사형
- 동사 어간 + 는
  예) 나는 밥을 먹는 중이다.
- 형용사/서술격 조사 + (으)ㄴ
  예) 철수는 좋은 사람이다. / 저 사람이 선생님인 줄 몰랐다.

㉢ '지금/오늘'과 같이 현재 시간을 나타내는 부사어가 사용되어 현재 시제를 나타냄

③ 미래 시제 : 사건시가 발화시보다 나중인 시제

㉠ 선어말 어미 : '-겠-', '-(으)리-'
예) 나는 내일 공부를 하겠다. / 나는 내일 책을 읽으리라.

㉡ 관형사형 어미 '-(으)ㄹ'
예) 내일 먹을 반찬이 없다.

㉢ 관형사형 어미 '-(으)ㄹ'과 의존명사 '것'이 결합된 '-(으)ㄹ 것'
예) 내일 눈이 올 것이다.

- 어서 가자, 시간에 늦겠다. (미래와 추정)
- 나는 앞으로 네가 가는 곳으로 따라가겠다. (미래와 의지)
- 오늘 오후 5시에 다시 전화하리다. (미래와 의지)
- 몇 시간이면 떠날 사람이 도대체 어디를 돌아다니는 거야. (미래)
- 경수 씨는 야학에 있을 것이다. (미래와 추정)
- 그는 내일 올 거야. (미래와 추정)

(3) 동작상

- 발화시를 기준으로 동작이 일어나는 모습을 표현하는 것
- 시간의 흐름에 따른 동작을 중심으로 하여 시간의 내적 양상을 가리킴
- 완료상과 진행상으로 나뉨

① 완료상

• 동작의 결과가 지속되고 이어지는 것을 표현
• '-아/어 버리다', '-아/어 있다(보조 용언)', '-고서(연결 어미)' 등을 통하여 실현됨

예) • 자장면을 다 먹어 버렸다.
• 지현이는 지금 의자에 앉아 있다.
• 그녀는 밥을 다 먹고서 집을 나섰다.

② 진행상
• 동작의 지속과 반복을 표현
• '-고 있다, -아/어 가다(보조 용언)', '-(으)면서(연결어미)' 등을 통하여 실현됨

예) • 운동장에서 많은 학생들이 놀고 있다.
• 그는 이미 자고 있었다.
• 영이는 밥을 다 먹어 간다.
• 그녀는 얼굴에 웃음을 지으면서 대답하였다.

6. 피동 표현

(1) 개념과 실현

• 주어가 동작을 당하게 되는 것
• 능동문 : 행위자(주어)가 스스로 어떤 일을 하거나 어떤 대상에게 행위를 가하는 것
• 피동문 : 어떤 행위나 동작이 남에 의해 이루어짐을 나타내는 것
• 능동문 주어 → 부사어(주어 + 에게/에/에 의해서), 목적어 → 주어, 동사 어간 + 피동 접미사
• 능동문과 피동문의 의미가 항상 동일한 것은 아님

① 파생적 피동문 (단형 피동)
• 용언 어간 + 피동 접미사(이/히/리/기)
• 명사 + 접미사(되다/받다/당하다)

예) • 능동문 : 경찰이 도둑을 잡았다.
주어 목적어 능동사
• 피동문 : 도둑이 경찰에게 잡히었다.
주어 부사어 피동사

② 통사적 피동문 (장형 피동)
• 용언 어간 + '-아/어지다, -게 되다'(보조 용언)

예) • 글씨를 잘 쓴다.
목적어 서술어
• 글씨가 잘 써진다.
주어 쓰 + 어지다

(2) 피동문의 성립

• 일반적으로 능동문의 서술어가 타동사인 경우에만 가능
• 모든 타동사가 피동사가 되지는 않음
• 피동문에 대응되는 능동문이 없는 경우도 있음

예) • 철수가 감기에 걸렸다. (피동) → 능동문 성립 안 됨

• 봄이 되어 날씨가 풀렸다. (피동) → 능동문 성립 안 됨

(3) 오류 (이중 피동)

① 피동 접사(이/히/리/기) + -어지다 → 여지다/혀지다/려지다/겨지다
예) • 내가 합격한 사실이 믿겨지지 않는다. - 믿 + 기 + 어지지 → 믿기지 (O)
• 경제가 좋아질 것으로 보여진다. - 보 + 이 + 어지다 → 보인다(O)
• 이 글은 잘 읽혀지지 않는다. - 읽 + 히 + 어지다 → 읽히지(O)
• 창문이 열려져 있다. - 열 + 리 + 어지다 → 열려(O)

② '-되어지다', '-지게 되다'
예) • 앞으로 이 문제가 잘 풀릴 것이라고 생각되어진다.(X)
• 그는 오랜 기간 동안 숨어 있었으나 마침내 잡혀지게 되었다.(X)

③ 부르다/자르다/가르다/팔다 - 피동 : 불리다/잘리다/갈리다/팔리다 - 불리우다/잘리우다/갈리우다/팔리우다(X)
예) • 그는 훌륭한 가수로 불리웠다.(X) → 불렸다(O)
• 잘리워진 국토의 아픔을 잊지 말자.(X) → 잘린(O)
• 남북으로 갈리운 분단의 고통을 극복해야 한다.(X) → 갈린(O)

7. 사동 표현

(1) 개념과 실현

• 주어가 남에게 동작을 시키는 것
• 주동문 : 행위자(주어) 자신이 자신에 관한 일을 직접 하는 것
• 사동문 : 사동주(행위자, 주어)가 피사동주가 할 일을 대신 행하거나 피사동주로 하여금 어떤 일을 하게 하는 의미
• 주동사가 형용사나 자동사일 경우 : 주동문의 주어 → 목적어, 사동주 새로 도입됨
• 주동사가 타동사일 경우 : 주동문 주어 → 부사어, 주동문 목적어 → 목적어, 사동주 새로 도입됨

① 파생적 사동문 (단형 사동)
• 용언 어간 + 사동 접미사(이/히/리/기/우/구/추)
• 명사 + '-시키다'(접미사)

예) • 담이 높다.(주동) → 철수가 담을 높이었다.(사동)
주어 형용사 사동주 목적어 사동사
• 아이가 우유를 먹었다.(주동) → 어머니가 아이에게 우유를 먹이었다.(사동)
주어 목적어 서술어 사동주 부사어 목적어 사동사

② 통사적 사동문 (장형 사동)
• 용언 어간 + '-게 하다'(보조 용언)

예) • 담이 높다.(주동) → 민호가 담을 높게 하였다.(사동)
• 아이가 우유를 먹었다.(주동) → 어머니가 아이에게 우유를 먹게 하였다.(사동)

(2) 사동문의 성립

• 사동 접사는 자동사, 타동사, 형용사에 두루 결합 가능
• 모든 용언이 그에 대응되는 사동사를 갖고 있지는 않음
• 사동문에 대응되는 주동문이 없는 경우도 있음
예) • 쓰레기를 땅에 묻었다.(주동) → 쓰레기를 땅에 묻혔다.(X)

• 형이 이삿짐을 방으로 옮기다.(사동) → 이삿짐이 방으로 옮다.(X)

(3) 사동문의 의미 해석

① 파생적 사동문 : 직접 사동과 간접 사동의 의미를 모두 갖는 중의성 발생
예) 엄마가 아이에게 옷을 입힌다.
• 엄마가 아이에게 옷을 직접 입힌다. (직접 사동)
• 엄마가 아이로 하여금 스스로 옷을 입도록 시킨다. (간접 사동)

② 통사적 사동문 : 간접 사동의 의미만을 갖음
예) 엄마가 아이에게 옷을 입게 한다.

★ 사동사와 피동사의 구분

'목적격조사(을/를)' 취할 수 있으면 사동, '목적격조사'를 취할 수 없으면 피동

(4) 오류

① 과도한 사동 접사 사용
예) • 들판을 헤매이다. → 헤매다.
• 가슴이 설레이다. → 설레다.
• 날씨가 활짝 개였다. → 개었다./갰다.

② 접사 '-시키다'

예) • 내가 친구 한 명 소개시켜 줄게. → 소개해(O)
• 모든 기계를 하루 종일 가동시켜서 기일을 맞추도록 하자. → 가동해서(O)

★ 올바른 사동형과 피동형

① • 새다 : 날이 밝아 오다.
예) 우리는 날이 새는 줄도 모르고 신나게 놀았다.
• 새우다 : 잠을 자지 않고 밤을 지내다.
예) 시험공부를 하느라 이틀 밤을 새웠다.

② • 피다 : 구름이나 연기 등이 크게 일어나다.
예) 푸른 하늘에 커다란 뭉게구름이 펴 있었다.
• 피우다 : 연기를 빨아들였다가 내보내다. ('피다'의 사동사)
예) 나는 담배를 한 대 피웠다.

③ • 깨치다 : 일의 이치나 원리 등을 깨달아 알다.
예) 공부하는 요령을 깨치고 난 뒤로 공부가 재미있어졌다.
• 깨우치다 : 깨달아 알게 하다.
예) 어머니께서는 내가 미처 몰랐던 잘못을 깨우쳐 주셨다.

④ • 베다 : 날이 있는 연장으로 자르거나 끊다.
예) 옛날에는 산에 있는 나무를 베어 땔감으로 썼다.
• 베이다 : 날이 있는 연장으로 잘리거나 끊기다. ('베다'의 피동사)
예) 베인 벼들이 잘 묶여 있다. / 과일을 깎다가 칼에 손을 베였다.

⑤ • 배다 : 스며들거나 스며 나오다.
예) 아이는 장난기가 배어 있는 얼굴을 하고 있었다.
• 배이다 : '배다'의 잘못
예) 담배 냄새가 옷에 배여 있었다. → 배어

8. 부정 표현

(1) '안' 부정문 (단순 부정<체언이나 형용사가 서술어인 문장 부정>, 의지 부정)

① 안 + 용언 (단형 부정) / 용언 어간 + -지 아니하다(않다) (장형 부정)
예) • 나는 밥을 안 먹었다. - 의지 부정
• 운동장이 안 넓다. - 단순 부정
• 운동장이 넓지 않다.
• '없다, 모르다'의 경우 장형 부정(없지 않다, 모르지 않는다)은 허용하고 단형 부정은 허용하지 않음

② 서술어가 복합어이면 대체로 장형 부정이 자연스러움
예) 물가가 안 치솟았다. → 물가가 치솟지 않았다.

③ 중의성

㉠ 초점에 의한 중의성
예) 내가 철수를 때리지 않았다.
• 다른 사람이 철수를 때렸다. → 나는 철수를 때리지 않았다. (중의성 해소)
• 내가 다른 사람을 때렸다. → 내가 철수는 때리지 않았다.
• 내가 철수를 때린 것이 아니라 밀었을 뿐이다. → 내가 철수를 때리지는 않았다.

㉡ 범위에 의한 중의성
예) • 학생이 다 오지 않았다. → 학생이 모두 오지 않았다. (전체 부정)
• 학생이 다 오지 않았다. → 학생의 일부가 오지 않았다. (부분 부정)

(2) '못' 부정문 (능력 부정, 상황 부정)

① 못 + 용언 (단형 부정) / 용언 어간 + -지 못하다 (장형 부정)
예) • 나는 학교를 못 갔다. - 능력 부정
• 나는 학교를 가지 못했다.

② 체언이나 형용사는 대체로 '못'에 의한 단형 부정이 성립하지 않음
예) • 얼굴이 못 예쁘다. ??? / 저 사람이 못 선생님이다. ???
• 말하는 이의 기대에 못 미침을 표현할 때에는 '-지 못하다'로 부정이 가능함
예) • 그것으로는 충분하지 못하다.
• 그 문제에 대해 설명을 들었지만 만족스럽지 못했다.
• 우리 집은 넉넉하지 못하다.

③ 외부 상황 부정
예) • 나는 노래를 못한다. - 능력 부정
• 나는 노래를 못 한다. - 지금 갑자기 약속이 생겨서 노래를 부를 수가 없음 (상황 부정)

(3) '말다' 부정문 (명령문과 청유문의 부정)

• 용언 어간 + '-지 말다' (집에 가지 말아라. / 학교에 가지 말자.)

★ 극성 : 부정이나 긍정의 어느 한 쪽과만 어울리는 특별한 성질
★ 극어 : 극성을 가진 단어 (부정 극어, 긍정 극어)

• 부정 극어 : 아무도
예) 교실에는 아무도 있다.(X) → 교실에는 아무도 없다.(O)
• 긍정 극어 : 반드시
예) 너는 반드시 약속을 어겨야 한다.(X) → 너는 반드시 약속을 지켜야 한다.(O)

격	주격 / 목적격 / 보격 / 관형격 / 부사격 / 서술격 / 호격	
시제, 상, 양태	시제	과거 / 현재 / 미래
	상	완료 / 진행
	양태	추측 / 회상 / 의지
부정	길이	장형 부정 / 단형 부정
	내용	의지 부정 / 능력 부정
태	사동	
	피동	
높임법	주체 높임	
	객체 높임	
	상대 높임	

4장 한국어 어휘론

1. 어휘의 정의

• 어휘란 복수로 사용되며, 어휘소의 모음이라고 볼 수 있으며, 어휘(소)란 어휘의 단위가 됨
• 어떤 일정한 범위 안에서 쓰이는 단어의 총체
• 폐쇄 집합 (어휘가 고정), 개방 집합 (어휘가 변할 수 있음)

2. 어종에 의한 분류

(1) 고유어

① 개념 : 차용어와 상대되는 개념으로 옛날부터 사용해 온 순수한 우리말

② 특성

㉠ 기초어휘의 대부분을 차지함 (특히, 생활의 기본이 되는 어휘는 대부분 고유어임)
㉡ 문법 기능을 담당하는 어휘는 거의 고유어임
㉢ 자음교체나 모음교체 현상이 있음
예) 깜깜하다-캄캄하다
㉣ 접사에 의해 쉽게 어휘 확장이 이루어짐

ⓜ 의성어, 의태어, 색채어 표현이 매우 발달했음
ⓑ 형태적 유연성이 높음
예) 먹다 : 먹히다, 먹이다, 먹이, 먹보, 먹성, 먹거리
ⓢ 유의어, 동음이의어가 많음
ⓞ 다의어 발달

(2) 한자어

① 개념

- 한자 : 중국에서 기원한 문자의 명칭
- 한자어 : 한자로 표기할 수 있는 단어
- 한문 : 한자를 사용하여 표현한 문장
- 한자어는 주로 한문 문장의 일부가 한국어 단어 체계 안으로 들어온 것

② 특성

㉠ 중국, 일본에서 들어온 것과 한국에서 만들어진 것이 있음
예) • 중국 기원 : 공부, 당신
• 일본 기원 : 엽서, 추월
• 한국에서 자생적으로 생겨난 것 : 전답, 대지
㉡ 모든 한자어는 한국의 한자음으로 읽히고 표기됨
㉢ 2음절어가 대부분임
㉣ 대부분 명사로 사용됨
㉤ 고유어 어근과 결합하여, 새로운 어휘 형성 (접사로 어휘 형성에 참여)
예) 비인간, 가건물, 미성년, 호경기
㉥ 하나의 한자어가 여러 용법에 쓰임
예) 한국인 (접미사) / 인간 (어근)
㉦ 개념어, 추상어가 많음, 전문 용어로 자주 사용
㉧ 고유어에 대하여 존대어로 사용되는 경우가 많음
㉨ 고유어와 한자어의 '일대다(一對多)' 대응 현상
예) 생각 : 사색(思索), 사유(思惟), 명상(冥想) 등

(3) 외래어

① 개념 : 원래 외국어였던 것이 국어의 체계에 동화되어 사용이 허용된 단어

② 특성

㉠ 외국어 어휘와 모국어 어휘 간에 형태적 전이의 기회를 제공하면서 어휘의 양을 증대시킴
㉡ 유입된 시기가 오래되어 외래어라고 인식하기 어려운 것도 있음
예) 고무, 붓, 구두, 냄비
㉢ 음운, 문법, 의미 등에서 자국어화 됨
예) 스트라이크, 아파트
㉣ 유행의 반영, 어휘 보완, 외국 문명 수용 기능

(4) 혼종어

- 서로 다른 언어에서 유래한 요소의 결합으로 이루어진 단어
예) 가지각색(가지各色), 양파(洋파), 고속버스(高速bus)

(5) 《표준국어대사전》의 원어 통계에 따른 어종별 비율

어종	고유어	한자어	외래어	혼종어
비율(%)	20.9%	53.0%	5.6%	20.5%

3. 어휘의 양상

(1) 어휘의 변이

• 동일한 의미를 가진 단어를 집단에 따라 다르게 사용함
• 위상적 (누가, 어디서 말하는가?), 비위상적 (동일 화자가 상황에 따라 어떻게 말하는가?)

① 방언

㉠ 지역 방언 : 지역적으로 오랜 시간 격리되어 있어 달라진 경우
㉡ 사회 방언 : 연령, 성별, 사회 집단 등에 따라 달라진 경우

② 은어

• 폐쇄된 집단이 자신들을 감추어 보호하려는 상황에서 나타남 (특정 집단의 비밀어)
• 폐쇄성, 은비성, 내집단의 결속력을 높임, 또래의식 공유
• 종교적, 상업적, 방어적 동기
예) 심마니(산삼 캐는 사람), 쫄짜(졸병), 피라미(신임 장교) 등

③ 속어·비어

• 비공식적인 자리에서 쓰이는 비속하고 점잖지 못한 말
• 은비성이 없음
예) 주둥아리(입), 쪽팔리다(부끄러워 체면이 깎이다)

④ 여성어와 남성어

㉠ 여성어 : 상승 억양(음운, 음성적 특성), 감성 어휘 (어휘적 특성), 확인 의문문, 해요체(문법적 특성), 맞장구, 과장 어구, 애매한 표현, 공손한 청유 표현(화용적 특성)

㉡ 남성어 : 하향 억양(음운, 음성적 특성), '하십시오체'(문법적 특성)

⑤ 금기어와 완곡어

㉠ 금기어 : 부정적이고 불쾌한 연상을 동반하여 회피하려는 말
예) 죽음, 범죄, 성, 관습, 신앙, 질병, 배설

㉡ 완곡어 : 금기어를 피하기 위해 사용하는 단어
예) 천연두 : 마마, 손님 / 쥐 : 서생원 / 변소 : 화장실, 뒷간 / 감옥 : 교도소 / 죽다 : 돌아가다, 영면하다

⑥ 관용어와 속담
㉠ 관용어
• 두 개 이상의 단어가 결합하였으나 원래의 뜻과 다른 의미를 지님
• 한 단어처럼 사용되며, 완결된 문장 구조를 이루지 못함

예) 미역국을 먹다, 입이 무겁다, 발이 넓다.

㉡ 속담
- 완결된 문장 형태를 이룸
- 비유성, 풍자성, 교훈성이 강함
- 그 나라의 문화와 의식이 담겨 있어서 그 나라를 이해하는 데에 도움이 됨

㉢ 고사성어
- 관용어나 속담과 유사하지만 특별한 유래를 가지고 있는 어휘의 집합
  예) 삼고초려

(2) 어휘의 팽창 : 문명의 발달에 따라 새로운 단어가 생겨나는 현상 (차용어와 신조어)

① 전문어

- 다의성이 적음
- 신어의 생성이 활발함
- 의미에 의도적인 규제가 가해짐
- 외래어부터 차용된 어휘가 많아 국제성이 강함

② 새말(신어)

- 새로운 어형 창조
- 외래어 차용
- 기존 말을 이용 (기존의 형태는 그대로 두고 의미만을 바꾸어 사용하는 경우가 있음)
  예) 선생님 : 교사 → 사람을 대접하여 이르는 높임말

③ 유행어

- 사회심리적인 요인에 의하여 짧은 시기에 사람들의 입에 오르내리는 표현

<table>
<tr><td rowspan="8">어휘의 양상</td><td rowspan="5">+ 변이</td><td rowspan="3">+ 위상</td><td colspan="2">+ 지리적</td><td>방언</td></tr>
<tr><td rowspan="2">- 지리적</td><td>+ 은비</td><td>은어 (집단 은어)</td></tr>
<tr><td>- 은비</td><td>남성어, 여성어, 아동어, 청소년어</td></tr>
<tr><td rowspan="2">- 위상</td><td colspan="2">+ 대우</td><td>공대어, 하대어</td></tr>
<tr><td colspan="2">- 대우</td><td>속어, 완곡어(금기어), 관용어(숙어, 속담)</td></tr>
<tr><td rowspan="3">- 변이
(팽창)</td><td colspan="3">+ 집단성</td><td>전문어 (직업어, 집단어)</td></tr>
<tr><td rowspan="2">- 집단성</td><td colspan="2">+ 항구성</td><td>신어 (새말)</td></tr>
<tr><td colspan="2">- 항구성</td><td>유행어</td></tr>
</table>

★ 한국 한자어의 특수성

(1) 음운론적 특징

① 한자어는 한국 한자음을 가지고 있으며 음운론적으로 국어 체계에 거의 완전하게 동화됨
② 고유어의 가능한 음절 가운데 일부만이 한자어 음절로 사용됨

예) '갸, 걒, 겨, 너, 넉, 넌, 펴, 프' 등 수많은 고유어 음절이 한자어에는 쓰이지 않음
③ 고유하게 가지는 음운 규칙이 있음
예) 한 단어 내에서 'ㄹ' 뒤의 'ㄷ, ㅅ, ㅈ'을 경음화하는 규칙 : 길동[길똥]

(2) 형태론적 특징

① 한국 한자어에서는 한 형태소가 한 음절로 되어 있음
② 많은 한자 형태소가 조어력이 강함
③ 2음절어의 어순은 고유어 어순과 다른 경우가 많음 예) 독서 (읽다 + 책)
④ 현대 한국어에서 1음절로 된 한자어는 고유명사와 단위명사, 전문용어의 경우에만 새로 생길 수 있음
고유명사가 아닌 경우에는 기본적으로 2음절어가 형성됨
⑤ 일반적으로 1형태소가 1음절 (2음절 형태소 : 산호<珊瑚>, 석류<石榴>, 포도<葡萄>

(3) 의미론적(어휘론적) 특징

① 고유어에 비해 분화적/전문적 의미 : 고유어 하나에 한자어 여럿 대응
예) 값 : 가격, 액수, 대금, 금액, 시가, 시세
② 중국 한자어보다 일본 한자어와 더 많은 공통점이 있음
③ 한자어가 국어에 사용될 때에, '타입'으로서 차지하는 비중은 고유어보다 높으나 '토큰'으로서 차지하는 비율은 고유어보다 낮음

5장 한국어 의미론

1. 의미의 개념과 정의

(1) 개념

• '청각 영상(시니피앙: 기표)'과 '개념(시니피에: 기의)'이 결합된 것
• 말소리(기호/형식)) : 언어의 형식, 귀에 들리는 물리적, 구체적인 현상
• 의미(내용) : 언어의 내용, 말소리를 들을 때 머릿속에 떠오르는 추상적인 내용
• 어휘 의미론 : 어휘소 자체, 공통 자질을 통한 의미장, 어휘 의미의 관계
• 통사 의미론 : 동의성, 중의성, 잉여성 등 문장과 문장과의 관계
• 화용 의미론 : 실제 언어수행 과정 속에서 발화된 내용의 의미

(2) 정의

① 지시설

• 그 언어가 가리키는 지시물과 일치
• 한계 : 실제 사물이 아닌 것을 표현할 수 없음

② 개념설

• 사람들의 머릿속에 내재되어 있는 심리적 영상(관념)과 일치
• 소쉬르의 기호 이론과 오그덴 리차즈의 의미 삼각형으로 대표됨
• 시니피앙 : '음성' - 표현물, 시니피에 : '의미' - 피표현물
• 한계 : 언어표현에 따른 개념이나 영상이 같지 않기 때문에 객관적 처리가 불가능하고 의사소통에 어려움을 겪음

• 소쉬르(스위스 구조주의 언어학자, 1857년~1913년) : 랑그 (공통된 문법, 규칙), 파롤 (개인적인 발화의 실행)

③ 행동설 (자극-반응설)
• 언어표현은 화자의 발화가 자극이 되어 청자에게 일으키는 반응
• 한계 : 화자와 청자의 기대 행동이 다르므로 일관된 의미를 지니기가 힘듦

2. 의미의 종류

(1) 중심적 의미와 주변적 의미

① 중심적 의미 : 가장 기본적이고 핵심적인 의미

② 주변적 의미(문맥적 의미) : 문맥이나 상황에 따라 의미가 확장되어 다르게 쓰이는 의미

예) 손(手)
• 중심적 의미 : 손을 씻다. - 신체의 일부
• 주변적 의미 : 손이 모자란다. - 노동력
손이 크다 - 씀씀이
손을 보다 - 필요한 조치
우리의 손으로 해냈다. - 힘, 의도

(2) 외연적 의미와 내포적 의미

① 외연적 의미 : 기본적, 객관적 의미 (개념적, 사전적, 인지적 의미)

② 내포적 의미 : 연상이나 관습 등에 의해 형성되는 함축적 의미 (개인적, 정서적 의미)

예) 그녀의 눈가에 이슬이 맺혀 있다.
• 물방울 - 중심적 의미
• 눈물 - 문맥적 의미
• 슬픔 - 내포적 의미

(3) 사회적 의미와 정서적 의미

① 사회적 의미 : 언어 표현을 통해서 화자의 출신 지역이나 화자와 청자의 관계 등을 파악할 수 있는 의미
② 정서적 의미 : 상대한 대한 태도 및 표현 내용에 대한 화자의 판단 등과 같이 언어 사용자의 정서가 반영된 의미

(4) 주제적 의미와 반사적 의미(반영적 의미)

① 주제적 의미 : 언어 표현에서 초점이나 강조 등을 통해 화자의 의도가 반영되어 나타나는 의미

② 반사적(반영적) 의미 : 여러 개의 개념적 의미 가운데서 하나가 다른 의미적 반응을 일으킴으로써 나타나는 의미

3. 단어 간의 의미 관계

(1) 동의 관계와 유의 관계

① 개념

• 동의 관계 : 두 개 이상의 단어가 서로 소리는 다르지만 의미가 같은 경우
• 유의 관계 : 두 개 이상의 단어가 소리는 다르지만 의미가 비슷한 경우
• 유의 관계는 문맥 안에서 항상 서로 바꿔 쓸 수 있는 것은 아님
  예) 얼굴:낯
    • 얼굴이 두껍다. / 낯이 두껍다. (O)
    • 낯을 가리다. / 얼굴을 가리다. (X)

② 동의어(유의어) 생성 유형

㉠ 방언의 차이에 의한 동의어
  • 서로 다른 방언권에 있는 화자들이 동일한 지시 대상을 두고 각각 다른 단어를 사용함으로써 동의어가 만들어지게 되는 것임
  • 방언의 차이에 의한 동의어는 동일한 지시 대상에 대한 서로 다른 표현이므로 지역적 차이가 드러나는 사회적 의미를 제외하면 거의 완전하게 동일한 의미라고 할 수 있음
  예) 하루살이 : 날파리

㉡ 문체나 격식의 차이에 의한 동의어
  • 고유어는 오래 전부터 입말로 사용해 온 것으로 비격식적이라 할 수 있고, 후대에 들어와 자리 잡은 한자어나 외래어는 보다 정중하고 격식적이라고 생각하는 경향이 있음
  • 본말과 준말 사이의 동의관계도 여기에 포함됨
  예) 틈 : 간격 : 갭

㉢ 전문어에 의한 동의어
  • 특정 분야에서 자신들의 관련 영역을 보다 정밀하게 기술하기 위해 전문어를 사용하는데, 그 전문어에 해당하는 일상어가 있으면 두 단어는 동의어가 됨
  예) 염화나트륨 : 소금

㉣ 내포의 차이에 의한 동의어
  • 동일한 지시 대상을 가리키는 두 단어 가운데 한 단어는 중립적인 표현으로 쓰이고 다른 단어는 특별한 내포를 가지고 쓰이는 경우
  • 존비어, 정감어, 비속어 등은 화자의 감정이나 판단 가치가 들어 있기 때문에 내포에 의한 동의어로 간주할 수 있음
  예) 입 : 주둥아리, 밥 : 진지

㉤ 완곡어법에 의한 동의어
  • 죽음, 질병, 두려움, 불결한 것, 성, 신체 특정 부위와 같은 것은 직설적인 표현을 피하고 완곡어를 사용함
  • 직접적인 표현과 그것을 대신하는 완곡 표현 사이에 동의관계가 성립됨
  예) 똥 : 대변, 변소 : 화장실

③ 동의어(유의어) 충돌 결과

㉠ 동의어 공존 : 함께 사용되어 내면적으로 경쟁 지속
  예) 걱정 - 근심, 달걀 - 계란

㉡ 사어(死語) 발생 : 한쪽은 생존하고 다른 쪽은 소멸
  예) 천(千) - 즈믄

㉢ 동의중복의 합성어 사용 : 두 단어가 한 단어로
  예) 틈새, 담장, 가마솥

㉣ 의미의 범위 변화 : 지시하는 의미영역 변화
예) 백(百) - 온(→ 전체)

㉤ 의미의 가치 변화 : 시간에 따른 통념, 취향 변화
예) 표적 – 보람(→ 좋은 결과), 여자 – 계집(→ 여자의 낮춤말)

④ 동의어(유의어) 검증

㉠ 대치검증 : 문맥 속에서 한 어휘소를 다른 어휘소로 바꾸어 봄
예) 물이 맑다 – 물이 깨끗하다 / 방이 맑다 (X) – 방이 깨끗하다

㉡ 대립검증 : 대립어 사용
예) 작다 – 크다 <양> / 적다 – 많다 <수>

㉢ 배열검증 : 동의성의 정도가 모호한 어휘소들을 하나의 연속체로 배열하여 의미차이를 구분
예) 접시-대접-사발-공기 / 볍씨-모-벼-나락-쌀 / 실개천-개울-시내-하천-강-대하

㉣ 연어제약검증 : 동의어들에 허용 가능한 연어들을 열거해 봄으로써 그 차이를 알아봄
예) 얼굴이 두껍다 – 낯이 두껍다 / 얼굴을 가리다 (X) – 낯을 가리다

(2) 반의 관계

• 한 쌍의 단어가 어떤 의미상의 특징을 공유하면서 한 가지의 의미 자질만 반대인 경우

① 상보 반의어
• 의미 영역이 상호배타적으로 양분
• 한쪽의 부정은 다른 쪽을 긍정하는 관계
• 두 단어를 동시에 긍정하거나 부정하면 모순 발생
예) 남자 : 여자, 살다 : 죽다

② 정도(등급) 반의어
• 양 극단 사이의 중간적인 속성이 존재함
• 두 단어 동시 부정이 가능
• 상대적 개념
예) 크다 : 작다, 길다 : 짧다

③ 방향(관계) 반의어
예) 아래 : 위, 부모 : 자식, 주다 : 받다, 가다 – 오다, 교사 : 학생

★ 의미장

• 하나의 상위어 아래 의미상 밀접하게 연관된 낱말 집단
• 공통적인 의미를 중심으로 묶이는 단어의 집합 (semantic field)
• 개별 단어들을 하나의 체계 속에서 조직화하여 보여줌(개별단어의 의미를 전체 틀 안에서 이해하고자 하는 이론)

★ 성분 분석 : 단어 간 의미관계를 명료화

• 의미 자질을 이용하여 단어를 더 쪼개어 분석하는 방법
• 의미성분(의미자질) : 한 단어의 의미를 이루는 요소 예) 총각 : [-기혼][+남자][+사람]

(3) 상하 관계

① 개념

- 상위어 : 다른 단어의 의미를 포함함
- 하위어 : 다른 단어의 의미에 포함됨
- 계층구조관계 : 상위어는 다수의 하위어를 가질 수 있지만, 하위어는 다수의 상위어 층을 가질 수 없음
- 하위어는 상위어를 함의 (딸기를 먹었다는 것은 과일을 먹었다는 것을 함의)

② 특성

- '새-매-솔개'와 같이 한 경로에 있는 단어들은 상하관계를 그대로 이어받는 이행적 관계에 있음
- '새'와 '솔개'도 상하 관계에 있으며 이때의 상하 관계를 간접 상하 관계라고 함
- 하의어를 포함한 문장이 상의어를 포함한 문장을 함의하는 방향으로 일방함의 관계가 성립함

(4) 전체-부분 관계

① 개념

- 한 단어가 다른 단어의 부분이 되는 관계
- 전체어와 부분어

② 특성

- 부분관계는 이행적 관계가 임의적임
- '손톱-손가락-손' 사이의 부분관계는 '손톱-손'으로 이행됨
- '유리'는 '창문'의 부분어이고, '창문'은 '방'의 부분어가 될 수 있지만 '유리'가 '방'의 부분어라고 할 수는 없음
- 부분관계도 일방함의 관계가 성립함
- 함의관계는 일반적으로 부분어 문장이 전체어 문장을 함의하지만 그 방향이 유동적이어서 전체어 문장이 부분어 문장을 함의할 때도 있음

  예) • 나는 <u>모니터</u>를 샀다. (부분어) / 나는 <u>컴퓨터</u>를 샀다. (전체어)
  - 컴퓨터를 산 것이 모니터를 산 것까지 함의하므로 전체어 문장이 부분어 문장을 함의하고 있음 (일방함의 관계가 성립하지 않는 경우도 있음)

(5) 동음이의어와 다의어 관계

① 개념

- 동음이의어 : 소리는 같으나 뜻이 다른 단어
- 다의어 : 소리가 같고 의미도 서로 밀접한 관련이 있는 단어

> 1) 쓰다
> ① 연필이나 펜 등의 필기도구로 종이 등에 획을 그어서 일정한 글자를 적다.
> 예) 아이는 새로 산 공책의 앞에 자기 이름을 썼다.
> ② 원서나 계약서 등의 일정한 양식을 갖춘 문서를 작성하다.
> 예) 승규는 취직을 하기 위해 입사 지원서를 썼다.
> ③ 머릿속에 떠오른 노래를 악보에 음표로 나타내다.
> 예) 나는 곡을 쓸 때에는 며칠이고 밖에 나가지 않았다.
> 2) 쓰다
> ① 모자나 가발 등을 머리에 얹어 덮다.
> 예) 이 지역은 자외선이 강하므로 외출할 때 모자를 쓰고 나가는 것이 좋다.
> ② 먼지나 가루 등을 온몸에 덮은 상태가 되다.
> 예) 장난감을 찾겠다며 창고에 들어갔던 동생은 온몸에 먼지를 쓰고 나왔다.
> ③ 사람이 죄나 누명 등을 입게 되다.

예) 김 부장은 스파이 누명을 쓰고 회사에서 해고를 당했다.

3) 쓰다

① 어떤 일을 하는 데에 재료나 도구, 수단 등을 이용하다.

예) 나는 요리를 할 때 신선한 재료만을 쓴다.

② 어떤 일을 하는 데 시간이나 돈을 들이다.

예) 지수는 자신이 번 돈을 모두 어머니의 약값으로 썼다.

③ 어떤 말이나 언어를 사용하다.

예) 나는 부모님께 항상 존댓말을 썼다.

④ 어떤 건물이나 장소를 일정 기간 동안 사용하다.

예) 우리는 쓰지 않는 창고를 개조해서 사무실로 쓰기로 했다.

4) 쓰다

① 약의 맛과 같다.

예) 이 커피는 맛이 써서 먹기 힘들었다.

② 마음에 걸리는 것이 있어 싫거나 괴롭다.

예) 나에게는 첫사랑에 실패한 것이 쓴 기억으로 남았다.

➔ 1), 2), 3), 4) - 동음이의어 관계 / ①, ②, ③, ④ - 다의어 관계

② 다의어 생성 원인

㉠ 적용의 전이

- 단어는 그것이 사용되는 문맥에 따라서 많은 상이한 양상을 갖게 됨
- 그 가운데 일부는 일시적인 것에 지나지 않지만 다른 어떤 것은 의미의 영속적 잔영으로 발전할 수 있으며, 그것들 사이의 간격이 벌어져 마침내 같은 단어의 다른 의미로 간주하게 됨
- 예를 들면 '거칠다'는 본래의 의미가 '곱게 다듬어져 있지 않은 상태'를 의미하는데 여러 상황에 옮겨져 사용되면서 '피부가 거칠다, 말투가 거칠다, 숨소리가 거칠다, 운전이 거칠다' 등 한 단어의 다른 의미로 자리 잡게 되었음

㉡ 사회 환경의 특수화

- 일반 사회에서 널리 쓰이는 단어가 특정한 사회 환경 내에서 특수한 의미를 가질 수 있음
- '작업'은 경제계에서는 '자금의 투자 또는 회수'를 뜻하고, 도축업에서는 '도축'을 뜻하며, 젊은이들 사이에서는 '이성을 꾀는 일'을 가리키기도 함
- 사회가 전문화될수록 그 영역에서 사용하는 특수한 의미를 일반적인 단어로 나타내는 일이 늘게 되는데 그 결과로 다의어가 많이 생겨나게 됨

㉢ 비유적 언어

- 하나의 단어는 원래의 의미를 지닌 채 하나 이상의 비유적인 의미를 가질 수 있음
- 이 두 의미 사이에 혼란이 없으면 두 의미는 한 단어의 다의어로서 공존함
- 유사성에 바탕을 둔 은유와 사물의 인접성에 바탕을 둔 환유를 예로 들 수 있음

★ 의미의 전이

- 한 언어 표현이 가지고 있는 본래의 구체적인 의미나 추상적인 의미를 그 외의 것을 나타내기 위하여 사용함으로써 기본 의미에 변동이 일어난 것

(1) 은유(유사성) : 하나의 개념을 유사성을 찾을 수 있는 또 다른 하나의 개념을 통하여 이해하는 것

① 형태의 유사성

㉠ 자라목 : 기린목 : 황새목

㉡ 손목 : 발목 : 팔목
㉢ 길목 : 골목

② 기능의 유사성
㉠ 손발이 되다(조력자)
㉡ 손이 달리다(일꾼)
㉢ 손을 잡다/뻗다/떼다/씻다/끊다(관계)
㉣ 손이 크다(씀씀이)

③ 속성의 유사성
㉠ 기온/물가/연세/혈압이 높다
㉡ 소리가 높다
㉢ 학벌/학식이 높다
㉣ 지위/인기가 높다
㉤ 코가 높다

(2) 환유(인접성) : 어떤 개체와 관련되는 같은 영역의 개체를 지시하기 위해 그 개체의 이름을 사용하는 것

• 확대 지칭 : 한 영역의 일부를 가지고 그 영역 전체를 나타냄
① 소유물 → 소유자
② 개체 → 유형
③ 원인 ⇆ 결과
• 축소 지칭 : 한 영역의 전체를 가지고 그 영역의 어느 일부분을 나타냄
① 사물의 전체 → 부분
② 생산자나 생산지 → 그곳의 책임자
③ 장소나 건물 → 그곳의 거주나 책임자
④ 그릇 → 내용물
⑤ 특정 시간 → 특정 사건이나 행위
• 예)
① 공간의 인접성
㉠ 가슴이 나쁘다.(폐)
㉡ 가슴을 태우다.(속, 마음)

② 시간의 인접성
㉠ 중심의미 : 아침이 밝아 온다.(날)
㉡ 주변의미 : 아침 먹는다.(아침에 먹는 밥)

③ 원인과 결과에 의한 인접성
㉠ 중심의미 : 추위에 떨다.(체온유지를 위해 근육이 수축하는 현상)
㉡ 주변의미 : 시험에 떨어질까 봐 떨다.(초조한 상황에서 몸과 마음이 수축되는 현상)

㉣ 동음어의 재해석
• 어원적으로 별개의 단어이던 것이 오랜 세월이 지나면서 음성이나 철자의 변화로 동음어가 될 수 있는데, 이때 두 단어의 의미에 어떤 관련성이 인정됨으로써 다의어로 재해석될 수 있음
• 동음어의 재해석은 의미 해석의 과정에서 민간어원적 성격을 갖는 경우가 적지 않음

㉤ 외국어의 영향
• 기존의 단어가 외국어의 의미를 차용함으로써 본래의 의미에 변화가 생기는 경우가 있음
• 본래의 의미와 외국어의 영향으로 생긴 의미가 공존하면서 기존의 단어는 다의성을 갖게 됨

(6) 동음어 관계

① 유형

㉠ 절대 동음어와 부분 동음어
- 절대 동음어는 의미에서 연관성이 없고, 두 단어의 어형이 모든 형태에서 동일하며 문법적으로 대등한 경우를 말하며 이 세 가지 조건 가운데서 어느 하나라도 만족시키지 못하면 부분 동음어임

㉡ 동철자 동음어와 이철자 동음어
- '은행(銀行)'과 '은행(銀杏)'은 같은 철자로서 소리가 같은 동음어이며, '학문(學問)'과 '항문(肛門)'은 철자는 다르지만 소리가 같은 동음어임

② 생성 원인

㉠ 음성적 접근 : 음운변화의 결과 다른 형태를 가진 둘 이상의 단어가 일치하는 경우
예) 쓰다(用)와 쓰다(書)

㉡ 의미의 분화 : 동일어의 둘 또는 그 이상의 의미가 분기
예) 고개(목의 뒷등)와 고개(산) - 다의어였으나 의미 관련성 상실로 현재 동음어

㉢ 외래어의 영향 : 국어의 경우 한자어로 인한 동의어의 예가 대부분
예) 가로(橫)와 가로(街路), 선비(先非)와 (船費)

4. 문장 간의 의미 관계

(1) 문장의 의미

- 단어의 배열, 묶음에 따라 문장 의미가 형성되고 달라짐
- 각 낱말의 의미, 문장을 이루는 규칙, 용인성 등으로 결정
- 합성성의 원리 : 전체 문장의 의미는 단순히 단어 의미의 합이 아니라 그보다 더 크다는 것을 나타냄

(2) 문장의 의미 관계

① 유의 관계 : 표현된 상황의 '진리치'가 같음

㉠ 풀어쓰기(환언)
예) 나는 엄마를 좋아한다. - 나는 아빠의 아내를 좋아한다.

㉡ 능동문과 피동문
예) 고양이가 쥐를 잡았다.(능동문) - 쥐가 고양이에게 잡혔다.(피동문)

㉢ 대립어
예) 형이 동생보다 크다. - 동생이 형보다 작다.

㉣ 부정 문장
예) 철수는 학교에 가지 못했다. - 철수는 학교에 못 갔다.

② 반의 관계 : 문장들이 서로 반대되는 의미를 가지는 경우

㉠ 반의어

예) 철수가 영희를 <u>좋아한다.</u> - 철수가 영희를 <u>싫어한다.</u>

ⓛ 긍정문과 부정문

예) 나는 학교에 간다. - 나는 학교에 가지 않는다.(의지 부정) / 나는 학교에 가지 못한다.(능력 부정)

ⓒ 보조사

예) 나는 키도 크다. - 나는 키만 크다.

(3) 전제와 함의

① 전제

• 발화된 문장(S1)의 정보 안에 또 다른 정보(S2)가 들어가 있고, 'S1'이 부정되어도 'S2'는 참으로 존재하는 경우의 의미 내용 관계

예) • S1 : 나는 작년에 본 영화를 기억한다.

• S2 : 나는 작년에 영화를 보았다. - 전제

• S1 부정 : 나는 작년에 본 영화를 기억하지 못한다.' - 전제는 부정되지 않음

★ 전제 유발 장치 : 전제를 생성하는 단어나 문장구조

1) 고유명사

• 문장이나 발화에서 언급된 고유명사는 그것이 지시하는 특정한 사물이나 사람이 존재함을 전제함

예) 철수, 수미

2) 한정적 기술

• 전제는 한정적 표현이나 관형절의 수식을 받는 것과 같은 한정적 기술에 의해서 나타날 수 있음

예) 내가 먹은 점심 식사는 김치찌개였다. 내가 점심 식사를 했다.

3) 사실동사

• 모문의 사실동사는 내포문이 참임을 전제함

• 사실동사에는 '후회하다, 분개하다, 놀라다. 알다. 실감하다, 발견하다, 잊다, 기억하다, 무시하다' 등이 있고 비사실동사에는 '믿다. 의도하다. 단정하다, 주장하다., 제안하다. 확신하다. 기대하다. 생각하다, 말하다, 가정하다, 바라다, 원하다' 등이 있음

• 비사실동사는 내포적 내용의 진위여부와 상관없는 주관적인 견해를 가지므로 내포적 내용이 참임을 전제하지 않음

4) 판단동사

• 판단동사에는 '비판하다, 고백하다, 비난하다, 사과하다, 칭찬하다' 등이 있음

5) 상태변화동사

• 이전의 상태와 이후의 상태에 변화가 있음을 전제함

• 예) 시작하다, 출발하다, 계속하다, 멈추다, 그만두다 등

6) 반복표현

• 부사 '또, 다시, 더' 등은 행위의 반복 또는 첨가의 의미를 가지고 있는데, 이러한 반복 표현은 이전에 동일한 행위가 있었음을 전제함

7) 수량사

• 수량사와 결합된 지시 대상은 그 지시물이 존재한다는 것을 전제함

8) 부사절
 • 부사절 가운데 시간적 선후관계가 드러나는 부사절에서 찾아볼 수 있음

9) 비교표현
 • 비교 기준이 되는 사물은 비교되는 내용의 속성을 가지고 있음을 전제함

② 함의
 • 발화된 문장(S1) 안에 또 다른 정보(S2)가 들어 있는 경우 'S1'이 부정되었을 때 S2도 거짓이 될 때 S1은 S2를 함의한다고 말함
 예) • S1 : 경찰이 도둑을 잡았다.
 • S2 : 도둑이 잡혔다. - 함의
 • S1 부정 : 경찰이 도둑을 잡지 못했다. - '함의'도 부정됨

5. 의미의 사용

(1) 중의적 표현

① 어휘적 중의성 : 문장 속에 쓰인 어휘의 특성 때문에 나타나는 중의성
 ㉠ 다의어
 예) • (학교까지 갈 수 있는) 길이 있다. - 도로
 • (아무리 힘들어도 살아갈) 길이 있다. - 방책
 ㉡ 동음이의어
 예) 영이가 차를 준비했습니다. - 茶/車
 ㉢ 동사의 경우 '동작'인가 '상태'인가의 문제 발생
 예) 철수가 빨간 옷을 입고 있다.
 • 입고 있는 동작 (입는 중)
 • 입고 있는 상태 (입은 상태를 유지)

② 구조적 중의성 : 문장 성분들 간의 통사적 관계에 의해 나타나는 중의성

 ㉠ 수식 관계에서 일어나는 중의성
 예) 내가 좋아하는 철수의 동생
 • '내가 좋아하는 사람'은 '철수'? '철수의 동생'?
 • '내가 좋아하는'이 수식하는 명사구가 '철수'인가? '철수의 동생'인가?

 ㉡ 서술어와 호응하는 주어의 범위에 의한 중의성
 예) 남편은 아내보다 딸을 더 사랑한다.
 • 남편은 아내와 딸 중에서 딸을 더 많이 사랑함
 • 남편과 아내 모두 딸을 사랑하는데, 아내가 딸을 사랑하는 정도보다 남편이 딸을 사랑하는 정도가 더 큼
 • '사랑하다'의 주어가 '남편'인가? '남편'과 '아내' 모두인가?

 ㉢ 어떤 명사와 호응하는가에 따른 중의성
 예) 선생님은 웃으면서 들어오는 학생에게 심부름을 시켰다
 • 웃은 사람은 선생님?, 학생?
 • '웃으면서'가 '선생님'과 호응하는가?, '학생'과 호응하는가?

 ㉣ 접속에 의한 중의성
 예) 철수와 영희는 인정사정 보지 않고 싸웠다.
 • '철수'와 '영희'가 서로 싸웠음 (명사 접속으로 해석)

• '철수'와 '영희'가 다른 누군가와 싸웠음 (문장 접속으로 해석)

㉤ 총칭적 해석과 제한적 해석에 의한 중의성
예) 철수는 껍질이 얇은 사과를 좋아한다.
• 사과는 껍질이 얇은데, 철수는 그래서 사과를 좋아함 - 총칭적 해석
• 철수는 사과 중에서 껍질이 얇은 것만을 좋아함 - 제한적 해석

③ 영향권(범위, 작용역) 중의성 : 어떤 단어가 의미 해석에 미치는 범위가 달라져서 생기는 중의성

㉠ 양화사
예) 모든 소년들이 한 소녀를 사랑한다. - 사랑받고 있는 소녀는 몇 명?
• '모든'의 범위가 '한' 보다 넓다면 - 소년 한 사람당 한 명씩 (10명)
• '한'의 범위가 '모든'보다 넓다면 - 열 명이 모두 똑같은 한 사람을 (1명)

㉡ 부정문
예) 나는 택시를 타지 않았다.
• 다른 사람이 탔음
• 버스를 탔음
• 타지는 않고 세우기만 했음

④ 은유적 중의성
• 은유적 표현이 둘 이상의 의미로 해석되는 경우
예) 그 선생님은 호랑이야.
• 그 선생님은 호랑이처럼 무서움
• 선생님이 (연극에서) 호랑이 역을 맡았음

⑤ 화용적 중의성
• 동일한 언어 표현이 발화 장면에 따라 다른 해석을 갖게 됨으로써 나타나는 중의성
예) 동생은 자정까지 공부한다.
• 명제 그대로 사실을 전달할 경우
• 늦게 들어온 형을 어머니가 꾸짖는 상황이라면?

(2) 관용적 표현

① 개념
• 2개 이상의 명사로 구성되지만 본래 의미가 아니라 제3의 단일 의미로 특수화
• 단어들의 의미만으로는 전체의 의미를 알 수 없음
• 과장성, 반어성, 완곡성

② 유형

㉠ 숙어
예) • 산통을 깨다 (장님이 점 칠 때 쓰는 통) : 어떤 일을 이루어지지 못하게 함
• 어처구니가 없다 (맷돌의 손잡이) : 너무 뜻밖이어서 기가 막힘
• 아퀴를 짓다 : 일이나 말을 끝마무리함

㉡ 속담
예) 굴뚝 보고 절 한다. : 무엇을 피하여 몰래 달아남

(3) 잉여적 표현

① 개념
- 의미상 불필요한 말이 사용된 표현
- 의미의 중복, 의미의 중첩

② 중복되는 의미의 사용

- 여성 자매
- 역전 앞
- 남은 여생
- 형극의 가시밭길
- 빈 공간
- 근거 없는 낭설
- 방학 기간 동안
- 돌이켜 회고해 보건대
- 박수를 치다
- 축구를 차다
- 접수 받다
- 머릿속에 뇌리를 스치는 기억
- 보는 관점에 따라
- 공기를 환기시키다
- 과반수 이상의 찬성
- 둘로 양분하다
- 이미 가지고 있던 기존의 생각
- 미리 예비하다
- 그 부분은 삭제하여 빼도록 합시다
- 참고 인내하다
- 불공정한 사례는 허다하게 많다
- 폭력은 완전히 근절해야 한다
- 우리 민족은 농경을 지어 왔다

6. 의미의 변화

(1) 의미 변화의 원인

① 언어적 원인
- 어떤 말소리나 낱말의 형태 또는 통사적인 것이 원인이 되어 의미가 변하는 경우

㉠ 통사적 기원을 갖는 전염
예) 나는 별로 김치를 좋아하지 않는다. - 긍정과 부정에 모두 쓰였던 표현이 부정적 표현에만 쓰이게 됨

㉡ 생략
예) • 아침은 꼭 챙겨 먹어야 한다. - 아침밥
• 감기에 걸려서 코가 계속 나온다. - 콧물
• 나는 검정 머리를 노랗게 염색했다. - 머리카락

㉢ 민간 어원
예) • 행주치마 : 행자승이 걸치는 치마 → 행주산성의 치마
• 한량 : 벼슬을 못하고 놀고 있는 무반 → 활 장 쏘는 건달 → 놀고 먹는 건달

② 역사적 원인
- 대상은 변모했음에도 명칭이 변하지 않아 발생한 의미 변화

㉠ 지시물의 변화

예) • 배 : 돛단배. 거룻배 → 증기선 → 발동선

• 대감 : 신라의 무관직 → 조선의 정이품 이상의 고관 → 장관 직위에 있는 관리에 대한 존칭

㉡ 지시물에 대한 지식의 변화

예) 해가 뜨고 진다. → 지구가 자전한다고 알고 있어도 계속 사용 ('지구가 돈다.'라는 의미로 바뀜)

㉢ 지시물에 대한 정서적 태도의 변화

예) 교도소 : 감옥소(죄인을 감시하는 곳) → 형무소(죄인의 자유를 배앗는 곳) → 교도소(죄인을 올바르게 이끄는 곳)

③ 사회적 원인

• 일반적인 단어가 특정 사회 또는 특수 사회 집단에서 사용되는 경우 또는 반대 경우에 본래의 의미와 달리 사용되거나 변화가 나타남

예) • 왕(왕정의 최고 책임자) → 가수왕, 암산왕(제일인자), 왕방울(크다)

• 장가가다(장인 집에 살러 들어감) → 남자가 결혼하여 다른 사람의 남편이 됨

④ 심리적 원인

• 감정적인 것과 금기에 의한 의미 변화

㉠ 감정적인 원인

예) • 곰 → 미련한 사람

• 갈매기 → 사병 또는 부사관의 계급장에서 'V' 자 모양의 표지를 속되게 이르는 말

㉡ 금기

예) 산신령(호랑이), 손님(홍역), 마마(천연두), 화장실(변소)

⑤ 외국어의 영향

• 외국어 유입에 따른 공존 및 의미 차용으로 인한 의미변화

예) star → 별/장군/대중적 인기인

(2) 의미 변화의 유형

① 의미의 확대 : 단어의 의미 범주가 확장된 경우

예) • 다리: 사람, 짐승의 다리 → 사물의 하체까지 포함

• 선생 : 성균관의 교무 직원 → 학생을 가르치는 사람이나 남에 대한 존칭

• 영감 : 당상관 이상의 호칭 → 노인

• 양반 : 귀족 계층 → 상대에 대한 범칭

• 먹다 : 음식을 씹어 삼키다 → 마시다, 피우다, 듣다...(나이를)먹다

• 세수 : 손을 씻다 → 손과 얼굴을 씻다

• 아저씨 : 숙부 → 성인 남자

• 박사 : 최고의 학위 → 무엇이든지 모르는 것이 없는 사람

• 놀부 : 소설의 인물 → 욕심과 심술이 많은 사람

• 지갑 : 종이로 만든 것 → 종이, 가죽, 비닐 등을 포함

• 겨레 : 종친 → 동포

• 지갑 : 종이로 만든 것 → 가죽이나 헝겊 따위로 쌈지처럼 만든 자그마한 물건

• 장인 : 기술자 → 예술가

② 의미의 축소 : 단어의 의미 범주가 축소된 경우

• 얼굴: 형체 → 안면만을 의미
• 미인: 남여 공용 예쁜 여자에게만 쓰임
• 계집 : 여성의 범칭 → 여성의 낮춤말
• 공갈 : 남을 겁주는 행위 전체 → 거짓으로 남을 윽박지르는 것
• 짐승 : '중생'에서 온 말로, 살아있는 생명체 인간을 제외한 동물만을 의미
• 사랑하다: 사랑을 포함한 온갖 생각 행위→ 애정만을 의미
• 왜인 : 몸집이 왜소한 사람 → 일본인
• 음료수 : 마시는 물 → 제품화된 음료수
• 뫼(메) : 밥, 진지 → 제삿밥
• 여위다: 마르다(사람, 동물, 무생물 등에도 쓰임) → 사람과 동물에만 한정됨
• 즛(짓) : 모양과 동작 → 동작만을 가리키는 의미로 한정됨

③ 의미의 이동 : 단어의 의미 범주가 달라진 경우

• 어리다 : 어리석다 → 나이가 적다
• 젊다 : 나이가 어리다 → 혈기가 왕성하다
• 어엿브다 : 불쌍하다 → 예쁘다
• 방송 : 석방 → 전파를 실어 보내다
• 인정 : 뇌물 → 사람 간의 정
• 발명 : 변명 → 새로운 것을 만들
• 싁싁하다 : 엄하다 → 씩씩하다
• 수작 : 술잔을 건네다 → 중요하지 않은 말을 주고받음/다른 사람의 말이나 행동, 또는 계획을 낮잡아 이름
• 주책 : 일정한 생각 → 일정한 생각 없이 되는 대로 행동함
• 내외: 안과 밖 → 부부 간
• 감투: 본래 벼슬아치가 머리에 쓰는 모자 → 벼슬
• 외도: 불교 이외의 다른 종교 → 배우자의 부정한 행실
• 에누리 : 값을 더 얹어서 부르는 일 → 값을 깎는 일

6장 한국어 화용론

1. 화용론의 개념과 역사

(1) 개념

• 발화 장면 속에서 발화 사용 및 해석의 원리를 활용하여 발화(대화 혹은 언어 형식)의 의미를 해석하고 연구
• 화자, 청자, 주변 상황(장면)까지 고려하는 언어학의 방식
• 언어의 '사용 맥락'과 '사회심리적 요인'을 밝히는 데 주력
• 레빈슨 : 언어 이해에 대한 설명의 바탕이 되는 맥락과 언어 사이의 관계에 대한 연구
• 율 : 언어형식과 그것의 사용자의 관계에 대한 연구
• 메이 : 사회적 조건에 의해 결정되는 인간의 의사소통에서 언어 사용에 대해 연구

(2) 역사

① 용어 사용

• '모리스(Morris, 1938:6)'가 기호학 연구 영역을 아래와 같이 나누면서 처음으로 사용함
• 통사론 : 기호와 기호 사이의 형식적 관계에 대한 연구
• 의미론 : 기호와 그 기호가 지시하는 대상과의 관계에 대한 연구
• 화용론 : 기호와 해석자 사이의 관계에 대한 연구

② 일상 언어학파

• 오스틴(1962년), 셜(J.R. Searle, 1969), 그라이스(H.P. Grice, 1975)로 이어지면서 연구가 확장됨

③ 언어 사용자 중심의 연구

• 로스(J. ROSS, 1970), 리치(G.N Leech, 1983), 레빈슨(S.C. Levinson, 1983), 메이(J.L. Mey, 1993/2001), 율(G. Yule, 1996) 등이 언어 사용자 중심의 견해를 포함시켜 연구를 전개함

2. 화용론의 연구 범위

(1) 연구 분야

① 화자와 청자에 대한 상호작용 속에서 발화의 의미를 연구함

② 율(G. Yule, 1996:3)의 견해

㉠ 화자가 전하고자 하는 의미에 대한 연구 (발화 행위)
㉡ 맥락과 관련된 의미를 연구
㉢ 말해진 것보다 더 많은 것이 의사소통되는 것에 대해 연구 (함축)
㉣ 화자는 어떤 대상에 대하여 물리적으로 혹은 심리적으로 원근을 헤아려 말을 하는데, 이러한 표현을 만드는 원인과 원리에 대해 연구 (직시)

(2) 발화 해석과 관련된 원리

① Rich(1981)의 발화 해석 원리

㉠ 화자의 의도(함축) : 발화 층위의 의미는 메시지 그 자체로부터 어떤 의미를 전달하기 위한 화자의 의도가 포함됨
㉡ 화맥 : 청자가 발화의 의미를 해석하는 것은 화맥(지위, 친밀도, 나이, 성별)에 의존함
㉢ 발화의 구성 요소
• 화자와 청자
• 화맥의 요소 : 지위, 친밀도, 나이, 성별
• 장면 : 시간과 공간적 지시

② 발화 의미의 이해

㉠ 문장 의미와 발화 의미의 차이

• 문장 의미 : '표현-의미' 사이의 2중 관계인 'X는 Y를 의미'
• 발화 의미 : '화자-표현-의미' 사이의 3중 관계인 'S는 X에 의해 Y를 의미

3. 발화행위 이론

(1) 행위로서의 발화

① '오스틴(Austin, 1962)'의 발화행위

㉠ 개념 : 발화는 화자의 명제의미(개념적 정보)를 전달하는 것 이외에 다른 어떤 행위를 하는 것이며, 발화를 통해

이루어지는 행위를 발화행위(화행, speech act)라고 함

• 발화행위의 분류

가. 발화행위(언표적 행위) : 의미를 가진 문장을 발화하는 행위

예) 배고파!

나. 발화수반행위(언표 내적 행위) : 언표적 행위를 통해 화자가 의도한 행위

예) 배고파! → 밥을 주세요.

다. 발화효과행위(언향적 행위) : 발화를 통하여 청자로부터 얻어지는 행위

예) 배고파! → 밥상을 차림

② 수행발화와 적정 조건(Searle, 1969)

㉠ 수행발화 : 약속, 명령, 내기, 경고, 사죄 등과 같은 언표내적 행위가 '약속하다, 명명하다, 내기하다' 등과 같은 수행동사에 의해 이루어진 발화

㉡ 적정조건 : 어떤 발화가 언표내적 행위가 성립되기 위해 필수적으로 지켜야 하는 조건

가. 명제내용조건 : 명제내용 명시

나. 예비조건 : 화자와 청자가 그 행위와 관련하여 갖게 되는 배경, 생각, 지식 등

다. 성실조건 : 화자의 심리적 상태로 발화와 관련하여 진실하여야 함

라. 필수조건(본질조건) : 화자에게는 객관적으로 본래 취지의 행위가 이루어지도록 노력할 것이 요구됨

• 약속 발화의 적정조건

가. 명제내용 규칙 : 명제내용은 화자의 미래 행위를 서술해야 함

나. 예비 규칙

• 청자는 화자의 명제내용을 긍정적으로 생각함

• 화자는 자신이 그 명제내용을 할 수 있다고 생각함

다. 성실 규칙 : 화자는 명제내용을 진심으로 원함

라. 필수(본질) 규칙 : 명제내용을 발화함으로써 그 행위를 해야 하는 의무를 갖게 됨

(2) 직접 발화와 간접 발화

1) 직접화행

: 문장(언표 행위)의 형태와 화자의 의도(언표 내적 행위)과 일치하는 경우

2) 간접화행

: 문장의 형태와 화자의 의도(언표 내적 행위)가 일치하지 않는 경우

예) 이 집에는 사나운 개가 있습니다. (평서문)

• 직접 화행 : 진술

• 간접 화행 : 주의/위협

3) 직접 발화와 간접 발화의 구분 : 화자의 의도와 발화가 진행되는 화맥에 의해 결정됨

4. 함축

(1) 개념

• 대화에 명시되지는 않았으나 추론을 통해 구성되는 의미

• 발화상 실현된 것은 아니지만 발화 속에 암시되어 있으며, 직접 전달되는 의미 이상을 내포할 수도 있음

• 명제 내용과 직접 관련이 없는 암시적인 의미

예) • 엄마 : 간장 좀 사 와라.

• 아들 : 숙제가 엄청 많아요.

• 함축 : 나는 갈 수가 없다.

(2) 함축 의미의 획득

• 대화 속의 화자와 청자가 서로 협력한다는 가정과 추론 속에서 얻게 됨

(3) 그라이스(Grice, 1975)의 협력의 원리

① 원칙 : 대화가 진행되는 각 단계에서 대화의 방향이나 목적에 의해 요구되는 만큼 기여를 하라는 것

② 대화 격률

㉠ 양의 격률
• 대화의 목적에 필요한 만큼만 정보 제공
• 필요 이상의 정보를 제공하지 않음
예) 더 이상의 설명이 필요 없이, 알고 있는지 모르지만, 잘 아시겠지만, 거두절미하고

㉡ 질의 격률
• 진실한 정보만 제공하도록 노력
• 거짓이라고 생각되는 것은 말을 하지 않음
예) 추측컨대, 사실대로 말씀드리면, 그것이 사실인지 확실하지 않지만, 잘못 보았는지 모르겠지만

㉢ 관계의 격률
• 관련성이 있는 정보만 제공
예) 무엇보다 중요한 것은, 어리석은 질문 같습니다마는, 직접 관련이 있는지는 잘 모르겠는데

㉣ 태도의 격률
• 명료하게
• 모호한 표현과 중의성은 피함
• 간결하고 조리 있게 말함
예) 분명하게 말하건대, 무슨 뜻인지 이해할지 모르지만, 분명하지 않지만, 너무 말이 길어지는데

(4) 공손성의 원리

① Lakoff(1973)의 공손의 원리

• 대화의 주요 목적이 지식이나 정보를 전하는 것이라면 '명료'를 중시하고, 대인 관계 유지와 강화를 위한 것이라면 '공손'를 중시해야 함 (두 가지 충돌 시 '공손'이 우선됨)
• 공손 원칙이 비록 언어 보편적인 것이지만 각 문화와 사회에 따라 차이가 있다고 지적함

② Leech(1983)의 공손의 원리

• 화자가 양의 격률을 위배하면서 보다 적은 정보를 제공하거나, 관련성의 격률을 위배하면서 동문서답식의 발화를 행하는 것이 공손의 원리를 지키려는 노력 때문이라고 봄
• 하위 격률 : 배려, 관용, 찬의(approbation), 겸손, 동의, 동정(sympathy)

③ Brown & Levinson(1987)의 공손의 원리

• 공손 이론으로 체계화
• 체면 위협 행위(face-threatening act, FTA)를 피해야 한다고 주장함
• 다른 사람에게 부탁하거나 요청을 할 때는 체면 보호 행위를 하며, 공손하게 보이기 위해 간접 화행을 주로 사용

• 인간관계의 유지 기능과 정보 전달의 기능이 서로 충돌할 때에는 공손의 원리가 협력의 원리보다 우위에 있다고 보는 학자들이 다수임

★ 요청 화행

• 화자가 자신의 유익을 위한 특정 행위를 청자가 수행해 주기를 요구하는 발화 행위
• 요청 화행이 일어나기 위해서는 먼저 대화 참여자 간에 요구하는 쪽과 이를 수용 또는 거절할 수 있는 상대자가 있어야 함
• 화자는 궁극적으로 자신의 요청이 거부되지 않고 수용되기를 바라기 때문에 청자가 요청을 받아들일 수 있도록 공손성을 발휘하여 발화하게 됨
• 이를 통해 화자는 자신의 요청을 통해 청자가 직면하게 되는 체면 위협의 정도를 최대한 낮출 수가 있음
• 요청 화행은 사회적 규범과 화자와 청자 사이의 관계를 유지하면서 이루어져야 하기 때문에 청자에게 무리한 요청을 하거나 체면을 심하게 위협하는 행위를 해서는 안 됨
• 따라서 화자는 가급적 직접적인 화행을 실현하지 않고 주로 간접적인 표현으로 완곡하게 요구할 수 있어야 함

★ 대화의 인접쌍

• 화자 두 명의 말 차례 교체에 따라 이루어지는 대화의 쌍 (질문-대답, 요청-수락, 제안-거절, 비난-사과)
• 특징
  ① 서로 맞닿아 있고, 두 명 이상의 각각 다른 화자의 발화로 구성되며, 두 번째 부분이 첫 번째 부분을 따르는 순서로 구성됨
  ② 첫 번째 요소가 두 번째 요소에 어떤 행위가 수행되어야 하는지를 규정함
  예) 제의는 수락이나 거절을, 인사는 인사를 인접쌍의 두 번째 요소로 제한함

5. 직시(deixis)

(1) 장면 직시 표현

① 직시의 개념 : 어휘나 문법 요소의 의미가 발화 맥락에 직접적으로 의존하여 드러나는 현상

② 직시 표현 : 직시의 목적을 달성하기 위하여 사용되는 언어적 형태

③ 비직시적 표현 : 대화 장면을 직접 가리키지 않는 표현
예) • 내가 이것을 거기에서 너에게 주었지?
• 철수가 영희에게 7월 11일에 도서관에서 책을 주었지?
• 철수, 영희, 7월 11일, 도서관, 책 → 비직시적 표현

(2) 맥락과 직시

① 직시의 유형

㉠ 인칭 직시 : 화자는 발화 맥락에 참여한 사람들을 기호화하여 그 대상을 직접 지시함
예) 네가 도서관에 있을 줄 몰랐어.

㉡ 시간 직시 : 화자가 특정 시점을 직시의 중심으로 삼아 사태가 일어난 시간을 가리킴
예) 어제가 친한 친구의 생일이었다.

㉢ 장소(공간) 직시 : 화자가 발화와 관련된 개체의 위치를 직접 가리킨 것
예) 밥을 먹기에는 거기가 제일 좋다.

㉣ 사물 직시 : 화자가 발화에 등장한 사물을 직접 가리키는 것
예) 내가 너에게 준다고 한 그것을 가져왔어.

㉤ 담화 직시 : 발화 그 자체 혹은 그 발화를 포함하고 있는 담화의 어떤 부분을 직접적으로 지시하는 현상
예) • 컴퓨터 좋던데. / 그거 아주 비싼 거야. → 조응 표현
• 컴퓨터 좋던데. / 뜬금없이 그게 지금 무슨 말이야? → 발화된 언어 표현을 지시하기 위해 사용된 담화 직시

② 맥락 지식과 직시의 해석

• 청자가 직시 표현에 대한 해석이 가능한 것은 발화 장소와 시간, 대화 참여자의 위치와 사회적 신분 등 맥락에 따라 달라지는 매개 변수에 대한 지식을 가지고 있기 때문

★ 담화 직시와 조응

① 담화 직시 : 담화 상황에서 담화 내의 언어적 표현 자체를 지시하는 것

② 조응 : 담화 직시와는 다르게 담화 내의 언어적 표현 자체를 지시하지 않고 앞에 나온 표현만을 대신함(=대용). 즉, 조응은 비직시적 용법이라 할 수 있음

6. 발화와 이야기

(1) 발화 : 화자가 자신의 생각을 말이나 문장으로 표현한 것

(2) 이야기 : 발화들이 모여서 이루어진 유기적인 통일체

① 담화 : 구어적 언어형식
② 텍스트 : 문어적 언어형식

(3) 이야기의 네 가지 조건 : 화자, 청자, 장면, 문장(발화)

(4) 장면 : 시간적, 공간적 상황

① 언어 내적 장면 : 언어표현 자체에서 장면이 들어 있는 경우

② 언어 외적 장면 : 언어표현 자체에서 드러나지 않는 화자, 청자, 시간, 공간 등

(5) 텍스트 언어학

① 정의 : 문장을 넘어서는 언어적 단위의 구성 자질들, 즉 텍스트 내외적 자질들과 텍스트 의사소통 기능, 의사소통 형태 그리고 분류 맥락을 연구하여 텍스트 이론의 근거를 제시하는 언어학의 한 분야

② 텍스트성(보그란데와 드레슬러) : 텍스트가 갖추어야 할 요건으로서 텍스트를 텍스트답게 만드는 자질

㉠ 응결성(결속성)
• 텍스트 구성단위들 간의 문법적 의존 관계로서 텍스트다움을 실현시키기 위한 언어적 장치
• 결속성은 내용의 연결을 위해 적절한 접속어나 연결 어미 등의 형식적인 구조를 가지고 있음
(지시어, 접속 부사, 의미관계 부사어, 동일어구 반복 등)

ⓛ 응집성
- 텍스트에 포함되어 있는 내용들 간의 '의미적인' 연결 관계
- 문장과 문장, 단락과 단락이 의미적으로 연결되어 조화를 이루어야 하고 내용 간 관련성을 유지해야 함

ⓒ 조응성
- 둘 이상의 말과 글의 앞뒤 따위가 서로 일치하게 대응하는 것
- 주로 대명사에 의해 실현이 되는 경우가 많음

ⓔ 정보성
- 제시된 텍스트의 자료가 수용자에 의해서 예측되었거나 수용자에게 알려진 정도를 의미함

ⓜ 의도성
- 지식을 전달하거나 계획에 제시된 목표에 도달하기 위해 텍스트 생산자의 의도를 달성하기 위한 도구라는 개념
- 결속구조가 제대로 유지되지 못했다고 하더라도 주요 목표를 원만히 수행했다면 그 발화는 의도성 문제가 해결된 것으로 볼 수 있음

ⓑ 수용성/용인성
- 수용자를 중시하는 기준으로 텍스트 수용자에게 유용하고 적합하면서 결속구조와 응집성을 구비한 텍스트라야 함

ⓢ 상황성
- 텍스트의 내용이 그것을 둘러싼 시대 및 사회 문화적 상황과 밀접한 관계들 맺게 하는 것

ⓞ 상호텍스트성
- 한 텍스트가 다른 텍스트와 맺고 있는 관련성

7장 한국어사

1. 한국어의 시대 구분

(1) 고대 한국어 : 기원 전후 ~ 10세기 초

① 형성

- 부여어는 고구려어, 옥저어, 예어와 유사했다는 기록이 《삼국지(三國志)》<위지 동이전>에 남아 있음
- 백제, 고구려는 삼국사기 지리지에 신라는 삼국사기와 삼국유사에 자료가 남아 있음
- 삼국의 언어는 통일 신라어로 통합됨
- 이두와 향찰이라는 표기법을 사용하여 문학을 창작, 전승하였음
- 888년 《삼대목》의 향찰 표기

② 특성

- 체언 뒤에 주격, 관형격, 부사격, 목적격 조사와 보조사 사용
- 상대 높임법은 잘 확인 안 됨
- 중국 문화의 영향이 점점 커지면서 고유 지명이 한자로 바뀜

③ 차자 표기

㉠ 향찰

• 신라 때 한자의 음과 뜻을 빌려 우리말의 형태와 의미를 기록한 종합적인 표기 체계
• 향가의 표기에 쓴 것
• 실질형태소는 한자의 훈 이용, 형식형태소는 한자의 음 이용
• 의미(훈독), 형태(음독)
• 한국어 어순대로 충실히 표기
• 고려 초엽까지 존속, 교착어적 성격을 충실히 반영

㉡ 이두

• 한자의 음(音)이나 훈(訓)을 빌려서 한국어의 문장을 표기하던 차자 표기법
• 어휘는 한자 어휘 그대로 사용하고 문법적 형태소는 음과 훈을 빌려 토를 붙여 표기
• 하급 실무 계층의 공문서에 사용됨
• 신라 때 발달하여 20세기 초까지 사용
(이서(吏胥)들 사이에 깊은 뿌리를 박고 있었고 문자 생활의 상층부를 이루었던 한문의 후광 때문)
• 향찰처럼 적극적이지 않으나 구결보다는 적극적

㉢ 구결

• 한문 원전을 그대로 둔 채 문법적 관계를 나타내는 문법적 형태소만을 삽입하여 이해를 돕도록 한 표기 방법
• 고립적인 한문에 교차적인 한국어에 쓰이는 굴절요소(조사와 어미)들을 붙여 토를 붙인 표기
• 고려 발생 → 조선 초 성행 → 훈민정음 약화 → 현재

(2) 중세 한국어 : 10세기 초 ~ 16세기 말

① 형성

• 고려 시대 ~ 임진왜란 이전
• 전기 중세 한국어 (918년 ~ 훈민정음 창제) : 국어의 중심이 개성으로 이동, 신라어를 계승한 것으로 추정
• 후기 중세 한국어 (훈민정음 창제 ~ 16세기 말) : 국어의 중심이 서울로 이동, 한글 문헌이 많이 나옴

② 특성

㉠ 예사소리, 된소리, 거센소리의 세 계열이 존재 + 각자 병서, 합용병서 (어두자음군 존재)
㉡ 음절 말에서 8개 자음(ㄱ, ㄴ, ㄷ, ㄹ, ㅁ, ㅂ, ㅅ, ㅇ)의 대립 양상이 보임
㉢ 모음조화 현상이 잘 지켜졌으나 중세 후기(15세기)에 부분적으로 파괴되기 시작함

★ 아래 아(ㆍ)의 음가 소실과 관련됨

① 16세기 때 2음절에서 : 'ㅡ'
② 18세기 때 1음절에서 : 'ㅏ, ㅜ'
③ 표기는 1933년에 사라짐

㉣ 성조가 있었으며 방점으로 표기함
• 방점 : 글자 왼쪽에 점을 찍어 음의 높낮이(성조)를 나타냄 → 근대 국어에서 사라짐

점의 개수	명칭	의미
없음	평성	낮은 소리

1개	거성	높은 소리
2개	상성	낮았다가 높아지는 소리 → 현대의 '장음'으로 남아있음
점 개수 상관 없음	입성	종성이 'ㄱ, ㄷ, ㅂ, ㅅ'(안울림 소리)으로 끝나는 음절은 끝을 닫는다는 의미 예) 나랏

ⓜ 높임 표현 (모든 높임법에 선어말 어미 사용)
- 주체높임, 객체높임, 상대높임 발달
- 주격조사는 존칭과 평칭의 구별이 없음
- 여격조사 '께'는 존칭의 속격조사 'ㅅ'에 특수조사 '긔'가 통합되어 '씌'

ⓑ 의문 어미(-잇가, -잇고), 의문 보조사(가, 고) 사용, 판정의문문, 설명의문문에서 의문형 어미가 구별됨
ⓢ 고유어와 한자어의 경쟁 : 한자어의 쓰임이 증가
ⓞ 외래어 유입 : 중국어, 몽골어, 여진어 유입
ⓙ 동국정운식 표기
- 한자어의 경우 동국정운식 한자음 표기
- 한자음을 중국의 원음에 가깝도록 고친 것으로 반드시 '초성+중성+종성'의 3성 체계를 갖추어서 표기함
- 한자음에 받침이 없는 글자는 종성에 '음가'가 없는 'ㅇ'이나 'ㅱ'을 씀 → 15세기 때 소멸

ⓒ 이어적기(연철, 소리 나는 대로 표기) : 15세기 ~ 근대
음절 단위로 묶어, 띄어 쓰지 않는 원칙에 따라 표기
ⓚ 모음 'ㅣ', 반모음[j] 앞에서 ㄷ, ㅌ, ㄴ 분포 가능 [됴커나(좋거나)]
ⓣ 격 조사
가. 주격 조사 : '이', 'ㅣ', 'ø'
나. 관형격 조사 : '이', '의', ㅅ'
다. 호격 조사 : '하'
ⓟ 어미
가. 선어말어미 '-오-/-우-'의 변화 (중세 때 소멸)
- 종결형과 연결형의 '-오-/-우-' : 주어가 1인칭임을 표시함
- 관형사형의 '-오-/-우-' : 관형사형의 수식을 받는 명사가 수식하는 말에 대해 의미상 목적어임을 표시함

나. 명사형 어미
- 15세기 : -옴/-움
- 16세기 : -옴/-움/-기

ⓗ 'ㅎ' 말음 명사

- 중세국어에는 'ㅎ' 말음을 가진 명사들이 있었다. '石'을 의미한 명사의 단독형은 '돌'이었지만, 곡용형은 '돌히'(주격), '돌해'(처격), '돌흘'(대격), '돌콰'(공동격) 등이었음
- 단독형에서 'ㅎ'이 표기되지 않은 것은 발음이 되지 않았기 때문이었음
- '값'의 단독형에서 'ㅅ'이 발음되지 않아 '갑'으로 표기된 것과 같음
- 이것은 자동적 교체에 속하는 것인데, 이런 명사는 80개가 넘음

(3) 근대 한국어 : 임진왜란 ~ 19세기 말

① 형성

- '양반중심 규범어'에서 '평민중심 실용어'로 전환
- 표기법 혼란, 단어 발음의 많은 변화, 평민 문학 대두로 문자 상용이 확대
- 17세기 말부터 'ㅅ'으로 통일 칠종성법 나타남. 발음은 [ㄷ]이었으나 표기는 'ㅅ'으로 통일

② 특성

㉠ 문자 체계와 표기법의 변화

• 방점이 완전히 사라짐
• 'ㆁ(옛이응)'자가 사용되지 않음
• 'ㅿ'자가 완전히 사라짐
• 어두합용병서의 혼란 (어두자음군이 된소리가 됨)
• 체언과 조사를 분리하여 표기하려는 분철의식이 나타남

㉡ 음운의 변화

• 평음의 된소리화와 유기음화가 더욱 일반화됨
• 18세기 후반 어두 음절에서 'ㆍ' 소실 ('ㆍ' → ㅏ)
  표기법은 현대 정서법(1933년)에 의해 폐지될 때까지 사용
• 18세기 후반 이중모음 'ㅐ, ㅔ' 단모음화
• 구개음화가 나타나기 시작함
• 'ㅁ, ㅂ, ㅍ, ㅄ' 아래의 모음 'ㅡ'의 원순모음화
• 19세기 'ㅅ, ㅈ, ㅊ' 아래서 'ㅡ'가 'ㅣ'로 변하는 전설모음화
• 모음조화가 흔들림
• 두음법칙이 적용되기 시작함 예) 님금 → 임금

㉢ 문법의 변화

• 'ㅎ' 말음 명사의 말음이 탈락
• 주격조사 '가' 출현
• '의'만이 속격의 기능을 갖게 됨
• 속격조사 'ㅅ'이 사이시옷 기능이 됨
• 객체 선어말 어미의 소실
• 시제 선어말 어미 '-앗-/-엇-', '-겟-'이 확립
• 객체경어법 '숩/줍' 기능 상실로 주체경어법과 상대경어법으로 이원화
• 호격조사 '하' 소멸
• 서수사 '첫째'가 출현했고 명사형 어미 '-기'가 분포를 넓힘
• 사동형 'ᄒᆞ이-'는 '시기-'로 대체
• 형용사 파생 접미사 '-스럽-' 출현
• 존재의 동사는 어간이 '잇-'으로 단일화, '겨시-'는 '계시-'로 바뀜
• 고유어가 한자어로 많이 대체됨
• 중국어 차용어는 그 한자의 발음이 우리나라 발음으로 이행됨

	15세기 [후기중세국어]	16세기	17~18세기 [근대국어]
주요 사건	한글창제		임진왜란
특색	표음적 표기 연철(이어적기)	간혹 표의적 연철과 분철(끊어적기) 혼용	표의적 경향 분철, 병철(거듭적기) 출현
음운 체계	22현실 초성체계(ㆆ, ㅿ, ㆁ포함) 7단모음 체계		8단모음 체계
소실 문자	'ㆆ, ㅸ, ㆅ' 얼마간 사용 후 소실	'ㆍ' 음가의 동요, 'ㅿ' 소멸 'ㆁ' 종성에만 사용	'ㆍ' 음가의 동요 'ㅿ, ㆁ' 소멸
방점	사용 : 성조체계 정연	사용 : 성조 체계	소멸
받침 규정	8종성법 (ㄱㄴㄷㄹㅁㅂㅅㆁ)	8종성법이 중심	7종성법

한자음	동국정운식 한자음	현실 한자음	현실 한자음

(4) 현대 한국어 : 1894년 이후

- 1894년 갑오개혁 <외국어 한글 표기 법령>
- 1896년 《독립신문》 창간(최초의 순 한글 신문)
- 1908년 국어 연구 학회 창립
- 1921년 '조선어 연구회' 모임
- 1926년 조선어 연구회에서 '가갸날' 선포
- 1928년 '가갸날'을 '한글날'로 변경
- 1931년 '조선어 연구회'를 '조선어 학회'로 변경
- 1933년 〈한글 맞춤법 통일안〉(조선어 학회)
- 1945년 한글날을 양력 10월 9일로 확정
- 1947년 《조선말큰사전》 제1권 간행(조선어 학회)
- 1988년 〈한글 맞춤법〉 확정 · 고시(문교부)

(5) 한국어 음운의 변화

① 고대국어

- 자음 14개
- 된소리 계열 없음
- 7모음 체계로 추정

② 중세 국어

- 자음 22개 (후기 중세 국어 23개, 유성마찰음 'ㅇ')
- 된소리 계열 등장
- 8종성법
- 어두자음군 사용
- ㅣ, ㅜ, ㅗ, ㅡ, ㆍ, ㅓ, ㅏ (7 단모음)
- 다양한 이중 모음 존재
- 방점으로 평성, 거성, 상성을 표시하는 성조 체계

③ 근대 국어

- 자음 19개
- ㅣ, ㅔ, ㅐ, ㅡ, ㅓ, ㅏ, ㅜ, ㅗ (8 단모음)
  '아래아'를 포함하여 9 단모음으로 볼 수도 있음
- 어두자음군이 된소리가 되었으며, 구개음화가 일어남
- '아래아'의 음가가 완전히 소실되어 모음조화가 파괴됨
- 상성은 긴소리(장음)로 변화

④ 현대 국어

- ㅣ, ㅔ, ㅐ, ㅡ, ㅓ, ㅏ, ㅜ, ㅗ, ㅚ, ㅟ (10 단모음)

⑤ 소실 문자

㉠ 소실 시기

ᅙ(ᄫ, ᅇ, ᅘ, ᄔ) → ᅀ → ᅌ → ᆞ

세조 이후 / 임진왜란 전후 / 1933년 한글맞춤법 통일안

㉡ 소실 문자의 쓰임

- ᅙ (여린 히읗)
  가. 고유어 표기에 쓰인 된소리 부호
  나. 사잇소리
  다. 동국정운식 한자음
- ᄫ (순경음 비읍)
  가. 울림소리 사이
  나. 'ㄹ'과 모음 다음
  다. 한자어에서 'ᄝ' 아래의 사잇소리
- ᅀ (반치음)
  가. 울림소리 사이
  나. 울림소리 사이의 사잇소리
  다. 한자어 초성
- ᅌ (옛이응)
  가. 한자어 경우에는 초성, 우리말에는 2음절 이하에서 초성
  나. 종성은 현대 국어의 받침처럼
- ᆞ (아래아)
  가. 1음절 경우 : ᆞ〉ㅏ 예) ᄇᆞᆰ다 〉밝다
  나. 2음절 경우 : ᆞ〉ㅡ 예) ᄀᆞᄅᆞ치다 〉가르치다

★ **한글과 성운학**

- 그림문자에서 발달된 문자는 표음문자가 되더라도 자음자만을 가진 것이 대부분임
- 기존 자음자를 모음자로 변용하거나 모음자를 따로 만들어서 쓰게 되었음
- 훈민정음은 처음부터 자음자와 모음자를 나누어서 만들었음
- 원인은 인도에서 중국으로 전래되어 발전한 성운학의 영향이 큼
- 성운학은 한 음절을 '성모와 운모' 두 부분으로 나누는 이분법에 바탕을 둠
- 훈민정음은 '초성-중성-종성'의 세 부분으로 나눈다는 점에서 차이가 있음

2. 훈민정음

★ 한글은 세계의 알파벳이고 한글보다 뛰어난 문자는 없으며, 한글 발명은 어느 문자에서도 찾을 수 없는 위대한 성취이자 기념비적인 사건이다.
(언어학자 로버트 램지 미 메릴랜드대 교수)

★ 한글날은 세계인이 축하해야 할 날이다. 한글은 세계 어떤 나라의 일상문자에서도 볼 수 없는 가장 과학적인 표기체계이다.
(에드윈 라이샤워 하버드대 교수)

★ 한글이 인간의 창조성과 한국 국민의 천재성을 알 수 있는 기념비적인 문자체계이다.
('총, 균, 쇠의 저자 제러드 다이아몬드 미 UCLA 교수)

★ 한글은 모든 언어가 꿈꾸는 최고의 알파벳이다.
(역사 다큐멘터리 작가 존 맨)

★ 한글은 비교할 수 없는 문자의 사치이자 세계에서 가장 진보한 언어이다.
(게리 레드야드 미 컬럼비아대 교수)

★ 한글은 가장 독창적이고 훌륭한 음성문자로, 인류가 만든 가장 위대한 지적 선물 중에 하나임에 틀림없다.
한글은 신이 인간에게 내린 선물이다.
(제프리 샘슨 영국 리스대 교수)

★ 한글은 전통 철학과 과학 이론이 결합한 세계 최고의 문자이다.
(베르너 사세 전 한양대 문화인류학 석좌교수)

(1) 개념과 특성

① 정의 : '백성을 가르치는 바른 소리'라는 뜻으로 우리나라 글자를 이르는 말

② 한글 : 세종대왕이 우리말을 표기하기 위하여 창제한 훈민정음을 20세기 이후 달리 이르는 말

- 주시경이 처음 사용
- 고유어 '한'과 '훈'의 의미를 사용해 '하나의 글', '유일한 글', '세상에서 첫째가는 글' 등의 뜻을 지님

③ 1997년에 유네스코 세계 기록 유산으로 지정되었으며, 국보 70호로 1940년 안동에서 발견되어 성북동 간송 미술관에 소장

④ 창제 : 1443년(세종 25년) 음력 12월

⑤ 반포(훈민정음해례본 간행) : 1446년(세종 28년) 음력 9월 상순 (양력 10월 9일)

⑥ 창제 원리

- 발음기관과 천지인(天地人)을 본뜬 상형의 원리에 따라 과학적으로 창제
- 음성 언어를 쉽고 정확하게 표기할 수 있고, 글자의 수가 한정되어 있어 정보를 빠른 속도로 처리할 수 있음
- 발음 기관을 본떠 만든 자음들은 기본 글자에 획을 더하여 추가되는 '음운 자질'까지 드러냄
- 모음은 영어와 달리 위치에 따라 소릿값이 바뀌지 않으며, 묵음(黙音)이 없어 소리와 문자가 정확하게 일치함

⑦ 한글 자모 명칭과 순서

㉠ 중종 때 최세진의 '훈몽자회(1527년)'에서 처음으로 제시되었으며, 현재의 명칭과 순서는 1933년 <한글 맞춤법 통일안> 제정 때 제시됨
㉡ <한글 맞춤법> 규정 제4항에 나와 있음
- '자음+ㅣ' : 'ㅡ+자음', 예외) ㄱ(기역), ㄷ(디귿), ㅅ(시옷)

(2) 훈민정음 제자원리

① 초성 제자 원리

- 기본자를 발음 기관을 상형하여 만든 뒤, 이에 획을 더하여 17자를 만듦
- 기본자(발음 기관 상형) + 가획자(소리의 세기에 따라) + 이체자

㉠ 기본자 : 발음기관을 상형하여 만든 글자 (ㄱ, ㄴ, ㅁ, ㅅ, ㅇ)
㉡ 가획자 : 획을 더해서 만든 글자 (ㅋ, ㄷ, ㅌ, ㅂ, ㅍ, ㅈ, ㅊ, ㆆ, ㅎ)
㉢ 이체자 : 별도로 다르게 만들어진 글자 (ㆁ, ㄹ, ㅿ)
㉣ 병서자 : 같은 모양을 나란히 써서 만든 글자

五音	발음기관	기본자	가획자	이체자
아음(牙音)	어금니	ㄱ	ㅋ	ㆁ(옛이응)
설음(舌音)	혀	ㄴ	ㄷ → ㅌ	ㄹ(반설음)
순음(脣音)	입술	ㅁ	ㅂ → ㅍ	
치음(齒音)	치아	ㅅ	ㅈ → ㅊ	ㅿ(반치음)
후음(喉音)	목구멍	ㅇ	ㆆ(여린 히읗) → ㅎ	

② 중성 제자 원리

• 모음의 기본자는 천지인(天·地·人) 삼재 상형한 뒤, 이 세 글자를 서로 결합하여 11자를 만듦
• 'ㆍ'는 둥근 하늘, 'ㅡ'는 평평한 땅, 'ㅣ'는 서 있는 인간의 모습을 본뜸
• 삼재(天·地·人)의 상형 + 기본자의 합성

㉠ 기본자 : ㆍ, ㅡ, ㅣ
㉡ 초출자 : ㅏ, ㅓ, ㅗ, ㅜ
㉢ 재출자 : ㅑ, ㅕ, ㅛ, ㅠ

③ 종성 제자 원리

• '종성부용초성(終聲復用初聲)'이라 하여 종성은 초성을 다시 사용
• 일반적으로 팔종성가족용법(八終聲可足用法)이 사용됨

(3) 훈민정음 체계

① 자음의 체계

• 초성 17자 + 병서자 6자(ㄲ, ㄸ, ㅃ, ㅆ, ㅉ, ㆅ)
• 23자음 체계는 동국정운식 한자어에 사용됨
• 순수 한국어 자음에는 'ㆆ'이 없어지고 'ㅸ'이 사용됨

② 모음의 체계

	전설모음	중설모음	후설모음
고모음	ㅣ	ㅡ	ㅜ
중모음		ㅓ	ㅗ
저모음		ㅏ	ㆍ

(4) 문자의 운용

① 이어쓰기 (연서법)

• ㅸ, ㅹ, ㆄ, ㅱ : 순음 아래에 'ㅇ'을 이어서 순경음을 만드는 글자

- 'ㅸ'은 우리말에 사용되었고, 'ㅱ, ㅹ, ㆄ'은 한자음 표기에 사용됨
- 세종과 세조 당시의 표기에만 사용됨

② 나란히 쓰기 (병서법)

- 초성이나 종성을 합하여 쓸 때 옆으로 나란히 쓰는 글자 운용법
- 각자병서(같은 자음) : ㆅ
- 합용병서(다른 자음) : ㅶ, ㅴ
- 3자 병서 : 16세기까지 사용
- 2자 병서 : 1933년까지 사용

③ 붙여 쓰기 (부서법)

- 자음에 모음을 합하여 한 글자가 되도록 붙여 쓰는 글자 운용법
- 하서법(아래 붙여쓰기) : 초성은 위에 중성은 아래에
- 우서법(왼쪽 붙여쓰기) : 초성은 왼쪽에 중성은 오른쪽에
- 초성의 아래와 오른편에 붙여 쓰는 '하서+우서'

④ 음절 이루기 [성음법(聲音法)]

- 초성과 중성이 어울려야만 음절이 이루어진다는 글자 운용법
- 종성이 없다면 종성에 'ㅇ, ㅱ'을 사용함

3. 표기법

(1) 연철 · 중철 · 분철

① 이어 적기(연철) : 소리 나는 대로 적는 표음적 표기
② 거듭 적기(중철) : 과도기적 형태의 적기
③ 끊어 적기(분철) : 조사나 어미의 원형을 그대로 밝혀 적는 법

구분		이어 적기 (15세기)	거듭 적기 (16세기)	끊어 적기 (20세기)
체언 + 조사	샘 + 이	새미	샘미	샘이
용언 + 어미	길 + 은	기픈	깁픈	깊은

(2) 종성 표기법

① 8종성법

- 종성에 'ㄱ, ㄴ, ㄷ, ㄹ, ㅁ, ㅂ, ㅅ, ㅇ'만 쓰는 표기법
- 표음주의 표기법
- 'ㄷ'과 'ㅅ'을 엄격히 구별
  예) 몯(不能), 못(池) 등

② 7종성법

- 종성에 'ㄱ, ㄴ, ㄹ, ㅁ, ㅂ, ㅅ, ㅇ'만을 쓰는 표기법
- 17세기부터 20세기 초까지 사용됨

• 'ㄷ'과 'ㅅ'을 구별하지 않고 'ㅅ'으로 통일
예) 벋 → 벗

(3) 사잇소리 표기법

• '명사 + 명사'일 때
• 앞 명사의 끝소리가 울림소리일 때

① 울림소리 + 울림소리 → 'ㅿ'

② 한자어의 사잇소리
• 'ㄴ' 다음 → 같은 설음인 'ㄷ'
• 'ㅇ' 다음 → 같은 후음인 'ㆆ'

③ 고유어의 사잇소리 → 'ㅅ'

④ 성종 이후 'ㅅ'으로 통일됨

(4) 동국정운식 한자음 표기

① 성음법에 따라 음가가 없는 'ㅇ'이나 'ㅱ'을 종성에 사용

② 중국 원음에 가까운 소리를 표기하기 위해 첫소리에 'ㆆ', 'ㅿ', 'ㆁ' 등을 넣음

③ 중성에 'ㆊ', 'ㆌ' 등이 쓰임

④ 'ㄷ' 발음 표시를 위해 종성에 'ㅭ'의 형태를 취함

4. 중세 국어 주요 문법

(1) 조사

① 주격 조사

• 주격 조사 '가'는 17세기 이후 출현
• 'ㅣ'는 한글 표기 시 체언과 합쳐 쓰고, 한자어는 따로 씀

형태	환경	예시
ㅣ	'ㅣ' 모음 이외의 모음으로 끝난 체언 뒤	부텨 + ㅣ → 부톄(부처가) 孔子ㅣ(공자가)
이	자음으로 끝난 체언 뒤	사름 + 이 → 사르미(사람이)
ø	'ㅣ' 모음으로 끝난 체언 뒤	불휘 + ø → 불휘(뿌리가)

② 목적격 조사

• 양성 모음과는 '올/롤', 음성 모음과는 '을/를' 결합

형태	환경	예시

ᄋᆞᆯ/을	자음 뒤	나라ᄒᆞᆯ(나라를), ᄠᅳ들(뜻을)
ᄅᆞᆯ/를	모음 뒤	天下ᄅᆞᆯ(천하를), ᄲᅧ를(뼈를)

③ 관형격 조사

- ‘ㅅ’은 관형격 조사 또는 사잇소리로 쓰임
- ‘ㅣ’ 모음으로 끝난 명사에 관형격 조사 결합 시 ‘ㅣ’ 모음 탈락
  예) 어미 + 의 → 어믜(어미의)
- 명사절과 관형사절 주어에 주격 조사가 아닌 관형격 조사가 쓰임
  예) 迦葉의 能히 信受호ᄆᆞᆯ(가섭이 능히 신수함을)

형태	환경	예시
ㅅ	무정 명사나 유정 명사(높임) 뒤	나랏 말ᄊᆞᆷ(나라의 말씀)
ᄋᆡ	양성 모음 뒤, 유정 명사(예사) 뒤	ᄆᆞᄅᆡ 香(말의 향기)
의	음성 모음 뒤, 유정 명사(예사) 뒤	崔九의 집(최구의 집)

④ 호격 조사

형태	환경	예시
하	높임 명사 뒤	님금하(임금아), 世尊하(세존아)
아, 야	일반 명사 뒤	阿難아(아란아), 長子야(맏아들아)

(2) 문장 종결

① 평서문 : -다, -라, -이다(아주높임), -니 · 리(반말)

② 의문문

㉠ 판정 의문문 : ‘-가’ 또는 ‘-니여’
㉡ 설명 의문문 : ‘-고’와 ‘-뇨’
㉢ 주어가 2인칭인 의문문 : ‘-ㄴ다’, ‘-ㅭ다’
㉣ 간접 의문문 : 형태상으로는 직접 의문문과 같음

③ 명령문 : -(어)라, -고라, -아쎠(높임), -(으)쇼셔(아주높임)

④ 청유문 : -사이다, -져, -져라

⑤ 감탄문 : -ㄹ써, -ㄴ뎌

⑥ 경계를 나타내는 문장 : -ㄹ셰라

(3) 높임 표현

구분	높임 선어말 어미	환경
주체 높임법	-시-	자음 어미 앞에서

	-샤-	모음 어미 앞에서
객체 높임법	-ᄉᆞᆸ- / -ᄉᆞᇦ	어간의 끝소리가 'ㄱ, ㅂ, ㅅ, ㅎ'일 때
	-ᄌᆞᆸ- / -ᄌᆞᇦ	어간의 끝소리가 'ㄷ, ㅌ, ㅈ, ㅊ'일 때
	-ᅀᆞᆸ / ᅀᆞᇦ	어간의 끝소리가 모음, 'ㄴ, ㄹ, ㅁ'일 때
상대 높임법	-이-	평서형일 때
	-잇-	의문형일 때

(4) 시간 표현

① 현재 시제 : 동사에는 어미 '-ㄴ-', 형용사는 기본형 사용

② 과거 시제 : 정해지지 않았으며, 회상의 의미일 때만 '-더-' 사용

③ 미래(추측) 시제 : '-리-' 사용

(5) 사동 표현

① 파생적 사동문 : 사동 접미사 '-이-, -히-, -기-, -오-/-우-, -호-/-후-' 사용

② 통사적 사동문 : 보조적 연결 어미 '-게/긔', 보조 동사 'ᄒᆞ다' 사용

(6) 피동 표현

① 파생적 피동문 : 피동 접미사 '-이-, -히-, -기-' 사용

② 통사적 피동문 : 보조적 연결 어미 '-어'와 보조 동사 '디다' 사용

(7) 부정 표현

① 체언의 부정 : '아니'에 '이다'의 '이-'와 '-며, -ㄹ씨' 결합

② 용언의 부정 : '아니', '못', '말다' 사용

(8) 선어말 어미 '-오-'

① 1인칭 활용 : 주어(대명사)가 화자 자신(1인칭)일 때 서술어에 '-오-'가 결합하여 일치하는 현상

② 대상 활용(목적격 활용)

- 용언의 관형사형에 결합된 '-오-' → 피수식 명사가 관형절의 목적어임을 나타냄

8장 한국어 어문규범

Ⅰ. 한글 맞춤법

제1장 총칙

제1항 : <한글 맞춤법>은 표준어를 소리대로 적되, 어법에 맞도록 함을 원칙으로 한다.
제2항 : 문장의 각 단어는 띄어 씀을 원칙으로 한다.
제3항 : 외래어는 <외래어 표기법>에 따른다.

제2장 자모

제4항 한글 자모의 수는 스물넉 자로 하고, 그 순서와 이름은 다음과 같이 정한다.

ㄱ(기역) ㄴ(니은) ㄷ(디귿) ㄹ(리을) ㅁ(미음) ㅂ(비읍) ㅅ(시옷) ㅇ(이응) ㅈ(지읒) ㅊ(치읓) ㅋ(키읔) ㅌ(티읕) ㅍ(피읖) ㅎ(히읗)
ㅏ(아) ㅑ(야) ㅓ(어) ㅕ(여) ㅗ(오) ㅛ(요) ㅜ(우) ㅠ(유) ㅡ(으) ㅣ(이)

제3장 소리에 관한 것

제5항 한 단어 안에서 뚜렷한 까닭 없이 나는 된소리는 다음 음절의 첫소리를 된소리로 적는다.
예) 소쩍새, 해쓱하다, 부썩, 담뿍
예외) 법석, 깍두기
제6항 'ㄷ, ㅌ' 받침 뒤에 종속적 관계를 가진 '- 이(-)'나 '- 히 -'가 올 적에는 그 'ㄷ, ㅌ'이 'ㅈ, ㅊ'으로 소리 나더라도 'ㄷ, ㅌ'으로 적는다.
제7항 'ㄷ' 소리로 나는 받침 중에서 'ㄷ'으로 적을 근거가 없는 것은 'ㅅ'으로 적는다.
예) 덧저고리, 돗자리, 웃어른, 무릇, 사뭇, 얼핏
제8항 '계, 례, 몌, 폐, 혜'의 'ㅖ'는 'ㅔ'로 소리 나는 경우가 있더라도 'ㅖ'로 적는다.
예) 계수, 연몌
예외) 게송, 게시판, 휴게실
제9항 '의'나, 자음을 첫소리로 가지고 있는 음절의 'ㅢ'는 'ㅣ'로 소리 나는 경우가 있더라도 'ㅢ'로 적는다.
예) 닁큼, 보늬, 오늬, 늴리리
제10항 한자음 '녀, 뇨, 뉴, 니'가 단어 첫머리에 올 적에는, 두음 법칙에 따라 '여, 요, 유, 이'로 적는다.
예) 여자, 유대, 요소, 이토, 신여성, 공염불, 남존여비, 한국여자대학
예외) 년(年)
제11항 한자음 '랴, 려, 례, 료, 류, 리'가 단어의 첫머리에 올 적에는, 두음 법칙에 따라 '야, 여, 예, 요, 유, 이'로 적는다.
예) 양심, 역사, 이발, 예의
예외) 몇 리(里)냐?
다만, 모음이나 'ㄴ' 받침 뒤에 이어지는 '렬, 률'은 '열, 율'로 적는다.
예) 나열, 비율, 실패율, 진열, 백분율
제12항 한자음 '라, 래, 로, 뢰, 루, 르'가 단어의 첫머리에 올 적에는, 두음 법칙에 따라 '나, 내, 노, 뇌, 누, 느'로 적는다.
예) 낙원, 내일, 노인

★ 두음법칙

① 우리말 단어(한자어 포함)에는 첫소리에 'ㄹ'이 올 수 없음 (외래어 가능 : 라디오, 라면)
② 'ㄴ'의 경우 'ㅣ, ㅑ, ㅕ, ㅛ, ㅠ'와 결합할 때 첫소리로 올 수 없음

③ '량/란'은 한자어와 결합할 경우 그대로 쓰고, 고유어·외래어와 결합할 경우 '양/난'으로 씀 예) 노동량 / 구름양, 학습란 / 어린이난 ④ '렬/률'은 모음이나 'ㄴ' 받침 뒤에 올 때는 '열/율'로 씀 예) 행렬, 법률, 출석률 / 나열, 분열, 이혼율

제13항 한 단어 안에서 같은 음절이나 비슷한 음절이 겹쳐 나는 부분은 같은 글자로 적는다.
예) 누누이, 놀놀하다

제4장 형태에 관한 것

제14항 체언은 조사와 구별하여 적는다.
제15항 용언의 어간과 어미는 구별하여 적는다.
예) 읽고[일꼬], 읽지[익찌], 읽는[잉는], 읽으니[일그니]
제16항 어간의 끝음절 모음이 'ㅏ, ㅗ'일 때에는 어미를 '- 아'로 적고, 그 밖의 모음일 때에는 '- 어'로 적는다.
제17항 어미 뒤에 덧붙는 조사 '요'는 '요'로 적는다.
•'요'는 주로 문장을 종결하는 어미 뒤에 붙어서 청자에게 높임의 뜻을 나타내는 보조사
제18항 다음과 같은 용언들은 어미가 바뀔 경우, 그 어간이나 어미가 원칙에 벗어나면 벗어나는 대로 적는다.
예) 놀다 : 노니/논/놉니다/노시다/노오, (하)지 마라, 짓다 : 지어/지으니/지었다
그렇다 : 그러니/그럴/그러면/그러오, 하얗다 : 하야니/하얄/하야면/하야오
푸다 : 퍼/펐다. 끄다 : 꺼, 껐다, 담그다 : 담가/담갔다, 싣다 : 실어/실으니/실었다
쉽다 : 쉬워/쉬우니/쉬웠다, 푸르다 : 푸르러/푸르렀다, 부르다 : 불러/불렀다
제19항 어간에 '-이'나 '-음/-ㅁ'이 붙어서 명사로 된 것과 '-이'나 '-히'가 붙어서 부사로 된 것은 그 어간의 원형을 밝히어 적는다.
예) 벼훑이, 앎, 짓궂이, 작히
예외) 굽도리, 목거리(목병)
제20항 명사 뒤에 '-이'가 붙어서 된 말은 그 명사의 원형을 밝히어 적는다.
예) 곳곳이, 몫몫이, 절뚝발이/절름발이
예외) 꼬락서니, 끄트머리, 모가치, 사타구니
제21항 명사나 혹은 용언의 어간 뒤에 자음으로 시작된 접미사가 붙어서 된 말은 그 명사나 어간의 원형을 밝히어 적는다.
예) 넋두리, 홑지다, 뜯게질, 높다랗다, 늙수그레하다, 납작하다, 골막하다
예외) 널따랗다, 널찍하다, 얄따랗다, 짤따랗다
제22항 용언의 어간에 다음과 같은 접미사들이 붙어서 이루어진 말들은 그 어간을 밝히어 적는다.
예) 핥이다, 부딪뜨리다/부딪트리다
제23항 '-하다'나 '-거리다'가 붙는 어근에 '-이'가 붙어서 명사가 된 것은 그 원형을 밝히어 적는다.
예) 깔쭉이, 배불뚝이, 오뚝이
제24항 '-거리다'가 붙을 수 있는 시늉말 어근에 '-이다'가 붙어서 된 용언은 그 어근을 밝히어 적는다.
예) 망설이다, 번득이다, 숙덕이다
제25항 '-하다'가 붙는 어근에 '-히'나 '-이'가 붙어서 부사가 되거나, 부사에 '-이'가 붙어서 뜻을 더하는 경우에는 그 어근이나 부사의 원형을 밝히어 적는다.
예) 꾸준히, 딱히, 깨끗이, 곰곰이, 더욱이, 생긋이, 일찍이, 해죽이
제26항 '-하다'나 '-없다'가 붙어서 된 용언은 그 '-하다'나 '-없다'를 밝히어 적는다.
제27항 둘 이상의 단어가 어울리거나 접두사가 붙어서 이루어진 말은 각각 그 원형을 밝히어 적는다.
예) 꺾꽂이, 국말이, 벋놓다, 옻오르다
예외) 부리나케, 틀니, 머릿니, 가랑니
제28항 끝소리가 'ㄹ'인 말과 딴 말이 어울릴 적에 'ㄹ' 소리가 나지 아니하는 것은 아니 나는 대로 적는다.
예) 다달이, 무자위, 싸전
제29항 끝소리가 'ㄹ'인 말과 딴 말이 어울릴 적에 'ㄹ' 소리가 'ㄷ' 소리로 나는 것은 'ㄷ'으로 적는다.
예) 반짇고리, 사흗날, 삼짇날, 섣달, 이튿날, 잗주름, 푿소, 섣부르다, 잗다듬다, 잗다랗다

제30항 사이시옷은 다음과 같은 경우에 받치어 적는다.

1. 순우리말로 된 합성어로서 앞말이 모음으로 끝난 경우
   (1) 뒷말의 첫소리가 된소리로 나는 것
      예) 귓밥, 킷값, 모깃불, 선짓국
   (2) 뒷말의 첫소리 'ㄴ, ㅁ' 앞에서 'ㄴ' 소리가 덧나는 것
      예) 멧나물, 잇몸, 텃마당
   (3) 뒷말의 첫소리 모음 앞에서 'ㄴㄴ' 소리가 덧나는 것
      예) 뒷윷, 베갯잇, 욧잇, 댓잎
2. 순우리말과 한자어로 된 합성어로서 앞말이 모음으로 끝난 경우
   (1) 뒷말의 첫소리가 된소리로 나는 것
      예) 자릿세, 콧병, 탯줄, 핏기, 햇수, 횟가루, 횟배
   (2) 뒷말의 첫소리 'ㄴ, ㅁ' 앞에서 'ㄴ' 소리가 덧나는 것
      예) 곗날, 툇마루, 양칫물
   (3) 뒷말의 첫소리 모음 앞에서 'ㄴㄴ' 소리가 덧나는 것
      예) 가욋일, 사삿일, 훗일
3. 두 음절로 된 다음 한자어
   예) 곳간(庫間), 셋방(貰房), 숫자(數字), 찻간(車間), 툇간(退間), 횟수(回數)

제31항 두 말이 어울릴 적에 'ㅂ' 소리나 'ㅎ' 소리가 덧나는 것은 소리대로 적는다.
예) 댑싸리, 입때, 살코기, 수캐, 수컷, 수탉, 안팎, 암캐, 암컷, 암탉

제32항 단어의 끝모음이 줄어지고 자음만 남은 것은 그 앞의 음절에 받침으로 적는다.
예) 기럭아, 엊그저께, 엊저녁, 갖고, 딛고

제33항 체언과 조사가 어울려 줄어지는 경우에는 준 대로 적는다.
예) 그건, 그게, 그걸로, 난, 날, 넌, 널, 뭣을/무얼/뭘, 뭣이/무에

제34항 모음 'ㅏ, ㅓ'로 끝난 어간에 '-아/-어, -았-/-었-'이 어울릴 적에는 준 대로 적는다.
예) 가아 : 가, 켜어 : 켜, 서었다 : 섰다, 개어 : 개, 베어 : 베, 베었다 : 벴다, 하여 : 해, 흔하여 : 흔해

제35항 모음 'ㅗ, ㅜ'로 끝난 어간에 '-아/-어, -았-/-었-'이 어울려 'ㅘ/ㅝ, '으로 될 적에는 준 대로 적는다.
예) 꼬아 : 꽈, 꼬았다 : 꽜다, 두어 : 둬, 두었다 : 뒀다

제36항 'ㅣ' 뒤에 '-어'가 와서 'ㅕ'로 줄 적에는 준 대로 적는다.
예) 견디어 : 견뎌, 치이어 : 치여, 치이었다 : 치였다

제37항 'ㅏ, ㅕ, ㅗ, ㅜ, ㅡ'로 끝난 어간에 '-이-'가 와서 각각 'ㅐ, ㅖ, ㅚ, ㅟ, ㅢ'로 줄 적에는 준 대로 적는다.
예) 싸이다 : 쌔다, 펴이다 : 폐다, 뜨이다 : 띄다

제38항 'ㅏ, ㅗ, ㅜ, ㅡ' 뒤에 '-이어'가 어울려 줄어질 적에는 준 대로 적는다.
예) 싸이어 : 쌔어/싸여, 쓰이어 : 씌어/쓰여

제39항 어미 '-지' 뒤에 '않 -'이 어울려 '-잖-'이 될 적과 '-하지' 뒤에 '않 -'이 어울려 '-찮-'이 될 적에는 준 대로 적는다.
예) 그렇지 않은 : 그렇잖은, 변변하지 않다 : 변변찮다

제40항 어간의 끝음절 '하'의 'ㅏ'가 줄고 'ㅎ'이 다음 음절의 첫소리와 어울려 거센소리로 될 적에는 거센소리로 적는다.
예) 간편하게 : 간편케, 다정하다 : 다정타, 연구하도록 : 연구토록, 가하다 : 가타

제5장 띄어쓰기

제41항 조사는 그 앞말에 붙여 쓴다.

제42항 의존 명사는 띄어 쓴다.

제43항 단위를 나타내는 명사는 띄어 쓴다.

제44항 수를 적을 적에는 '만(萬)' 단위로 띄어 쓴다.
예) 십이억 삼천사백오십육만 칠천팔백구십팔, 12억 3456만 7898

제45항 두 말을 이어 주거나 열거할 적에 쓰이는 다음의 말들은 띄어 쓴다.
예) 국장 <u>겸</u> 과장, 열 <u>내지</u> 스물, 청군 <u>대</u> 백군, 책상, 걸상 <u>등</u>이 있다, 이사장 <u>및</u> 이사들, 사과, 배, 귤 <u>등등</u> 사과, 배 <u>등속</u>, 부산, 광주 <u>등지</u>

제46항 단음절로 된 단어가 연이어 나타날 적에는 붙여 쓸 수 있다.
예) 좀더 큰 것, 이말 저말, 한잎 두잎

제47항 보조 용언은 띄어 씀을 원칙으로 하되, 경우에 따라 붙여 씀도 허용한다.
다만, 앞말에 조사가 붙거나 앞말이 합성 용언인 경우, 그리고 중간에 조사가 들어갈 적에는 그 뒤에 오는 보조 용언은 띄어 쓴다.
예) 책을 읽어도 보고, 이런 기회는 다시없을 듯하다, 잘난 체를 한다

제48항 성과 이름, 성과 호 등은 붙여 쓰고, 이에 덧붙는 호칭어, 관직명 등은 띄어 쓴다.
예) 채영신 씨, 이충무공, 최치원 선생, 충무공 이순신 장군
다만, 성과 이름, 성과 호를 분명히 구분할 필요가 있을 경우에는 띄어 쓸 수 있다.
예) 남궁억/남궁 억

제49항 성명 이외의 고유 명사는 단어별로 띄어 씀을 원칙으로 하되, 단위별로 띄어 쓸 수 있다.
예) 대한 중학교/대한중학교

제50항 전문 용어는 단어별로 띄어 씀을 원칙으로 하되, 붙여 쓸 수 있다.
예) 만성 골수성 백혈병/만성골수성백혈병

제6장 그 밖의 것

제51항 부사의 끝음절이 분명히 '이'로만 나는 것은 '-이'로 적고, '히'로만 나거나 '이'나 '히'로 나는 것은 '-히'로 적는다.

(1) '이'로 적는 것

① 겹쳐 쓰인 명사 뒤
예) 겹겹이/골골샅샅이/곳곳이/길길이/나날이/낱낱이/다달이/땀땀이/몫몫이/번번이/샅샅이/알알이/앞앞이/줄줄이/짬짬이/철철이

② 'ㅅ' 받침 뒤
예) 기웃이/나긋나긋이/남짓이/뜨뜻이/버젓이/번듯이/빠듯이/지긋이

③ 'ㅂ' 불규칙 용언의 어간 뒤
예) 가벼이/괴로이/기꺼이/너그러이/부드러이/새로이/쉬이/외로이/즐거이

④ '-하다'가 붙지 않는 용언 어간 뒤
예) 같이/굳이/길이/깊이/높이/많이/실없이/헛되이

⑤ 부사 뒤
예) 곰곰이/더욱이/생긋이/오뚝이/일찍이/히죽이

(2) '히'로 적는 것

① '-하다'가 붙는 어근 뒤(단, 'ㅅ' 받침 제외)
예) 간편히/고요히/공평히/과감히/극히/급히/급급히/꼼꼼히/나른히/능히/답답히/딱히/속히/엄격히/정확히/족히

② '-하다'가 붙는 어근에 '-히'가 결합하여 된 부사에서 온 말
예) 익히(←익숙히), 특히(←특별히)

③ 어원적으로는 '-하다'가 붙지 않는 어근에 부사화 접미사가 결합한 형태로 분석되더라도, 그 어근 형태소의 본뜻이 유지되고 있지 않은 단어의 경우는 익어진 발음 형태대로 '히'로 적는다.
예) 작히

제52항 한자어에서 본음으로도 나고 속음으로도 나는 것은 각각 그 소리에 따라 적는다.

예) 승낙(承諾), 오륙십(五六十), 대로(大怒), 희로애락(喜怒哀樂), 오뉴월, 유월(六月)

제53항 다음과 같은 어미는 예사소리로 적는다.

예) -(으)ㄹ거나/-(으)ㄹ걸/-(으)ㄹ게/-(으)ㄹ세/-(으)ㄹ세라/-(으)ㄹ수록/-(으)ㄹ시/-(으)ㄹ지/-(으)ㄹ지니라 -(으)ㄹ지라도/-(으)ㄹ지어다/-(으)ㄹ지언정/-(으)ㄹ진대/-(으)ㄹ진저/-올시다

다만, 의문을 나타내는 다음 어미들은 된소리로 적는다.

예) -(으)ㄹ까?/-(으)ㄹ꼬?/-(스)ㅂ니까?/-(으)리까?/-(으)ㄹ쏘냐?

제54항 다음과 같은 접미사는 된소리로 적는다.

예) 심부름꾼/귀때기/익살꾼/볼때기/일꾼/판자때기/장꾼/뒤꿈치/장난꾼/팔꿈치/지게꾼/이마빼기/때깔/코빼기 빛깔/객쩍다/성깔/겸연쩍다

제55항 두 가지로 구별하여 적던 다음 말들은 한 가지로 적는다.

예) 맞추다(입을 맞춘다. 양복을 맞춘다.), 뻗치다(다리를 뻗친다. 멀리 뻗친다.)

제56항 '-더라, -던'과 '-든지'는 다음과 같이 적는다.

1. 지난 일을 나타내는 어미는 '-더라, -던'으로 적는다.

   예) 지난겨울은 몹시 춥더라. / 깊던 물이 얕아졌다.

2. 물건이나 일의 내용을 가리지 아니하는 뜻을 나타내는 조사와 어미는 '(-)든지'로 적는다.

   예) 배든지 사과든지 마음대로 먹어라. / 가든지 오든지 마음대로 해라.

제57항 다음 말들은 각각 구별하여 적는다.

가름	둘로 가름.
갈음	새 책상으로 갈음하였다.
거름	풀을 썩힌 거름.
걸음	빠른 걸음.
거치다	영월을 거쳐 왔다.
걷히다	외상값이 잘 걷힌다.
걷잡다	걷잡을 수 없는 상태.
겉잡다	겉잡아서 이틀 걸릴 일.
그러므로(그러니까)	그는 부지런하다. 그러므로 잘 산다.
그럼으로(써) (그렇게 하는 것으로)	그는 열심히 공부한다. 그럼으로(써) 은혜에 보답한다.
노름	노름판이 벌어졌다.
놀음(놀이)	즐거운 놀음.
느리다	진도가 너무 느리다.
늘이다	고무줄을 늘인다.
늘리다	수출량을 더 늘린다.
다리다	옷을 다린다.
달이다	약을 달인다.
다치다	부주의로 손을 다쳤다.
닫히다	문이 저절로 닫혔다.
닫치다	문을 힘껏 닫쳤다.
마치다	벌써 일을 마쳤다.
맞히다	여러 문제를 더 맞혔다.
목거리	목거리가 덧났다.
목걸이	금목걸이, 은목걸이.

바치다	나라를 위해 목숨을 바쳤다.
받치다	우산을 받치고 간다. 책받침을 받친다.
받히다	쇠뿔에 받혔다.
밭치다	술을 체에 밭친다.
반드시	약속은 반드시 지켜라.
반듯이	고개를 반듯이 들어라.
부딪치다	차와 차가 마주 부딪쳤다.
부딪히다	마차가 화물차에 부딪혔다.
부치다	힘이 부치는 일이다. 편지를 부친다. 논밭을 부친다. 빈대떡을 부친다. 식목일에 부치는 글. 회의에 부치는 안건. 인쇄에 부치는 원고. 삼촌 집에 숙식을 부친다.
붙이다	우표를 붙인다. 책상을 벽에 붙였다. 흥정을 붙인다. 불을 붙인다. 감시원을 붙인다. 조건을 붙인다. 취미를 붙인다. 별명을 붙인다.
시키다	일을 시킨다.
식히다	끓인 물을 식힌다.
아름	세 아름 되는 둘레.
알음	전부터 알음이 있는 사이.
앎	앎이 힘이다.
안치다	밥을 안친다.
앉히다	윗자리에 앉힌다.
어름	두 물건의 어름에서 일어난 현상.
얼음	얼음이 얼었다.
이따가	이따가 오너라.
있다가	돈은 있다가도 없다.
저리다	다친 다리가 저린다.
절이다	김장 배추를 절인다.
조리다	생선을 조린다. 통조림, 병조림.
졸이다	마음을 졸인다.
주리다	여러 날을 주렸다.
줄이다	비용을 줄인다.
하노라고	하노라고 한 것이 이 모양이다.
하느라고	공부하느라고 밤을 새웠다.

-느니보다(어미)	나를 찾아오느니보다 집에 있거라.
-는 이보다(의존 명사)	오는 이가 가는 이보다 많다.
-(으)리만큼(어미)	나를 미워하리만큼 그에게 잘못한 일이 없다.
-(으)ㄹ 이만큼(의존 명사)	찬성할 이도 반대할 이만큼이나 많을 것이다.
-(으)러(목적)	공부하러 간다.
-(으)려(의도)	서울 가려 한다.
(으)로서(자격)	사람으로서 그럴 수는 없다.
(으)로써(수단)	닭으로써 꿩을 대신했다.
-(으)므로(어미)	그가 나를 믿으므로 나도 그를 믿는다.
(-ㅁ, -음)으로(써)(조사)	그는 믿음으로(써) 산 보람을 느꼈다.

Ⅱ. 표준어 규정

1. 제1부 표준어 사정 원칙

제1장 총칙

제1항 표준어는 교양 있는 사람들이 두루 쓰는 현대 서울말로 정함을 원칙으로 한다.
제2항 외래어는 따로 사정한다.

제2장 발음 변화에 따른 표준어 규정

제3항 다음 단어들은 거센소리를 가진 형태를 표준어로 삼는다.
예) 끄나풀, 나팔-꽃, 녘, 부엌, 살-쾡이, 칸, 털어-먹다
제4항 다음 단어들은 거센소리로 나지 않는 형태를 표준어로 삼는다.
예) 가을-갈이, 거시기, 분침
제5항 어원에서 멀어진 형태로 굳어져서 널리 쓰이는 것은, 그것을 표준어로 삼는다.
예) 강낭-콩, 고삿, 사글-세, 울력-성당
다만, 어원적으로 원형에 더 가까운 형태가 아직 쓰이고 있는 경우에는, 그것을 표준어로 삼는다.
예) 갈비, 갓모, 굴-젓, 말-곁, 물-수란, 밀-뜨리다, 적-이, 휴지
제6항 다음 단어들은 의미를 구별함이 없이, 한 가지 형태만을 표준어로 삼는다.
돌(돐), 둘-째(두-째) , 셋-째(세-째), 넷-째(네-째), 빌리다(빌다)
다만, '둘째'는 십 단위 이상의 서수사에 쓰일 때에 '두째'로 한다.
예) 열두-째, 스물두-째
제7항 수컷을 이르는 접두사는 '수-'로 통일한다.
예) 수-꿩, 수-나사, 수-놈, 수-사돈, 수-소, 수-은행나무
다만 1. 다음 단어에서는 접두사 다음에서 나는 거센소리를 인정한다. 접두사 '암-'이 결합되는 경우에도 이에 준한다.
예) 수-캉아지, 수-캐, 수-컷, 수-키와, 수-탉, 수-탕나귀, 수-톨쩌귀, 수-퇘지, 수-평아리
다만 2. 다음 단어의 접두사는 '숫-'으로 한다.
예) 숫-양, 숫-염소, 숫-쥐
제8항 양성 모음이 음성 모음으로 바뀌어 굳어진 다음 단어는 음성 모음 형태를 표준어로 삼는다.
예) 깡충-깡충, -둥이, 발가-숭이, 보퉁이, 봉죽, 뻗정-다리, 아서, 아서라(하지 말라고 금지하는 말.), 오뚝-이
주추(주춧-돌)
제9항 'ㅣ' 역행 동화 현상에 의한 발음은 원칙적으로 표준 발음으로 인정하지 아니하되, 다만 다음 단어들은 그러한 동화가 적용된 형태를 표준어로 삼는다.
예) -내기, 냄비, 동댕이-치다, 아지랑이,

[붙임] 기술자에게는 '-장이', 그 외에는 '-쟁이'가 붙는 형태를 표준어로 삼는다.

예) 미장이, 멋쟁이

제10항 다음 단어는 모음이 단순화한 형태를 표준어로 삼는다.

예) 괴팍-하다, -구먼, 미루-나무, 미륵, 여느, 온-달, 으레, 케케-묵다, 허우대, 허우적-허우적

제11항 다음 단어에서는 모음의 발음 변화를 인정하여, 발음이 바뀌어 굳어진 형태를 표준어로 삼는다.

예) -구려, 깍쟁이, 나무라다, 미수(미숫가루), 바라다, 상추, 시러베-아들, 주책, 지루-하다, 튀기, 허드레 호루라기

제12항 '웃-' 및 '윗-'은 명사 '위'에 맞추어 '윗-'으로 통일한다.

예) 윗-눈썹, 윗-잇몸

다만 1. 된소리나 거센소리 앞에서는 '위-'로 한다.

예) 위-짝, 위-쪽, 위-채, 위-층, 위-치마, 위-턱, 위-팔

다만 2. '아래, 위'의 대립이 없는 단어는 '웃-'으로 발음되는 형태를 표준어로 삼는다.

예) 웃-국, 웃-기, 웃-돈, 웃-비, 웃-어른, 웃-옷

제13항 한자 '구(句)'가 붙어서 이루어진 단어는 '귀'로 읽는 것을 인정하지 아니하고, '구'로 통일한다.

예) 구법(句法), 구절(句節), 구점(句點), 결구(結句), 경구(警句), 경인구(警人句), 난구(難句), 대구(對句) 문구(文句), 성구(成句), 시구(詩句), 어구(語句), 인용구(引用句), 절구(絶句)

다만, 다음 단어는 '귀'로 발음되는 형태를 표준어로 삼는다.

예) 귀-글, 글-귀

제14항 준말이 널리 쓰이고 본말이 잘 쓰이지 않는 경우에는, 준말만을 표준어로 삼는다.

예) 귀찮다, 김(~매다.), 똬리, 무(~말랭이), 미다(1. 털이 빠져 살이 드러나다. 2. 찢어지다.), 뱀, 뱀-장어 빔(설~), 샘, 생-쥐, 솔개, 온-갖, 장사-치

제15항 준말이 쓰이고 있더라도, 본말이 널리 쓰이고 있으면 본말을 표준어로 삼는다.

예) 경황-없다, 궁상-떨다, 귀이-개, 낌새, 낙인-찍다, 내왕-꾼, 돗-자리, 뒤웅-박, 뒷물-대야, 마구-잡이 맵자-하다, 모이, 벽-돌, 부스럼, 살얼음-판, 수두룩-하다, 암-죽, 어음, 일구다, 죽-살이, 퇴박-맞다 한통-치다

[붙임] 다음과 같이 명사에 조사가 붙은 경우에도 이 원칙을 적용한다.

예) 아래-로

제16항 준말과 본말이 다 같이 널리 쓰이면서 준말의 효용이 뚜렷이 인정되는 것은, 두 가지를 다 표준어로 삼는다.

예) 거짓-부리 : 거짓-불, 노을 : 놀, 막대기 : 막대, 망태기 : 망태, 머무르다 : 머물다, 서두르다 :서둘다 서투르다 : 서툴다, 석새-삼베 : 석새-베, 시-누이 : 시-늬/시-누, 오-누이 : 오-늬/오-누, 외우다 : 외다 이기죽-거리다 : 이죽-거리다, 찌꺼기 : 찌끼

제17항 비슷한 발음의 몇 형태가 쓰일 경우, 그 의미에 아무런 차이가 없고, 그중 하나가 더 널리 쓰이면, 그 한 형태만을 표준어로 삼는다.

예) 거든-그리다, 구어-박다(한 군데에서만 지내다.), 귀-고리, 귀-띔, 귀-지, 까딱-하면, 꼭두-각시, 내색 내숭-스럽다, 냠냠-거리다, 냠냠-이, 다다르다, 댑-싸리, 더부룩-하다, -(으)려고, -(으)려야, 망가-뜨리다 멸치, 반빗-아치('반빗' 노릇을 하는 사람. '반비'는 밥 짓는 일을 맡은 계집종.), 보습, 본새, 봉숭아('봉선화'도 표준어임.), 뺨-따귀('뺨'의 비속어임.), 뻐개다[斫](두 조각으로 가르다.), 뻐기다[誇](뽐내다.), 사자-탈 상-판대기, 시름-시름, 씀벅-씀벅, 아궁이, 아내, 어-중간, 오금-팽이, 오래-오래(돼지 부르는 소리.) -올시다, 옹골-차다, 우두커니(작은말은 '오도카니'임.), 잠-투정, 재봉-틀, 짓-무르다, 짚-북데기, 쪽(이~, 그~, 저~. 다만, '아무-짝'은 '짝'임.), 천장(天障), 코-맹맹이, 흉-업다

제18항 다음 단어는 ㄱ을 원칙으로 하고, ㄴ도 허용한다.

예) 네 : 예, 쇠- : 소-, 괴다 : 고이다, 꾀다 : 꼬이다, 쐬다 : 쏘이다, 죄다 : 조이다, 쬐다 : 쪼이다

제19항 어감의 차이를 나타내는 단어 또는 발음이 비슷한 단어들이 다 같이 널리 쓰이는 경우에는, 그 모두를 표준어로 삼는다.

예) 거슴츠레-하다 : 게슴츠레-하다, 고까 꼬까(~신, ~옷.), 고린-내 : 코린-내, 교기(驕氣) : 갸기(교만한 태도.) 구린-내 : 쿠린-내, 꺼림-하다 : 께름-하다, 나부랭이 : 너부렁이

제3장 어휘 선택의 변화에 따른 표준어 규정

제20항 사어(死語)가 되어 쓰이지 않게 된 단어는 고어로 처리하고, 현재 널리 사용되는 단어를 표준어로 삼는다.

예) 난봉, 낭떠러지, 설거지-하다, 애달프다, 오동-나무, 자두

제21항 고유어 계열의 단어가 널리 쓰이고 그에 대응되는 한자어 계열의 단어가 용도를 잃게 된 것은, 고유어 계열의 단어만을 표준어로 삼는다.

예) 가루-약, 구들-장, 길품-삯, 까막-눈, 꼭지-미역, 나뭇-갓, 늙-다리, 두껍-닫이, 떡-암죽, 마른-갈이 마른-빨래, 메-찰떡, 박달-나무, 밥-소라, 사래-논(묘지기나 마름이 부쳐 먹는 땅.), 사래-밭, 삯-말, 성냥 솟을-무늬, 외-지다, 움-파, 잎-담배, 잔-돈, 조-당수, 죽데기, 지겟-다리, 짐-꾼, 푼-돈, 흰-말('백마'는 표준어임.), 흰-죽

제22항 고유어 계열의 단어가 생명력을 잃고 그에 대응되는 한자어 계열의 단어가 널리 쓰이면, 한자어 계열의 단어를 표준어로 삼는다.

예) 개다리-소반, 겸-상, 고봉-밥, 단-벌, 마방-집, 민망-스럽다/면구-스럽다, 방-고래, 부항-단지, 산-누에 산-줄기, 수-삼, 심-돋우개, 양-파, 어질-병, 윤-달, 장력-세다, 제석, 총각-무, 칫-솔, 포수

제23항 방언이던 단어가 표준어보다 더 널리 쓰이게 된 것은, 그것을 표준어로 삼는다. 이 경우, 원래의 표준어는 그대로 표준어로 남겨 두는 것을 원칙으로 한다.

예) 멍게 : 우렁쉥이, 물-방개 : 선두리, 애-순 : 어린-순

제24항 방언이던 단어가 널리 쓰이게 됨에 따라 표준어이던 단어가 안 쓰이게 된 것은, 방언이던 단어를 표준어로 삼는다.

예) 귀밑-머리, 까-뭉개다, 막상, 빈대-떡, 생인-손(준말은 '생-손'임.), 역-겹다, 코-주부

제25항 의미가 똑같은 형태가 몇 가지 있을 경우, 그중 어느 하나가 압도적으로 널리 쓰이면, 그 단어만을 표준어로 삼는다.

예) -게끔, 겸사-겸사, 고구마, 고치다, 골목-쟁이, 광주리, 괴통(자루를 박는 부분.), 국-물, 군-표, 길-잡이('길라잡이'도 표준어임.), 까치-발(선반 따위를 받치는 물건.), 꼬창-모(꼬챙이로 구멍을 뚫으면서 심는 모.), 나룻-배, 납-도리, 농-지거리(다른 의미의 '기롱지거리'는 표준어임.), 다사-스럽다(간섭을 잘하다.), 다오(이리 ~.), 담배-꽁초, 담배-설대, 대장-일, 뒤져-내다, 뒤통수-치다, 등-나무, 등-때기('등'의 낮은말.), 등잔-걸이, 떡-보, 똑딱-단추, 매-만지다, 먼-발치, 며느리-발톱, 명주-붙이, 목-메다, 밀짚-모자, 바가지, 바람-꼭지(튜브의 바람을 넣는 구멍에 붙은, 쇠로 만든 꼭지.), 반-나절, 반두(그물의 한 가지.), 버젓-이, 본-받다, 부각, 부끄러워-하다, 부스러기,부지깽이, 부항-단지, 붉으락-푸르락, 비켜-덩이(김맬 때에 흙덩이를 옆으로 빼내는 일, 또는 그 흙덩이.), 빙충-이, 빠-뜨리다('빠트리다'도 표준어임.), 뻣뻣-하다, 뽐-내다, 사로-잠그다(자물쇠나 빗장 따위를 반 정도만 걸어 놓다.), 살-풀이, 상투-쟁이(상투 튼 이를 놀리는 말.), 새앙-손이, 샛-별, 선-머슴, 섭섭-하다, 속-말, 손목-시계, 손-수레, 쇠-고랑, 수도-꼭지, 숙성-하다, 순대술-고래, 식은-땀, 신기-롭다('신기-하다'도 표준어임.), 쌍동-밤, 쏜살-같이, 아주, 안-걸이(씨름 용어.), 안다미-씌우다(제가 담당할 책임을 남에게 넘기다.), 안쓰럽다, 안절부절-못하다, 앉은뱅이-저울, 알-사탕, 암-내, 앞-지르다, 애-벌레, 얕은-꾀, 언뜻, 언제나, 얼룩-말, 열심-히, 입-담, 자배기, 전봇-대, 쥐락-펴락-지만, 짓고-땡, 짧은-작, 찹-쌀, 청대-콩,칡-범

제26항 한 가지 의미를 나타내는 형태 몇 가지가 널리 쓰이며 표준어 규정에 맞으면, 그 모두를 표준어로 삼는다.

예) 가는-허리/잔-허리, 가락-엿/가래-엿, 가뭄/가물, 가엾다/가엽다, 감감-무소식/감감-소식, 개수-통/설거지-통, 개숫-물/설거지-물, 갱-엿/검은-엿, -거리다/-대다, 거위-배/횟-배, 것/해(내 ~, 네 ~, 뉘 ~.), 게을러-빠지다/게을러-터지다, 고깃-간/푸줏-간, 곰곰/곰곰-이, 관계-없다/상관-없다, 교정-보다/준-보다, 구들-재/구재, 귀퉁-머리/귀퉁-배기('귀퉁이'의 비어임.), 극성-떨다/극성-부리다, 기세-부리다/기세-피우다 기승-떨다/기승-부리다, 깃-저고리/배내-옷/배냇-저고리, 꼬까/때때/고까, 꼬리-별/살-별, 꽃-도미/붉-돔 나귀/당-나귀, 날-걸/세-뿔(윷판의 쨀밭 다음의 셋째 밭.), 내리-글씨/세로-글씨, 넝쿨/덩굴, 녘/쪽(동~, 서~.), 눈-대중/눈-어림/눈-짐작, 느리-광이/느림-보/늘-보, 늦-모/마냥-모, 다기-지다/다기-차다, 다달-이/매-달, -다마다/-고말고, 다박-나룻/다박-수염, 닭의-장/닭-장, 댓-돌/툇-돌, 덧-창/겉-창, 독장-치다/독판-치다, 동자-기둥/쪼구미, 돼지-감자/뚱딴지, 되우/된통/되게, 두동-무니/두동-사니(윷놀이에서, 두동이 한데 어울려 가는 말.), 뒷-갈망/뒷-감당, 뒷-말/뒷-소리, 들락-거리다/들랑-거리다, 들락-날락/들랑-날랑, 딴-전/딴-청, 땅-콩/호-콩, 땔-감/땔-거리, -뜨리다/-트리다, 뜬-것/뜬-귀신, 마룻-줄/용총-줄(돛대에 매어 놓은 줄.), 마-파람/앞-바람, 만장-판/만장-중(滿場中), 만큼/만치, 말-동무/말-벗, 매-갈이/매-조미, 매-통/목-매, 먹-새/먹음-새, 멀찌감치/멀찌가니/멀찍-이, 멱-통/산-멱/산-멱통, 면-치레/외면-치레, 모-내다/모-심다, 모쪼록/아무쪼록, 목판-되/모-되, 목화-씨/면화-씨, 무심-결/무심-중, 물-봉숭아/물-봉선화, 물-부리/빨-부리, 물-심부름/물-시중, 물추리-나무/물추리-막대, 물-타작/진-타작, 민둥-산/벌거숭이-산, 밑-층/아래-층, 바깥-벽/밭-벽, 바른/오른[右](~손, ~쪽, ~편.), 발-모가지/발-목쟁이('발목'의

비속어임.), 버들-강아지/버들-개지, 벌레/버러지, 변덕-스럽다/변덕-맞다, 보-조개/볼-우물, 보통-내기/여간-내기/예사-내기, 볼-따구니/볼-퉁이/볼-때기('볼'의 비속어임.), 부침개-질/부침-질/지짐-질, 불똥-앉다/등화-지다/등화-앉다, 불-사르다/사르다, 비발/비용(費用), 뾰두라지/뾰루지, 살-쾡이/삵, 삽살-개/삽사리, 상두-꾼/상여-꾼, 상-씨름/소-걸이, 생/새앙/생강, 생-뿔/새앙-뿔/생강-뿔('쇠뿔'의 형용.), 생-철/양-철, 서럽다/섧다, 서방-질/화냥-질, 성글다/성기다, -(으)세요/-(으)셔요, 송이/송이-버섯, 수수-깡/수숫-대, 술-안주/안주, -스레하다/-스름하다, 시늉-말/흉내-말, 시새/세사(細沙), 신/신발, 신주-보/독보(櫝褓), 심술-꾸러기/심술-쟁이, 씁쓰레-하다/씁쓰름-하다, 아귀-세다/아귀-차다, 아래-위/위-아래, 아무튼/어떻든/어쨌든/하여튼/여하튼, 앉음-새/앉음-앉음, 알은-척/알은-체, 애-갈이/애벌-갈이, 애꾸눈-이/외눈-박이, 양념-감/양념-거리, 어금버금-하다/어금지금-하다, 어기여차/어여차, 어림-잡다/어림-치다, 어이-없다/어처구니-없다, 어저께/어제, 언덕-바지/언덕-배기, 얼렁-뚱땅/엄벙-뗑, 여왕-벌/장수-벌, 여쭈다/여쭙다, 여태/입때, 여태-껏/이제-껏/입때-껏, 역성-들다/역성-하다, 연-달다/잇-달다, 엿-가락/엿-가래 엿-기름/엿-길금, 엿-반대기/엿-자박, 오사리-잡놈/오색-잡놈, 옥수수/강냉이, 왕골-기직/왕골-자리, 외겹-실/외올-실/홑-실, 외손-잡이/한손-잡이, 욕심-꾸러기/욕심-쟁이, 우레/천둥, 우지/울-보, 을러-대다/을러-메다, 의심-스럽다/의심-쩍다, -이에요/-이어요, 이틀-거리/당-고금(학질의 일종임.), 일일-이/하나-하나, 일찌감치/일찌거니, 입찬-말/입찬-소리, 자리-옷/잠-옷, 자물-쇠/자물-통, 장가-가다/장가-들다, 재롱-떨다/재롱-부리다, 제-가끔/제-각기, 좀-처럼/좀-체, 줄-꾼/줄-잡이, 중신/중매, 짚-단/짚-뭇, 쪽/편(오른~, 왼~.), 차차/차츰, 책-씻이/책-거리, 척/체(모르는 ~, 잘난 ~.), 천연덕-스럽다/천연-스럽다, 철-따구니/철-딱서니/철-딱지, 추어-올리다/추어-주다), 축-가다/축-나다, 침-놓다/침-주다, 통-꼭지/통-젖(통에 붙은 손잡이.), 파자-쟁이/해자-쟁이(점치는 이.), 편지-투/편지-틀, 한턱-내다/한턱-하다, 해웃-값/해웃-돈, 혼자-되다/홀로-되다, 흠-가다/흠-나다/흠-지다

제2부 표준 발음법

제1장 총칙

제1항 표준 발음법은 표준어의 실제 발음을 따르되, 국어의 전통성과 합리성을 고려하여 정함을 원칙으로 한다.

제2장 자음과 모음

제2항 표준어의 자음은 다음 19개로 한다.

ㄱ	ㄲ	ㄴ	ㄷ	ㄸ	ㄹ	ㅁ	ㅂ	ㅃ	ㅅ	ㅆ	ㅇ	ㅈ	ㅉ	ㅊ	ㅋ	ㅌ	ㅍ	ㅎ

제3항 표준어의 모음은 다음 21개로 한다.

ㅏ	ㅐ	ㅑ	ㅒ	ㅓ	ㅔ	ㅕ	ㅖ	ㅗ	ㅘ	ㅙ	ㅚ	ㅛ	ㅜ	ㅝ	ㅞ	ㅟ	ㅠ	ㅡ	ㅢ	ㅣ

제4항 'ㅏ ㅐ ㅓ ㅔ ㅗ ㅚ ㅜ ㅟ ㅡ ㅣ'는 단모음(單母音)으로 발음한다.

[붙임] 'ㅚ, ㅟ'는 이중 모음으로 발음할 수 있다.

제5항 'ㅑ ㅒ ㅕ ㅖ ㅘ ㅙ ㅛ ㅝ ㅞ ㅠ ㅢ'는 이중 모음으로 발음한다.

다만 1. 용언의 활용형에 나타나는 '져, 쪄, 쳐'는 [저, 쩌, 처]로 발음한다.

예) 가지어 → 가져[가저]

다만 2. '예, 례' 이외의 'ㅖ'는 [ㅔ]로도 발음한다.

예) 계집[계:집/게:집], 계시다[계:시다/게:시다], 시계[시계/시게](時計)

다만 3. 자음을 첫소리로 가지고 있는 음절의 'ㅢ'는 [ㅣ]로 발음한다.

예) 늴리리, 닁큼, 무늬, 띄어쓰기, 씌어

다만 4. 단어의 첫음절 이외의 '의'는 [ㅣ]로, 조사 '의'는 [ㅔ]로 발음함도 허용한다.

예) 주의[주의/주이], 협의[혀븨/혀비], 우리의[우리의/우리에], 강의의[강:의의/강:이에]

제3장 음의 길이

제6항 모음의 장단을 구별하여 발음하되, 단어의 첫음절에서만 긴소리가 나타나는 것을 원칙으로 한다.

예) 눈보라[눈:보라], 말씨[말:씨], 밤나무[밤:나무]

다만, 합성어의 경우에는 둘째 음절 이하에서도 분명한 긴소리를 인정한다.

예) 반신반의[반:신바:늬/반:신바:니], 재삼재사[재:삼재:사]

[붙임] 용언의 단음절 어간에 어미 '-아/-어'가 결합되어 한 음절로 축약되는 경우에도 긴소리로 발음한다.

예) 보아→봐[봐:], 기어→겨[겨:], 되어→돼[돼:]

다만, '오아→와, 지어→져, 찌어→쪄, 치어→쳐' 등은 긴소리로 발음하지 않는다.

제7항 긴소리를 가진 음절이라도, 다음과 같은 경우에는 짧게 발음한다.

1. 단음절인 용언 어간에 모음으로 시작된 어미가 결합되는 경우

예) 감다[감:따] – 감으니[가므니], 밟다[밥:따] – 밟으면[발브면]

다만, 다음과 같은 경우에는 예외적이다.

예) 끌다[끌:다] – 끌어[끄:러], 떫다[떨:따] – 떫은[떨:븐], 벌다[벌:다] – 벌어[버:러], 썰다[썰:다] – 썰어[써:러]
없다[업:따] – 없으니[업:쓰니]

2. 용언 어간에 피동, 사동의 접미사가 결합되는 경우

예) 감다[감:따] – 감기다[감기다], 꼬다[꼬:다] – 꼬이다[꼬이다], 밟다[밥:따] – 밟히다[발피다]

다만, 다음과 같은 경우에는 예외적이다.

예) 끌리다[끌:리다], 벌리다[벌:리다], 없애다[업:쌔다]

[붙임] 다음과 같은 복합어에서는 본디의 길이에 관계없이 짧게 발음한다.

예) 밀-물, 썰-물, 쏜-살-같이, 작은-아버지

제4장 받침의 발음

제8항 받침소리로는 'ㄱ, ㄴ, ㄷ, ㄹ, ㅁ, ㅂ, ㅇ'의 7개 자음만 발음한다.

제9항 받침 'ㄲ, ㅋ', 'ㅅ, ㅆ, ㅈ, ㅊ, ㅌ', 'ㅍ'은 어말 또는 자음 앞에서 각각 대표음 [ㄱ, ㄷ, ㅂ]으로 발음한다.

예) 닦다[닥따], 키읔[키윽], 옷[옫], 있다[읻따], 젖[젇], 꽃[꼳], 솥[솓], 앞[압]

제10항 겹받침 'ㄳ', 'ㄵ', 'ㄼ, ㄽ, ㄾ', 'ㅄ'은 어말 또는 자음 앞에서 각각 [ㄱ, ㄴ, ㄹ, ㅂ]으로 발음한다.

예) 넋[넉], 앉다[안따], 여덟[여덜], 넓다[널따], 외곬[외골], 핥다[할따], 값[갑], 없다[업:따]

다만, '밟-'은 자음 앞에서 [밥]으로 발음하고, '넓-'은 다음과 같은 경우에 [넙]으로 발음한다.

예) 밟다[밥:따], 밟지[밥:찌], 밟게[밥:께], 밟고[밥:꼬], 넓-죽하다[넙쭈카다], 넓-둥글다[넙뚱글다]

제11항 겹받침 'ㄺ, ㄻ, ㄿ'은 어말 또는 자음 앞에서 각각 [ㄱ, ㅁ, ㅂ]으로 발음한다.

예) 닭[닥], 흙과[흑꽈], 맑다[막따], 늙지[늑찌], 삶[삼:], 젊다[점:따], 읊고[읍꼬], 읊다[읍따]

다만, 용언의 어간 말음 'ㄺ'은 'ㄱ' 앞에서 [ㄹ]로 발음한다.

예) 맑게[말께], 묽고[물꼬], 얽거나[얼꺼나]

제12항 받침 'ㅎ'의 발음은 다음과 같다.

1. 'ㅎ(ㄶ, ㅀ)' 뒤에 'ㄱ, ㄷ, ㅈ'이 결합되는 경우에는, 뒤 음절 첫소리와 합쳐서 [ㅋ, ㅌ, ㅊ]으로 발음한다.

예) 놓고[노코], 좋던[조:턴], 쌓지[싸치], 많고[만:코], 않던[안턴], 닳지[달치]

2. 'ㅎ(ㄶ, ㅀ)' 뒤에 'ㅅ'이 결합되는 경우에는, 'ㅅ'을 [ㅆ]으로 발음한다.

예) 닿소[다:쏘], 많소[만:쏘], 싫소[실쏘]

3. 'ㅎ' 뒤에 'ㄴ'이 결합되는 경우에는, [ㄴ]으로 발음한다.

예) 놓는[논는], 쌓네[싼네]

[붙임] 'ㄶ, ㅀ' 뒤에 'ㄴ'이 결합되는 경우에는, 'ㅎ'을 발음하지 않는다.

예) 않네[안네], 않는[안는], 뚫네[뚤네→뚤레], 뚫는[뚤는→뚤른]

4. 'ㅎ(ㄶ, ㅀ)' 뒤에 모음으로 시작된 어미나 접미사가 결합되는 경우에는, 'ㅎ'을 발음하지 않는다.

예) 낳은[나은], 놓아[노아], 쌓이다[싸이다], 많아[마:나], 않은[아는], 닳아[다라], 싫어도[시러도]

제13항 홑받침이나 쌍받침이 모음으로 시작된 조사나 어미, 접미사와 결합되는 경우에는, 제 음가대로 뒤 음절 첫소리로 옮겨 발음한다.

예) 깎아[까까], 옷이[오시], 있어[이써], 낮이[나지], 꽂아[꼬자], 꽃을[꼬츨], 쫓아[쪼차], 밭에[바테]

제14항 겹받침이 모음으로 시작된 조사나 어미, 접미사와 결합되는 경우에는, 뒤엣것만을 뒤 음절 첫소리로 옮겨 발음

한다.(이 경우, 'ㅅ'은 된소리로 발음함.)

예) 넋이[넉씨], 앉아[안자], 닭을[달글], 젊어[절머], 곬이[골씨], 핥아[할타], 읊어[을퍼], 값을[갑쓸], 없어[업:써]

제15항 받침 뒤에 모음 'ㅏ, ㅓ, ㅗ, ㅜ, ㅟ' 들로 시작되는 실질 형태소가 연결되는 경우에는, 대표음으로 바꾸어서 뒤 음절 첫소리로 옮겨 발음한다.

예) 밭 아래[바다래], 늪 앞[느밥], 젖어미[저더미], 맛없다[마덥따], 겉옷[거돋], 헛웃음[허두슴], 꽃 위[꼬뒤]

다만, '맛있다, 멋있다'는 [마싣따], [머싣따]로도 발음할 수 있다.

[붙임] 겹받침의 경우에는, 그중 하나만을 옮겨 발음한다.

예) 넋 없다[너겁따], 닭 앞에[다가페], 값어치[가버치], 값있는[가빈는]

제16항 한글 자모의 이름은 그 받침소리를 연음하되, 'ㄷ, ㅈ, ㅊ, ㅋ, ㅌ, ㅍ, ㅎ'의 경우에는 특별히 다음과 같이 발음한다.

예) 디귿이[디그시], 디귿을[디그슬], 디귿에[디그세], 지읒이[지으시], 지읒을[지으슬], 지읒에[지으세], 치읓이[치으시], 치읓을[치으슬], 치읓에[치으세], 키읔이[키으기], 키읔을[키으글], 키읔에[키으게], 티읕이[티으시], 티읕을[티으슬], 티읕에[티으세], 피읖이[피으비], 피읖을[피으블], 피읖에[피으베], 히읗이[히으시], 히읗을[히으슬], 히읗에[히으세]

제5장 음의 동화

제17항 받침 'ㄷ, ㅌ(ㄾ)'이 조사나 접미사의 모음 'ㅣ'와 결합되는 경우에는, [ㅈ, ㅊ]으로 바꾸어서 뒤 음절 첫소리로 옮겨 발음한다.

예) 곧이듣다[고지듣따], 굳이[구지], 미닫이[미:다지], 땀받이[땀바지], 밭이[바치], 벼훑이[벼훌치]

[붙임] 'ㄷ' 뒤에 접미사 '히'가 결합되어 '티'를 이루는 것은 [치]로 발음한다.

예) 굳히다[구치다], 닫히다[다치다], 묻히다[무치다]

제18항 받침 'ㄱ(ㄲ, ㅋ, ㄳ, ㄺ), ㄷ(ㅅ, ㅆ, ㅈ, ㅊ, ㅌ, ㅎ), ㅂ(ㅍ, ㄼ, ㄿ, ㅄ)'은 'ㄴ, ㅁ' 앞에서 [ㅇ, ㄴ, ㅁ]으로 발음한다.

예) 먹는[멍는], 국물[궁물], 깎는[깡는], 키읔만[키응만], 몫몫이[몽목씨], 긁는[긍는], 흙만[흥만], 닫는[단는], 짓는[진:는], 옷맵시[온맵씨], 있는[인는], 맞는[만는], 젖멍울[전멍울], 쫓는[쫀는], 꽃망울[꼰망울], 붙는[분는], 놓는[논는], 잡는[잠는], 밥물[밤물], 앞마당[암마당], 밟는[밤:는], 읊는[음는], 없는[엄:는]

[붙임] 두 단어를 이어서 한 마디로 발음하는 경우에도 이와 같다.

예) 책 넣는다[챙넌는다], 흙 말리다[흥말리다], 옷 맞추다[온맏추다], 밥 먹는다[밤멍는다], 값 매기다[감매기다]

제19항 받침 'ㅁ, ㅇ' 뒤에 연결되는 'ㄹ'은 [ㄴ]으로 발음한다.

예) 담력[담:녁], 침략[침:냑], 강릉[강능], 항로[항:노], 대통령[대:통녕]

[붙임] 받침 'ㄱ, ㅂ' 뒤에 연결되는 'ㄹ'도 [ㄴ]으로 발음한다.

예) 막론[막논→망논], 석류[석뉴→성뉴], 협력[협녁→혐녁], 법리[법니→범니]

제20항 'ㄴ'은 'ㄹ'의 앞이나 뒤에서 [ㄹ]로 발음한다.

예) 난로[날:로], 신라[실라], 천리[철리], 광한루[광:할루], 대관령[대:괄령], 칼날[칼랄], 물난리[물랄리], 줄넘기[줄럼끼]할는지[할른지]

[붙임] 첫소리 'ㄴ'이 'ㅀ', 'ㄾ' 뒤에 연결되는 경우에도 이에 준한다.

예) 닳는[달른], 뚫는[뚤른], 핥네[할레]

다만, 다음과 같은 단어들은 'ㄹ'을 [ㄴ]으로 발음한다.

예) 의견란[의:견난], 임진란[임:진난], 생산량[생산냥], 결단력[결딴녁], 공권력[공꿘녁], 동원령[동:원녕], 상견례[상견녜], 횡로[횡단노], 이원론[이:원논], 입원료[이붠뇨], 구근류[구근뉴]

제21항 위에서 지적한 이외의 자음 동화는 인정하지 않는다.

예) 감기[감:기](×[강:기]), 옷감[옫깜](×[옥깜]), 있고[읻꼬](×[익꼬]), 꽃길[꼳낄](×[꼭낄]), 젖먹이[전머기](×[점머기]) 문법[문뻡](×[뭄뻡]), 꽃밭[꼳빧](×[꼽빧])

제22항 다음과 같은 용언의 어미는 [어]로 발음함을 원칙으로 하되, [여]로 발음함도 허용한다.

예) 되어[되어/되여], 피어[피어/피여]

제6장 경음화

제23항 받침 'ㄱ(ㄲ, ㅋ, ㄳ, ㄺ), ㄷ(ㅅ, ㅆ, ㅈ, ㅊ, ㅌ), ㅂ(ㅍ, ㄼ, ㄿ, ㅄ)' 뒤에 연결되는 'ㄱ, ㄷ, ㅂ, ㅅ, ㅈ'은 된소리로 발음한다.

예) 국밥[국빱], 깎다[깍따], 넋받이[넉빠지], 삯돈[삭똔], 닭장[닥짱], 칡범[칙뻠], 뻗대다[뻗때다], 옷고름[옫꼬름] 있던[읻떤], 꽂고[꼳꼬], 꽃다발[꼳따발], 낯설다[낟썰다], 밭갈이[받까리], 솥전[솓쩐], 곱돌[곱똘], 덮개[덥깨], 옆집[엽찝], 넓죽하다[넙쭈카다], 읊조리다[읍쪼리다], 값지다[갑찌다]

제24항 어간 받침 'ㄴ(ㄵ), ㅁ(ㄻ)' 뒤에 결합되는 어미의 첫소리 'ㄱ, ㄷ, ㅅ, ㅈ'은 된소리로 발음한다.

예) 신고[신:꼬], 껴안다[껴안따], 앉고[안꼬], 얹다[언따], 삼고[삼:꼬], 더듬지[더듬찌], 닮고[담:꼬], 젊지[점:찌]

다만, 피동, 사동의 접미사 '-기-'는 된소리로 발음하지 않는다.

예) 안기다, 감기다, 굶기다, 옮기다

제25항 어간 받침 'ㄼ, ㄾ' 뒤에 결합되는 어미의 첫소리 'ㄱ, ㄷ, ㅅ, ㅈ'은 된소리로 발음한다.

예) 넓게[널께], 핥다[할따], 훑소[훌쏘], 떫지[떨:찌]

제26항 한자어에서, 'ㄹ' 받침 뒤에 연결되는 'ㄷ, ㅅ, ㅈ'은 된소리로 발음한다.

예) 갈등[갈뜽], 절도[절또], 말살[말쌀], 불소[불쏘](弗素), 일시[일씨], 갈증[갈쯩], 발전[발쩐], 몰상식[몰쌍식]

다만, 같은 한자가 겹쳐진 단어의 경우에는 된소리로 발음하지 않는다.

예) 허허실실[허허실실](虛虛實實), 절절-하다[절절하다](切切-)

제27항 관형사형 '-(으)ㄹ' 뒤에 연결되는 'ㄱ, ㄷ, ㅂ, ㅅ, ㅈ'은 된소리로 발음한다.

예) 할 것을[할꺼슬], 갈 데가[갈떼가], 할 바를[할빠를], 할 수는[할쑤는], 할 적에[할쩌게]

[붙임] '-(으)ㄹ'로 시작되는 어미의 경우에도 이에 준한다.

예) 할걸[할껄], 할지라도[할찌라도], 할수록[할쑤록], 할지언정[할찌언정]

제28항 표기상으로는 사이시옷이 없더라도, 관형격 기능을 지니는 사이시옷이 있어야 할(휴지가 성립되는) 합성어의 경우에는, 뒤 단어의 첫소리 'ㄱ, ㄷ, ㅂ, ㅅ, ㅈ'을 된소리로 발음한다.

예) 문-고리[문꼬리], 눈-동자[눈똥자], 신-바람[신빠람], 산-새[산쌔], 손-재주[손째주], 길-가[길까], 물-동이[물똥이], 발-바닥[발빠닥], 굴-속[굴:쏙], 술-잔[술짠], 바람-결[바람껼], 그믐-달[그믐딸], 아침-밥[아침빱] 잠-자리[잠짜리], 강-가[강까], 초승-달[초승딸], 등-불[등뿔], 창-살[창쌀], 강-줄기[강쭐기]

제7장 음의 첨가

제29항 합성어 및 파생어에서, 앞 단어나 접두사의 끝이 자음이고 뒤 단어나 접미사의 첫음절이 '이, 야, 여, 요, 유'인 경우에는, 'ㄴ' 음을 첨가하여 [니, 냐, 녀, 뇨, 뉴]로 발음한다.

예) 솜-이불[솜:니불], 홑-이불[혼니불], 막-일[망닐], 삯-일[상닐], 맨-입[맨닙], 꽃-잎[꼰닙], 내복-약[내:봉냑], 한-여름[한녀름], 남존-여비[남존녀비], 신-여성[신녀성], 색-연필[생년필], 직행-열차[지캥녈차],늑막-염[능망념], 콩-엿[콩녇], 담-요[담:뇨], 눈-요기[눈뇨기], 업-용[영엄뇽], 식용-유[시굥뉴], 백분-율[백뿐뉼], 밤-윷[밤:뉻]

다만, 다음과 같은 말들은 'ㄴ' 음을 첨가하여 발음하되, 표기대로 발음할 수 있다.

예) 이죽-이죽[이중니죽/이주기죽], 야금-야금[야금냐금/야그먀금], 검열[검:녈/거:멸], 욜랑-욜랑[욜랑뇰랑/욜랑욜랑], 금융[금늉/그뮹]

[붙임 1] 'ㄹ' 받침 뒤에 첨가되는 'ㄴ' 음은 [ㄹ]로 발음한다.

예) 들-일[들:릴], 설-익다[설릭따], 물-약[물략], 서울-역[서울력], 물-엿[물렫], 휘발-유[휘발류]

[붙임 2] 두 단어를 이어서 한 마디로 발음하는 경우에도 이에 준한다.

예) 한 일[한닐], 옷 입다[온닙따], 서른여섯[서른녀섣], 3 연대[삼년대], 먹은 엿[머근녇], 할 일[할릴], 잘 입다[잘립따], 스물여섯[스물려섣], 1 연대[일련대], 먹을 엿[머글렫]

다만, 다음과 같은 단어에서는 'ㄴ(ㄹ)' 음을 첨가하여 발음하지 않는다.

예) 6·25[유기오], 3·1절[사밀쩔], 송별-연[송:벼련], 등-용문[등용문]

제30항 사이시옷이 붙은 단어는 다음과 같이 발음한다.

1. 'ㄱ, ㄷ, ㅂ, ㅅ, ㅈ'으로 시작하는 단어 앞에 사이시옷이 올 때는 이들 자음만을 된소리로 발음하는 것을 원칙으로 하되, 사이시옷을 [ㄷ]으로 발음하는 것도 허용한다.

   예) 냇가[내:까/낻:까], 콧등[코뜽/콛뜽], 햇살[해쌀/핻쌀], 뱃속[배쏙/밷쏙], 고갯짓[고개찓/고갣찓]

2. 사이시옷 뒤에 'ㄴ, ㅁ'이 결합되는 경우에는 [ㄴ]으로 발음한다.

   예) 콧날[콛날→콘날], 아랫니[아랟니→아랜니], 툇마루[퇻:마루→퇸:마루], 뱃머리[밷머리→밴머리]

3. 사이시옷 뒤에 '이' 음이 결합되는 경우에는 [ㄴㄴ]으로 발음한다.

예) 베갯잇[베갣닏→베갠닏], 깻잎[깯닙→깬닙], 나뭇잎[나묻닙→나문닙], 뒷윷[뒫:뉻→뒨:뉻]

Ⅲ. 외래어 표기법

제1장 표기의 기본 원칙

제1항 외래어는 국어의 현용 24 자모만으로 적는다.
제2항 외래어의 1 음운은 원칙적으로 1 기호로 적는다.
제3항 받침에는 'ㄱ, ㄴ, ㄹ, ㅁ, ㅂ, ㅅ, ㅇ'만을 쓴다.
제4항 파열음 표기에는 된소리를 쓰지 않는 것을 원칙으로 한다.
제5항 이미 굳어진 외래어는 관용을 존중하되, 그 범위와 용례는 따로 정한다.

제2장 표기 일람표

국제 음성 기호와 한글 대조표

자음			반모음		모음	
국제 음성 기호	한글		국제 음성 기호	한글	국제 음성 기호	한글
	모음 앞	자음 앞 또는 어말				
p	ㅍ	ㅂ, 프	j	이	i	이
b	ㅂ	브	ɥ	위	y	위
t	ㅌ	ㅅ, 트	w	오, 우	e	에
d	ㄷ	드			ø	외
k	ㅋ	ㄱ, 크			ɛ	에
g	ㄱ	그			ɛ̃	앵
f	ㅍ	프			œ	외
v	ㅂ	브			œ̃	욍
θ	ㅅ	스			æ	애
ð	ㄷ	드			a	아
s	ㅅ	스			ɑ	아
z	ㅈ	즈			ɑ̃	앙
ʃ	시	슈, 시			ʌ	어
ʒ	ㅈ	지			ɔ	오
ʦ	ㅊ	츠			ɔ̃	옹
ʣ	ㅈ	즈			o	오
ʧ	ㅊ	치			u	우
ʤ	ㅈ	지			ə	어
m	ㅁ	ㅁ			ɚ	어
n	ㄴ	ㄴ				
ɲ	니	뉴				
ŋ	ㅇ	ㅇ				
l	ㄹ, ㄹㄹ	ㄹ				

r	ㄹ	르				
h	ㅎ	흐				
ç	ㅎ	히				
x	ㅎ	흐				

제3장 표기 세칙

제1절 영어의 표기

제1항 무성 파열음 ([p], [t], [k])

1. 짧은 모음 다음의 어말 무성 파열음([p], [t], [k])은 받침으로 적는다.
   예) gap[gæp] 갭, cat[kæt] 캣, book[buk] 북
2. 짧은 모음과 유음·비음([l], [r], [m], [n]) 이외의 자음 사이에 오는 무성 파열음([p], [t], [k])은 받침으로 적는다.
   예) apt[æpt] 앱트, setback[setbæk] 셋백, act[ækt] 액트
3. 위 경우 이외의 어말과 자음 앞의 [p], [t], [k]는 '으'를 붙여 적는다.
   예) stamp[stæmp] 스탬프, cape[keip] 케이프, nest[nest] 네스트, part[pɑ:t] 파트, desk[desk] 데스크 make[meik] 메이크, apple[æpl] 애플, mattress[mætris] 매트리스, chipmunk[ʧipmʌŋk] 치프멍크 sickness[siknis] 시크니스

제2항 유성 파열음([b], [d], [g])

어말과 모든 자음 앞에 오는 유성 파열음은 '으'를 붙여 적는다.
예) bulb[bʌlb] 벌브, land[lænd] 랜드, zigzag[zigzæg] 지그재그, lobster[lɔbstə] 로브스터, kidnap[kidnæp] 키드냅, signal[signəl] 시그널

제3항 마찰음([s], [z], [f], [v], [θ], [ð], [ʃ], [ʒ])

1. 어말 또는 자음 앞의 [s], [z], [f], [v], [θ], [ð]는 '으'를 붙여 적는다.
   예) mask[mɑ:sk] 마스크, jazz[dʒæz] 재즈, graph[græf] 그래프, olive[ɔliv] 올리브, thrill[θril] 스릴 bathe[beið] 베이드
2. 어말의 [ʃ]는 '시'로 적고, 자음 앞의 [ʃ]는 '슈'로, 모음 앞의 [ʃ]는 뒤따르는 모음에 따라 '샤', '섀', '셔', '셰', '쇼', '슈', '시'로 적는다.
   예) flash[flæʃ] 플래시, shrub[ʃrʌb] 슈러브, shark[ʃɑ:k] 샤크, shank[ʃæŋk] 섕크, fashion[fæʃən] 패션 sheriff[ʃerif] 셰리프, shopping[ʃɔpiŋ] 쇼핑, shoe[ʃu:] 슈, shim[ʃim] 심
3. 어말 또는 자음 앞의 [ʒ]는 '지'로 적고, 모음 앞의 [ʒ]는 'ㅈ'으로 적는다.
   예) mirage[mirɑ:ʒ] 미라지, vision[viʒən] 비전

제4항 파찰음([ʦ], [ʣ], [ʧ], [ʤ])

1. 어말 또는 자음 앞의 [ʦ], [ʣ]는 '츠', '즈'로 적고, [ʧ], [ʤ]는 '치', '지'로 적는다.
   예) Keats[ki:ʦ] 키츠, odds[ɔʣ] 오즈, switch[swiʧ] 스위치, bridge[briʤ] 브리지, Pittsburgh[piʦbə:g] 피츠버그, hitchhike[hiʧhaik] 히치하이크
2. 모음 앞의 [ʧ], [ʤ]는 'ㅊ', 'ㅈ'으로 적는다.
   예) chart[ʧɑ:t] 차트, virgin[və:ʤin] 버진

제5항 비음([m], [n], [ŋ])

1. 어말 또는 자음 앞의 비음은 모두 받침으로 적는다.
   예) steam[sti:m] 스팀, corn[kɔ:n] 콘, ring[riŋ] 링, lamp[læmp] 램프, hint[hint] 힌트, ink[iŋk] 잉크
2. 모음과 모음 사이의 [ŋ]은 앞 음절의 받침 'ㅇ'으로 적는다.
   예) hanging[hæŋiŋ] 행잉, longing[lɔŋiŋ] 롱잉

제6항 유음([l])

1. 어말 또는 자음 앞의 [l]은 받침으로 적는다.
   예) hotel[houtel] 호텔, pulp[pʌlp] 펄프
2. 어중의 [l]이 모음 앞에 오거나, 모음이 따르지 않는 비음([m], [n]) 앞에 올 때에는 'ㄹㄹ'로 적는다. 다만, 비음([m], [n]) 뒤의 [l]은 모음 앞에 오더라도 'ㄹ'로 적는다.

예) slide[slaid] 슬라이드, film[film] 필름, helm[helm] 헬름, swoln[swouln] 스월른, Hamlet[hæmlit] 햄릿 Henley[henli] 헨리

제7항 장모음

장모음의 장음은 따로 표기하지 않는다.

예) team[tiːm] 팀, route[ruːt] 루트

제8항 중모음(重母音) ([ai], [au], [ei], [ɔi], [ou], [auə])

중모음은 각 단모음의 음가를 살려서 적되, [ou]는 '오'로, [auə]는 '아워'로 적는다.

예) time[taim] 타임, house[haus] 하우스, skate[skeit] 스케이트, oil[ɔil] 오일, boat[bout] 보트, tower[tauə] 타워

제9항 반모음([w], [j])

1. [w]는 뒤따르는 모음에 따라 [wə], [wɔ], [wou]는 '워', [wɑ]는 '와', [wæ]는 '왜', [we]는 '웨', [wi]는 '위', [wu]는 '우'로 적는다.
   예) word[wəːd] 워드, want[wɔnt] 원트, woe[wou] 워, wander[wɑndə] 완더, wag[wæg] 왜그, west[west] 웨스트, witch[witʃ] 위치, wool[wul] 울
2. 자음 뒤에 [w]가 올 때에는 두 음절로 갈라 적되, [gw], [hw], [kw]는 한 음절로 붙여 적는다.
   예) swing[swiŋ] 스윙, twist[twist] 트위스트, penguin[peŋgwin] 펭귄, whistle[hwisl] 휘슬, quarter[kwɔːtə] 쿼터
3. 반모음 [j]는 뒤따르는 모음과 합쳐 '야', '얘', '여', '예', '요', '유', '이'로 적는다. 다만, [d], [l], [n] 다음에 [jə]가 올 때에는 각각 '디어', '리어', '니어'로 적는다.
   예) yard[jɑːd] 야드, yank[jæŋk] 얭크, yearn[jəːn] 연, yellow[jelou] 옐로, yawn[jɔːn] 욘, you[juː] 유 year[jiə] 이어, Indian[indjən] 인디언, battalion[bətæljən] 버탤리언, union[juːnjən] 유니언

제10항 복합어

1. 따로 설 수 있는 말의 합성으로 이루어진 복합어는 그것을 구성하고 있는 말이 단독으로 쓰일 때의 표기대로 적는다.
   예) cuplike[kʌplaik] 컵라이크, bookend[bukend] 북엔드, headlight[hedlait] 헤드라이트 touchwood[tʌtʃwud] 터치우드, sit-in[sitin] 싯인, bookmaker[bukmeikə] 북메이커 flashgun[flæʃgʌn] 플래시건, topknot[tɔpnɔt] 톱놋
2. 원어에서 띄어 쓴 말은 띄어 쓴 대로 한글 표기를 하되, 붙여 쓸 수도 있다.
   예) Los Alamos[lɔsæləmous] 로스 앨러모스/로스앨러모스, top class[tɔpklæs] 톱 클래스/톱클래스

제4장 인명, 지명 표기의 원칙

제1절 표기 원칙

제1항 외국의 인명, 지명의 표기는 제1장, 제2장, 제3장의 규정을 따르는 것을 원칙으로 한다.

제2항 제3장에 포함되어 있지 않은 언어권의 인명, 지명은 원지음을 따르는 것을 원칙으로 한다.

예) Ankara 앙카라, Gandhi 간디

제3항 원지음이 아닌 제3국의 발음으로 통용되고 있는 것은 관용을 따른다.

예) Hague 헤이그, Caesar 시저

제4항 고유 명사의 번역명이 통용되는 경우 관용을 따른다.

Pacific Ocean 태평양, Black Sea 흑해

제2절 동양의 인명, 지명 표기

제1항 중국 인명은 과거인과 현대인을 구분하여 과거인은 종전의 한자음대로 표기하고, 현대인은 원칙적으로 중국어 표기법에 따라 표기하되, 필요한 경우 한자를 병기한다.

제2항 중국의 역사 지명으로서 현재 쓰이지 않는 것은 우리 한자음대로 하고, 현재 지명과 동일한 것은 중국어 표기법에 따라 표기하되, 필요한 경우 한자를 병기한다.

제3항 일본의 인명과 지명은 과거와 현대의 구분 없이 일본어 표기법에 따라 표기하는 것을 원칙으로 하되, 필요한 경우 한자를 병기한다.

제4항 중국 및 일본의 지명 가운데 한국 한자음으로 읽는 관용이 있는 것은 이를 허용한다.
예) 東京 도쿄/동경, 京都 교토/경도, 上海 상하이/상해, 臺灣 타이완/대만, 黃河 황허/황하

제3절 바다, 섬, 강, 산 등의 표기 세칙

제1항 바다는 '해(海)'로 통일한다.
예) 홍해, 발트해, 아라비아해
제2항 우리나라를 제외하고 섬은 모두 '섬'으로 통일한다.
예) 타이완섬, 코르시카섬 (우리나라: 제주도, 울릉도)
제3항 한자 사용 지역(일본, 중국)의 지명이 하나의 한자로 되어 있을 경우, '강', '산', '호', '섬' 등은 겹쳐 적는다.
예) 온타케산(御岳), 주장강(珠江), 도시마섬(利島), 하야카와강(早川), 위산산(玉山)
제4항 지명이 산맥, 산, 강 등의 뜻이 들어 있는 것은 '산맥', '산', '강' 등을 겹쳐 적는다.
예) Rio Grande 리오그란데강, Monte Rosa 몬테로사산, Mont Blanc 몽블랑산
Sierra Madre 시에라마드레산맥

Ⅳ. 로마자 표기법

제1장 표기의 기본 원칙

제1항 국어의 로마자 표기는 국어의 표준 발음법에 따라 적는 것을 원칙으로 한다.
제2항 로마자 이외의 부호는 되도록 사용하지 않는다.

제2장 표기 일람

제1항 모음은 다음 각 호와 같이 적는다.
1. 단모음

ㅏ	ㅓ	ㅗ	ㅜ	ㅡ	ㅣ	ㅐ	ㅔ	ㅚ	ㅟ
a	eo	o	u	eu	I	ae	e	oe	wi

2. 이중모음

ㅑ	ㅕ	ㅛ	ㅠ	ㅒ	ㅖ	ㅘ	ㅙ	ㅝ	ㅞ	ㅢ
ya	yeo	yo	yu	yae	ye	wa	wae	wo	we	ui

[붙임 1] 'ㅢ'는 'ㅣ'로 소리 나더라도 ui로 적는다.
예) 광희문 Gwanghuimun
[붙임 2] 장모음의 표기는 따로 하지 않는다.

제2항 자음은 다음 각 호와 같이 적는다.
1. 파열음

ㄱ	ㄲ	ㅋ	ㄷ	ㄸ	ㅌ	ㅂ	ㅃ	ㅍ
g, k	kk	k	d, t	tt	t	b, p	pp	p

2. 파찰음

ㅈ	ㅉ	ㅊ
j	jj	ch

3. 마찰음

ㅅ	ㅆ	ㅎ
s	ss	h

4. 비음

ㄴ	ㅁ	ㅇ
n	m	ng

5. 유음

ㄹ
r, l

[붙임 1] 'ㄱ, ㄷ, ㅂ'은 모음 앞에서는 'g, d, b'로, 자음 앞이나 어말에서는 'k, t, p'로 적는다.([ ] 안의 발음에 따라 표기함.)
예) 구미 Gumi, 영동 Yeongdong, 백암 Baegam, 옥천 Okcheon, 합덕 Hapdeok, 호법 Hobeop
월곶[월곧] Wolgot, 벚꽃[벋꼳] beotkkot, 한밭[한받] Hanbat

[붙임 2] 'ㄹ'은 모음 앞에서는 'r'로, 자음 앞이나 어말에서는 'l'로 적는다. 단, 'ㄹㄹ'은 'll'로 적는다.
예) 구리 Guri, 설악 Seorak, 칠곡 Chilgok, 임실 Imsil, 울릉 Ulleung, 대관령[대괄령] Daegwallyeong

제3장 표기상의 유의점

제1항 음운 변화가 일어날 때에는 변화의 결과에 따라 다음 각 호와 같이 적는다.

1. 자음 사이에서 동화 작용이 일어나는 경우
   예) 백마[뱅마] Baengma, 신문로[신문노] Sinmunno, 종로[종노] Jongno, 왕십리[왕심니] Wangsimni
   별내[별래] Byeollae, 신라[실라]Silla
2. 'ㄴ, ㄹ'이 덧나는 경우
   예) 학여울[항녀울] Hangnyeoul, 알약[알략] allyak
3. 구개음화가 되는 경우
   예) 해돋이[해도지] haedoji, 같이[가치]gachi, 굳히다[구치다] guchida
4. 'ㄱ, ㄷ, ㅂ, ㅈ'이 'ㅎ'과 합하여 거센소리로 소리 나는 경우
   예) 좋고[조코] joko, 놓다[노타] nota, 잡혀[자펴] japyeo, 낳지[나치] nachi

다만, 체언에서 'ㄱ, ㄷ, ㅂ' 뒤에 'ㅎ'이 따를 때에는 'ㅎ'을 밝혀 적는다.
예) 묵호(Mukho), 집현전(Jiphyeonjeon)

[붙임] 된소리되기는 표기에 반영하지 않는다.
예) 압구정 Apgujeong, 낙동강 Nakdonggang, 죽변 Jukbyeon, 낙성대 Nakseongdae
합정 Hapjeong, 팔당 Paldang, 샛별 saetbyeol, 울산Ulsan

제2항 발음상 혼동의 우려가 있을 때에는 음절 사이에 붙임표(-)를 쓸 수 있다.
예) 중앙 Jung-ang, 반구대 Ban-gudae, 세운 Se-un, 해운대 Hae-undae

제3항 고유 명사는 첫 글자를 대문자로 적는다.
예) 부산 Busan, 세종 Sejong

제4항 인명은 성과 이름의 순서로 띄어 쓴다. 이름은 붙여 쓰는 것을 원칙으로 하되 음절 사이에 붙임표(-)를 쓰는 것을 허용한다.(( ) 안의 표기를 허용함.)

예) 민용하 Min Yongha (Min Yong-ha), 송나리 Song Nari (Song Na-ri)

1. 이름에서 일어나는 음운 변화는 표기에 반영하지 않는다.

예) 한복남 Han Boknam(Han Bok-nam), 홍빛나 Hong Bitna(Hong Bit-na)

2. 성의 표기는 따로 정한다.

제5항 '도, 시, 군, 구, 읍, 면, 리, 동'의 행정 구역 단위와 '가'는 각각 'do, si, gun, gu, eup, myeon, ri, dong, ga'로 적고, 그 앞에는 붙임표(-)를 넣는다. 붙임표(-) 앞뒤에서 일어나는 음운 변화는 표기에 반영하지 않는다.

예) 충청북도 Chungcheongbuk-do, 제주도 Jeju-do, 의정부시 Uijeongbu-si, 양주군 Yangju-gun
도봉구 Dobong-gu, 신창읍 Sinchang-eup, 삼죽면 Samjuk-myeon, 인왕리 Inwang-ri
당산동 Dangsan-dong, 봉천 1동 Bongcheon 1(il)-dong, 종로 2가 Jongno 2(i)-ga

[붙임] '시, 군, 읍'의 행정 구역 단위는 생략할 수 있다.

예) 청주시 Cheongju, 함평군,Hampyeong, 순창읍Sunchang

제6항 자연 지물명, 문화재명, 인공 축조물명은 붙임표(-) 없이 붙여 쓴다.

예) 남산 Namsan, 속리산 Songnisan, 금강 Geumgang, 독도 Dokdo, 경복궁 Gyeongbokgung, 무량수전 Muryangsujeon, 연화교 Yeonhwagyo, 극락전 Geungnakjeon, 안압지 Anapji, 남한산성 Namhansanseong, 화랑대 Hwarangdae, 불국사 Bulguksa, 현충사 Hyeonchungsa, 독립문 Dongnimmun, 오죽헌 Ojukheon, 촉석루 Chokseongnu, 종묘 Jongmyo, 다보탑 Dabotap

제7항 인명, 회사명, 단체명 등은 그동안 써 온 표기를 쓸 수 있다.

제8항 학술 연구 논문 등 특수 분야에서 한글 복원을 전제로 표기할 경우에는 한글 표기를 대상으로 적는다. 이 때 글자 대응은 제2장을 따르되 'ㄱ, ㄷ, ㅂ, ㄹ'은 'g, d, b, l'로만 적는다. 음가 없는 'ㅇ'은 붙임표(-)로 표기하되 어두에서는 생략하는 것을 원칙으로 한다. 기타 분절의 필요가 있을 때에도 붙임표(-)를 쓴다.

예) 집 jib, 짚 jip, 밖 bakk, 값 gabs, 붓꽃 buskkoch, 먹는 meogneun, 독립 doglib, 문리 munli, 물엿 mul-yeos, 굳이 gud-i, 좋다 johda, 가곡 gagog, 조랑말 jolangmal, 없었습니다 eobs-eoss-seubnida

Ⅴ. 문장 부호

1. 마침표 (.)

(1) 서술, 명령, 청유 등을 나타내는 문장의 끝에 쓴다.

예) 젊은이는 나라의 기둥입니다.

(2) 아라비아 숫자만으로 연월일을 표시할 때 쓴다.

예) 1919. 3. 1. / 10. 1.~10. 12.

(3) 특정한 의미가 있는 날을 표시할 때 월과 일을 나타내는 아라비아 숫자 사이에 쓴다.

예) 3.1 운동

(4) 장, 절, 항 등을 표시하는 문자나 숫자 다음에 쓴다.

예) 가. 인명 / 1. 연구 목적

2. 물음표 (?)

(1) 의문문이나 의문을 나타내는 어구의 끝에 쓴다.

예) 점심 먹었어?

(2) 특정한 어구의 내용에 대하여 의심, 빈정거림 등을 표시할 때, 또는 적절한 말을 쓰기 어려울 때 소괄호 안에 쓴다.

예) • 우리와 의견을 같이할 사람은 최 선생(?) 정도인 것 같다.
• 30점이라, 거참 훌륭한(?) 성적이군.
• 우리 집 강아지가 가출(?)을 했어요.

(3) 모르거나 불확실한 내용임을 나타낼 때 쓴다.

예) 최치원(857~?)은 통일 신라 말기에 이름을 떨쳤던 학자이자 문장가이다.

3. 느낌표 (!)

(1) 감탄문이나 감탄사의 끝에 쓴다.
　예) 이거 정말 큰일이 났구나!
(2) 특별히 강한 느낌을 나타내는 어구, 평서문, 명령문, 청유문에 쓴다.
　예) 청춘! 이는 듣기만 하여도 가슴이 설레는 말이다.
(3) 물음의 말로 놀람이나 항의의 뜻을 나타내는 경우에 쓴다.
　예) 이게 누구야! / 내가 왜 나빠!
(4) 감정을 넣어 대답하거나 다른 사람을 부를 때 쓴다.
　예) 네! / 언니!

4. 쉼표 (,)

(1) 같은 자격의 어구를 열거할 때 그 사이에 쓴다.
　예) 근면, 검소, 협동은 우리 겨레의 미덕이다.
(2) 짝을 지어 구별할 때 쓴다.
　예) 닭과 지네, 개와 고양이는 상극이다.
(3) 이웃하는 수를 개략적으로 나타낼 때 쓴다.
　예) 6, 7, 8개
(4) 열거의 순서를 나타내는 어구 다음에 쓴다.
　예) 첫째, 몸이 튼튼해야 한다.
(5) 문장의 연결 관계를 분명히 하고자 할 때 절과 절 사이에 쓴다.
　예) 콩 심은 데 콩 나고, 팥 심은 데 팥 난다.
(6) 같은 말이 되풀이되는 것을 피하기 위하여 일정한 부분을 줄여서 열거할 때 쓴다.
　예) 여름에는 바다에서, 겨울에는 산에서 휴가를 즐겼다.
(7) 부르거나 대답하는 말 뒤에 쓴다.
　예) 지은아, 이리 좀 와 봐. / 네, 지금 가겠습니다.
(8) 한 문장 안에서 앞말을 '곧', '다시 말해' 등과 같은 어구로 다시 설명할 때 앞말 다음에 쓴다.
　예) 책의 서문, 곧 머리말에는 책을 지은 목적이 드러나 있다.
　　원만한 인간관계는 말과 관련한 예의, 즉 언어 예절을 갖추는 것에서 시작된다.
(9) 문장 앞부분에서 조사 없이 쓰인 제시어나 주제어의 뒤에 쓴다.
　예) 열정, 이것이야말로 젊은이의 가장 소중한 자산이다.
(10) 한 문장에 같은 의미의 어구가 반복될 때 앞에 오는 어구 다음에 쓴다.
　예) 그의 애국심, 몸을 사리지 않고 국가를 위해 헌신한 정신을 우리는 본받아야 한다.
(11) 도치문에서 도치된 어구들 사이에 쓴다.
　예) 이리 오세요, 어머님.
(12) 바로 다음 말과 직접적인 관계에 있지 않음을 나타낼 때 쓴다.
　예) 철원과, 대관령을 중심으로 한 강원도 산간 지대에 예년보다 일찍 첫눈이 내렸습니다.
(13) 문장 중간에 끼어든 어구의 앞뒤에 쓴다.
　예) 나는, 솔직히 말하면, 그 말이 별로 탐탁지 않아.
(14) 특별한 효과를 위해 끊어 읽는 곳을 나타낼 때 쓴다.
　예) 내가, 정말 그 일을 오늘 안에 해낼 수 있을까?
(15) 짧게 더듬는 말을 표시할 때 쓴다.
　예) 선생님, 부, 부정행위라니요? 그런 건 새, 생각조차 하지 않았습니다.

5. 가운뎃점 (·)

(1) 열거할 어구들을 일정한 기준으로 묶어서 나타낼 때 쓴다.
　예) 민수 · 영희, 선미 · 준호가 서로 짝이 되어 윷놀이를 하였다.
(2) 짝을 이루는 어구들 사이에 쓴다.

예) 우리는 그 일의 참 · 거짓을 따질 겨를도 없었다.

(3) 공통 성분을 줄여서 하나의 어구로 묶을 때 쓴다.

예) 금 · 은 · 동메달

6. 쌍점 (:)

(1) 표제 다음에 해당 항목을 들거나 설명을 붙일 때 쓴다.

예) 문방사우: 종이, 붓, 먹, 벼루

(2) 희곡 등에서 대화 내용을 제시할 때 말하는 이와 말한 내용 사이에 쓴다.

예) 김 과장: 난 못 참겠다.

(3) 시와 분, 장과 절 등을 구별할 때 쓴다.

예) 오전 10:20(오전 10시 20분) / 두시언해 6:15(두시언해 제6권 제15장)

(4) 의존 명사 '대'가 쓰일 자리에 쓴다.

예) 65:60(65 대 60)

[붙임] 쌍점의 앞은 붙여 쓰고 뒤는 띄어 쓴다.

7. 빗금 (/)

(1) 대비되는 두 개 이상의 어구를 묶어 나타낼 때 그 사이에 쓴다.

예) 금메달/은메달/동메달

(2) 기준 단위당 수량을 표시할 때 해당 수량과 기준 단위 사이에 쓴다.

예) 100미터/초

(3) 시의 행이 바뀌는 부분임을 나타낼 때 쓴다.

예) 산에 / 산에 / 피는 꽃은 / 저만치 혼자서 피어 있네

8. 큰따옴표 (" ")

(1) 글 가운데에서 직접 대화를 표시할 때 쓴다.

예) "어머니, 제가 가겠어요."

(2) 말이나 글을 직접 인용할 때 쓴다.

예) 나는 "어, 광훈이 아니냐?" 하는 소리에 깜짝 놀랐다.

9. 작은따옴표 (' ')

(1) 인용한 말 안에 있는 인용한 말을 나타낼 때 쓴다.

예) 그는 "여러분! '시작이 반이다.'라는 말 들어 보셨죠?"라고 말하며 강연을 시작했다.

(2) 마음속으로 한 말을 적을 때 쓴다.

예) 나는 '일이 다 틀렸나 보군.' 하고 생각하였다.

10. 소괄호 (( ))

(1) 주석이나 보충적인 내용을 덧붙일 때 쓴다.

예) 니체(독일의 철학자)의 말을 빌리면 다음과 같다.

(2) 우리말 표기와 원어 표기를 아울러 보일 때 쓴다.

예) 기호(嗜好), 자세(姿勢)

(3) 생략할 수 있는 요소임을 나타낼 때 쓴다.

예) 광개토(대)왕은 고구려의 전성기를 이끌었던 임금이다.

(4) 희곡 등 대화를 적은 글에서 동작이나 분위기, 상태를 드러낼 때 쓴다.

예) 현우: (가쁜 숨을 내쉬며) 왜 이렇게 빨리 뛰어?

(5) 내용이 들어갈 자리임을 나타낼 때 쓴다.

예) 다음 빈칸에 알맞은 조사를 쓰시오. 민수가 할아버지( ) 꽃을 드렸다.

(6) 항목의 순서나 종류를 나타내는 숫자나 문자 등에 쓴다.

예) 사람의 인격은 (1) 용모, (2) 언어, (3) 행동, (4) 덕성 등으로 표현된다.

11. 중괄호 ({ })

(1) 같은 범주에 속하는 여러 요소를 세로로 묶어서 보일 때 쓴다.

(2) 열거된 항목 중 어느 하나가 자유롭게 선택될 수 있음을 보일 때 쓴다.

예) 아이들이 모두 학교{에, 로, 까지} 갔어요.

12. 대괄호 ([ ])

(1) 괄호 안에 또 괄호를 쓸 필요가 있을 때 바깥쪽의 괄호로 쓴다.

예) 이번 회의에는 두 명[이혜정(실장), 박철용(과장)]만 빼고 모두 참석했습니다.

(2) 고유어에 대응하는 한자어를 함께 보일 때 쓴다.

예) 나이[年歲]

(3) 원문에 대한 이해를 돕기 위해 설명이나 논평 등을 덧붙일 때 쓴다.

예) 그것[한글]은 이처럼 정보화 시대에 알맞은 과학적인 문자이다.

13. 겹낫표 (『』)와 겹화살괄호 (≪≫)

(1) 책의 제목이나 신문 이름 등을 나타낼 때 쓴다.

예) 『훈민정음』은 1997년에 유네스코 세계 기록 유산으로 지정되었다.

≪한성순보≫는 우리나라 최초의 근대 신문이다.

14. 홑낫표 (「」)와 홑화살괄호(〈〉)

(1) 소제목, 그림이나 노래와 같은 예술 작품의 제목, 상호, 법률, 규정 등을 나타낼 때 쓴다.

예) 「국어 기본법 시행령」은 「국어 기본법」에서 위임된 사항과 그 시행에 필요한 사항을 규정함을 목적으로 한다.

백남준은 2005년에 <엄마>라는 작품을 선보였다.

15. 줄표 (―)

(1) 제목 다음에 표시하는 부제의 앞뒤에 쓴다.

예) 이번 토론회의 제목은 '역사 바로잡기 ― 근대의 설정 ―'이다.

16. 붙임표 (-)

(1) 차례대로 이어지는 내용을 하나로 묶어 열거할 때 각 어구 사이에 쓴다.

예) 김 과장은 기획-실무-홍보까지 직접 발로 뛰었다.

(2) 두 개 이상의 어구가 밀접한 관련이 있음을 나타내고자 할 때 쓴다.

예) 남한-북한-일본 삼자 관계

17. 물결표 (~)

(1) 기간이나 거리 또는 범위를 나타낼 때 쓴다.

예) 이번 시험의 범위는 3~78쪽입니다. / 서울~천안 정도는 출퇴근이 가능하다.

18. 드러냄표(˙)와 밑줄 (___)

(1) 문장 내용 중에서 주의가 미쳐야 할 곳이나 중요한 부분을 특별히 드러내 보일 때 쓴다.
예) 지금 필요한 것은 지식이 아니라 실천입니다.

19. 숨김표(O, X)

(1) 금기어나 공공연히 쓰기 어려운 비속어임을 나타낼 때, 그 글자의 수효만큼 쓴다.
예) 배운 사람 입에서 어찌 ○○○란 말이 나올 수 있느냐?
그 말을 듣는 순간 ×××란 말이 목구멍까지 치밀었다.
(2) 비밀을 유지해야 하거나 밝힐 수 없는 사항임을 나타낼 때 쓴다.
예) 1차 시험 합격자는 김○영, 이○준, 박○순 등 모두 3명이다.

20. 빠짐표(□)

(1) 옛 비문이나 문헌 등에서 글자가 분명하지 않을 때 그 글자의 수효만큼 쓴다.
예) 大師爲法主□□賴之大□薦
(2) 글자가 들어가야 할 자리를 나타낼 때 쓴다.
예) 훈민정음의 초성 중에서 아음(牙音)은 □□□의 석 자다.

21. 줄임표(……)

(1) 할 말을 줄였을 때 쓴다.
예) "어디 나하고 한번……." 하고 민수가 나섰다.
(2) 말이 없음을 나타낼 때 쓴다.
예) "빨리 말해!", "……."
(3) 문장이나 글의 일부를 생략할 때 쓴다.
예) '고유'라는 말은 문자 그대로 본디부터 있었다는 뜻은 아닙니다. …… 같은 역사적 환경에서 공동의 집단생활을 영위해 오는 동안 공동으로 발견된, 사물에 대한 공동의 사고방식을 우리는 한국의 고유 사상이라 부를 수 있다는 것입니다.
(4) 머뭇거림을 보일 때 쓴다.
예) "우리는 모두…… 그러니까…… 예외 없이 눈물만…… 흘렸다."

1장 언어학 개론

1. 언어학의 기본 개념

(1) 언어학의 개념

• 인간의 언어를 직접 또는 간접적인 대상으로 하여 언어의 내적인 구조뿐 아니라 언어를 둘러싼 외적인 환경들에 이르기까지 폭넓은 관점에서 언어를 관찰하고 분석하는 학문 분야

(2) 언어의 특성

① 기호성 : 소리와 의미로 구성

② 자의성 : 언어의 형식(소리)과 내용(의미) 관계는 사회적 약속에 의해 임의적으로 이루어짐

③ 사회성 : 관습적이고 사회적인 약속에 의해 구속 받음

④ 체계성 : 여러 단위들이 일정한 원리에 따라 질서 있게 모여 있는 하나의 체계임

⑤ 역사성 : 시대에 따라 변화함 (생성, 변화, 소멸)

⑥ 창조성 : 유한한 소리나 단어를 활용하여 무한한 단어나 표현, 문장 등을 만들어낼 수 있음

⑦ 분절성 : 언어는 연속적인 세계를 불연속적으로 끊어서, 분절하여 표현

(3) 언어의 기능

① 인간의 의사소통 과정

㉠ 부호화

• 화자는 자신의 머릿속에 들어 있는 어떤 개념을 청자에게 전달하기 위해 그것을 청각 영상으로 만듦

㉡ 음성화 및 청취 작용

• 화자는 머릿속에 있는 생각(개념)을 발음 작용하기 위하여 입 밖으로 내면 공기 중에 물리적인 음파가 형성되어 청자의 귀에 전달되는 청취 작용이 일어남

㉢ 해독과정

• 청취된 음성은 청자의 머릿속에서 다시 청각 영상으로 바뀌고 그것이 다시 개념으로 전화되는 과정(기호의 해독 과정)이 언어 전달 과정임

② 언어의 기능(야콥슨, 1963)

① 표현적 기능 : 화자의 사상과 감정을 표현하고 전달함
② 지령적 기능 : 어떤 행위를 청자가 하도록 또는 하지 말도록 명령함
③ 사교적 기능 : 화자가 청자에게 관심을 표현함
④ 시적(미적) 기능 : 언어 표현 자체에서 느끼는 아름다움을 목적으로 함
⑤ 지시적 기능 : 내용이나 정보를 전달하고 서술함
⑥ 관어적 기능 : 사물이 아니라 '언어'를 가리킴

③ Halliday의 7가지 언어 기능

㉠ 도구적 기능
- 구체적인 언향적 의사소통 행위로 특정 조건 하에 발화됨
  예) 난로를 만지지 마시오.

㉡ 규정적 기능
- 어떤 사건을 통제하는 것
  예) 동의, 반대, 행동 통제, 법률 및 규칙의 제정 등

㉢ 표상적 기능
- 진술, 사실과 지식을 전달, 설명, 보고하는 것

㉣ 상호 작용적 기능
- 사회적 관계를 유지시켜 줌
  예)속어, 은어, 농담, 민속적 풍습, 문화적 풍습, 공손함, 격식

㉤ 개인적 기능
- 감정이나 느낌, 개성, 본능적인 반응을 표현할 수 있게 해 줌

㉥ 발견적 기능
- 지식을 습득하고 환경에 대해 배우기 위해서 언어를 사용하는 것
  예) 질문 형식

㉦ 상상적 기능
- 자유롭게 현실을 넘어서 언어 자체가 가지고 있는 미적 세계에 도달할 수 있고, 현실 불가능한 꿈을 가질 수도 있음

(4) 문자언어

① 표음문자 : 말소리를 그대로 기호로 나타낸 문자

② 표의문자 : 하나하나의 글자가 언어의 음과 상관없이 일정한 뜻을 나타내는 문자

③ 문자의 일반적인 발달 단계

- 그림 문자 → 상형 문자 → 표의 문자 → 표음 문자(음절 문자 → 음소 문자)

④ 문자의 종류

㉠ 단어문자 : 한자
㉡ 음절문자 : 일본의 가나
㉢ 음소문자 : 영어 알파벳, 한글(자질 문자)

★ 상형문자(그림문자)

- 먼 옛날 수렵인들은 동굴의 벽이나 암벽에 원시적인 그림을 그려두었는데 이것을 그림문자라고 부르는 경우도 있으며, 문자체계가 성립하기 이전의 단계를 대표함
- 사물의 형태나 어떤 성질을 강조하면서 정면 또는 측면에서 그 사물을 선이나 점으로 그려서 표시하는 것을 상형문자라고 함
- 고대 중국의 갑골문자는 상형문자인데 이것이 오늘날의 표의문자인 한자로 발달함
- 상형문자나 표의문자를 단어문자라고 함
- 상형문자는 그 자형이 점점 간소화되어 뒤에는 일정한 음을 표시하게 됨
- 상형자형을 고안한 민족의 문자는 공통적으로 '표의'에서 '표음'으로 발전함

★ 설형문자

- 고대 페르시아 아시리아 바빌로니아에서 쓰이던 쐐기·징·화살촉 모양으로 된 문자

• 처음 아카디아인에 의해 만들어져 아시리아· 바빌로니아에 전해진 것으로 애초에는 회화문자였음
• 설형문자는 중국 문자보다 한 걸음 더 나아가 표음문자의 단계에 이르게 되었음

★ 음절문자

• 한 음절이 한 글자로 되어 있어 그 이상은 나눌 수 없는 표음 문자
  예) 일본의 가나 문자, 키프로스의 문자, 중국 남서부 롤로족의 문자
• 음절문자는 대개 표의문자의 표음성만이 남아 있고, 그 표의성을 버린 결과로 이루어짐
• 일본어는 자음과 모음의 표기가 구별되지 않음

(5) 언어 연구에서의 기본 단위

• 음성 : 구체적인 말의 소리
• 음운 : 말의 뜻을 구분해 주는 소리의 단위 (자음, 모음, 음장, 성조 등)
• 음절 : 하나의 소리마디
• 형태소 : 뜻을 가진 가장 작은 문법 단위
• 단어 : 최소의 자립 형식
• 어절 : 문장을 구성하고 있는 마디 (띄어쓰기의 단위)
• 문장 : 하나의 완결된 사상이나 감정을 나타내는 단위
• 이야기 : 맥락을 가진 큰 단위 (단락 또는 글 전체)

2. 언어의 분류

(1) 형태적 분류

① 고립어

• 어형변화, 접사 X, 실현 위치(어순)에 의해 단어가 문장 속에서 가지는 여러 가지 관계가 결정됨
• 단어가 곧 형태소이자 어근
• 단어 하나가 하나의 음절을 갖음 (단음절어적 특징)
  예) 중국어, 베트남어, 타이어, 미얀마어, 티베트어, 크메르어

② 굴절어

• 단어의 어형과 어미의 변화로써 단어가 문장 속에서 가지는 여러 가지 관계가 결정됨
• 단어가 여러 문법 범주로 구성되어 있어 개별 형태소로 분리가 어려움
  예) 영어, 프랑스어, 아랍어, 이집트어, 앗시리어, 그리스어, 라틴어, 독일어

③ 교착어(첨가어)

• 단어 또는 어간에 문법적인 기능을 가진 요소가 결합함으로써 관계가 결정됨
• 어근과 접사가 결합하여 단어 사이의 문법적 관계를 나타냄
  예) 한국어, 몽골어, 터키어, 일본어, 핀란드어, 헝가리어

④ 포합어

• 하나의 동사에 여러 가지 문법 기능을 하는 형태들이 결합하여, 전체 문장이 한 단어와 같이 보이는 언어
  예) 에스키모어, 아메리칸 인디안어, 아이누어 그린랜드어

(2) 계통적 분류

① 인도-유럽어족(굴절어) : 영어, 독일어, 프랑스어, 러시아어, 에스파냐어, 이탈리아어, 범어, 힌두어

② 함-셈 어족(굴절어) : 이집트어, 베르베르어, 쿠시 제어, 챠드 제어, 셈어파, 아라비아어, 앗시리아어

③ 우랄 어족(첨가어) : 핀란드어, 헝가리어, 사모예드어, 에스토니아어

④ 알타이 제어(첨가어) : 터키어군, 투르크어, 몽골어군, 만주-퉁구스어군
- 람스테르의 논문에서 한국어가 알타이 어족에 속한다고 하면서 알타이 어족에 한족(한국어) 어군을 포함시킴

> **★ 알타이 제어 공통 특질**
>
> 모음조화, 두음법칙, 음절의 끝소리 규칙(중화현상), 성(性) 구별 없음, 관사와 관계대명사와 전치사 없음, 접속사가 없는 대신 부동사, 즉 용언의 부사형이 있음, 수식어가 피수식어 앞에 위치, 실질형태소에 형식형태소에 붙는 첨가적 성격(교착어), 어순은 주어-목적어-서술어 순서임, 첨가되는 각 접미사는 단 하나만의 기능을 가짐

⑤ 중국-티베트어족(고립어) : 중국어군, 캄-타이어군, 티베트-버마어군, 마오-야오어

⑥ 말레이-폴리네시아어족

⑦ 드라비다 어족 - 인도어

알타이어족	터키어군	터키어, 아제르바이전어, 카자흐어, 우즈베크어, 투르그멘어, 키르기스어
	몽골어군	몽골어
	퉁구스어군	예벤키어
중국-티베트어족	중국어군	중국어
	티베트-버마어군	티베트어, 버마어, 종카어
타-카다이어족	태국어, 라오어	
오스트로네시아어족	타이완어	
	말레이-폴리네시아어군	말레이어, 인도네시아어, 타갈로그어, 테툼어, 자바어, 필리핀어
오스트로-아시아어족	몬-크메르어군	크메르어, 베트남어
	문다어군	인도 북동부, 방글라데시 일부에서 사용되는 언어
인도-유럽어족	게르만어군	영어, 독일어, 스웨덴어, 네델란드어
	이탈리아어군(로망스어군)	프랑스어, 이탈리아어, 스페인어, 포르투갈어, 루마니아어
	켈트어군	아일랜드어, 웨일즈어, 스코틀랜드어
	발트-슬라브어군	러시아어, 폴란드어, 체코어, 우크라이나어, 세르비아어, 크로아티아어, 리투아니아어
	인도-이란어군	힌디어, 산스크리트어, 페르시아어, 벵갈어, 펀자브어, 쿠르드어, 네팔어
	그리스어군	그리스어
우랄어족	핀-우그르어군	헝가리어, 핀란드어, 에스토니아어
나이저-콩고어족	반투어군	스와힐리어, 요루바어, 풀라어, 이보어, 줄루어
아프리카-아시아어족 (함-셈어족)	셈어군	아랍어, 히브리어
	차드어군	하우사어
	베르베르어군	
	쿠시어군	

	오모어군
	고대 이집트어군

(3) 통사적 어순에 의한 분류

① VO형

• 전치사+명사, 보조용언+본용언, 명사+관계절/속격보어, 비교 대상+비교의 기준항

㉠ SVO : 영어, 프랑스어, 이태리어, 타이어
㉡ VSO : 웨일스어, 히브리어, 마사이어

② OV형

• 명사+후치사, 본용언+보조용언, 관형어+명사, 비교기준+비교대상

3. 언어학의 하위 분야

(1) 일반언어학과 개별언어학

① 일반언어학 : 수많은 언어에서 발견되는 보편적, 일반적 특성을 연구하는 분야
예) 음운론, 형태론, 통사론, 의미론, 언어유형론, 사회언어학, 심리언어학, 언어학

② 개별언어학 : 개별 언어의 특성을 연구하는 분야
예) 한국어 음운론, 영어 통사론

(2) 이론언어학과 응용언어학

① 이론언어학(순수언어학) : 언어에 나타나는 현상 자체를 연구하는 분야

㉠ 음운론
• 소리 체계 연구 (소리가 그 언어 안에서 어떤 기능을 하는지를 연구)
• 분절음 : 자음, 모음 등 (동물의 소리는 분절음으로 분석되지 않음)
• 한국어의 자음 : 조음위치, 조음방식, 기식성의 유무, 긴장성의 유무, 파열의 완전성 여부, 성대 진동의 유무로 나뉨
• 한국어의 모음 : 입술 모양, 혀의 높이, 혀의 전후 위치 등으로 나뉨
• 운율적 자질(초분절소) : 일정한 경계가 없이 분절음에 얹히거나 겹쳐서 나ㅣ타나는 소리 관련 요소들
예) 강세, 고저, 장단, 억양, 연접

㉡ 음성학 : 인간의 발성 기관에 의해 산출된 물리적인 소리 자체를 대상으로 함)
• 음소 : 의미 분화를 일으키는 최소의 단위
• 운소 : 소리의 길이, 높낮이, 세기

㉢ 형태론 : 형태소들이 결합하여 낱말을 형성하는 규칙에 대한 연구 (단어 형성 원리 연구)
• 형태소 : 의미를 가지고 있는 요소 중 더 이상 쪼갤 수 없는 '의미의 최소 단위'
• 이형태 : 문맥이나 음성 환경에 따라 이형태를 갖기도 함
• 상보적 분포 : 한 형태가 나타나면 다른 형태는 나타날 수 는 분포
• 주요 연구 대상 : 단어와 형태소 (단어형성법 또는 조어법)
• 단일어 : 하나의 자립형태소, 어근 하나

• 복합어 : 합성어(둘 이상의 어근), 파생어(어근+접사)
• 어근 : 굴절에도 변하지 않고 기본이 되는 형태 (중심 의미)
• 접사 : 단어의 구성 요소 중 어근을 제외한 나머지 부분
• 굴절접사 : 활용어미
• 파생접사 : 새로운 단어를 만들어내는 접사

★ 문법화

• Meillet(1912 : 131)에서 처음 언급된 것인데 새로운 문법적 형태를 만들어 내기 위한 방법 중 하나로 완전히 자립적인 단어 중에는 문법적인 역할을 하는 기능 변화를 보이는 것들이 있음을 의미함
• 영어학에서 '문법화'는 영어의 조동사 발달이 주 논의거리가 되어 왔는데 '하나의 형태소가 어휘적인 것에서 문법적인 것으로, 또는 덜 문법적인 것에서 더 문법적인 것으로 발전하면서 형태소의 범위를 확장시키는 과정'이라고 정의하였음(Kurytowicz 1965: 52)
예) 밖에 : 명사 + 조사 → 조사

㉣ 통사론 : 구, 절, 문장을 형성하는 원리 연구
• 문장 구성 성분 종류
가. 주어, 목적어, 서술어, 보어 (주성분)
나. 관형어, 부사어 (부성분)
다. 독립성분 (독립어)
• 홑문장 : 주어와 서술어가 하나만 나타남
• 겹문장 : 주어와 서술어가 두 번 이상 나타남
가. 안긴문장
예) • 방이 밝기가 대낮과 같다. (명사절)
• 나는 어제 도서관에서 빌린 책을 읽고 있다. (관형사절)
• 나는 글자가 잘 보이게 키웠다. (부사절)
나. 이어진문장
예) • 봄이 오면 꽃이 핀다. (종속 연결문)
• 철수는 노래를 부르고 영희는 춤을 춘다. (대등 연결문)
• 단어의 위치와 결합 관계
가. 계열적 관계 (대치) : 둘 이상의 단어가 문장 안에서 같은 위치에 올 수 있는 경우
나. 통합적 관계 (결합) : 둘 이상의 단어가 문장 안에서 앞뒤에 연결되면서 문장의 구조를 이룸

㉤ 의미론 : 단어나 표현의 의미장과 그들 사이의 관계, 의미 변화 연구
• 계열 관계 : 발화연쇄체의 한 단위를 들어 그 단위와 대치할 수 있는 다른 단위와의 관계
가. 동의 관계 (유의 관계)
나. 반의 관계 : 정도(등급)반의어, 상보반의어, 관계(방향)반의어
다. 포함 관계 : 상위어/하위어, 전체어/부분어

• 통합적 관계 : 결합관계, 수평적 관계 (발화 연쇄체 내에서 어떤 언어 단위와 직접 인접하고 있는 다른 언어 단위와의 관계)
• 연어 : 두 개 이상의 단어가 결합(공기 관계)하여 의미적으로 하나의 단위를 이룸

㉥ 화용론
• 발화의 맥락, 참여자들의 관계 등 언어 외적 요소(사회적 요인)가 실제 언어 사용에 미치는 영향 연구
• 언어 사용을 설명하기 위해 맥락을 중시하는 접근법이 유행하게 되면서 1960년대 화용론이 정립됨
• 연구 내용 : 발화 행위, 함축, 직시
• 발화 의미 : 화자가 발화하는 문장(대화)의 이면에 포함시켜 전하고자 하는 것으로 이것을 함축이라 하며, 그것은 맥락에서 결정됨

ⓢ 기타 : 어휘론, 방언학, 텍스트 언어학, 언어유형론, 비교언어학, 언어사, 언어계통론

② 응용언어학(실용 학문)

- 언어 습득과 언어 교육, 작문·문체 교육, 번역 외에 다양한 실용적 상황에 응용하려는 목적을 지닌 학문
- 용어의 보급 : 1948년 '프라이즈'와 '라도'가 발간한 학술지 'Language learning: A Journal of Applied Linguistics'
- 학문 분야로 정립 : 1959년 미국에 응용언어학센터 설립

㉠ 심리언어학
- 언어의 기억과 학습, 언어 산출과 지각, 이중언어 사용 등 언어 사용에서 발생하는 인지적 처리 과정을 탐구
- 실어증(aphasia)과 난독증(dyslexia) 같은 언어 장애가 인간의 정신 혹은 뇌와 어떤 관련이 있는가에 대한 병리학적 연구도 포함

㉡ 언어습득론
- 언어습득 : 인간이 언어를 인지하고 사용하여 의사소통을 할 수 있는 능력을 키우는 과정

㉢ 대조언어학
- 두 개 이상의 언어 혹은 방언을 비교하여 유사점과 차이점을 발견하는 것이 목적
- 언어 교육과 통·번역에서 겪게 되는 언어 대응의 문제를 해결하려는 목적하에 연구됨

㉣ 사회언어학
- 언어와 사회와의 관계, 사회라는 맥락 속에서 언어가 갖는 여러 가지 특성과 문제, 언어에 반영되는 여러 가지 사회문화적 현상들을 연구
- 연구 대상 : 언어 내부에서 발견되는 언어 변이, 개인 간 혹은 집단 간의 의사소통 방식, 국가의 언어 정책과 언어 계획, 언어와 문화의 관계

㉤ 코퍼스 언어학(말뭉치 언어학)
- 언어 사용자들에 의해 생산된 언어 자료를 이용하여 언어를 연구
- 코퍼스 분석 경과 중 가장 유용한 정보는 빈도임 - 교육 내용의 선정과 배열의 중요한 근거
- 학습자들의 발화 자료 분석 - 학습자 언어의 특성을 밝히거나 제2 언어 습득 단계 관찰

㉥ 언어 정책론
- 언어 계획 : 언어 형태나 용법에 관한 모든 조정 행위
- 1980년대에 가치중립적인 '언어 정책'이라는 용어 사용
- 국가나 지역에서 사회 통합과 발전에 언어의 기여도를 인지하여 언어 정책에 대한 연구를 활발히 진행하고 있음
- 규범주의 : 언어 규칙은 정해져야 하고, 유일해야 하며 언중들에 의해 지켜져야 한다는 관념
- 기술주의 : 언어사회 내에서 '사용되고 있는 모든 언어를 기술하고, 사용 가능한 변이형들을 교육시켜야 한다.'는 관념

㉦ 법언어학
- 법조문 해석, 수사에 사용되는 언어적 증거의 신빙성, 재판 절차에 사용되는 언어, 어떤 언어 행위가 법죄 행위가 될 수 있는지 등을 언어학적 지식과 방법, 통찰력 등을 적용하여 연구

㉧ 기타 : 담화분석, 통·번역, 문체론, 사전학, 언어인류학

(3) 공시언어학과 통시언어학 (공시태와 통시태 개념은 소쉬르가 처음 정립)

① 공시언어학 : 특정 시점의 언어를 분석하여 그 시기의 언어 화자들이 지닌 지식으로서 언어체계를 밝힘

② 통시언어학 : 언어의 변화 과정에 대해 연구

(4) 비교언어학과 대조언어학

① 비교언어학(역사비교언어학)

- 18세기 영국인 존스가 최초로 인도의 옛 언어인 '산스크리트'를 연구
- 1816년 역사비교언어학의 시조로 일컬어지는 '보프'에 의해 학계에 공표 (언어학의 시작을 알리는 계기)
- 역사적으로 친족 관계에 있는 두 개 이상의 언어를 비교 분석하여 언어사를 재구성 (통시적 관점)
- 20세기 초까지 언어학의 주류를 이룸

② 대조언어학 : 같은 시기의 두 개 이상의 언어를 비교·대조하여 연구 (공시적 관점)

★ 대조언어학과 비교언어학

둘 이상의 언어를 연구 대상으로 한다는 점에서 공통점이 있으나, 비교언어학은 둘 이상의 언어를 통시적으로 비교하여 공통점을 찾아내고, 그들 사이의 친족관계를 밝히는 것을 목적으로 하는 반면 대조언어학은 특히 외국어교육에서 학습자의 모국어와 학습 목표 언어의 대조 결과를 활용하여 효율적인 언어 교육 내용 및 교수법을 마련하는 것을 주목적으로 한다.

4. 언어 연구의 대상

(1) 랑그와 파롤 (드 소쉬르)

① 랑그

- 그 사회의 언어, 그 사회에서 약속이 되고 공인이 된 언어
- 사람들이 내재적으로 가지고 있는 언어의 구조, 규칙 등 '언어능력'과 유사한 개념
- 랑그의 저장소 : 언어 사회 (사회언어학적 관점)
- 언어학의 연구 대상 : 랑그와 언어능력

② 파롤

- 실제로 발화된 언어
- 사람들 개개인의 언어
- 어떤 사람이, 어떤 상황에서 사용하느냐에 따라 달라질 수 있음
- '언어수행' 과 유사한 개념

(2) 언어능력과 언어수행 (촘스키)

① 언어능력

- 사람들이 자신의 모국어에 대해 내재적으로 가지고 있는 모든 지식
- 언어 사용자가 앞으로 언어를 사용(수행)하는 데 기반이 되는 모든 능력이라는 의미에서 '언어능력'이라 부름
- 언어능력의 저장소 : 언어 사용자 (심리학적 관점)

② 언어수행

- 사람들이 실제로 언어를 표현(수행)하는 행위

- 말을 하고 듣거나 책을 읽거나 글을 쓰는 모든 행위들을 말함.
- 사람들은 타고난 언어에 대한 지식(언어능력)에 따라 다양한 방식으로 언어를 수행함

★ 언어와 사고

(1) 훔볼트

- 독일의 언어학자. 언어연구에 주력하여 내적 언어의 형성을 존중하였으며, 언어를 유기적으로 취급하고, 언어 철학의 기초를 쌓아 종합적이고 인간적인 언어학을 추진하였음
- 그는 언어와 사고의 결합을 강조하였는데, 지식 활동은 필연적으로 음성(말) 현상과 일체가 되려고 하며, 사상과 음성의 결합 없이는 표상의 세계가 개념의 세계로 들어올 수 없다는 것임

(2) 촘스키

- 촘스키는 언어행동도 행동의 다른 어떤 종류와 마찬가지로 실험적 분석을 할 수 있다고 믿었음
- 그는 언어학습이 조건형성의 원리에 따르는 것이라면 어린이가 언어를 그렇게 빨리 배울 수는 없을 것이라고 논리적 추론을 하였고, 언어의 통사적 규칙은 유전적으로 미리 생겨있는 것이라고 결론지었음
- 촘스키는 언어와 사고가 서로 독립적인 관계를 유지한다는 주장을 하였음

(3) 스키너

- 행동주의 심리학의 대표적인 학자. 스키너가 주장한 행동주의 이론은 언어발달에서 환경의 역할을 강조함
- 언어는 자연스럽게 습득되는 것이 아니라, 경험을 통해서 학습되어지며, 다른 행동의 발달과 마찬가지로 언어학습도 개체와 환경과의 관계에서 일어나는 것으로, 개인이 다양한 자극에 대하여 반응할 때 긍정적 또는 부정적으로 강화되어진다는 입장임

(4) 사피어

- 미국의 언어학자 사피어가 주장한 언어 상대주의 이론에 의하면 언어가 인간의 사고나 사유를 반영할 뿐만 아니라 언어가 인간이 세상을 보는 방식을 결정한다고 하였음

(3) 언어의 구성

- 소쉬르는 언어를 기표(시니피앙, 소리, 음성영상)와 기의(시니피에, 의미, 개념)의 불가분적의 양면적 구조를 가진 기호의 체계로 봄
- 기호의 일반적인 성질로서 기표와 기의 사이에는 자의적인 관계만 존재함

★ 언어 재구

(1) 내적 재구 : 공시적 연구

- 어느 한 언어 자료에 의해서 이루어지는 재구
- 내적 재구는 어느 한 특정한 시기의 공시적 자료를 이용하여 그 언어의 역사를 추정하는 연구 방법론
- 친족 관계가 있는 다른 언어가 없거나 알려지지 않아 비교 재구를 할 수 없는 경우, 조어에서 그 언어의 상세한 언어 변화를 재구하는 경우 등에 사용됨

(2) 비교 재구 : 통시적 연구

- 공통의 언어로부터 분화된 둘 이상의 언어들을 체계적으로 비교해서 그 언어들이 분화되기 이전의 언어인 공

통 조어를 재구하는 연구 방법론
• 비교 재구에서는 전체적인 조어의 자세한 부분까지 구체적이고 상세히 재구함
• 현재까지의 비교 재구는 음운의 비교 재구에 집중되어 있음

2장 외국어 습득론

1. 제2 언어 습득 이론

(1) 행동주의(경험주의)

① 개념 : 자극에 대한 반응을 통하여 인간의 심리 파악

② 특징

• 언어의 습득은 후천적 환경의 영향과 경험적인 훈련에 의해 일어남 (언어 습득은 모방과 습관 형성)
• 자극과 반응의 반복적 결과가 학습의 결과
• 관찰 가능한 언어 현상의 객관적인 연구를 중시
• 영향 : 행동주의 심리학과 구조주의 언어학

★ 구조주의 언어학(20세기 초 정립)

• 언어의 각 요소들이 독립적으로 존재하는 것이 아니며, 상호 간에 밀접한 관계하에 보다 큰 조직체를 이룸
• 언어 기호를 대상이 되는 사물과 직접 관계를 맺는 것이 아니라 언어 체계 안에서 다른 기호들과 맺는 관계에 따라 파악해야 함
• 19세기 중반 소쉬르(1857~1913)의 언어학 연구에서 출발함
• 미국에서는 '사피어'가 '언어형'이라는 개념을 창시
• 미국의 언어학자 블룸필드의 Language(1933)에서 성과가 집대성되었다고 평가됨
• 촘스키(1928~)는 1957년 「통사구조(Syntactic Structures)」에서 미국 구조주의 언어학의 이론적 모순을 지적하고 '변형생성문법'을 소개함 (인간의 언어능력에 초점)

③ 스키너(B. F. Skinner)

㉠ 조작적 조건화
• 반응에 대해 선택적으로 보상함으로써 그 반응이 일어날 확률을 증가시키거나 감소시키는 방법
• 긍정적 강화 : 보상
• 부정적 강화 : 처벌

㉡ 백지 상태 : 자극 → 반응 → 강화 → 습득(습관화)

④ 대조분석가설

㉠ 제1 언어에서 형성된 습관은 제2 언어에 대한 새로운 습관에 간섭함
㉡ L1과 L2가 유사하면 학습자들은 L2의 구조를 쉽게 배움 (긍정적 전이)
㉢ 다르면 학습자들은 어려움에 처함 (부정적 전이)
㉣ 대조분석가설에서는 모든 학습자들의 오류는 그들의 L1을 바탕으로 예측될 수 있음

⑤ 에크만(F. Eckman)의 유표성 차이 가설(MDH)

- 정의 : 언어 간의 유표성 차이가 제2 언어 습득의 어려움을 예측할 수 있다는 가설
- 1977년에 대조 분석 가설의 한계점을 지적하며 제2 언어 습득에서 예측되는 어려움을 모어와의 상이성과 유표성을 기준으로 3가지를 가정함
  ㉠ 모어와 다르면서 모어에 비해 더 유표적인 제2 언어 특질은 습득하기 어렵고 전이가 잘 일어남
  ㉡ 모어와 다르면서 모어에 비해 더 유표적인 제2 언어 특질들의 상대적 난이도는 어떤 특질이 상대적으로 더 유표적인가에 의해 결정됨
  ㉢ 모어와 다르지만 모어에 비해 더 유표적이지 않은 제2 언어 특질은 습득이 어렵지 않고 전이가 잘 일어나지 않음
- 한 쌍을 이루는 두 항목 중 한 항목이 다른 항목보다 하나 이상의 자질을 더 가지고 있다고 가정했을 때 전자를 유표 항목으로, 후자를 무표 항목으로 분류하는데, 유표 이론은 한 쌍의 관련된 형태나 구조를 이와 같이 구별함
- 언어의 유표 항목이 무표 항목보다 더 습득하기 어려우며 유표 정도가 난이도와 일치하리라고 보았음
- Rutherford(1982)는 영어 형태소 습득에서 일정한 순서가 나타나는 이유를 설명하는 데에 유표 이론을 사용함 (유표 구조는 무표 구조보다 더 나중에 습득된다는 것)

⑥ 교수법

- 청각구두식(청화식) 교수법 : 오랜 시간 다양한 문장 패턴을 반복적으로 듣고 따라하면서 제2 언어 습관을 체득하게 하는 제2 언어 교수법

⑦ 비판과 한계

- 실제 오류들은 예측 가능하지 않음
- 학습자들이 사용하는 단순한 구조에 대한 몇몇 특징들은 다양한 배경의 학습자들 간에 유사함
- 학습자의 L1의 영향은 단순한 습관의 전이 문제가 아니라 좀 더 정교하고 복잡한 과정임
- 창조적인 언어 사용을 설명할 수 없음 (성인의 말을 모방하지 않고도 새로운 말을 생성)
- 자극에 대한 반응, 강화, 습관화를 통해 이루어진다고 보기에는 언어 습득의 속도가 비교할 수 없이 빠름

(2) 생득주의(인지주의)

① 개념 : 능동적인 사고과정과 인간 내부의 인지 구조 중시 (행동주의에 대한 비판에서 형성)

② 특징

- 언어 습득이 선천적으로 타고나는 언어지식과 능력의 영향으로 인해 일어남
- 학습자들이 새로운 정보를 의미 있는 방법으로 기존의 지식과 연결하도록 함
- 언어 능력은 생득적이기 때문에 들어본 적이 없는 문장을 만들어 내고 이해할 수 있으며, 지능과 관계없이 모국어를 습득할 수 있음
- 영향 : 인지주의 심리학, 생성주의 언어학(내재적·생득적 언어 지식인 보편 문법을 바탕으로 언어 현상과 언어 습득을 연구하는 학풍)
- 인지주의 학습 이론 : 학습자는 학습 과정의 능동적인 참여자
- 인지주의 이론에서의 언어습득 : 선천적인 언어능력

③ 촘스키(N. Chomsky)

㉠ 언어습득장치(LAD)
- 특정 언어의 구체적인 언어 자료를 기초를 해서 그 언어에 적합한 문법을 산출하여 언어 습득을 가능하게 해주는 내재적·생득적 기제
- 모든 인간이 태어날 때부터 언어습득능력을 타고난다고 봄
- 성인의 말(input) → LAD → 규칙의 발견 → 무한한 문장의 이해와 생성(output)

㉡ 보편문법(UG) : 내재적·생득적으로 갖춘 언어에 대한 지식
- 세계의 모든 언어에 공통된 원리와 규칙이 있으며 인간은 선험적으로 보편문법을 가지고 태어남
- 자연적 순서 : 첫돌-한 단어 문장 사용, 18~24개월-두 단어 문장 구사, 4-5세경-기본 문법 규칙 모두 습득
- 원리 : 누구나 가지고 태어나는 언어능력의 일부로서 모든 언어에 공통적으로 적용되는 추상적인 규칙의 집합
- 매개변항 : 각 언어마다 차이점을 나타내 주는 요소

④ 크라셴(S. Krashen, 1982)의 다섯 가지 가설

㉠ 습득-학습 가설
- 성인 제2 언어 학습자가 목표어를 내재화하는 과정에는 무의식적인 습득과 의식적인 학습이 있는데, 제2 언어 수행에서 유창성은 무엇을 습득했느냐에 따라 결정되는 것이지 무엇을 학습했는가에 따라서 결정되는 것은 아니라는 주장
- 성인이 유창하게 의사소통을 하기 위해서는 가능한 한 습득을 해야 하며, 의식적인 학습 과정과 무의식적인 습득 과정은 상호 배타적이라고 주장
- 학습은 습득될 수 없음
- 습득 : 아이들이 모국어를 배울 때와 같이 무의식적으로 이루어지는 과정이며, 그 언어를 사용하는 국가나 언어 공동체 같은 환경에서 자연스럽게 언어를 흡수하는 과정
- 학습 : 언어를 논리적으로 알아가는 과정에서 생기는 의식적인 과정이며, 교실과 같은 환경에서 규칙과 형태를 배우고 반복/암기하는 과정
- 비판 : 언어의 학습과 습득은 상호배타적인 범주가 아니며 연속체를 이루고 있음

㉡ 모니터(감시) 가설
- '감시'는 학습 과정에 포함되어 있는 것이지 습득 과정에는 포함되지 않음
- 명시적이고 의도적인 학습은 유창한 수준에 오르고 난 뒤 자신의 발화를 감시하기 위한 도구로 사용됨
- 학습자들의 실제 문장 생성은 습득된 지식에만 의존하며, 이때 학습된 요소들은 모니터의 역할만 할 수 있음
- 모니터 개념의 설정으로 유창성과 정확성의 관계를 통찰할 수 있게 됨

㉢ 자연적 순서 가설
- 언어의 문법 규칙 습득은 예측 가능한 자연적 순서에 따라 습득하며 그 순서는 학습에 의해서 바뀌지 않음
- (자연적 순서는 수업에서 학습되는 순서와 관계없음

㉣ 입력 가설
- 현재 학습자 자신의 언어 지식보다 다소 높은 수준의 언어 입력(이해 가능한 입력i+1)이 제공되어야 학습자가 그 언어 입력의 대부분을 이해하고, 나머지 부분에 대해 이해하려는 노력을 통해서 학습자의 언어가 발전해 감
- 인위적인 수업이 곧 학습자들의 언어습득으로 이어지지 않는다고 설명함

㉤ 정의적 여과장치 가설
- 가장 좋은 언어 습득은 심적인 부담이 적고, 학습에 대한 방어적인 태도가 없는 상태, 즉 정의적 여과기가 낮은 상태(정의적 여과장치가 낮은 상태)에서 일어날 것이라고 주장
- 정의적 여과장치 : 학습자의 동기, 욕구, 태도, 감정 상태에 기초하여 입력 언어를 잠재의식적으로 걸러내는 장치

⑤ 중간언어 가설

- 제2언어 학습자의 언어 체계(셀린커 Selinker, 1972)
- 독립적인 체계를 갖는 언어 변이의 일종
- 불완전한 상태의 목표언어로 특수한 언어체계 (근사체계, 과도적 능력, 특이 방언 등으로 불림)
- 습득 단계에 따라 변화하는 체계이기 때문에 모국어를 기반으로 목표어로 향하는 여러 가지 단계 가운데의 어느 시점의 언어 체계를 가리키는 경우와 그 연속체로서의 언어 체계를 가리키는 경우가 있음

- 특징 : 독자성, 체계성, 보편성, 변화성, 안정성(화석화)
- 화석화 : 제2 언어 학습자의 중간 언어 발달이 특정 단계에서 멈추어 고착화된 상태
- 퇴행 : 제2 언어 습득 단계에서 제2 언어 학습자들이 올바른 목표어 형식을 사용하다가 표준에서 벗어난 형식을 사용하는 것
- 중간언어의 개념은 L2습득에 대한 몇 가지 전제를 바탕으로 함
  ㉠ 학습자는 제2 언어 이해와 생산의 기초가 되는 추상적인 언어 규칙 체계를 구축하는데, 이 구축 체계가 심리 문법인 중간언어임
  ㉡ 학습자 문법은 투과가 가능하여, 내부의 영향과 외부의 영향을 받음
  문법은 입력을 통해 외부 영향에 노출되어 있고, 생략, 과도 일반화, 전이 오류 등을 통해 내부의 영향을 받음
  ㉢ 학습자 문법은 과도기적이어서 학습자들은 규칙 첨가 규칙 삭제, 전체 체계 재구성 등을 통하여 문법을 변화시킴
  ㉣ 중간언어 체계는 다양함
  능력 차원의 다양성을 반영하여 학습자들이 구축하는 체계가 다양한 규칙을 포함하고, 어떤 발달 단계에서든지 서로 경쟁하는 하나 이상의 규칙을 가지게 됨
  ㉤ 학습자들은 중간언어를 발달시키기 위해 학습 전략을 사용하여 학습자들이 생산하는 오류들은 학습 전략을 반영하기도 함
  ㉥ 학습자 문법은 화석화되기 쉬움

⑥ 결정적 시기 가설(CPU)

- 인간의 뇌는 생후 6개월부터 만 10세~12세까지 좌뇌와 우뇌로 그 기능이 분화되는데, 이 시기에 하나 이상의 언어에 충분히 노출되지 못하면 성장 후에도 언어능력을 갖추지 못함 (레네베르크가 제안함)

⑦ 교수법

- 자연교수법
  ㉠ 목적 : 학습자가 목표어로 의사소통할 수 있는 능력을 키움
  ㉡ 언어습득에 있어 이해가 산출에 선행함을 강조
  ㉢ 초기에 학습자들은 일정 기간의 침묵기를 가지면서 충분한 언어입력을 받아들이면서 이해를 키워 나가고 스스로 말하고 싶을 때 발화함
  ㉣ 편안하고 불안 요소가 적은 수업 분위기 조성을 제안

⑧ 비판과 한계

- 언어습득장치(LAD)가 과연 실제로 존재하는지 객관적으로 검증할 수 없음
- 어린이의 지능과 언어습득은 실제로 상관관계가 있음
- 언어 외적인 측면(ex. 사회적, 문화적, 교육적 측면, 심리적 요인)을 고려하지 않음

(3) 구성주의(상호주의)

① 개념 : 주변 사물이나 사람과의 상호 작용이 중요하게 작용한다고 보는 관점

② 특징

- 인지주의보다 더 능동적으로 새로운 정보를 지속적으로 구성, 재구성함
- 언어습득 : 사회적 맥락 안에서 다른 사람과 상호작용하는 과정을 통해서 보다 효율적인 제2 언어 습득이 이루어짐
- 사회적 구성주의 : 언어습득이 학습자와 화자의 상호작용에서 직접 일어남
- 수정적 상호주의 : 학습자들이 원활한 습득을 이루도록 이해가능하게 수정된 입력 자료를 제공해야 함

- 학습이론 : 스스로 정보를 발견하고 변형, 창의적 사고가 중요
- 영향 : 구성주의와 인본주의 심리학, 기능주의 언어학

③ 피아제(J. Piaget)의 지적 발달 이론

- 아동의 인지적 발달은 성인이나 주변 사물과의 접촉과 상호작용을 통해서만 가능하며, 언어 능력의 발달은 그러한 인지적 발달의 한 결과

④ 비고츠키(L. Vygotsky) 사회문화이론

- 개인이 처한 사회적, 문화적, 역사적 상황에서 학습자들은 언어를 통한 사회적 상호작용으로 고등 정신 기능을 발달시키고 인지적 학습을 함
- 개인의 언어능력은 우월한 제2 언어 협력자와의 상호작용을 통해 높아짐

★ 근접 발달 영역

- 아이들이 현재보다 더 높은 발달 수준으로 올라갈 수 있는 발달 단계
- 사람을 다른 사람과의 관계를 통한 작용에 영향을 받아 성장하는 사회적 존재로 정의하고, 아동의 인지 발달에서 교사와 학생, 학생과 학생 사이에서 이루어지는 사회적 상호작용이 중요하다고 주장함
- 아동이 인지할 수 있는 현재의 인지 수준과 근접하는 바로 위의 발달 수준으로 실제적인 발달 수준과 잠재적 발달 수준 사이의 영역인 근접 발달 영역을 제안함
- 아이들은 보다 뛰어난 성숙된 부모, 교사, 동료들과의 상호작용을 통해 더 높은 발달수준으로 도달할 수 있다고 봄

⑤ 롱(M. Long)의 상호작용 가설

- 크라센의 입력 가설을 일부 수용, 발전시킨 것
- 학습자가 이해할 수 있는 수준의 입력이 주어지고, 학습자가 의사소통 과정에서 자신이 상대의 말을 정확히 이해했는지 확인하거나 자신이 이해할 수 있도록 도움을 청하는 등의 요청을 하여 이에 대한 상대방의 피드백 등의 상호작용이 충분히 주어졌을 때 제2 언어를 효과적으로 습득할 수 있음
- 상호작용 과정에서 서로의 의사를 전달하기 위해 발화자들은 협상(negotiation)을 하게 되며 이러한 협상이 언어 발전의 토대가 됨

⑥ 스웨인(M. Swain)의 출력 가설

- 출력을 제2 언어 습득의 필수적 요소라고 간주함
- 상대방의 말을 이해하고 받아들이는 것만으로는 완전한 제2 언어 또는 외국어의 습득이 불가능함
- 제2언어습득 과정에서의 이해 가능한 출력의 역할로는 가설 검증하기, 발화에 대한 피드백 받기, 자동성 개발하기, 의미론적 과정에서 구문론적 과정으로 이동하기 등이 있음
- 학습 과정에서 학습자들에게 말할 기회를 많이 제공하도록 강조하는데, 이해를 위해서는 문법이나 구조를 완전히 습득할 필요가 없는 반면, 의미를 표현하기 위해서는 구조에 대한 지식이 없이는 불가능하다는 점 등 이해와 표현의 기술은 차이가 있기 때문

⑦ 슈미트(R. Schmidt)의 알아차리기 가설

- 학습자가 언어 입력을 알아차리는 데에는 형태에 대한 인식이 매우 중요한 역할을 한다고 주장함
- 제2언어습득이 결코 원어민 화자와의 의사소통만으로 자연스럽게 이루어지지 않는다는 사실을 발견함
- 상호작용에 의존한 암시적 학습만으로는 형태에 대해 완전한 습득을 이루기는 어려움
- 성인 학습자들은 일정 정도 '형태에 대한 집중'을 해야만 그것이 습득으로 이어질 수 있다고 주장하여 '명시적 교육', '형태에 집중한 교육의 필요성을 강조함

⑧ 하임즈(D. Hymes)의 사회적 맥락 가설

- 인간의 언어 능력이란 실제 상황에서 의사소통을 위해 쓰일 수 있는 언어 사용 능력을 말하며, 이러한 언어 능력은 그 언어가 사용되는 사회적 맥락을 떠나서는 생각할 수 없다는 것
- 특정한 상황, 사회적 맥락에 알맞은 발화를 생성하는 능력을 향상하기 위해서는 자연히 의사소통의 배경과 담화 맥락, 화자의 의도 등 사회적 맥락을 염두에 둔 교육이 이루어져야 함

⑨ 교수법

- 의사소통중심 교수법(CLT) : 실제 상황에서 의사소통 능력에 중점을 둔 제2 언어 교수법
- 과제 중심 교수법(TBLT) : 과제를 수행하기 위한 수단으로 목표어를 사용하도록 하여 실제 상황에서의 의사소통 능력을 기르도록 하는 제2 언어 교수법

연대	학파의 사상	대표적 주제
1940 ~ 1950년대	구조주의, 행동주의	관찰 가능한 언어, 과학적 방법, 경험주의, 보상과 강화, 자극과 반응 조건화, 백지 상태
1960 ~ 1970년대	이성주의, 인지주의	촘스키의 생성 언어학, 생득설, 언어의 기저 구조, 언어의 창의성, 언어 습득장치
1980 ~ 2000년대	구성주의	피아제와 비고츠키, 개인의 적극적 의미 구성, 개인 나름대로의 사고 구축, 상호작용주의, 사회 문화적 변인

★ 제2 언어 습득 이론

① Cummins(1979)의 BICS와 CALP

- 언어 학습자들의 의사소통을 위해 최소한으로 발달시켜야 하는 언어 능력을 기본 상호의사소통 기술인 BICS(basic interpersonal communicative skills)와 인지적/학문적 언어 능숙도인 CALP(cognitive/academic language proficiency)로 구분함
- BICS는 학습자가 상호 간에 기본적인 의사소통을 할 수 있는 능력을 의미하고 친교적 언어, 대화 언어
- CALP는 교과 수업에서 사용하는 추상적 언어 형태를 나타내며 교과목을 읽고, 이해하고, 수학문제를 풀고, 에세이 쓰는 등의 인지적인 학습 능력과 결부됨
- 캐나다로 이민 온 어린이들에 관한 연구에서 학습자들의 BICS와 CALP가 독립적으로 발달하며 제2 언어 학습 상황에서는 BICS가 CALP보다 쉽게 도달하는 경우가 많다고 결론지었음
- 몰입교육에서는 제2 언어에 대한 기본적 의사소통 능력을 수업 중에 학생-교사, 학생-학생의 상호작용을 통해 키울 수 있음
- 동시에 교과목 내용을 배울 때 유의미한 학습과 과제 활동 등을 통하여 인지적이고 지적인 능력을 상승시킴

② 정보 처리 모형

- 맥러플린(B. McLaughlin)이 제안한 제2 언어 습득 모형으로, 언어 지식의 습득을 정보 처리 방식이 변화하는 과정으로 설명할 수 있다고봄
- 언어 기술의 습득은 통제적 처리 단계에서 자동적 처리 단계로 이행하는 과정을 거침
- U자형 발달(라이트바운, P. M. Lightbown) : 언어 규칙이나 패턴을 연습하여 완벽한 숙달도에 이른 것처럼 보일지라도 어느 순간 다시 처음으로 돌아가는 경우
- 자동화는 수행에 걸리는 시간과 노력을 단축시키는 양적 변화일 뿐이지 학습의 중간 언어에 일어나는 질적 변화는 설명해 주지 못함
- 재구조화 : 제2 언어 학습자의 기존 중간 언어 체계에 새로운 제2 언어 정보가 추가되면서 변하는 과정을 일컬음 (질적 변화)

③ 경쟁모형

- 어떤 의미를 해석하기 위해서 제1 언어에 의존했던 형식적인(음운론적, 형태론적) 선택을 다 소진했을 때, 제2 언어 학습자는 자연스럽게 대안으로 '경쟁적인' 가능성을 찾게 된다는 것
- 학습자가 목표 언어를 판독하는 도구로서 형식적인 언어적 자질에만 의존하는 것이 아니라는 것

④ 기술습득이론

- 인간이 어떤 과정을 통해 다양한 기술을 학습해 나가는지를 설명하기 위한 인지 심리학 이론
- '변화'란 대체로 초보자가 지도와 연습을 통해 기술에 점차 숙달함에 따라 전문가가 되어 가는 과정을 의미하며, 학자마다 관점이 조금씩 다르지만, 과제를 이해하며 여러 가지 방법으로 시도하는 초기 단계인 인지 단계(지식의 부호화 단계)를 지나, 시간이 흐름에 따라 연습량이 축적되면서 인지된 지식과 행동의 수행이 점차 연결되는 연합 단계(지식의 축적 및 편성 단계)를 거쳐, 궁극적으로는 아무런 인지적 노력 없이도 자유자재로 기술을 구사할 수 있는 자동화 단계에 이른다고 봄
- 앤더슨의 ACT(adaptive control of thought-rational) 이론
  ㉠ 명제적 단계(1단계) : 서술적 지식('그것'에 대한 사실적 정보) 학습
  ㉡ 절차적 단계(2단계) : '어떻게'에 대한 절차화된 지식
  ㉢ 자율적 단계(3단계) : 지속적인 연습의 결과로 점차 자동화가 이루어지는 단계
- 기술 습득 이론에는 피츠(Fitts)의 기술 습득 3단계(인지 단계-연합 단계-자동화 단계) 이론과 아네트(Annett)의 이론이 있음

⑤ 입력 처리 이론

- 학습자들은 입력을 걸러내며 입력에 작용하는 내부 처리장치를 가지고 있는데, 입력의 일부만이 시간의 구애 없이 발달체계로 갈 수 있음
- 학습자들이 이해를 하는 동안에 입력에서 받아들이는 것, 즉 흡입이 일어나는 과정을 입력처리라고 함
- VanPatten(2002)의 입력처리의 원리
  ㉠ 학습자들은 입력에서 형태보다 의미를 먼저 처리함
    - 학습자들은 무엇보다도 입력에서 내용어들을 처리함
    - 학습자들은 같은 의미상 정보가 주어졌을 때, 문법 항목들보다 어휘 항목들을 처리하는 것을 더 선호함
    - 학습자들은 덜 혹은 무의미한 형태보다 좀 더 유의미한 형태를 처리하는 것을 선호함
  ㉡ 유의미하지 않은 형태를 처리하기 위해서 학습자들은 주의를 기울이지 않고 정보나 의사소통적 내용을 처리할 수 있어야 함
  ㉢ 학습자들은 문장/발화에서 접하는 첫 명사를 동작주의 역할에 지정하는 초기 전략을 가지고 있는데, 이를 첫명사 전략이라고 함
  ㉣ 학습자들은 문장/발화에서 앞부분에 있는 요소들을 먼저 처리함

2. 제2 언어 습득에서 개인적 차이

(1) 지능

- 지능과 제2 언어 학습 간의 관계는 긍정적으로 보고되고 있음
- 성인 외국어 학습자의 한국어 습득 및 지능과의 상관관계에 대한 연구는 아직 보고되지 않았음
- 언어 분석과 규칙 학습 등의 학습에 대해 강한 예측이 가능하나 교실 밖 혹은 교육이 의사소통과 상호작용에 집중하는 교실 내에서는 덜 중요한 역할을 함

(2) 적성

- 정의 : 특정한 일에 어느 정도 소질이 있는지를 뜻하며, 언어 적성은 제2 언어 습득의 성공 여부를 예측할 수 있는

학습자의 개인 특성임
- 언어 적성 검사는 언어 학습의 직관적이고 비분석적인 측면을 측정하지 못한다는 점에 한계가 있음
- 어떻게 언어적성이 언어 학습에서 성공과 상호관계를 보이는지에 대해 많은 질문이 제기됨

(3) 인지 유형(학습 유형)

- 정의 : 개인이 정보를 이해하고 조직하며 기억하는 등의 문제를 특정 방법으로 일관되게 해결하는 방식
- 교사는 개인의 학습 유형이 환경에 따라 교차되어 일어날 수 있음을 인지하고 학습자의 특성을 살려 제2 언어 학습에 참여할 수 있도록 해야 함
- 다양한 적성과 학습 스타일을 지닌 학습자들의 요구에 부합하는 교육 접근법이 필요함

(4) 성격

- 개인의 행동을 설명해 주는 감정적이고 인지적인 특성
- 외향성 : 자신의 자아 향상, 자아 존중, 총체성을 타인으로부터 받기를 원하며 스스로 좋은 기분을 느끼기 위해서 타인을 필요로 함
- 내향성 : 자신의 내부로부터 확인을 이끌어 냄
- 많은 수의 성격적 특징이 제2 언어 학습에 영향을 주는 것 같다고 제시되고 있음
- 적당한 긴장은 학습에 긍정적인 영향을 주고 학습을 촉진함
- 의사소통 의지는 불안과 관계되어 있음

(5) 연령

- 15세 이후에 영어를 배우기 시작한 학습자들은 원어민과 같은 문법적 직관을 가지지 못하며, 15세 이전에 영어를 배우기 시작한 학습자들이 문법 직관 면에서는 더 우수한 수행을 보여줌 (Johnson & Newport, 1989)

(6) 태도

- 정의 : 목표어, 목표어 사용 집단, 목표어 문화 등에 대해 학습자가 취하는 정신적인 자세를 의미하며 타인과의 접촉이나 상호작용 경험 등으로 생겨난 신념, 느낌, 의도 등을 포함함
- 목표어와 목표 문화에 대한 태도가 불변하는 것은 아님
- 제2 언어 학습자들이 목표어 문화와 그 사용자들에 대해 부정적 태도를 지니면 학습 동기가 감소되고 원어민 화자들과의 상호작용을 저해하여 학습 성취에 부정적 영향을 미침
- 발음에서 매우 높은 정확성은 그들의 민족적 집단에 덜 충성적인 모습과 관계가 있음

(7) 동기

- 정의 : 어떤 행위를 유발하는 요인으로, 제2 언어 습득에서는 제2 언어를 배우고자 하는 의욕을 유발하고 이를 유지시키는 요인을 의미함
- 교사는 수업 시간에 학생들을 동기화하기 위해 수업의 목표를 명확히 알려주는 편이 좋음
- 다른 학생과의 협동적인 활동을 할 수 있도록 수업 과제를 고안하는 것이 동기를 높여줌

3장 대조언어학

1. 대조언어학의 기본 개념

(1) 정의

- 두 개 또는 그 이상의 언어를 비교·대조하여 그들 사이의 공통점과 차이점을 살펴보는 언어학의 하위 분야

(2) 역사

- 18세기에 이르러 비교언어학에 대한 연구가 주류를 이루며 세계 언어 분류 및 친족 관계 탐구를 통해 원시 조어를 구성하려 했음
- 1940-50년대에 구조주의 언어학을 언어 교육에 적용하기 위해 대조분석 가설이 대두됨
- 1950-60년대에 행동주의와 연계되면서 모어와 제2 언어 간의 대조 열기가 고조됨
- 1970-80년대에 실제 오류 생산 및 난이도와 다르다는 연구 결과들이 발표되면서 그 영향력은 많이 감소함

(3) 특징

- 제2 언어 습득이란 두 언어 체계 사이의 차이점을 극복하는 것

(4) 연구 방법

- 공시적 연구

(5) 연구 대상

- 음운, 형태, 문법 구조나 어휘, 텍스트나 담화, 언어 문화적 요소, 비언어적 의사소통 방식

2. 대조분석 가설(CAH)

(1) 제1 언어로 인한 영향

- 정의 : 모어와 목표어 간의 대조 분석적 지식이 목표어 습득에 도움이 된다고 보는 가설
- 미국의 라도·프라이즈(Lado & Fries, 1957)에 의해 그 기법이 확립됨
- 언어 간의 유사성과 차이점으로 인해 제2 언어 학습자에게 긍정적·부정적 전이가 일어남
- 언어 간의 유사성과 차이점은 기술될 수 있음
- 대조분석 가설은 제2 언어의 오류가 모국어와 제2 언어의 차이에서 온다고 믿음
- 언어 습관을 형성하는 데 장애가 되는 가장 큰 요인은 학습자의 제1 언어임
- 교육적 장점
  ㉠ 교사는 외국어 학습상의 문제점을 정확히 진단할 수 있음
  ㉡ 교재 선택이나 작성, 보충을 통해 오류 해결 방안을 제시할 수 있음
  ㉢ 습득하기 어려운 예측 가능한 오류들을 자료로 하여 평가 문제를 작성하거나 어휘 학습에 활용할 수 있음

(2) 대조분석 학자들의 두 가지 관점

① 강설 : Lado(라도), Fries(프라이즈), Wardhaugh(워드호)

- 언어대조표를 만들면 제2 언어 학습 시 발생하는 문제점을 예측하고 해결책을 찾을 수 있음
- 행동주의 이론을 받아들여 문장과 대화를 모방하고 암기하여 자동적으로 사용할 수 있도록 '청각구두식 교수법'을 적용

② 약설 : Weinrich(바인리히), Haugen(하우겐)

- 오류가 발생했을 때 오류의 원인을 설명할 수 있음
- 두 언어 간의 차이점은 실제로 발생하는 오류 중 일부를 확인하는 데만 사용할 수 있음

(3) 전이와 간섭

① 전이(transfer) : 학습자의 모국어가 목표어의 습득에 미치는 영향

㉠ 긍정적 전이
- 제1 언어와 제2 언어 사이에 유사성이 많으면 제1 언어의 습관과 규칙이 '긍정적 전이'를 일으켜 제2 언어 습득에 도움을 줌

㉡ 부정적 전이(간섭)
- 제1 언어와 제2 언어 사이에 차이점이 많으면 '부정적 전이'를 일으켜 제2 언어 습득에 어려움을 겪게 됨

② 간섭(interference)

㉠ 언어 간 간섭
- 배제적 간섭 : 모국어의 부재
- 침입적 간섭 : 모국어에 존재하는 특정 현상이 목표어 학습을 방해
  (모국어의 해당 항목과 비슷한 것을 학습할 때)

㉡ 언어 내 간섭 : 목표어 학습에서 이미 학습한 내용이 새로운 내용의 학습을 방해하는 경우
- 과잉일반화 : 목표어의 규칙들을 부적절한 문맥까지 확대하여 발생하는 오류
- 단순화 : 목표어에서 발견되는 규칙보다 단순한 언어규칙을 산출함으로써 생기는 오류
- 발달상 오류 : 자연 발달 단계로 인해 나타나는 오류
- 의사소통 오류 : 의사소통 전략 때문에 생기는 오류
- 유도된 오류 : 훈련의 전이 때문에 생기는 오류
- 회피 오류 : 목표어 구조가 너무 어려워서 사용을 기피하는 오류

③ 헬링거(Hellinger, 1977)가 정리한 구체적인 간섭의 유형

㉠ 치환 : 모국어에 없는 항목을 목표어의 유사한 항목으로 대치하는 경우
예) friend → 프렌드

㉡ 과도구별 또는 구별 부족 : 하지 않아도 되는 구별을 한다거나 해야 할 구별을 하지 않는 경우
예) 쌀(→밥) 먹었어요?

㉢ 모어 규칙의 과도 적용, 과소 적용 : 모국어의 규칙을 목표어에 과도하게 적용하거나 그 적용이 부족한 경우
예) 나는 행복한이에요. ('-이다'의 과도 적용)

㉣ 과잉 일반화(과도 규칙화) : 목표어 내의 규칙을 과도하게 적용하는 경우
예) I catched a ball

㉤ 과도 교정 : 오류 없이 발화하려는 마음에 실수로 맞는 것도 틀리게 사용하는 경우
예) 윗쪽, 댓가

④ 프레이터(Prator, 1967)의 난이도 위계

㉠ 0단계-전이/대응 : 긍정적 전이
예) 한국어와 일본어의 어순

㉡ 1단계-합체/융합 : 모국어의 두 항목이 목표어에서는 한 항목
예) 한국어의 (옷을) 입다, (모자를) 쓰다 → 영어의 wear

㉢ 2단계-구별 부족/부재 : 모국어에 있는 항목이 목표어에는 없는 경우
예) 한국어의 과거 시제가 중국어에는 없음

㉣ 3단계-재해석 : 모국어의 특정 항목이 목표어에서는 새로운 형태로 나타나거나 그 분포가 다른 경우
예) 공부하다 – study : 공부하다, 연구하다, 서재, -학(학문)

㉤ 4단계-과잉구별 : 모국어에 없거나, 있다 하더라도 비슷한 점이 거의 없는 경우
예) 독일어 명사의 성(gender)을 학습하는 경우

㉥ 5단계-분열/분리 : 모국어의 한 항목이 목표어에서는 두 개 이상의 항목으로 분리되는 경우
예) 희다 – 에스키모어 항목에서는 17개 존재

(4) 대조분석 연구 결과

- 언어 간 간섭이 언어 내 간섭보다 더 크게 나타남(Richard 1974)
- 초급 단계에서 고급 단계로 갈수록 언어 간 오류가 감소하고 언어 내 오류는 증가함(Taylor, 1975; Seah, 1980)
- 간섭이 적을수록 오류가 적어지고 많아질수록 오류가 많아짐
- 모국어와 목표어의 차이가 적을 때 간섭은 커지고, 모국어와 목표어의 차이가 커지면 간섭은 줄어듦(Lee 1980)
- 모국어와 목표어의 구조가 유사하면 간섭은 많이 생기지만 학습은 더 빨리 진행되고, 모국어와 목표어의 구조가 다르면 간섭은 적지만 학습은 더딤(Wilds, 1962)

(5) 비판과 한계

- 학습자의 오류가 두 언어의 구조적 차이 때문에 발생한다고 볼 수 없음
- 많은 오류는 목표어 구조에 대한 지식 발달 과정임
- 개인적 특성과 사회문화적 요인, 교수 환경에 의해 오류가 발생할 수도 있음 (언어의 인지적 측면 간과)
- 학습의 난이도를 정확히 배열할 수 없음
- 두 언어 간에 유사성이 있을 때와 없을 때 나타나는 오류가 비슷함

(6) 대조분석의 4가지 원칙

① 공시태성 : 공시대적인 자료의 대조
② 등급성(층차성) : 동일한 등급의 난이도
③ 등가성 : 의미나 지시가 상호 대등하거나 대응되는 표현
④ 동일성 : 동일한 목적, 동일한 방법, 동일한 대조 방향

(7) 대조분석의 절차 (Whitman, 1970)

① 기술 : 대조 분석할 언어에 대해 기술
② 선택 : 대조 항목 설정
③ 대조 : 대조 항목을 같은 부분의 구조끼리 비교
④ 예측 : 대조분석 결과를 바탕으로 오류와 난이도 등을 예측

3. 오류 분석 (Error Analysis)

(1) 개념

- 제2 언어 학습자의 언어 사용에 나타난 오류 자료를 수집하여 조직적으로 분류하고 분석하여 학습자 오류의 원인을 규명하고 오류가 일어나는 빈도수에 따라서 난이도를 추정함
- 오류 : 언어 학습자의 과도기적 언어 능력으로 인하여 발생되는 불완전한 언어 사용

(학습자가 알고 있는 문법 규칙이 목표어 화자의 규칙과 다르기 때문에 발생한 것으로, 나름대로의 규칙성을 가지고 있음)

- 실수 : 학습자가 피곤, 부주의 등의 이유로 목표어의 수행상 발생하는 잘못
- 어린이가 모국어를 배울 때 사용하는 언어습득장치를 제2 언어 학습자도 똑같이 사용한다고 가설을 세움
- 제2 언어 학습자들의 오류는 체계적이며 언어습득장치와 학습자의 전이 능력의 증거로 간주되곤 함
- 이러한 오류를 Selinker는 interlanguage(중간언어)라고 표현함
- 학습자의 오류가 모국어로 인한 것이 아니라 보편적인 학습 전략의 반영 때문이라고 봄
- 학습자의 오류를 체계적으로 기술하고 설명하여 학습자의 과도기적 언어능력이나 학습 전략을 밝히고자 함

(2) 오류 분석의 절차

① 자료를 수집 : 학습자의 다양한 문어, 구어 자료를 담화 차원에서 수집함
② 오류를 식별 : 수집된 자료에서 학습자 오류를 찾아야 함 (문장, 담화 차원에서 오류를 찾음)
③ 오류를 기술 : 학습자의 오류를 발견하여 목표 언어로 문장을 재구성하고 이를 학습자의 문장과 어떤 차이가 있는지를 구체적으로 기술함
④ 오류를 설명 : 차이점을 기술한 내용을 바탕으로 오류의 원인이 무엇인지를 찾아서 설명해야 함
⑤ 오류를 평가 : 학습자의 오류의 수준을 평가하고 이를 교정하도록 해야 함
(전반적인 오류라면 원활한 의사소통을 위해 빨리 교정해야 함)

(3) 코더(Corder, 1981)의 오류 양상

① 첨가 : 친구가 한국에 놀러 왔<u>어서(→와서)</u> 같이 여행을 했어요.

② 생략 : <u>중국 사람(→중국 사람은, 중국 사람들은)</u> 여행하는 것 좋아해요.

③ 대치 : 나는 가수 <u>비가(→비를)</u> 좋아해요.

④ 어순 : 한 번도 비빔밥을 <u>먹어 안(→안 먹어)</u> 봤어요.

(4) 오류 처리(피드백) 방법

① 고쳐 말하기 : 비정형적이거나 미완성적 발화를 교사 혹은 목표어 화자가 다시 고쳐 말하거나 확장시키는 암시적인 피드백
예) 학습자 : 어제 공항에서 <u>친구가 만났어요.</u>
교사 : 아, <u>친구를 만났어요?</u> 친구는 어디에 갔어요?

② 설명 요청 : 학습자가 해당 발화를 고쳐 말하거나 반복하도록 유도하는 방식
예) 학습자 : 오늘 많이 아파 병원 안 가요.
교사 : 미안해요. 못 들었어요. 다시 한번 말해 주세요.

③ 상위 언어적 피드백 : 학습자의 오류와 관련된 해설을 덧붙이는 방식
예) 학습자 : 어제 친구하고 산에 가요.
교사 : 그랬군요. OO씨 지금 우리 <u>과거 시제를 공부하고 있는데,</u> 뭐라고 말해야 할까요?

④ 유도해내기 : 학습자가 스스로 오류를 수정하도록 유도하는 방식
예) 학습자 : 한국 올 때 엄마가 <u>잘 갔다와요. 말했어요.</u>
교사 : <u>한국어로 말할 때 어떻게 말하죠? 엄마가 잘 갔다…</u>
학습자 : 아, <u>잘 갔다 오라고 말했어요.</u>

⑤ 명시적 교정 : 학습자의 오류를 명확하게 지적하거나 올바른 표현을 말해주는 방식

예) 학습자 : 나는 드라마가 많이 봐요.
교사 : 드라마'가' 아니라, 드라마'를' 많이 봐요. 라고 하세요.

⑥ 반복 : 학습자의 오류를 강조된 억양으로 그대로 반복하는 방식
예) 학습자 : 나는 주말에 드라마가 많이 봐요.
교사 : 드라마'를' 많이 봐요.

(5) U자형 발달

- 학습자의 중간 언어 체계가 재구조화되면서 보이는 커브형의 발달 곡선
- 중간 언어의 발달은 정확한 언어 형식의 사용으로부터 부정확한 사용으로 이동한 후 다시 정확한 사용으로 복귀하는 U자형 곡선 패턴을 따름

★ 학습의 장

- 학습자들이 목표어를 배울 당시의 환경을 이루고 있는 모든 것들

① 학교(학습의 장) : 교사와 교재가 있는 교실
- 오류 : 문어체로만 이루어진 교재를 사용해서 발생하는 모든 문제

② 교실 밖(학습의 장) : 사회적 상황, 환경
- 오류 : 사투리의 습득, 비격식적이고 비공식적인 말투 사용

4장 응용언어학

1. 언어학의 하위분야로서의 응용언어학

- 언어학 : 언어와 관련된 현상을 과학적인 방법으로 연구
- 응용언어학 : 언어와 관련된 실질적이고 실용적인 문제 해결

2. 응용언어학의 종류

(1) 심리언어학

① 정의 : 인간이 언어를 습득하고 그것을 사용할 때 나타나는 정신적·인지적 과정에 대해 연구

- 신경언어학 : 언어의 지각, 발화 및 습득에 관여하는 두뇌의 신경 기제를 연구
- 반구 편중화 : 대뇌의 어느 한쪽 반구에 기능이 집중되어 자리 잡는 현상
- 좌뇌는 언어 기능을 주로 수행, 우뇌는 공간 지각 등을 수행
- 생후 6개월경부터 시작된 뇌기능 분화는 10~12세가 되면 완료됨

② 신경언어학의 중심 주제

㉠ 뇌의 어떤 부위가 언어 발화 등 언어의 여러 양상을 처리하는가?
㉡ 유아의 언어 습득 단계와 뇌 발달 단계 간에 상관관계가 있는가?
㉢ 뇌 손상 이후 언어 기능에 생기는 변화는 무엇인가?
㉣ 두뇌의 언어 처리 과정을 측정하고 시각화할 수 있는 방법은 무엇인가?

③ 두뇌 손상으로 인한 언어장애 : 말장애(조음기관 문제), 언어장애(언어인지 손상)

㉠ 말실수 : 일시적인 언어 장애 (말소리 산출에서 일어나는 오류)
- 스푸너리즘(두음 전환) : 단어나 음운의 순서가 뒤바뀜 (치킨타올)
- 설단현상 : 단어가 혀끝에서 맴돌고 기억이 나지 않는 현상

㉡ 실어증(aphasia) : 지엽적인 뇌손상으로 인해 언어 형식을 이해하거나 생성하지 못하게 되는 증상 (언어병리학의 주요 연구 대상)

가. 브로카 실어증
- 좌뇌 전두엽에 있는 브로카 영역이 손상되어 나타나는 증상
- 머릿속의 개념을 단어나 문장으로 구조화하여 발화하지 못함
- 다른 사람의 말을 이해하는 데에는 큰 어려움이 없음

나. 베르니케 실어증
- 좌뇌 측두엽 후방에 있는 베르니케 영역이 손상되어 나타나는 증상
- 발화 자체는 크게 어려워하지 않음 (의미 없는 말들을 단순히 나열할 뿐 구조화된 문장을 발화하지 못함)
- 다른 사람의 말을 잘 이해하지 못함

(2) 전산언어학

① 정의
- 전산 처리의 관점에서 언어 모델링을 목적으로 하는 언어학과 전산학의 통합 학문적 성격을 지닌 언어학의 하위 분야
- 컴퓨터를 이용하여 언어를 자동 분석하며, 언어 자료를 자동 처리하는 데에서 나타나는 언어학적 문제를 연구하는 학문
- 음성 인식, 음성 합성, 기계 번역, 정보 검색, 자동 대화 시스템 구축 등 자연 언어의 전산적 처리와 관련된 여러 과제들을 다룸

② 연구 과제 : 자연언어를 컴퓨터로 처리할 수 있는 프로그램 개발

③ 배경 : 1950년대

(3) 코퍼스(말뭉치) 언어학

① 정의 : 기계 가독형 자연 언어 자료를 각종 전산 도구를 활용하여 분석하는 방법론에 대한 연구

② 말뭉치의 개념

- 언어 연구를 위해 텍스트를 컴퓨터가 읽을 수 있는 형태로 모아놓은 언어자료
- 특정 목적하에 균형성과 대표성을 고려하여 텍스트를 모아 전산화한 것이며, 언어를 연구하는 각 분야에 유용하게 활용되는 연구 재료
- 최초의 현대적 의미의 코퍼스 : 1963년부터 시작하여 2년여 동안 100만 어절을 컴퓨터에 입력하여 구축한 브라운 코퍼스

③ 말뭉치의 종류

㉠ 가공 여부에 따른 종류
- 원시 말뭉치(raw corpus) : 텍스트를 컴퓨터 가독형 자료로 만들어 데이터베이스로 만든 것
- 분석(가공) 말뭉치(tagged corpus) : 수집된 텍스트 데이터베이스를 형태소 분석이나 어휘, 품사 정보, 문헌, 내용 등으로 분류할 수 있도록 인공적으로 가공한 것으로, 언어 연구에 유익하게 이용할 수 있음

㉡ 작성 방법에 따른 종류

• 말뭉치는 작성 방법에 따라서 여러 가지 종류로 나누어짐
• 작성 방법은 텍스트 내용의 변화 여부나, 연구 목적, 채취 샘플의 대상, 언어 매체 등 다양한 기준에 따라서 구분될 수 있는데 구체적인 종류는 다음과 같음

가. 텍스트 내용의 변화 여부에 따라

• 샘플 말뭉치 : 텍스트를 일정량만 수집한 것으로 텍스트의 내용이 고정되어 있음
• 모니터 말뭉치 : 늘 변화하는 언어의 실태를 추적하기 위하여 낡은 자료를 제외하고 늘 새로운 언어 정보를 수집, 증보하여 최신 언어 정보를 데이터베이스화한 것이어서 텍스트의 내용이 변화함

나. 연구 목적에 따라

• 범용말뭉치 : 여러 가지 연구에 폭넓게 이용할 수 있도록 종합적으로 작성된 말뭉치
  예) 21세기 세종계획에서 작성하는 말뭉치
• 특수목적 말뭉치 : 특정 언어 혹은 특수한 집단이나 장르의 언어를 연구하기 위하여 만들어진 말뭉치
  예) 의료 종사자가 사용하는 영어를 조사하기 위한 말뭉치, 특정 연령층의 언어를 조사하기 위한 말뭉치

다. 채취 샘플의 대상에 따라

• 공시 말뭉치 : 공시자료를 대상으로 한 말뭉치
• 통시 말뭉치 : 통시자료를 대상으로 한 말뭉치

라. 언어 매체(재료)에 따라

• 문자언어 말뭉치 : 문자언어에서 샘플을 채록한 말뭉치
• 음성언어 말뭉치 : 음성언어를 문자화하여 채록한 말뭉치
• 준구어 코퍼스 : 방송 대본, 연설문 등 작가에 의해 미리 짜여진 발화 전사
• 균형 코퍼스 : 특정 언어를 대표하는 샘플로서의 코퍼스 구축을 위해 문어자료, 구어자료를 균형 있게 섞음

마. 반영된 언어의 수

• 단일언어 코퍼스
• 이중언어/다중언어 코퍼스
• 병렬 코퍼스 : 같은 내용의 텍스트를 두 개 이상의 언어로 병렬시켜 입력한 코퍼스

④ 연구 과제

• 말뭉치 내에서의 빈도는 강력한 증거가 됨
• 실제 화자들의 언어 사용 패턴과 그 변천에 관한 통계 정보를 얻을 수 있으며, 이는 사전 편찬이나 언어 교육, 정보 검색 시스템 구축 등에 활용

⑤ 말뭉치 요건 : 원형 유지, 다양한 변이를 담음

⑥ 한국어 말뭉치

㉠ 21세기 세종 계획 코퍼스

• 1998년에 추진하여 2007년에 완료됨
• 국립국어원 및 관련 학계가 연대하여 개발
• 약 57억 원 이상이 투입되어 현재 1억 5천만 어절 구축

㉡ 연세한국어 말뭉치

• 연세대학교 언어정보개발연구원에서 개발 (1987~1999)

- 약 4,200만 어절 구축
- 이를 활용하여 연세 한국어 사전(1998) 편찬

ⓒ 고려대학교 한국어 말모둠 1 및 장르별 텍스트 코퍼스
- 고려대학교 민족문화연구원에서 구출
- '고려대학교 한국어 말모둠 1'은 약 1,000만 어절, '장르별 텍스트 코퍼스'는 약 40만 어절 구축

ⓔ 국립국어원 말뭉치 : 약 6,800만 만 어절
- 최초의 국가 차원 말뭉치로 1992년부터 개발하기 시작
- 구축 목적 : '표준국어대사전' 편찬과 국어 연구
- 약 6,800만 만 어절 구축

⑦ 코퍼스 구축 과정

- 코퍼스 설계 : 코퍼스 사용 목적을 고려하여 자료 확보와 선정에 대한 계획
- 자료 수집 : 자료의 출처 및 성격을 명확히 기록
- 전산 입력(원시 코퍼스) : 전산 입력까지 마친 코퍼스는 원시 코퍼스로 저장됨
- 형태 분석 및 태깅(생략 가능) : 학습자가 어떤 문법 범주에서 오류를 범했는가에 대한 통계 처리에 유용함
- 학습자 코퍼스의 활용 : 코퍼스 검색 프로그램 이용

(4) 비교언어학

① 정의 : 계통적 관계나 변천, 발달 연구

② 연구 과제 : 계통적 관계와 공통 조어 재구성

③ 한국어의 조어 : 터키어, 몽골어, 만주퉁구스어와 비교 연구

(5) 법언어학

- 주로 법의 언어와 사법 과정(주로 재판)의 언어를 대상으로 하여 언어학의 방식으로 실증적으로 분석, 고찰하는 것
- 언어학과 법학의 중간 영역에 위치하기 때문에 그 안에는 법률의 언어, 재판의 언어, 언어의 범죄, 언어의 증거 등의 연구 과제가 포함됨
- 사법 통역의 언어 사용이나 법언어 교육은 법언어학의 응용적 과제가 될 수 있음

(6) 언어병리학

- 언어치료학이라는 용어로도 사용되고 있음
- 인간의 의사소통장애와 그 평가 및 치료를 연구하는 분야로, 말과 언어의 문제로 의사소통이 어려운 사람에게 도움을 주어 의사소통을 돕는 것을 목표로 하는 학문(Hegde 1995)
- 의학, 심리학, 교육학, 국어학, 언어학, 음성학, 음향학, 공학 등 많은 주변 학문과 연계하여 의사소통의 문제를 진단, 치료, 연구하는 학문이기도 함

3. 인간의 언어처리

(1) 다중 저장소 모형(앳킨슨·쉬프린, 1968)

- 인간의 인지 과정을 감각 기억, 단기 기억, 장기 기억으로 설명

① 정보저장소

• 감각기억 : 감각기관을 통해 접한 정보를 최초로 잠시 저장
• 단기기억 : 개인이 정보를 처리하는 동안 정보 유지 5~9개의 정보가 약 20초 동안 머무는 곳
• 장기기억 : 무한대의 정보를 영구적으로 저장

② 인지처리과정

• 주의집중 : 감각기억에서 단기기억으로 정보를 이동시키기 위해 자극에 의식적으로 집중하는 과정
• 지각 : 경험에 의미와 해석을 부여하는 과정
• 시연 : 정보의 형태를 바꾸지 않고 소리를 내거나 마음속으로 여러 번 되풀이하는 과정
• 부호화(약호화) : 장기기억으로 정보를 이동시키는 과정

③ 메타인지

• 인지과정에 대한 지식, 인지와 인지과정에 대한 조절 및 통제 (계획, 점검, 평가)

★ 정보 처리 이론

• 새로운 정보가 투입되고 저장되며 기억으로부터 인출되는 방식에 대한 연구를 통해 학습자의 내부에서 학습이 발생하는 기제를 설명해 줌
• 정보와 관련된 인간의 내적 처리과정을 컴퓨터의 처리 과정에 비유하여 설명함
• 이 이론의 구조는 정보저장소와 인지처리 과정의 두 가지 요소로 구성됨
• 정보저장소란 투입된 정보가 머무르는 곳으로 감각등록기, 작업기억 또는 단기기억, 그리고 장기기억이라는 세 요소를 포함함
• 인지처리 과정이란 각각의 정보장소로부터 정보가 이동하는 것과 관계되는 처리 과정을 의미하며, 주의집중, 지각, 시연, 부호화, 인출과 망각 등의 처리과정이 포함됨

★ 장기 기억

① 부호화(encoding)

• 새로운 정보에 주의를 기울이고, 그 정보를 받아들이고, 처리하는 단계
• 부호화(혹은 약호화) 과정은 자동적 처리(automatic processing)와 통제적 처리(controlled processing)로 나뉨
• 자동적 처리는 특정 자극에 대한 의식적 주의나 노력 없이도 부호화가 자동적으로 발생하는 것
• 통제적 처리는 기억하기 위해 특정 정보에 의도적으로 주의를 기울이고 노력함으로써 부호화가 발생하는 것 (Feist & Rosenbergh, 2011)

② 응고화(consolidation)

• 응고화(혹은 공고화)는 기억을 확립하고 견고하게 하는 과정
• 수면은 기억을 공고화하는 데 중요한 역할을 함
• 최근 수면이 기억을 공고화할 뿐 아니라 향상시키고 더 강하게 만든다는 연구 결과들이 보고되었음 (Walker & Stickgold, 2006)

③ 저장(storage)

• 시간에 걸쳐 기억을 파지하는 것
• 저장을 하기 위해 위계(hierarchy)나 도식(schema), 망(network)의 방식을 사용함
• 위계는 정보를 구체적인 것에서부터 일반적인 것으로 조직화 하는 것이며, 도식은 특정 물체나 사건들에 대한 정신적 틀

• 망은 여러 형태의 지각과 경험들을 함께 묶어 저장하는 방식

④ 인출(retrieval)

• 저장된 기억에서 정보를 꺼내는 것을 말하며, 필요할 때 기억에 저장된 정보를 가져올 수 없다면 기억을 저장할 필요가 없을 것임

(2) 작업 기억 모형(배들리·히치, 1973)

• 단기 기억은 관심 있는 정보에 선택적으로 주의를 기울이고, 분산된 정보들을 하나로 모아 일화 기억을 형성하는 등 다양한 인지적 작업을 수행함

(3) 병렬 분산 모형(루멜하트·맥클렐런드, 1981)

• 어떤 자극에 의해 하나의 마디가 활성화 되면 그것과 연결된 다른 마디들까지 거의 동시에 병렬적으로 활성화되는, '점화효과'를 통해 인간의 인지를 설명하며, 인간의 기억을 어딘가에 저장되는 것이 아닌 마디들 간의 연결로 정의함

• 어휘 점화 효과 : 먼저 제시된 단어가 나중에 제시된 단어의 처리에 영향을 주는 효과

(4) 단어 우선 효과

• 동일한 문자라도 단어 속에 나타나면 비단어 속에 나타날 때보다 더 정확하게 인지되는 것
예) WORK라는 단어와 ORWK라는 비단어의 마지막 문자는 둘 다 K이지만, K는 전자에서 더 정확하게 인지됨

(5) 첫 번째 명사 원리

• 문장에서 첫 번째로 등장하는 명사를 주어로 처리하는 경향이 있다는 것

5장 사회언어학

1. 기본 개념

(1) 정의

• 언어 변이와 사회적 요인과의 관계를 체계적으로 연구하는 응용언어학의 하위분야
• 실제 언어가 사용되는 사회적인 맥락과 상황, 환경 등을 탐구

★ 사피어-워프 가설

• 언어와 사고가 밀접하게 관련되어 있음
• 언어의 차이가 사고방식이나 문화적 차이를 형성함
• 워프는 "우리는 우리 모국어가 그어 놓은 선에 따라 자연 세계를 분절한다."고 주장

(2) 연구 과제

• 언어 변이와 사회적 요인 관계, 언어 행위 관찰, 사회학적인 의미

(3) 특징

• 언어를 사회 속에서 일어나는 실제 언어수행으로 봄 ('언어 사용'을 관찰 대상으로 삼음)

(4) 용어

① 표준어(standard language) : 여러 방언들 가운데 공식 언어로 채택된 방언
(교양 있는 사람들이 두루 쓰는 현대 서울말)

② 방언(사투리, dialect) : 지리적·사회적 요인에 따라 변이된 언어 체계

③ 은어(jargon) : 특정 계층이나 집단의 구성원끼리만 사용하는 사회 방언

④ 비속어(slang) : 욕설과 같은 상스럽고 거친 말

2. 언어 변이

• 동일한 대상 및 상황에 대해 공시적으로 두 개 이상의 언어 형태가 공존하면서 함께 사용되는 경우, 이때 사용되는 다양한 언어 형태

(1) 언어 변이의 발생 요인 (M. A. K. Halliday et al.)

① 방언(dialect) : 언어 공동체 내의 사회적, 지역적 공통점을 공유한 집단에서 일관적으로 나타나는 언어 변이

㉠ 지리적 요인 : 지리적 환경에 의한 분리로 인해 언어 변이가 나타남
㉡ 사회적 요인 : 계층, 연령, 직업, 종교, 인종, 교육 환경

② 언어 사용역 : 한 개인이 발화의 목적과 상황 등의 요인에 따라 언어 사용을 달리하는 언어 변이
예) '해요체'를 습관적으로 사용하는 화자가 공식적인 자리에서 '하십시오체'를 사용함

(2) 라마·스톡웰(C. Llamas & P. Stockwell, 2010:144-151)이 제시한 사회언어학의 연구 주제

① 발화 방식의 범주화
• 개인어 및 계층 방언 연구
• 표준/비표준과 규준화
• 선망, 오명, 언어 충성도
• 방언, 악센트와 언어 계획
• 언어 공동체

② 언어 변이의 기술
• 언어학적 변수
• 음운 변이
• 문법 변이
• 어휘 변이
• 담화적 변이

③ 언어 변이와 관련된 사회적 요인들
• 지리적, 사회적 이동
• 성별과 권력
• 연령

- 청자
- 정체성
- 사회적 연결 관계

(3) 미국의 언어학자 윌리엄 라보프(William Labov, 1927~)의 음운 변이 연구(1966)

- 관찰자의 역설 : 관찰자는 화자의 자연스러운 일상어를 수집하고자 하지만 화자가 이를 의식하여 오히려 부자연스럽고 격식적인 언어를 사용하게 되는 역설적 상황

- [r] 발음은 사회적 계층이라는 변수와 분명한 상관관계에 있다는 것이 증명됨

(4) 이중 언어 / 다중 언어 사용

① 다이글로시아(양층 언어, diglossia)

- 한 사회 안에서 두 개의 언어 또는 방언이, 하나는 상위 계층에 의해(상층어, 주로 문어) 다른 하나는 하위 계층에 의해(하층어, 주로 구어) 사용되는 경우
- 사회언어학자인 퍼거슨(C. Ferguson)이 1959년에 처음 사용
- 폴리그로시아 : 한 언어 사회에서 세 개 이상의 언어 변종이 사용되는 경우
  예) 말레이시아 : 표준 중국어, 말레이어(바하사 말레이어와 말레이어), 영어 (표준 중국어와 바하사 말레이어를 고급언어로 인식함)

② 코드 혼용(code mixing, 부호 혼용) : 대화에서 둘 이상의 언어 또는 방언을 섞어 쓰는 행위

③ 코드 전환(code switching, 부호 전환) : 대화에서 하나 이상의 언어 혹은 방언을 사용할 때 그것을 교체하여 사용하는 행위

(5) 언어 간 접촉으로 인한 언어 변이

① 링구아 프랑카(lingua franca)

- 공통언어가 없는 집단이 서로 의사를 전달하기 위해 쓰는 보조 언어
- 한 사회 내에서 여러 가지 언어가 사용될 때 언어가 다른 사람들끼리 서로 의사소통하기 위해 통상적으로 사용하는 언어
- 사람들이 소통하기에 수월한 언어를 사용하려고 하는데 이를 위해 채택되는 공통어는 링구아 프랑카로 작용함 (화자들의 모어 중 하나가 선택되기도 함)

② 피진(pidgin)

- 공통의 언어를 사용하지 않는 사람들이 모였을 때 의사소통을 시도하기 위해 사용한 임시적 성격의 언어
- 특정 지역에서 현지인과 외부로부터 온 무역상들이 만났을 때 교역을 위한 의사소통을 하기 위해 자신들이 접촉한 언어의 어휘들을 단순한 문법 구조에 넣어 나열하던 혼성어를 부르는 말
- 일반적으로 단순한 어휘가 쓰이며 격변화 등 복잡한 문법 규칙이 없는 것이 특징임
- '피진'이라는 말은 영어 단어 business를 중국 피진 영어로 발음한 데서 유래하였음
- 피진을 모어로 사용하는 개인이나 집단은 없음

③ 크리올(creole)

- 피진이 피진 사용자들의 자손에 의해 모어로 습득되고 보다 정교하고 체계적인 언어로 발전된 것(체계화된 피진)
  예) 자메이카의 아이티 크리올, 미국 조지아 지역의 굴라어

④ 탈크리올화(decreolization)

• 크리올이 그것의 모태가 되었던 표준 언어로 다시 흡수 (언어 균질화 현상)

⑤ 포트만토(portmanteau)

• 두 개 이상의 낱말이 합쳐져서 만들어진 합성어 (핵노잼)

1장 한국어 교육학 개론

1. 한국어교육의 개념

(1) 국어교육 목표

• 내국인을 대상으로 국어의 올바른 표현과 이해를 위해 체계적인 지식을 갖추게 함

(2) 한국어교육 목표

• 외국인과 재외 동포를 대상으로 한국어를 통한 의사소통을 바탕으로 학습자의 필요에 맞는 수준으로 한국어를 구사할 수 있도록 함
• 언어적 지식보다는 그 지식을 활용하는 언어활동에 초점

(3) 한국어 학습 전반의 목표(성기철, 1998)

㉠ 한국인과 의사소통을 하거나 한국 생활에 필요한 의사소통 능력을 기름
㉡ 한국어로 된 다양한 정보를 이해하고, 이를 활용할 수 있는 능력을 기름
㉢ 한국어를 이용해 자신의 전문 분야에서 필요한 기능을 수행할 수 있도록 함
㉣ 한국 사회와 한국 문화를 이해하며, 한국에 대해 우호적인 태도를 갖도록 함
㉤ 서로 다른 언어를 사용하는 외국인들이 한국어를 사용하여 친교를 나누고 필요한 정보를 교환할 수 있도록 함

(4) 숙달 단계별 목표

㉠ 초급 : 의사소통, 개인적 친교, 생활 및 생존 관련
㉡ 중급 : 문화 이해, 사회적 친교, 일반적인 업무 수행
㉢ 고급 : 전문적인 업무 수행, 한국사회 전반에 대한 이해

(5) 한국어교육학

① 내용학 : 음운론, 어휘론, 문법론, 담화론, 문화론

② 교수학

㉠ 영역별 : 발음, 어휘, 문법, 담화, 문화
㉡ 기능별 : 말하기, 듣기, 읽기, 쓰기
㉢ 한국어 교육과정론
㉣ 평가론
㉤ 교수·학습론
㉥ 교재론

③ 인접학문 : 언어학, 응용언어학, 교육학, 심리학, 사회학 등

2. 한국어교육의 역사

(1) 한국어교육의 시작 (1950년대 - 1970년대)

• 국내 한국어 교육의 시작 : 명도원 (선교사를 위한 한국어 교육)
• 1959년 연세대학교 한국어학당 (한국인에 의해 이루어진 최초 기관)

• 1963년 서울대학교 어학연구소 (현 언어교육원)

(2) 한국어교육의 발전 (1980년대 – 1990년대)

• 1986년 고려대학교, 1988년 이화여자대학교, 1990년 서강대학교
• 1993년 이후 경희대학교, 성균관대학교, 한양대학교
• 1990년대 후반 정부 주도 한국어 세계화 사업 시작
→ 재외동포재단, 한국국제교류재단, 한국국제협력단, 국립국어원, 한국교육과정평가원, 유네스코 한국위원회
• 1997년 한국어능력시험 실시 : 한국어 학습 방향 제시 및 한국어 보급 확대 도모

(3) 한국어교육의 성장 (2000년대 – 현재)

① 학습자의 요구에 따른 교육과정의 다양화

• 대학 진학을 위한 학문 목적 한국어 학습자, 이주배경청소년, 결혼이민자, 직업 목적 한국어 학습자

② 대학원에 한국어교육 관련 학과가 많아지면서 한국어교육 관련 연구 급증

(4) 외국어로서의 한국어교육의 특징

• 대학의 부설 기관이 주된 한국어교육기관임
• 일반 목적의 한국어교육에서 시작하여 학문적 목적, 특수 목적으로 다양화
• 민간 차원에서 성장하기 시작하여 1990년대 이후 크게 성장
• 한국어교육 관련 학과, 한국어교원 양성과정(1990년대 후반) 등이 개설되면서 전문화됨
• 한국어교육능력검정시험 실시 (2006년)

(5) 목적별 한국어교육

① 일반 목적 한국어교육

• 대학교 부설 한국어 교육 기관 등을 중심으로 한 한국어 교육의 대부분은 살아가는 데 필요한 기본적인 의사소통 능력을 키우는 일반목적의 한국어 교육이라 할 수 있음
• 일반 목적 한국어 교육은 한국생활에 필요한 한국어 의사소통 능력을 기르고, 한국 사회와 한국 문화를 이해하고 한국어를 이용해 친교를 나누고 필요한 정보를 교환함

② 특수 목적 한국어교육

㉠ 학문 목적 한국어 학습자
• 대학에서 강의를 듣고 이해하며 보고서를 작성하는 등의 학문적인 연구 (쓰기 능력이 중요시 됨)

㉡ 직업 목적 한국어 교육
• 고용허가제 등을 통해서 한국에 오거나 사무직 근로자로서 한국에 오는 외국인이 많아지고 있음
• 직업 목적 한국어 학습자들은 일상적인 의사소통 목적과 더불어 직장에서의 친교 목적의 한국어 학습이 필요함
• 이들을 위한 비즈니스 한국어는 현실적으로 일주일에 6시간 이하의 과정으로 이루어짐
• 일반 목적 한국어 학습자와는 달리 수업 시간 외에는 거의 학습이 불가능함
• 현실적으로 가능한 상황을 제시하고 과제 수행 여부에 초점을 둔 교육이 반복적으로 이루어져야 함

㉢ 교포 자녀
• 의미의 전달과 상황에 적절하게 사용되는 한국어 능력을 요함

• 사회, 문화적인 내용의 학습과 한국인으로서의 정체성 확립

ⓓ 결혼이민자

• 일반 목적에 가까우나 의사소통의 어려움으로 인한 자녀 교육 문제, 가족들과의 상호작용 문제 등이 생길 수 있는 측면과 한국의 가족 문화를 알고 대처할 수 있어야 한다는 측면에서 특수 목적 학습자로 분류되기도 함

3. 한국어교육의 현황

• 총 962개 기관 (국립국어원 한국어교원 자격심사 경력 인정 기관 기준, 2019년 8월)

(1) 국내 한국어교육의 현황

① 대학 부설 기관의 한국어교육

• 학기당 10주 과정
• 1일 4시간 수업으로 총 200시간
• 정원 15명 내외
• 247개 기관 (국립국어원 한국어교원 자격심사 경력 인정 기관 기준, 2019년 8월)

② 대학 외 기관의 한국어교육

• 법무부 : 사회통합 프로그램(KIIP)
• 여성가족부 : 다문화가족지원센터
• 고용노동부 : 외국인노동자지원센터
• 교육부 : 초·중·고교의 다문화 배경을 가진 학생을 위한 한국어교육과정(KSL)
• 지자체 : 외국인주민지원센터

(2) 국외 한국어교육의 현황

국가명	국외 한국어 교육 현황
일본	• 전후 일본에 체류하게 된 한국인을 위한 교육 시작 • 교포 중심의 한국학교 설립 • 1946년 한국어학과 설립(천리대학, 오사카외국어대학) • 1960년대에 정부차원에서 교육비 보조, 교육요원 파견, 주일공관에 장학관 파견 등 동포교육 지원 시작 • 1970년대 이후 한국어 학습 급증 • 현재 110여 개 대학에서 한국어 교육 실시 (도쿄외국어대학교, 와카대학교, 천리대학교) • 1984년 NHK 방송 한국어 강좌 시작 • 1988년 고등학교 한국어 선택과목 7.5% • 1993년 한글능력검정협회의 '한글능력검정시험' 실시 • 1996년 한국교육재단의 '한국어능력시험' 실시
미국	• 1970년대 이후 정부가 한국어 교육 주도 • 재외동포를 위한 한글교육(민족교육)은 867개의 한글학교에서 담당 • 1997년부터 미국 대학수학능력시험인 SAT의 선택과목 SATⅡ의 제2외국어 선택 과목에 외국어로서 한국어 포함 • 미 정부 기관 주관의 한국어 교육(국방외국어대학, 외무연수원, 국가안전보장국)
호주	• 1970년대 이후 한국인들의 급격한 이민 증가로 한국어 교육 급부상 • 1980년 호주국립대학에 한국어 과정 개설

	• 현재 9개 대학에서 한국어 교육 실시 • 초·중·고등학교에서도 한국어를 교육하는 학교 증가 • 대학입학시험에 한국어가 선택과목으로 채택
중국	• 중국 정부의 소수민족 정책에 의해 실시 • 독자적인 민족학교, 초·중·고에서 대학(연변대학)까지 한국어 강의 • 한국어로 수업이 진행되는 조선족학교, 민족학교가 있음 • 950년대 북경대학, 낙양해방군외국어대학에서 한국어 교육 실시 • 1980년대 후반 이후 한국어 교육 급부상, 50여 개 대학에서 한국어 교육 실시
유럽	• 서유럽의 한국어 교육 여건 양호, 한글학교 설립 • 대학에서의 한국어 전공 개설: 영국(5), 프랑스(4), 독일(10) -보쿰 대학(1964년, 독일), 튀빙엔 대학(독일), 파리7대학, 보르도3대학, 라 로셸 대학 (프랑스), 극동 국립대학, 모스크바언어대학 (러시아) • 동유럽은 소련 붕괴 이후 한국의 경제성장과 함께 한국어에 대한 관심 상승 • 러시아와 독립공화국에서의 한국어 수요 증가 추세

4. 한국어교육 정책과 프로그램

(1) 정부 주요 기관

<table>
<tr><th>기관명</th><th colspan="3">특징</th></tr>
<tr><td rowspan="2">한국국제협력단(KOICA)

(외교통상부 산하)</td><td>분야별</td><td>지역별</td><td>형태별</td></tr>
<tr><td>교육
보건의료
공공행정
농림수산
물(기술환경에너지)
에너지(기술환경에너지)
교통(기술환경에너지)
과학(기술환경에너지)
환경(범분야)
성평등(범분야)</td><td>아시아
아프리카
중남미
중동 CIS</td><td>국별협력사업
글로벌연수사업
인재양성사업
혁신적개발협력사업
시민사회협력사업
인도적지원사업
국제기구협력사업
국제질병퇴치기금</td></tr>
<tr><td rowspan="4">한국국제교류재단

(외교통상부 산하)</td><td colspan="2">한국학</td><td>글로벌네트워킹</td></tr>
<tr><td>• KF글로벌 e-스쿨
• 한국(어)학 교원고용지원
• 한국어펠로십
• 박사후과정펠로십
• 외교관언어문화연수
• KF한국학특강</td><td>• 한국(어)학 교수직 설치
• 한국(어)학 객원교수 파견
• 한국전공대학원생펠로십
• 방한연구펠로십
• 외국교육자한국학워크숍
• 한국학 온라인 강의 자료</td><td>• 해외유력/고위인사초청
• 차세대지도자교류
• 청년교류
• 포럼
• 공공외교네트워크(GPDNet)
• 해외정책연구지원
• KF Revisit Korea Program</td></tr>
<tr><td colspan="2">문화교류</td><td>출판&영상</td></tr>
<tr><td colspan="2">• 전략지역문화예술행사개최
• 재외공관문화예술행사지원
• 해외단체문화예술행사지원</td><td>• 기획출판
• 출판지원
• 재외공관한국영화상영지원</td></tr>
</table>

<table>
<tr><td></td><td>• 해외박물관 한국전시 지원
• 해외박물관한국전문가육성</td><td>• 북미도서관특화컨소시엄
• 한국연구자료지원
• 한국연구전자자료지원
• 사회과학자료온라인서비스</td></tr>
<tr><td>국립국제교육원

(교육부 산하)</td><td colspan="2">재외동포교육과 국제교육 교류 협력을 위하여 설립된 교육부 소속의 국가기관으로서 1962년 모국 수학생 지도를 위한 서울대학교 학생지도연구소로 출발하였으며, 1992년 국제교육진흥원으로 개편되었고, 2001년부터 행정서비스의 질적 향상을 위해 책임운영기관으로 지정된 국제장학사업 및 국제교육 교류협력의 중심기관으로서의 역할과 기능을 수행하고 있다. 주요 사업은 다음과 같다.

-한국정부 국제장학 프로그램(GKS : Global Korea Scholarship) 운영
-재외동포의 민족정체성 함양과 국내대학 수학능력을 배양하기 위해 교육용 교과서와 교재를 공급하며 인터넷 학습사이트(KOSNET)을 통한 한국어 학습 지원
-한국어능력시험(TOPIK : Test Of Proficiency In Korean) 시행으로 한국어 보급 확대, 국내 및 해외에서 재외동포· 외국인의 한국어능력 평가로 한국어 보급에 기여
-한일 중고생, 한일 상대국어선택고교생, 한중 중학생 및 대학생 교류 등 국제교육교류의 전문적 수행 지원
-'Study in Korea' 프로젝트의 주요사업을 추진하고 우수 인적자원의 효율적 활용을 위한 국외인적 자원관리시스템(HURIK) 구축 및 관리
- 원어민 영어 및 중국어 보조교사. 정부초청영어봉사장학생을 선발하여 연수 및 지원
현재 운영 중인 사업은 다음과 같다.
1) GKS장학사업-정부초청 외국인 장학생 선발, 외국인 우수 교환학생 지원, 외국인 우수 자비 유학생 지원, 주요 국가 대학생 초청 연수, 국비 유학생 선발 파견, 한일이공계학부 유학생 파견, 외국정부 초청 장학생 선발, ASEAN 국가 우수 이공계 대학생 초청 연수
2) 재외동포교육-재외동포 국내초청교육, 교과서 교재 보급, 재외 한국학교 교사 연수
3) 글로벌 어학 능력 증진-한국어능력시험(TOPIK), 코스넷(KOSNET)
4) 국제교육교류-한일교육교류, 한중교육교류, 개발도상국 기초교육지원, 한미 대학생 취업연수 프로그램, 문화 협정 제2외국어 교원 연수, 태국 한국어교원 양성 교사 파견
5) 유학생 관리 지원-한국유학박람회, 한국유학종합시스템. 국외 인적자원 관리시스템, 외국인 유학생 상담센터
6) 외국어 공교육 지원 원어민 영어보조교사 선발 지원, 정보초청 영어봉사장학생 선발 지원, 원어민 중국어보조교사 선발 지원, 제주 영어교육센터</td></tr>
<tr><td>세종학당
(구 한국어세계화재단)

(문화체육관광부 산하)</td><td colspan="2">• 지정 목적
- 한국어교육을 통한 한국 문화 확산
- 문화 상호주의 관점에서의 교류를 통한 국가 간 협력 확대
- 국제적인 언어, 문화 교류 확대를 통한 언어와 문화 다양성 실현에 기여
• 운영 현황
- 독립형: 현지(국외) 기관이 세종학당재단에 직접 신청 후 재단의 지원금을 교부받아 직접 운영 및 정산
- 연계형: 국내 기관 또는 재외공관(대사관, 문화원 등)이 현지(국외) 기관과 세종학당 운영 관련 업무 협약 후 세종학당재단에 신청, 세종학당재단 지원금은 국내 기관 또는 재외공관이 교부받아 운영 및 정산
• 누리-세종학당: 온라인을 통해 한국어·한국 문화를 배울 수 있도록 한국어·한국 문화 관련 통합 정보를 제공하는 누리집
- 학습자에게: 온라인 강의를 다양한 언어로 제공, <세종 한국어> 등의 전자책을 제공, 다양하고 유익한 학습 자료를 제공
- 교원에게: 한국어교육 관련 최신 정보 제공, 다양한 교육 자료 제공, 자가 연수 프로</td></tr>
</table>

<table>
<tr><td></td><td>그램 제공, 전 세계 한국어 교원들이 서로 소통하고 정보를 공유할 수 있는 공간을 제공
<table>
<tr><td colspan="9">세종 학당 기본과정</td><td colspan="2">심화과정</td></tr>
<tr><td rowspan="2">교육 과정</td><td colspan="2">1급</td><td colspan="2">2급</td><td colspan="2">3급</td><td colspan="2">4급</td><td>5급</td><td>6급</td></tr>
<tr><td colspan="2">초급1</td><td colspan="2">초급2</td><td colspan="2">중급1</td><td colspan="2">중급2</td><td>고급1</td><td>고급2</td></tr>
<tr><td rowspan="2">교재운영 표준안</td><td>세종 1</td><td>세종 2</td><td>세종 3</td><td>세종 4</td><td>세종 5</td><td>세종 6</td><td>세종 7</td><td>세종 8</td><td rowspan="2" colspan="2">기관 선택</td></tr>
<tr><td colspan="4">개발 완료</td><td colspan="4">개발 완료</td></tr>
</table>
※ 세종학당(www.sejonghakdang.org) : 60개국 180개소 (2019년 6월 기준)</td></tr>
<tr><td>재외동포재단
(외교통상부 산하)</td><td>재외동포들이 민족적 유대감을 유지하면서 거주국 안에서 그 사회의 모범적인 구성원으로 정착할 수 있도록 지원하기 위하여 설립되었다. 주요 사업으로는 재외동포 교류증진 및 권익신장 활동지원, 내외동포 인적교류, 한글학교 육성사업(재외한글학교 운영비지원, 사이버한국어강좌 개발 운영, 한글학교 교사연수 지원, 재외한글학교 교사초청연수, 중국 및 CIS지역 민족교육 지원), 재외동포 장학사업(초청장학사업, 중국·CIS지역 장학사업), 차세대양성(멕시코 한인후손 모국체험 연수, 중국동포청년 IT직업연수, CIS동포청년 IT직업연수, 세계한인차세대포럼, 세계한인 청소년 모국연수), 홍보 및 대언론 지원(재단소식지 제작 및 배포, 기획홍보, 재외동포언론네트워크 구축, 한국어뉴스 세계위성방송망 구축), 모국 문화 보급 사업(코리안페스티벌, 재외동포 문학육성 사업), 재외동포 통합 네트워크 고도화 및 운영, 민간단체협력사업 등을 담당하고 있다.</td></tr>
<tr><td>한국산업인력공단
(고용노동부 산하)</td><td>근로자 평생학습의 지원, 직업능력개발훈련의 실시, 자격검정, 숙련기술 장려사업 및 고용촉진 등에 관한 사업을 수행하게 함으로써 산업인력의 양성 및 수급의 효율화를 도모하고 국민경제의 건전한 발전과 국민복지 증진에 이바지하기 위해 한국산업인력공단법 제1조에 근거하여 설립된 기관이다. '국가자격시험 문제출제 및 관리, 고용허가제 한국어능력시험(EPS-TOPIK)시행, 외국인구직자 명부 인증 · 관리, 근로계약체결 및 사증발급인정서 발급 지원, 외국인근로자 입국 지원, 외국인근로자 취업교육 및 대행업무 접수, 외국인근로자 고용 · 체류지원, 외국인고용허가제 관련 보험 업무, 외국인근로자 관련 민간지원 단체와의 협력, 고용특례(외국국적동포) 외국인 취업 교육 실시' 등을 담당하고 있다.</td></tr>
</table>

(2) 한국어교육 정책 및 프로그램

① 법무부 사회통합 프로그램 (KIIP)

㉠ 개념

- 이민자가 우리사회 구성원으로 적응 자립하는데 필수적인 기본소양(한국어와 한국문화, 한국사회이해)을 체계적으로 제공하는 사회통합교육으로, 법무부장관이 지정한 운영기관에서 소정의 교육을 이수한 이민자에게 체류허가 및 영주 자격·국적 부여 등 이민정책과 연계하여 혜택을 제공하는 핵심적인 이민자 사회통합정책

㉡ 도입취지

가. 이민자가 우리말과 우리문화를 빨리 익히도록 함에 따라 국민과의 원활한 의사소통으로 지역사회에 쉽게 융화 될 수 있도록 지원

나. 재한외국인에 대한 각종 지원정책을 KIP로 표준화하고 이를 이수한 이민자에게는 국적취득 필기시험 면제 등 다양한 인센티브를 제공하여 자발적이고 적극적인 참여 기회 부여

다. 이민자에게 꼭 필요하고 적절한 지원정책 개발과 세부지원 항목 발굴을 위하여 이민자의 사회적응 지수를 측정, 이민자 지원정책 등에 반영

ⓒ 참여 대상

• 체류기간이 만료되지 않은 외국인등록증 또는 거소신고증을 소지하고 대한민국에 체류하는 외국인 및 국적 취득일로부터 3년이 경과하지 않은 귀화자

ⓔ 이수혜택

가. 국적필기시험면제 및 국적면접심사 면제
나. 국적심사 대기기간 단축
다. 점수제에 의한 전문 인력의 거주 자격(F-2)변경 시 가점(최대 25점) 부여 등
라. 일반 영주자격(F-5) 신청 시 한국어능력 입증 면제
마. 국민의 배우자 및 미성년자녀 영주자격(F-5) 한국어능력 입증 면제
바. 외국인근로자의 특정 활동(E-7) 변경 시 한국어능력 입증 면제
사. 장기체류 외국인의 거주(F-2)자격 변경 시 한국어능력 입증 면제

ⓜ 과정별 단계

	0단계	1단계	2단계	3단계	4단계	5단계	
과정	한국어와 한국문화					한국사회이해	
	기초	초급 1	초급 2	중급 1	중급 2	기본	심화
이수시간	15시간	100시간	100시간	100시간	100시간	50시간	20시간
사전평가 점수	구술 3점 미만 (지필점수무관)	3점 ~ 20점	21점 ~ 40점	41점 ~ 60점	61점 ~ 80점	81점 ~ 100점	

ⓑ 평가

가. 사전평가
  • 필기시험(50문항) 및 구술시험(5문항)
나. 단계평가
  • 평가 시기 : 한국어 초급1, 초급2, 중급1의 각 과정 종료 후
  • 평가 방법 : 필기시험(20) 및 구술시험(5) 등 총 25문항
  • 합격 기준 : 100점 만점에 60점 이상
다. 중간평가
  • 평가 대상 : 배정된 한국어과정 최종 단계 종료자 전원
  • 평가 방법 : 필기시험(30) 및 구술시험(5) 등 총 35문항
  • 합격기준 : 100점 만점에 60점 이상 득점
라. 종합평가
  • 평가 방법 : 필기시험(40문항) 및 구술시험(5문항)
  • 합격기준 : 100점 만점에 60점 이상 득점

ⓢ 강사 자격

구분	강사 자격 요건
한국어와 한국 문화 과정	1. 「출입국관리법 시행규칙」 제53조의2 제2항 제1호 가목 해당자 (「국어기본법 시행령」 제13조에 따른 한국어 교원 3급 이상 자격 소지자) 2. 「출입국관리법 시행규칙」 제53조의2 제2항 제1호 나목에 의한 아래 해당자 가. 「국어기본법 시행령」 별표1의 한국어교원양성과정(필수이수시간 120시간)이수 후 정부기관 또는 시민 대상 한국어 교육경력 500시간 이상 경력 확인 가능자

	나. 초등학교 정교사(2급)자격 이상을 소지하고, 초등학교 교사 2년 이상 경력 확인 가능자로서 「국어기본법 시행령」 별표1의 한국어교원양성과정(필수이수시간120시간)을 이수한 자
한국 사회 이해 과정	출입국관리법 시행규칙」 제53조의2 제2항 제2호에 따른 다문화사회 전문가

② 고용노동부 고용허가제 한국어능력시험 (EPS-TOPIK)

㉠ 목적

• 외국인 구직자의 한국어구사능력 및 한국사회에 대한 이해 정도를 평가하여 외국인 구직자명부 작성 시 객관적 선발기준으로 활용하고 한국어에 대한 기본 이해를 갖춘 외국인의 입국을 유도하여 한국생활에서의 적응력을 도모함
• 각국에 파견되어 있는 한국산업인력공단에서 주관
• 비전문취업 비자(E-9) 취득을 위해 반드시 합격해야 함
• E-9 체류자격 외국인근로자의 송출에 관한 양해각서(MOU) 체결 국가
→ 필리핀, 몽골, 스리랑카, 베트남, 태국, 인도네시아, 우즈베키스탄, 파키스탄, 캄보디아, 중국, 방글라데시, 네팔, 키르기스스탄, 미얀마, 동티모르, 라오스 16개국

㉡ 시험구성 (객관식 4지선다)

	평가 영역	문항 수	배점	시간
읽기	• 어휘 어법 • 실용 자료 정보 • 독해	25	100	40분
듣기	• 소리 표기 • 시각 자료 • 대화나 이야기	25	100	30분
총계		50	200	70분

㉢ 평가 항목

가. 한국의 일상생활에 필요한 기초적인 의사소통능력
나. 산업현장에서 필요한 한국어 구사능력
다. 한국 기업 문화에 대한 이해

㉣ 응시자격

• 만 18세 이상 39세 이하일 것
• 금고 이상의 범죄경력이 없을 것
• 과거 대한민국에서 강제 퇴거, 출국된 경력이 없을 것
• 출국에 제한(결격사유)이 없을 것

㉤ 합격기준

• 상대평가로 200점 만점에 80점 이상을 획득한 자 중에서 선발(예정) 인원만큼 성적순으로 합격자를 결정

③ 교육부 한국어교육과정(KSL)

㉠ 개념

• 한국어 과목은 일상생활을 하는 데 필요한 생활 한국어 능력과 학교에서 여러 교과를 학습하는데 요구되는 학습 한국어 능력 신장이라는 두 가지 목표를 중심으로 다문화 배경 학생들의 학교 적응을 돕는 일종의 디딤돌 프로그램의 역할을 수행하게 됨

㉡ 생활 한국어(BICS) 영역의 언어 재료

- 학습자들의 흥미, 필요, 인지적 수준 등을 고려하여 학습 의욕을 유발할 수 있는 내용
- 다양한 의사소통 기능을 이해하고 활용하는 데 도움이 되는 내용
- 주제, 상황, 과업 등을 고려한 내용 상호 작용에 적합한 내용
- 창의성 및 논리성, 비판적 사고력 배양에 도움이 되는 내용
- 상호 문화 이해에 도움이 되는 내용

㉢ 학습 한국어(CALP) 영역의 언어 재료

- 학습자들의 인지적· 학문적 언어 능력을 고려하여 학습 의욕을 유발할 수 있는 내용
- 인지적·학문적 학습 경험을 바탕으로 의사소통 기능을 이해하고 활용하는 데 도움이 되는 내용
- 교과별 핵심 주제, 상황, 과업 등을 고려한 내용
- 교과별 학습 주제를 이해, 적용, 분석, 평가, 창의하는 데에 도움이 되는 내용
- 학습자의 언어와 문화, 지식이 기반이 되는 내용

㉣ 구성적 특성

- 한 주에 10시간 내외로 탄력적으로 운영할 수 있도록 각 권당 한 학기 18주 수업을 기본으로 구성였음
- 생활 한국어와 학습 한국어 능력을 함께 함양하는 것을 궁극적인 목적으로 삼되, 초급 단계인 <한국어1>에서는 생활 한국어(BICS)에 상대적인 비중을 두고, <한국어2>에서는 차츰 학습 한국어(CALP)의 상대적 비중을 높여가는 체제를 취하였음
- 단계별 교재 구성 원리에 기반하여 설계함으로써 초등 다문화 학습자들이 보다 효율적으로 KSL 특별 학급으로부터 정규반으로 이동할 수 있도록 지원하는 데 초점을 둠
- <한국어1>은 초급, <한국어2>는 중급에 해당함
- 각 교재는 주당 10시간 수업을 기준으로 한 학기 분량에 해당하며, 1년 두 학기 동안 교재 2권을 학습할 수 있도록 설계하였음

★ 다문화 학생 교육 선진화 방안 (교육부, 2012년 3월 12일)

① 다문화학생 공교육 진입 지원을 위한 예비학교 및 다문화코디네이터 운영
② 한국어교육과정(KSL) 도입 및 기초학력 책임 지도 강화
※ KSL(Korean as a Second Language : 제2 언어로서의 한국어)
③ 다문화학생과 일반학생이 함께 배우는 이중언어 교육 강화
④ 다문화학생 진로, 진학 지도 강화
⑤ 다문화 친화적 학교 환경 조성
※ 글로벌 선도학교 150개교 육성(거점형 120개교 + 집중지원형 30개교)
⑥ 일반학생과 학부모에 대한 지원 강화
⑦ 2012년 7월 9일 '교육과학기술부 고시 제 2012-14호'에서 처음으로 한국어 교육과정을 고시함

★ 한국어(KSL) 교육과정 개요

① 추진 경과

- 한국어 교육과정 도입 및 운영('12년~)
- 국립국어원, '표준 한국어' 교재 및 교사용 지도서 발간('13년~)
- 한국어 교육과정 개정('17년)

② 개정 내용

• 교육대상 : 기존 '다문화 배경을 가진 학생'에서 '한국어 의사소통 능력의 함양이 필요한 학생'으로 명확하게 수정 • 학습 한국어 : '학습도구 한국어'와 '교과적응 한국어'로 세분하고, 성취기준, 교수학습방법, 언어 재료 등 전면 개편

GKS 장학사업				
개념	• 교육부와 국립국제교육원 주관 (1967년부터 실시) • 해외 우수 학생을 국내 대학에 유치하는 정부초청 외국인 장학생 사업			
기관	대학원		학부	
지원 기간	석사과정	한국어연수 1년 + 석사 2년	학사과정	한국어연수 1년 + 학사 4년
	박사과정	한국어연수 1년 + 박사 3년	전문학사과정	한국어연수 1년 + 전문학사 2년 또는 3년
지원 자격	1. 초청대상국 국적을 소지한 자 2. 최종학교 평균성적이 80점 이상 3. 초청연도 9월 1일 기준 만 40세 미만인 자 - 초청대상국 중 ODA 수원국의 현직 교수는 만 45세 미만인 자		1. 초청대상국 국적을 소지한 자 2. (학사과정) 최종학교 평균성적이 80점 이상 (전문학사과정) 최종학교 평균성적이 75점 이상 4. 초청연도 3월 1일 기준 만 25세 미만인 자	
장학금 지원 내역	최초 입국 및 최종 귀국 시 보통석 항공권, 월 생활비 90만원, 연구비, 의료보험비, 정착지원비, 귀국준비금 등 * 한국어능력우수자(TOPIK 5급 이상) 월 10만원 지급		최초 입국 및 최종 귀국 시 보통석 항공권, 월 생활비 80만원, 의료보험비, 정착지원비, 귀국지원비 * 한국어능력우수자(TOPIK 5급 이상) 월 10만원 지급	

④ 여성가족부

㉠ 다문화가족지원센터

• 여성가족부에서는 지역사회 다문화가족을 대상으로 한국어교육, 가족교육 상담, 통번역, 자녀교육 지원 등 종합 서비스를 제공하는 다문화가족지원센터를 217개 지역에서 운영하고 있음

• 한국어교육
가. 지원내용 : 수준별 정규 한국어 교육(1~4단계, 각 100시간) 및 진학반, 취업대비반 등 지역별 특성에 따른 심화과정(특별반)운영
나. 이용대상 : 결혼이민자, 중도입국자녀

• 다문화가족 자녀 언어발달 지원
가. 지원내용 : 다문화가족 자녀의 언어발달을 위한 언어발달정도 평가, 언어교육, 부모 상담 및 교육방법 안내 등 서비스
나. 이용대상 : 만 12세 이하 다문화가족 자녀

㉡ 중도입국청소년 초기 지원 사업 "레인보우스쿨"

가. 목적 : 입국초기 중도입국청소년들(제3국 출생 탈북청소년 포함)에게 한국사회에 대한 기본 정보, 한국어 교육, 사회적 관계 향상 및 심리정서지원 프로그램 등을 제공하고 정규교육과정으로의 편입학 지원, 진로지도 등을 통해 원활한 한국사회 초기적응지원
나. 프로그램 : 2009년 개발되어 2010년 시범 운영을 통해 수정·보완되었으며, 이후 2011년부터 '중도입국청소년 초기적응지원 레인보우스쿨' 프로그램으로 전국에 직영 및 위탁의 형태로 보급하여 운영

다. 운영기관 : 지방에 거주하는 중도입국청소년들(제3국 출생 탈북청소년 포함)의 학습 공백을 최소화하기 위해 전국 16개 광역시도 지역 32개 기관에서 연간 1,400명 규모로 운영(전일제/시간제, 38주 과정)하고 있음

5. 한국어 교원

(1) 정의 : 한국어를 모어(母語)로 사용하지 않는 외국인, 재외동포를 대상으로 한국어를 가르치는 사람

(2) 한국어교원 자격 제도 (국어기본법 제19조, 동법 시행령 제13조)

• 문화체육관광부 장관이 한국어교원이 되고자 하는 사람에게 일정한 법정 요건을 갖추었는지를 심사하여 자격을 부여하는 제도 (시행 2005.7.28.)
• 외국 국적자가 학위과정을 통해 자격을 취득하기 위해서는 TOPIK 6급 필요

① 자격의 등급 및 기준

㉠ 3급
• 학위과정 부전공
• 102시간 양성과정 이수 후 한국어교육능력검정시험 합격
• 2005년 7월 28일 전 한국어 교육경력 800시간 이상 또는 한국어교육능력인증시험 합격

㉡ 2급
• 한국어 교육 부전공으로 학위 취득한 경우의 승급
(한국어교원자격증 3급 취득 후 3년 이상 근무 + 1,200시간 한국어 교육 경력)
• 비학위 과정으로 한국어교원 3급 취득한 경우의 승급
(한국어교원자격증 3급 취득 후 5년 이상 근무 + 2,000시간 한국어 교육 경력)
• 한국어 교육 학위 취득(전공, 복수전공) 후 영역별 필수 이수 학점 자격심사

㉢ 1급
• 2급 자격 취득 후 5년 이상 근무 + 2,000시간 한국어 교육 경력

(3) 영역별 필수이수학점 및 필수이수시간 (제13조제1항 관련)

번호	영역	과목 예시	대학의 영역별 필수이수학점		대학원의 영역별 필수이수 학점	한국어교원 양성과정 필수이수 시간
			주전공 또는 복수전공	부전공		
1	**한국어학**	국어학 개론, 한국어 음운론, 한국어 문법론, 한국어 어휘론, 한국어 의미론, 한국어 화용론, 한국어사, 한국어 어문규범 등	6학점	3학점	3~4학점	30시간
2	**일반언어학 및 응용 언어학**	응용 언어학, 언어학 개론, 대조 언어학, 사회 언어학, 심리 언어학, 외국어 습득론 등	6학점	3학점		12시간
3	**외국어로서의 한국어 교육론**	한국어 교육 개론, 한국어 교육과정론, 한국어 평가론, 언어 교수 이론, 한국어 표현 교육법(말하기, 쓰기), 한국어 이해 교육법(듣기, 읽기), 한국어 발음 교육론, 한국어 문법 교육론, 한국어 어휘 교육론, 한국어 교재론, 한국 문화 교육론, 한국어 한자 교육론, 한국어 교육 정책론, 한국어 번역론 등	24학점	9학점	9~10학점	46시간

4	한국 문화	한국 민속학, 한국의 현대 문화, 한국의 전통문화, 한국 문학 개론, 전통문화 현장 실습, 한국 현대 문화 비평, 현대 한국 사회, 한국 문학의 이해 등	6학점	3학점	2~3학점	12시간
5	한국어교육 실습	강의 참관, 모의 수업, 강의 실습 등	3학점	3학점	2~3학점	20시간
	합계		45학점	21학점	18학점	120시간

(4) 한국어교육능력검정시험 (문화체육관광부에서 한국산업인력공단에 위탁하여 시행)

• 국어기본법 제 19조 및 동법 시행령 제14조에 의거하여 실시되는 국가 공인 자격 시험

• 국어기본법 시행령이 공포되기 이전인, 2002년~2004년까지 한국어세계화재단에서는 한국어 국외 보급의 효율성을 향상시키고자 한국어 교육 능력 인증시험을 시행했음

• 한국어교원 양성과정 이수자가 한국어교원 자격(3급)을 취득하기 위해서는 반드시 한국어교육능력검정시험에 합격해야 함

• 한국어교육능력검정시험 합격증과 한국어교원 자격증은 별개이며, 자격증을 발급받기 위해서는 시험 합격 후 개인 자격 심사를 거쳐야 함

• 1차(필기) 시험일 이전에 한국어교원 양성과정(120시간)을 수료해야 한국어교원 자격을 취득할 수 있음

• 시험 내용 및 합격 기준

1차(필기) 시험	2차(면접) 시험
• 4개 영역 -한국어학 -일반언어학 및 응용언어학 -외국어로서의 한국어교육론 -한국문화 • 1차 합격 기준, 4개의 각 영역에서 40% 이상 득점하고 총점(300점)의 60%인 180점 이상 득점 시 합격	• 면접 내용 -한국어교원으로서의 태도 및 교사상 -교사의 적성 및 교직관 -인격 및 소양 -한국어능력 평가

• 한국어교육능력 검정시험 영역 및 검정 방법 (제14조제3항 관련)

영역	배점		시간	방법
한국어학	90	120	100분	필기
일반언어학 및 응용언어학	30			
외국어로서의 한국어교육론	150	180	150분	
한국문화	30			
	300점		250분	
구술시험	합격/불합격			면접

(5) 한국어교육실습 교과목 운영 지침

• 한국어교육실습에는 교과목 담당 교수의 지도와 평가가 반드시 이루어져야 함

• 한국어교육실습은 강의 참관을 필수로 하며, 강의 실습이나 모의 수업 중 하나를 선택 필수로 함
• 한국어교육실습 과목은 학년 또는 학기 등으로 수강 자격에 제한을 두는 것이 바람직함
→ 학부 : 1, 3영역 합산하여 주전공자나 복수전공자는 24학점 이상, 부전공자는 12학점 이상 이수
→ 대학원 : 1, 2, 3영역 합산 8학점 이상 이수
→ 양성과정 : 1, 3영역 합산 60시간 이상 이수
• 이론수업은 실습 운영 시간의 5분의 1을 초과할 수 없음

① 강의 참관

• 실제 현장에서 이루어지고 있는 외국인 대상 한국어 수업을 참관하도록 함
• 수강생은 실습교과목 담당 교수에게 참관보고서를 제출해야 함
• 가급적 초·중·고급의 수업을 고루 참관하는 것이 바람직하며, 양성과정의 경우 수준별 참관이 어렵더라도 최소한 4시간 이상은 반드시 시행하도록 함
• 강의 참관자가 반드시 참관 보고서나 일지를 작성하도록 하고 이를 평가에 반영해야 함

② 모의 수업

• 수강생 모두가 담당 교수의 참관 하에 한국어학습자 또는 동료 수강생을 대상으로 하여 직접 수업을 진행하는 것을 말하며, 여기에는 담당 교수의 지도와 평가가 있어야 함
• 전공 학생 전원이 1회 이상의 기회를 갖도록 함

③ 강의 실습

• 수강생 모두가 한국어교육경력인정기관 등에서 수강하고 있는 한국어학습자를 대상으로 직접 강의를 시행하는 것을 말하며, 여기에는 담당 교수 또는 실습 기관의 담당 교수자의 지도와 평가가 있어야 하고, 수강생은 실습확인서를 담당 교수에 제출해야 함
• 강의 실습이 진행된 이후, 실습에 대한 피드백이나 평가 등 담당 교수의 지도가 반드시 이루어져야 함
• 실습한 기관에서 반드시 실습 확인서를 발급받도록 함

④ 실습 과목은 다음의 모형 중 하나가 됨

㉠ 모형1 : 강의 참관 + 모의 수업 + 강의 실습
㉡ 모형2 : 강의 참관 + 모의 수업
㉢ 모형3 : 강의 참관 + 강의 실습

(6) 양성기관 운영 지침

① 교육과정

• 수업 시간 인정 : 오프라인 강의의 경우 강의 시간 50분을 1시간으로 인정
• 최초 수업일로부터 만 2년 이내에 전 과정 수료
• 한국어교원 양성과정의 교과목은 국어기본법 시행령 [별표 1]에서 정한 바대로 한국어교원 자격 취득에 필요한 영역별 필수이수시간을 준수하도록 함

② 평가 및 학사 관리

• 원칙적으로 각 기관별 총 교육시간의 85% 이상 출석률을 수료 조건으로 하며, 자격증 취득을 위하여 반드시 120시간 이상 출석해야 함
단, 한국어교육실습(5영역)은 반드시 20시간 이상은 출석해야 함
• 출석 기준에 부합해야 하며 필기시험 및 실습 영역 평가에서 각각 60% 이상을 획득해야 함

③ 교육 기간 및 교육 시간

- 한국어교원 양성과정의 총 교육 기간은 15주 이상이 바람직하며, 최소한 4주 이상의 과정으로 운영하도록 함
- 한국어교원 양성과정의 1일 총 교육 시간은 4시간 이하가 적합하며 최대 6시간을 넘지 않도록 함

④ 운영 권고 사항

㉠ 학위과정
- 한국어교육 전공 박사학위 소지자 또는 관련 분야(국어국문학, 국어교육학 등) 박사학위 소지자로서 한국어교육 경력이 5년 이상인 자
- 5영역 교과목의 교수진 구성
  가. 한국어교육 전공 석사학위 이상의 소지자로서 한국어교육 경력이 5년 이상인 자
  나. 관련 분야(국어국문학, 국어교육학) 박사학위 소지자 또는 박사과정 수료자로서 한국어교육 경력이 5년 이상인 자

㉡ 양성과정
- 강사진은 영역별로 최소 2인 이상(3영역은 3인 이상)으로 구성하고, 총 11명 이상의 강사가 담당하도록 함

(7) 개인 자격 심사 시 인정되는 한국어교육 경력 기관

① 외국어로서의 한국어 강의가 개설된 국내 대학 및 대학부설기관, 국내 대학에 준하는 외국의 대학 및 대학부설기관
② 외국어로서의 한국어 수업이 개설된 국내외 초·중·고등학교
③ 외국어로서의 한국어를 가르치는 국가, 지방자치단체 또는 외국 정부기관
④ 「재한외국인 처우 기본법」 제21조에 따라 외국인정책에 관한 사업을 위탁받은 비영리법인 또는 비영리단체
⑤ 「외교부와 그 소속기관 직제」 제55조에 따른 문화원 및 「재외국민의 교육지원 등에 관한 법률」 제28조에 따른 한국 교육원
⑥ 그 밖에 문화체육관광부장관이 제3항에 따른 한국어교원자격심사위원회의 심의를 거쳐 한국어교육 경력이 인정되는 기관 등으로 정하여 고시하는 기관 등
㉠ 세종학당재단이 지정한 세종학당
㉡ 다음의 어느 하나에 해당하는 외국인력지원센터
가. 한국산업인력공단으로부터 위탁을 받아 운영하는 외국인력지원센터
나. 지방자치단체의 장으로부터 위탁을 받아 운영하는 외국인력지원센터
다.「비영리민간단체지원법」제4조 제1항에 따라 등록한 비영리민간단체가 운영하는 외국인력지원센터
㉢ 「다문화가족지원법」제12조 제1항에 따라 지정받은 다문화가족지원센터
㉣ 초·중등교육법 제60조의 2에 따른 외국인학교와 제60조의 3에 따른 대안학교
㉤ 국내외 기관에 한국어교육 프로그램의 운영을 위탁하거나 한국어 교원을 파견하는 '공공기관의 운영에 관한 법률 제4조 제1항 각 호에 따른 공공기관

(8) 한국어 교사의 자질

① 교육자적 자질

- 인간으로서의 교사(보호)
- 동료로서의 교사(원조)
- 학습자의 이해자로서의 교사(양육)
- 학습 촉진자로서의 교사(상호작용)
- 연구자로서의 교사(실험)
- 개발자로서의 교사(창조)
- 관리자로서의 교사(계획)
- 의사결정자로서의 교사(문제해결)

• 전문적인 지도자로서의 교사(도전)

② 언어적 자질

• 한국어 능력과 지식
• 영어 능력과 지식
• 학습자 모어 이해 및 구사 능력과 지식
• 대조언어학적 지식

③ 언어교육자적 자질

• 언어 학습과 언어교수의 이론적 지식
• 여러 교수환경과 교실 조건을 분석하는 기술
• 교수기법의 이해와 실천 능력
• 필요에 따라 교수법을 바꿀 수 있는 능력
• 여러 교수법을 접한 실제 경험
• 자신과 학생에 대한 정보 지식
• 대인 의사소통 기술
• 융통성 있는 태도와 변화에 대한 개방성

(9) 바람직한 교사말

① 학생의 급에 맞게 언어적 수준과 길이를 적절히 조절
② 학생을 자극하여 발화를 유도하는 역할
③ 효과적인 질문을 던지고 학습자가 대답할 때까지 적절히 기다림
④ 학습자 발화에 적절한 피드백
⑤ 초급에서는 문법을 설명할 때와 대화문을 들려줄 때 발화 속도에 차이를 둠

★ 교사말

• 제2언어나 외국어 교육에서 목표어를 학습자들에게 이해하기 쉽고 효율적으로 가르칠 수 있도록 언어적, 상호작용적 변형을 가하여 만든 특별한 말

① 초급 단계

• 학생들이 좀 더 쉽게 이해할 수 있게 발화속도를 늦추는 것이 적정함
• 너무 늦추어서 자연스러움을 잃어서는 안 됨
• 발화가 분명하다면 초급 학생이라고 해서 고급 학생에게 말할 때보다 큰 소리로 말할 필요는 없음

② 중급 단계

• 자연스러운 속도를 유지함
• 교사의 발화가 수업을 대부분 차지해지 말아야 함
• 학생들의 모국어를 덜 사용해야 하지만 여전히 상황에 따라서는 사용해야 할 때도 있음

③ 고급 단계

• 자연스러운 말이 필수적임
• 학생들이 말을 산출할 수 있는 기회를 아주 많이 갖도록 피드백을 제공하는 사람이 되어야 함
• 학생의 모국어에는 거의 의존하지 않음

2장 한국어 교육과정론

1. 교육과정의 기본 개념

(1) 어원과 정의

- 학습자가 일정한 목표를 가지고 달리는 과정
- 교육목표를 달성하기 위하여 선택된 교육내용과 학습활동을 체계적으로 편성·조직한 계획
- 가르쳐야 할 내용을 어떻게 조직하여 어떻게 효과적으로 가르칠 것이냐를 계획하여 그 계획에 대한 결과에 초점을 맞춤
- 협의 : 하나의 교과에서 가르쳐야 할 실제를 규정해 놓은 것

(2) 교육과정의 필요성

① 최근 수업을 통해서 가르치려고 하는 수업 목표와 내용이 많아짐
② 수업에서는 학습자의 개인차를 최대한으로 고려한 수업이 제공되어야 함
③ 개발되고 있는 자료나 수업 매체의 장점을 최대한으로 활용해야 함
④ 수업에서의 오류나 실패를 최대한 피해야 함
⑤ 수업의 경제성이란 측면을 고려해야 함

(3) 교육과정 이론

① 학문적 합리주의 : 학생들의 지적 능력을 신장시키고 지식 습득을 도움
② 사회·경제적 효용성 : 사회적 요구, 경제적 효용성을 고려하여 실용적 측면에 맞는 학습자를 배출
③ 학습자 중심성 : 학습자의 요구를 충족시킴
④ 사회 재건주의 : 학습자를 사회문제에 적극적으로 개입시킴으로써 학생들이 사회 적응, 사회 개조 등을 이룰 수 있도록 도움

(4) 교육과정 개발의 목적

① 문제해결과 피드백의 성질을 나타냄으로써 학습과 수업을 개선함
② 교육과정을 점검하고 관리, 통제하는 것을 통해 교육과정 설계 및 개발, 개선함
③ 평가 과정 개선함
④ 학습이론, 교수이론을 검증하거나 정립함

(5) 교육과정 개발의 원리

- 교육과정을 개발할 때에는 우선 상황 분석, 요구 분석, 목적 및 목표 기술, 교육 자료의 선정과 조직, 교수 학습 방법, 평가 등의 과정을 거침
- 교육과정을 구성하고 조직하는 데에는 '연계성'의 원리를 따라야 함
- 연계성은 계속성, 계열성, 통합성과 관련이 있음

① 계속성(continuity)

- 중요한 학습 요소, 지식, 기능 등이 반복되도록 조직하는 것으로 학습경험의 수직적 조직을 말하며, 학습이 이루어지는 각 단계에서 주요 내용이 반복적으로 제시된다는 것은 단계 간의 연계성을 높여줄 수 있음을 의미함

② 계열성(sequence)

- 계속성과 마찬가지로 수직적 조직과 관련되는 것으로서, 점차적으로 경험의 수준을 높여서 더욱 깊이 있고 폭넓은 학습이 가능하도록 조직하는 것
- 단순한 내용에서 점차 복잡한 내용으로, 구체적인 개념에서 추상적인 개념으로, 부분에서 전체로(혹은 그 반대로) 조직하는 것

③ 통합성(integration)

- 학습경험을 수평적으로 조직하는 것으로, 한 교과 내에서의 여러 내용들이나 각 교과들을 서로 수평적으로 연결시키는 것뿐만 아니라 교과에서 배운 내용을 자신의 주변에서 일어나는 일들과 관련짓도록 하는 것

(6) 정책 결정자에 따른 교육과정 유형 분류

① 국가 수준의 교육과정

- 국가가 학습자들에게 어떤 목적을 위하여 무엇을 가르칠 것인지에 대한 일련의 의사결정을 해 놓은 문서를 말함
- 법적인 효력을 갖기 때문에 교육기관 및 교사의 교육과정 운영에 영향을 줌

② 교사 수준의 교육과정

- '교육과정' 설계에 대한 의사결정자로서 '교사'가 관여하는 것으로 이는 교사가 소속되어 있는 곳이 '학교 또는 교육 기관'에 해당하므로 '학교' 수준의 교육과정이라고도 불림

③ 학생 수준의 교육과정

- 교육 기관의 공식적인 교육과정이 계획되지 않았지만, 교육기관의 물리적 조건, 제도, 행정조직, 사회적, 심리적 상황을 통하여 학습자들이 은연중에 가지게 되는 경험의 총체를 조직화한 것
- 공시적인 교육과정의 상호 보완적인 관계를 지니는 것으로 학습자의 정의적 영역(인간의 흥미·태도·가치관 등에 관련)에 중점을 둠

2. 교수요목 설계

(1) 교수요목 개념

- 무엇을, 어떤 순서로, 어떻게 가르칠 것인가를 보여주는 교육과정의 설계도
- 모든 수업계획의 기초가 되는 교육내용에 대한 진술
- 설계적 측면 : 교육 내용의 선정 및 분류와 관계됨
- 방법론적 측면 : 학습과제와 활동의 선정과 관계됨

- Graves(1996:19~25)의 교수요목 내용 범주

<table>
<tr><td colspan="4">참여 과정
예) 문제 제기, 경험적 학습 기술</td><td colspan="4">학습 전략
예) 자가 모니터링, 문제 파악하기, 노트 필기</td><td colspan="4">내용
예) 학과목, 기술 과목</td></tr>
<tr><td colspan="4">문화
예) 문화 인식, 문화 행위, 문화 지식</td><td colspan="4">과제 및 활동
예) 정보 결함 활동, 프로젝트, 스피치·프레젠테이션 등의 기술 혹은 화제 지향의 과제</td><td colspan="4">일상적·업무적 기술
예) 직장에 지원하기, 아파트 빌리기</td></tr>
<tr><td colspan="3">듣기 기술
예) 요점 찾기, 특정 정보</td><td colspan="3">말하기 기술
예) 발화 교체하기, 이해</td><td colspan="3">읽기 기술
예) 특정 정보 빠르게 찾</td><td colspan="3">쓰기 기술
예) 적절한 수사적 문제 사</td></tr>
</table>

찾기, 화제 추론하기, 적절한 반응 선택하기	부족 부분 보완하기, 응집 장치 사용하기	기, 요점 찾기 위해 빠르게 읽기, 수사적 장치 이해하기	용하기, 응집 장치 사용하기, 문단 구성하기

기능 예) 사과하기, 거절하기, 설득하기	**개념과 화제** 예) 시간, 양, 건강, 개인 신원	**의사소통 상황** 예) 음식점에서 주문하기, 우체국에서 우표 사기
문법 예) 구조(시제, 상), 패턴(질문)	**발음** 예) 분절음, 초분절음	**어휘** 예) 단어 형성 규칙(접미사, 접두사), 연어, 어휘 목록

(2) 교수요목 유형

• 종합적 교수요목과 분석적 교수요목의 특징 (Wilkins, 1976)

종합적 교수요목	분석적 교수요목
• 언어의 각 부분을 독립적으로 봄 • 내용을 문법적 복잡성, 발생 빈도, 모국어와의 관계, 상황적 요구, 교육적 편의성 등에 의해 등급화 • '습득'은 언어의 전체적인 구조가 만들어질 때까지 등급화된 영역들이 누적되어 가는 과정으로 봄 • 문법적 교수요목과 유사 • 선형 교육과정을 사용	• 언어를 다양한 문법을 포함한 덩어리로 봄 • 언어가 사용되는 상황 및 목적에 초점 • 의사소통적 목적을 강조 • 기능-개념중심 교수요목과 유사 • 나선형 교육과정을 사용

• 결과 지향적 교수요목과 과정 지향적 교수요목의 특징

결과 지향적 교수요목	과정 지향적 교수요목
• 학습 내용은 전문가가 정하고 교사와 전문가가 학습자에게 그 내용을 제시 • 수업은 학습자에게 내용을 전달하는 교사 중심 • 미리 선정된 학습 목표에 따른 학습 내용이 강조되며 학업 성취도에 따라 평가가 이루어짐	• 학습 내용은 학습자에게 의미 있는 것, 학습자가 원하는 것으로 구성 • 학습 과정에서 교사와 학습자는 상호 결정권자로서 협의에 의해 학습 내용을 결정 • 학습 목표는 미리 선정된 것이 아니라 학습한 후에 기술되는 것으로 학습 과정을 중시 • 평가는 학습자 자신의 기준에 의해 이루어짐 • 자기 주도적으로 혹은 스스로 과제를 성취하는 과정에서 자연스럽게 학습이 일어나도록 하는 학습자 중심 교수요목

① 결과 중심(결과 지향)적 교수요목 : 학습이 끝난 후의 결과 및 성과에 초점을 맞춤

㉠ 문법적 교수요목 (구조적 교수요목)
- 교수요목의 구성요소들이 문법적인 난이도에 의해 선정되고 등급화됨
- 전제 : 언어에는 체계적인 규칙(구조)이 있고, 이 규칙을 학습함으로써 의사소통 상황에서 이를 응용하여 사용할 수 있음
- 형태 중심, 구조 중심, 체계 중심
- 비판(1970년대)

→ 형태를 익혔다고 해도 실제 의사소통 상황에서의 다양한 기능에 대응할 수 없음
→ 문법적 요소들은 학습자 및 환경 변인에 상관없이 일정한 습득 순서를 가지므로, 형식적인 수업은 이 습득 순서에 영향을 미치지 못함.
→ 언어 습득의 정의적 요인을 무시

㉡ 개념·기능 중심 교수요목
- 개념 : 언어를 통해 표현하는 의미
- 기능 : 언어활동을 통해 수행하는 의사소통의 목적이 있음
- 기능적, 상황적 언어사용 양상을 반영
- 현실적인 학습과제 제시, 실생활의 언어로 매일의 학습을 진행
- 의의 : '의사소통'의 개념을 도입하고 그것에 초점을 맞춤
- 문법, 어휘, 표현 등을 다시 한번 설명해주는 나선형 교육과정 가능
- 비판
  → 언어가 학습되는 방법을 설명하지 못함
  → 기능을 등급화하는 것은 문법을 등급화하는 것보다 훨씬 어려움

㉢ 상황 중심 교수요목
- 상황에 따라 다양하게 사용하는 언어를 이해하고 활용하는 데 목표를 둠
- 단원은 '우체국에서', '은행에서' 등과 같이 상황으로 제시됨
- 문법은 상황에 적절한 것을 선정해서 배열하므로 배열에 특정한 기준이 없음

② 과정 중심(과정 지향) 교수요목 : 덩어리 채로 목표언어를 분석하여 귀납적으로 언어 규칙 발견

㉠ 과제중심 교수요목
- 언어학에서의 과제 : 언어의 이해, 반응의 결과로서 이루어지는 활동이나 행동
- 과제를 통하여 학습된 언어를 유의미하게 활용하는 과정에 초점
- 수행해야 할 과제 목록으로 교수요목을 작성함
- 과제 예시 : 주문하기, 물건 사기, 명령하기, 편지 쓰기
- 비판 : 과제의 등급화와 난이도 설정이 어려움

㉡ 절차중심 교수요목
- 상황과 맥락을 중시하여 실제적 상호작용에 초점 (절차와 활동 중시)
  예) 정보 전하기 활동, 추론하기 활동
- 과제중심 교수요목과 같은 뜻으로 사용되기도 함

㉢ 내용중심 교수요목
- 언어뿐만 아니라 교과 내용 학습까지 초점을 둠
- 의미 있고 사회적이며 학문적인 배경 내에서 가장 잘 학습된다는 점을 강조
  예) 캐나다의 불어교육 프로그램 (몰입식 교육)

★ 몰입식 교육

- 몰입 교수법은 일반 교과목을 학습자의 제2 언어로 가르치는 일종의 이중 언어 교육 방법
- 현대적인 의미의 몰입 교수법은 1965년 캐나다에서 처음으로 실시됨
- 캐나다의 프랑스어 몰입 프로그램은 영어를 제1 언어로 하는 학습자들을 대상으로, 영어권 캐나다인뿐만 아니라 프랑스어권 캐나다인의 전통과 문화를 이해하도록 운영되었음
- 학습자를 제2 언어 교육 현장에 넣는 몰입 방식은 이미 오래 전부터 실시되어 왔으나 캐나다의 몰입 프로그램은 장기간 집중적인 연구 평가가 이루어진 첫 사례임
- 특징
  → 제2 언어가 교수의 매체임

→ 몰입식 교육과정은 지역의 제1 언어 교육과정과 동일함
→ 제1 언어의 발달을 도움
→ 몰입 프로그램은 추가적인 이중 언어 습득을 목표로 함
→ 제2 언어를 접하는 장소는 주로 교실로 한정됨
→ 교육과정 진입 시 학습자들은 비슷한 수준으로 제한된 제2 언어 능력을 가짐
→ 교사는 이중 언어 사용자임
→ 교실 문화는 그 지역의 제1 언어 문화임

교수요목	기본 개념	한국어 교재와의 관련성
구조 교수요목	음운, 문법과 같은 언어 구조를 중심으로 작성한 교수요목, 배열 기준은 난이도가 낮은 것부터 높은 것으로, 빈도수가 많은 것으로부터 적은 것으로, 의미 기능이 간단한 것으로부터 복잡한 것으로 배열한다.	1990년대 중반까지의 교재가 채택한 주된 교수요목
상황 교수요목	언어 활동이 이루어지는 장소나 상황을 중심으로 작성한 교수요목. 식당에서, 길에서, 지하철역에서, 시장에서와 같이 발화 장면을 중시한다.	최근에 일부 교재에서 중심적인 교수요목으로 채택
주제 교수요목	각 등급에 맞춰 채택된 주제를 일정 기준에 따라 배열한 교수요목이다. 대체로 상황 교수요목과의 혼합 형태를 보여 준다. 가족, 날씨. 음식, 전화 등을 예로 들 수 있다.	최근에 개발되는 한국어 교재에서 주로 채택하는 교수요목
기능 교수요목	소개하기, 설명하기, 요청하기, 제안하기 등 언어 활동의 기능적 측면을 중심으로 작성한 교수요목이다. 주로 주제 교수요목과 연계되어 사용된다.	최근에 개발되는 교재에서 때때로 채택
개념 교수요목	물건, 시간, 거리, 관계, 감정, 용모 등과 같이 실생활 관련 주요 개념을 중심으로 작성한 교수요목이다. 유용성이나 친숙도에 따라 배열한다.	때때로 주제 교수요목의 일부가 포함
기능 기반 교수요목	대의 파악, 주제 파악, 화자 의도 파악하기, 추론하기 등과 같이 언어 기능 중 특정 기능을 중심으로 배열한 교수요목이다.	현재까지 채택된 사례를 찾기 어려움
과제 기반 교수요목	지시에 따르기, 편지 쓰기, 면접하기, 신청서 작성하기 등과 같이 실생활 과제 중심으로 배열한 교수요목이다.	주제 교수요목 등과 함께 때때로 채택
혼합 교수요목	둘 이상의 교수요목을 함께 활용하여 작성한 교수요목으로서 엄밀한 의미에서 최근 대부분의 교수요목이 이에 속한다고 볼 수 있다.	최근에 개발되는 교재들이 주로 채택

(3) 학습 내용을 조직하는 방법에 따른 교수요목의 유형

전개 유형	특징
선형 (linear)	•문법과 같은 언어 요소를 제시할 때 많이 사용함 •언어학적·교육학적 원칙에 근거하여 각 항목의 위계와 순서를 결정함 •교사가 마음대로 언어 항목의 제시 순서를 바꾸거나 어떤 항목을 가르치지 않고 넘어갈 수 없음 •앞서 학습한 내용은 다시 반복되지 않고 새로운 내용이 전개됨
조립형 (modular type)	•주제나 상황과 관련된 언어 내용과 언어 기능을 통합한 유형 •학습하게 될 단원을 집단으로 구성하고 필요한 언어 기능을 순서대로 제시하여 한 단원을 설계함
나선형 (spiral)	•한 과정에서 교사와 학습자가 한 가지 언어 구성 요소와 주제를 두 번 이상 다루도록 내용을 반복적으로 배열하여 제시함 •어떤 주제가 다시 배열될 때는 처음보다 언어 구조나 과제의 난이도가 좀 더 높은 것을 제시해야 함

	•이전에 학습했던 것을 언급하면서 그것을 새로 배울 내용과 연관성을 가지게 구성함
기본 내용 제시형 (matrix type)	•학습해야 할 과제나 여러 가지 상황을 표나 매트릭스로 만들어 제시함 •학습자가 자의적으로 주제를 선택하여 학습할 수 있도록 함 •교육 내용을 임의로 선택할 수 있기 때문에 교육과 학습의 융통성을 최대한 제공함
줄거리 제시형 (story line type)	•전체 내용이 유기적으로 연결되며 주제의 일관성과 계속성을 유지하여 앞의 이야기의 흐름을 알고, 순서에 따라 문제를 해결하는 데 도움이 되도록 구성함 •동화나 단편 소설을 이용해 교재를 제작하거나 실용적인 이야기를 중심으로 회화 교재를 제작할 때 이용됨

(4) 단원의 구성 요소별 개발 원리

① 단원 제목 – 주제와 기능의 혼합 방법을 사용하여 제시

② 학습 목표 – 수행 목표 혹은 과제 목표를 제시

③ 도입 – 배경지식 활성화와 학습동기 부여를 위해 그림이나 질문으로 제시

④ 예문 – 목표 발화의 모형이 되는 담화를 맥락에 따라 제시

⑤ 발음 – 구어와 문어가 완전히 다르거나 발음 규칙이 어려운 단어나 표현을 위주로 제시

⑥ 어휘 – 해당 단원에서 학습해야 하는 어휘를 제시

⑦ 문법 – 의미·형태·화용에 대한 설명을 제시, 짧은 대화문이나 그림을 통한 문법 연습을 제시

⑧ 과제 – 실제적 의사소통 상황과 유사한 활동으로 듣기, 말하기, 읽기, 쓰기 과제를 골고루 제시

⑨ 문화 – 해당 단원과 관련되는 문화 자료를 제시

⑩ 자기평가 – 학습 내용의 정리, 자기 평가를 통한 학습 성취도 진단 목적

3. 교육과정 개발 절차

요구 분석 → 교육 목적 및 목표 설정 → 교육 내용 선정 및 조직 → 교수·학습 활동 → 평가

(1) 요구분석

① 요구 : 학습자가 현재 할 수 있는 것과 할 수 있어야 하는 것 사이의 차이

② 요구분석

- 요구를 조사하여 그 차이를 규명하고 비교함
- 교육 프로그램 계획 단계에서 이루어지는 활동
- 교육과정 개발의 가장 기초 단계
- 대상 : 학습자, 교수자, 교육기관, 교육위탁자
- 대상 선정 시 중요 사항 : 대표성을 띤 표본을 선정하는 표집 타당도

③ 요구분석의 목적

㉠ 특정 역할을 수행하기 위해서 학습자에게 어떠한 언어 기술이 필요한가를 알아내기 위함
㉡ 현행 과정이 예비 학습자등의 요구에 초점을 맞추고 있는지에 대한 결정을 돕기 위함
㉢ 집단 안의 학습자들 중에서 어떤 학습자들에게 특정 언어 기술에 대한 훈련이 제일 필요한가를 정하기 위함
㉣ 학습자들이 할 수 있는 것과 할 수 있어야 하는 것 사이의 격차를 확인하기 위함

④ 학습자 요구의 유형 (J.D. Brown, 1995)

㉠ 상황적 요구 : 학습 환경을 둘러 싼 교육기관에 대한 행정적, 재정적, 종교적, 문화적, 개인적 요구
㉡ 언어적 요구 : 언어 도달 목표에 따른 요구 (언어 사용 환경, 학습자의 동기, 학습자의 현재 언어 능력)
㉢ 객관적 요구 : 학습자의 연령, 국적, 모국어, 교육 배경, 숙달도 수준, 외국어 학습 경험, 거주 기간, 직업 (교육 내용을 상세화 하는 데 필요한 정보)
㉣ 주관적 요구 : 학습자의 학습 방법, 선호 학습 활동 유형, 중요시하는 언어 기능, 도달하고자 하는 목표, 요구하는 학습 기간 (교수 학습 방법을 상세화 하는 데 필요한 정보)
㉤ 언어 내용 요구 : 목표 언어에 대해 객관적으로 분석된 요구
㉥ 학습 과정 요구 : 학습 동기, 자존감 등의 정의적 영역에서 분석된 주관적 성격을 가짐

⑤ 요구 조사 단계의 정보수집 유형

정보수집 유형	특징 및 장점	제한점 및 적용 예
설문조사	•조사 대상이 다수일 때 •정보를 조작하고 분석하는 데 용이 •구조화된 유형/비구조화된 유형	•다량의 정보를 분석하는 과정에서 사용 •정확성이 떨어질 수 있어서(정보가 표면적) 경우에 따라 후속조사 필요
자가진단	•학습자 스스로 자신의 언어능력을 평가 •설문조사의 일부로도 활용	•학습자의 주관적 판단에 의해 수집된 자료이므로 부정확할 수 있음
면접법	•소집단의 경우 유용 •특정 주제에 대한 자료수집에 활용 •구조화된 면접의 결과는 신뢰도가 높음 •면 대 면/전화면접	•시간이 오래 걸림 •대규모 대상에 적용하기 어려움
회의법	•다량의 정보수집 용이	•다소 주관적이고 느낌에 의존하는 정보수집의 우려가 있음 •교사 대상의 조사에 활용
관찰법	•목표 상황에서의 학습자 행동 관찰 •관찰기술에서 전문적인 기술이 요구됨	•대상 학습자들의 행동 수행에 영향을 줄 수 있음
언어자료 수집법	•학습자들의 언어수행 과정에서 얻을 수 있는 언어자료를 수집함	•쓰기, 말하기 과제 활동 예를 수집 •simulation, 역할극 등에서의 언어수행 능력 기록, 수집 •성취도 평가, 숙달도 평가에 활용
과제 분석	•직업적, 교육적 환경에서 학습자가 수행해야 할 과제의 종류, 언어특성에 대한 평가와 과제에 대한 요구를 분석함	•특정 목적 프로그램에서 활용
사례연구	•상황의 특성을 조사하기 위하여 학생집단에게 그 상황을 경험하도록 함 •언어상황, 문제점 등을 일지로 기록	•다양한 자료로부터 얻은 자료이기는 하나 일반화하기 어려움
이용 가능한 정보분석	•관련 서적, 기사, 보고서 등에서 얻을 수 있는 정보를 수집	•요구 분석의 초기 단계에서 활용

⑥ 상황 분석

• 교육과정이 특정 교육 상황에서 시행된다는 전제하에 교육과정의 시행에 긍정적 또는 부정적인 영향을 미칠 수 있는 주요 상황 요인들을 분석하는 시도

• 리처즈의 상황요인 분류 (Richards, 2001)

요인	정의	예
사회적 요인	해당 지역의 특성과 관련된 요인	•현재 언어 교육 정책 •프로젝트의 근거와 지원자 •사회 각 분야에 미칠 영향 •관련 교육 전문가들의 의견 •교육 전문가 단체의 의견 •부모와 학생의 의견 •해당 국가의 언어 교수 경험과 전통 •제2 언어와 제2 언어 교수에 대한 대중의 의견 •사업 공동체와 고용주들의 의견 등
기관 요인	해당 지역의 다양한 언어 교육 기관들과 관련된 요인	•변화를 지원하는 학교 내 지도력 •학교의 기술적 자원 및 물적 자원 •교재와 기타 교수 자료의 역할 •교사의 사기 •교사가 직면한 문제 •교내 행정적 지원 •기관에 대한 평판 등
교사 요인	교사와 관련된 요인	•교사의 배경, 훈련, 경험, 동기 •재교육 기회 •언어 숙달도 및 교육관 •교수 방법 및 수업량 •변화에 대한 개방성 •새 교육과정 및 자료가 교사들에게 •제공하는 혜택 등
학습자 요인	학습자 개인과 관련된 요인	•과거 언어 학습 경험 •학습 동기 및 학습 시간 •프로그램에 대한 기대 •학습자 집단의 구성 •선호하는 학습 유형 및 내용 유형 •언어 교수에 대한 학습자의 의견 •일반적으로 이용하는 학습 자원 •교사 및 교육 자료에 대한 기대 등
프로젝트 요인	교육과정 개발 팀의구성원들과 관련된 요인	•팀의 구성 및 운영 방식 •구성원 선별 기준 •최종 목적과 절차의 결정 방법 •구성원들의 경험 •자원의 양 및 예산 등
채택 요인	새 교육과정 도입 시 고려해야 할 요인	•새로운 교육과정의 장점 •기존의 교육과정과 양립 가능성 여부 •새로운 교육과정의 실용성 등

(2) 교육 목적 및 목표 설정

① 개념

- 교육 목적 및 목표는 요구 조사 결과에 근거하여 설정됨
- 교육 목적 : 교육의 최종적인 도달점에서 이루게 되는 종합적, 장기적인 목적임
- 교육 목표 : 목적에 도달하기 위한 과정에서 이루어내야 하는 단편적이고 단기적인 목표
- 교육 목적과 교육 목표는 교수요목의 설계와 교재 구성, 교사의 수업 진행에 방향성을 갖게 하며 일관된 논리적 틀을 제공함

② 교육 목적

- 교육 프로그램이 지향하는 보편적이고 일반적인 기술
- 궁극적으로 수업에서 가르치고 배워야 하는 최종 도달점
- 영구불변의 것으로 고착되어서는 안 되며 가변적 변화가 가능해야 함
- 교육 목적 기술 이유
  → 프로그램의 목표를 분명히 정의하기 위함
  → 학습을 통해 향상시켜야 할 중요하면서도 실현 가능한 것을 기술하기 위함
  예) 업무 상황에서 필요한 기본적인 의사소통 기술을 익힌다.

③ 교육 목표

- 교육 목적을 구현하기 위한 구체적인 특정 지식, 행동, 기술 등에 대해 구체적으로 명시한 것
- 목표는 교수 활동을 구성하는 데 기초를 제공함
- 교육 목적은 일반적 방향을 제시하고 교육 목표는 구체적 행동 결과를 제시하여 학습자들의 도달 목표를 분명히 제시하여야 함
  예) 주석, 참고문헌, 논문 표지 등을 포함한 기말 논문을 작성할 수 있다.
- 목표기술의 특성 (Brown, 1995)
  → 학습 결과를 기술함 (예측문을 사용하지 않음)
  → 교육과정의 목표와 일치해야 함
  → 명확해야 함 예) 효과적인 : 애매한 표현은 안 됨
  → 실행할 수 있는 것이어야 함 (수준에 맞는 설정)

(3) 교육 내용 선정 및 조직

① 교육 내용 선정의 기준

㉠ 내용의 타당성
- 교육 목표에 맞는 내용을 선정하는 데 얼마나 본질적이고 타당한 내용을 포함하느냐에 관한 것
- 수준별 내용 조직에 있어서 그 내용이 각 수준에 맞는지에 대한 것

㉡ 내용의 유용성
- 언어 학습에서는 의사소통 수단인 언어 사용이 곧 실생활에 유용한 내용이어야 함
- 학습자가 직면하게 되는 다양한 의사소통 상황이나 환경이 기준이 됨

㉢ 학습 가능성 : 제2 언어 구조가 학습될 수 있는 범위
- 가르칠 수 있고 학습할 수 있는 내용이어야 함
- 학습자의 학력, 배경, 지식, 선수학습 등이 고려사항이 될 수 있음
- 피네만의 교수 가능성 : 제2 언어 학습자들의 현재 중간 언어 단계인 n단계보다 훨씬 더 높은 n+3단계는 학습자들에게 가르칠 수 없다고 함 (학습 가능성이 낮음)

② 교육과정 내용 조직의 원리

㉠ 계열성의 원리 : 교육 내용의 제시 순서
- 난이도 : 간단한 내용 → 복잡한 내용, 친숙한 내용 → 친숙하지 않은 내용
- 범위 : 부분적 → 전체적 (귀납적 제시), 전체적 → 부분적 (연역적 제시)
- 시간적 발생 순서 : 단어 선행 학습 → 스키마 활성 → 뉴스 듣기 → 문제 풀이
- 반복 : 앞서 배운 내용이 반복되도록 구성 (나선형 조직화)
- 선수학습에 기초해서 다음 단계의 내용을 구성

㉡ 계속성의 원리
- 학습할 내용을 어떤 내용으로 얼마나 계속할 것인가에 대한 것

㉢ 범위의 원리
- 교육 내용의 폭과 깊이
- 각 수준에서 어느 정도까지 넓혀서 가르쳐야 하는지에 대한 문제임

㉣ 통합성의 원리
- 듣기, 쓰기, 읽기, 말하기를 균형 있게 조합하여 제시
- 각 기능 간 통합을 하는 것이 중요한 내용 조직의 원리가 됨

(4) 교수·학습 활동

① 교수활동 : 가르치는 방법에 관한 논의로 교사, 교육과정 설계자, 개발자의 입장

- 모형

㉠ 의사소통적 접근 : 의미 협상과 정보 공유, 유창성 중요시, 상호작용 강조
㉡ 과정적 접근
㉢ 총체적 언어접근 : 각 영역을 총체적으로 접근

② 학습활동 : 학습의 효과에 영향을 미치는 변인들

③ 교수·학습 방법

㉠ 한국어교육 목적에 맞게 교육목표를 설정하고 교육과정을 설계해야 함
㉡ 사용 중심으로 한국어교육을 실시해야 함
㉢ 형태에 대한 이해와 연습에 기반해 과제 수행이 이루어질 수 있도록 해야 함
㉣ 과정 중심의 한국어교육을 실시해야 함
㉤ 언어 기술 간 통합 교육을 실시해야 함
㉥ 문장 단위를 넘어 담화차원에서 한국어교육을 실시해야 함
㉦ 한국어의 담화 특성을 고려한 교육을 실시해야 함
㉧ 한국 문화에 대한 교육을 실시해야 함
㉨ 학습자의 의사소통 전략이나 학습 전략의 개발 및 배양에도 관심을 기울여야 함

(5) 평가

① 교육과정 평가의 유형

㉠ 형성평가 : 과정의 한 부분으로서 수행되는 평가, 진행 중인 교육과정의 개발과 향상에 초점 (과정중심)
㉡ 조명적 평가 : 프로그램이 실행되고 있는 과정에 초점을 둔 평가

(교수·학습 과정을 깊이 이해하려는 데에 목적이 있음)

ⓒ 총괄평가 : 학습이 종결된 시점에서 학습자의 성취를 확인하는 데에 초점 (결과중심)

ⓔ 학습자에 의한 평가 : 자신의 학습 성취도, 강점과 약점, 학습 전략 등을 평가함

② 교육과정의 효과성 측정 방법

- 목표 달성 정도
- 시험 점수
- 수용도 측정 : 교사와 학생들의 주관적인 만족도를 뜻함
- 재등록률
- 과정의 효율성 : 교육과정 개발에 쓰인 시간, 차별화된 교재와 교사연수, 상담과 회의를 위해 요구되는 시간의 양, 과정 중 발생한 문제의 수

③ 교육과정 평가 시에 고찰해야 할 내용 (Brown, 1995)

- 요구와 목적을 달성함에 있어서 종합 목표의 적절성
- 종합 목표를 달성하기 위한 교수요목의 정확성
- 교육과정을 지원하기 위한 교과서와 자료들
- 교실의 방법론, 활동, 절차
- 교사의 교육훈련, 배경, 전문성
- 학습자의 동기와 태도
- 평가로 측정한 학습자의 실제 수행
- 학습자의 진척에 대해 평가를 통한 모니터링의 수단
- 자원, 교실, 환경을 포함한 기관의 지원
- 교육과정 운영자의 공동 노력과 발전

4. 학습효과의 변인

(1) 학습 양식

① 구체적인 학습자

- 역할극, 게임, 여행 등의 구체적인 활동 선호
- 그림, 동영상 등의 멀티미디어 자료 선호
- 짝활동이나 그룹활동 선호

② 분석적인 학습자

- 문법과 규칙, 형태 위주의 수업 선호
- 혼자 공부하거나 혼자서 문제해결을 하는 방식을 선호
- 성인 학습자에 많음

③ 의사소통적인 학습자

- 실제 상황에서 원어민들이 사용하는 언어를 선호
- 뉴스나 드라마 같은 실질 자료 선호
- 원어민을 관찰하고 실제 그들과 이야기하는 것을 선호

④ 권위 지향적인 학습자

• 교사가 모든 것을 설명해 주는 것을 선호
• 사소한 것까지 필기하는 것을 좋아하며 교사의 언동에 크게 영향을 받음

(2) 인지 양식

	장독립적	장의존적
학습자 특징	• 독립적, 경쟁적, 자신간 넘침 • 주변 요인에 영향 받지 않고 각 요인들을 구분하여 분석 가능 (시끄러운 기차역에서 책 읽기) • 집중력과 분석력이 좋으나 맥락을 이용한 이해력이 부족	• 사회적, 협력적, 포용적 • 전체 그림을 보거나 사건의 전반적인 윤곽을 파악하는 데 유리 • 자율학습보다 협동학습을 선호 • 분석력은 떨어지나 사회적인 정보에서 맥락을 잘 파악
수업방법	• 귀납적 수업 스스로 규칙을 찾아낼 수 있게 과제를 구성하는 것이 좋음	• 연역적 수업 수업의 목표나 과제를 정확하게 제시해 주는 것이 좋음
학습자료	• 비구조화 된 자료 제공 → 최소한의 안내나 지시로 자기 구조화 가능	• 구조화(조직화) 된 자료를 제공 → 제시된 틀로 사고

충동형 학습자	심사숙고형 학습자
• 빠른 과제처리, 잦은 오류 • 낮은 수준의 사실적 정보와 관련된 과제 유리 • 연역적 (룰제시-용례제시) • 글을 빨리 읽으며 심리 언어적 추측 게임을 잘함	• 느리고 실수 거의 없음 • 높은 수준의 문제해결 과제 유리 • 귀납적 (많은 용례 선호)

좌뇌 우성	우뇌 우성
• 논리적, 분석적, 수학적 처리 • 연역적 지도 선호 • 객관적 판단 • 계획적이고 조직적 • 사고와 기억을 위해 언어에 의존함 (사람을 이름으로 기억) • 선다형 시험 선호 • 신체 언어를 잘 판독하지 못함	• 직감적, 통합적, 정의적 처리 • 시범, 예, 삽화, 기호로 주어지는 지시에 반응 • 주관적 판단 • 유동적이고 즉흥적 • 사고와 기억을 위해 이미지에 의존함 (사람을 얼굴이나 이미지로 기억) • 개방형 문제 선호 • 신체 언어를 잘 판독

애매모호성에 대한 관용 : 기존의 지식 구조나 신념 체계와 상충된 생각이나 주장을 접했을 때 인지적으로 얼마나 관용하는가의 문제	
관용도 높음	관용도 낮음
애매모호한 것을 잘 수용하는 사람은 혁신적이고 창의적인 수많은 가능성을 자유롭게 즐기며 불확실한 것들에 방해받지 않는다.	모든 명제가 자신들의 인지 구조 안의 적절한 곳에 잘 맞기를 바라며, 그렇지 않으면 그 명제를 거부한다.

언어 입력 자료 중 어느 방식을 더 선호하는가에 관한 것		
시각적	청각적	운동 감각적
도표, 삽화, 기타 도식적 정보를 선호	강의나 오디오 테이프 듣는 것을 선호	신체 움직임이 포한된 실연이나 신

		체적인 활동 선호

(3) 감정적(정의적) 요인

① 성향 : 외향적 (유창성 발달), 내향적 (정확성 발달)

② 동기

㉠ 도구적 동기
- 어떤 경력 상의 목표, 교육적인 혹은 재정적인 목표를 얻기 위한 언어 학습 욕망
- 언어를 도구나 수단으로 사용하려는 동기
  예) 취업, 진학

㉡ 통합적 동기
- 해당 언어 화자들의 집단에 대한 긍정적인 감정에서 나오는 언어 학습 욕망
- 사회적, 문화적 요인에 의해 외국어를 배우는 것
- 문화에 동화되려는 목적으로 언어를 배움

㉢ 내적 동기
- 내적으로 동기화된 보상은 학습자 내부에서 형성된 것으로 가장 강렬한 보상이기도 함
- 행동은 개인의 내면에 있는 요구, 욕구, 열망에서 나오는 것이므로 행동 자체는 자기 보상적임
- 외적으로 주어지는 보상은 필요하지 않음

㉣ 외적 동기
- 외재적으로 동기화된 행동들은 자신의 통제를 벗어난 외부로부터 오는 보상을 기대하면서 행해짐
- 전형적인 외부 보상은 돈, 상, 성적, 어떤 형태의 긍정적인 피드백 등을 포함함

	내적	외적
통합적	제2 언어 학습자는 자신이 배우고 있는 언어의 문화와 통합하고자 함 예) 이민 결혼을 목적으로	다른 사람이 통합적인 이유로 학습자에게 제2 언어를 배우도록 함 예) 재미교포 부부가 자녀를 한국어 학교에 보냄
도구적	제2 언어 학습자다 제2 언어를 이용하여 목표를 달성하고자 함 예) 직업, 학업 등	외적인 힘에 의해 제2 언어 학습자로 하여금 그 언어를 습득하게 함 예) 직원 연수
→ 통합적 동기를 가진 학습자가 보다 높은 능숙도를 나타내며, 내적 동기가 외적 동기보다 더 강력함		

③ 불안 : 걱정, 부정적 사고

④ 사회·문화적 거리 : 제1 언어 문화와 목표어 사용 사회의 문화 사이의 인지적·정의적 접근 정도

5. 언어 학습 전략

(1) 직접 전략 : 다양한 과제나 특정 상황에서 언어 자체로 기능하며 새로운 언어를 다루는 데 필요한 전략

① 기억 전략 : 새로운 정보를 기억하고 재생하는 데 필요한 전략

② 인지 전략 : 언어를 이해하고 표출하는 데 필요한 전략

③ 보상 전략 : 지식 격차에도 불구하고 그 언어를 사용하는 데 필요한 전략

(2) 간접 전략 : 학습의 전반적인 관리를 하는 데 필요한 전략.

① 상위 인지 전략 : 학습자 스스로가 학습을 준비하고 계획하며 평가하는 전략.

② 정의적 전략 : 학습자가 자신의 감정이나 태도를 조절하는 전략
특히 언어 학습에 어려움을 겪고 목표어 사용에 대한 두려움이나 불안이 비교적 높은 초기 단계 학습자들이 많이 활용하는 전략

③ 사회적 전략 : 목표어 화자와 원활한 교류가 가능한 환경에서 종종 일어나는 학습 전략으로 목표어 화자에게 직접 물어보는 방법을 통해 학습하는 전략

전략	하위 전략	세부 전략
직접 전략	암기 전략	① 유사한 단어나 어휘를 묶어서 외운다. ② 아는 단어와 연관시키거나 정교화한다. ③ 새로운 단어로 교체시켜서 외운다. ④ 시각적인 상을 사용한다. ⑤ 표를 그리거나 인지도를 사용한다. ⑥ 핵심 단어를 사용하여 기억한다. ⑦ 소리로 기억한다. ⑧ 체계적으로 잘 복습한다. ⑨ 신체적 반응 혹은 감각을 사용한다. ⑩ 기계적으로 암기한다. ⑪ 노래로 암기한다.
	인지 전략	① 여러 번 반복한다. ② 소리 체계나 쓰기 체계에 따라 형식적 연습을 한다. ③ 언어 규칙이나 문법 유형들을 의식적으로 사용한다. ④ 아는 정보와 결합시킨다. ⑤ 자연스럽게 연습한다. ⑥ 요점이 무엇인지 빨리 파악한다. ⑦ 학습 자원 교과서, 사전 등을 활용한다. ⑧ 연역적으로 추론한다. ⑨ 표현을 분석해 본다. ⑩ 모국어와 대조시켜 분석해 본다. ⑪ 모국어로 번역한다. ⑫ 전이시킨다. ⑬ 노트하거나 메모한다.
	보상 전략	① 앞뒤 문맥에 따라 추측한다(단어, 어휘의 경우). ② 그 밖의 단서(사전 지식, 관심 주제 등)를 사용하여 추측한다. ③ 모르는 단어나 어휘를 모국어로 바꾸어 말한다. ④ 다른 사람에게 도움을 청한다. ⑤ 손짓이나 몸짓을 사용한다. ⑥ 모르는 내용에 대해 이야기해야 할 때는 부분적으로나 전적으로 대화를 피한다. ⑦ 내가 주제를 선택한다.

		⑧ 대화 내용을 끼워 맞추거나 짐작한다. ⑨ 다른 표현으로 말하거나 비슷한 단어를 사용한다.
간접 전략	상위 인지 전략	① 이미 알고 있는 정보와 연관시켜 살펴본다. ② 주의를 집중한다. ③ 발화를 지연시키고 잘 듣는다. ④ 언어 학습에 대한 것을 찾아본다. ⑤ 배울 것을 구조화한다. ⑥ 학습 과제의 목적이 무엇인가 생각한다. ⑦ 학습 과제 해결을 위해 계획한다. ⑧ 한국 사람과 이야기할 기회를 찾는다. ⑨ 스스로 평가한다.
	정의적 전략	① 웃음으로 이해한 척 넘긴다. ② 모험적 상황에 현명하게 대처한다. ③ 생각해 봐서 잘했다고 생각할 때는 자신에게 보상한다. ④ 점검표를 사용한다. ⑤ 일기를 쓴다. ⑥ 술을 조금 마시고 이야기한다.
	사회적 전략	① 맞았는지 확인하기 위해 교사나 다른 한국인에게 질문한다. ② 한국 사람과 이야기할 때 틀린 것을 고쳐 달라고 요구한다. ③ 다른 사람과 협동해서 한다. ④ 한국말을 유창하게 하는 다른 친구와 같이 한다.

(3) 우수한 언어학습자의 특징 (Rubin, 1982)

① 스스로 학습 방법을 찾음 (자신이 학습의 주체가 됨)
② 언어에 대한 정보를 구조화함
③ 창조적이어서 문법과 단어들에 대한 실험을 통해 언어에 대한 '직감'을 키워 감
④ 교실 안과 밖에서 언어를 사용할 수 있는 연습의 기회를 만듦
⑤ 모르는 단어를 이해하지 못하더라도 당황하지 않으며 또한 말을 계속 하거나 들음으로써 불확실한 것을 수용하면서 사는 법을 배움
⑥ 기억 도모 수단이나 다른 기억 전략들을 사용하여 학습한 내용을 상기함
⑦ 오류를 학습에 대한 저해가 아니라, 도움이 되는 방향으로 활용함
⑧ 제1 언어에 대한 지식을 포함한 언어적 지식을 제2 언어 학습에도 사용함
⑨ 문맥적 단서들을 청해나 독해에 활용할 줄 앎
⑩ 지적인 추측을 하는 것을 배움
⑪ '자신의 언어적 능력을 뛰어 넘어' 언어를 사용할 수 있도록 언어의 묶음을 하나의 전체나 공식화된 일상적 말로 배움
⑫ 대화가 지속되게끔 도와주는 특정 기교들을 배움
⑬ 자신의 언어 능력의 부족한 부분을 채워줄 수 있는 특정 산출 전략을 배움
⑭ 다양한 발화와 작문 유형을 배우고 얼마나 공식적인 상황인가에 따라 적절하게 언어를 변화시킬 수 있는 법을 배움

6. 교육과정 모형

(1) 국제 통용 한국어 표준 교육과정

① 개발 배경

• 교육의 형식적·내용적 측면에서 지역이나 기관마다 비체계적이고 상호 독립적인 방식으로 한국어교육이 운영되는

점은 체계적이고 전문적인 한국어교육의 발전에 한계점으로 지적됨

• 국내 다문화 가족의 증가, 해외 세종학당이 신설·확대되면서 체계화된 교육에 대한 국가적 관심도 높아지게 되었음

• '국제 통용 한국어 표준 교육과정'은 획일화된 교육과정이 아니라 다양한 교육기관에서 교육과정을 설계할 때 참조할 수 있는 '기준'으로 작용함

② 개발 과정

• 단계별 '국제 통용 한국어 표준 교육과정' 연구

구분	개발 연도	연구 사업명
1단계	2010	국제 통용 한국어교육 표준 모형 개발
2단계	2011	국제 통용 한국어교육 표준 모형 개발 2단계
3단계	2016	국제 통용 한국어 표준 교육과정 활용 점검 및 보완 연구
4단계	2017	국제 통용 한국어 표준 교육과정 적용 연구

③ 개발 원리

• 표준 교육과정 개발의 원리 (국립국어원, 2010:135-136)

원리	내용
내용의 포괄성	개인, 공공, 직업 영역에서의 의사소통을 목적으로 학습자가 배워야 하는 언어 행위와 그 행위를 위해 계발해야 하는 지식, 기능 및 문화적 능력을 포괄적으로 기술하고, 각 학습 단계별 능력 수준을 규정해야 한다. 개개의 등급 범주와 목표 및 내용은 한국어 학습자에게 능력(지식, 기능, 태도)에 대한 분명한 표상을 보여 주어야 하며, 이를 통해 학습자가 목표에 도달하였을 때 자신의 학습 진척을 기술 체계의 범주로 설명할 수 있어야 한다.
사용의 편리성	표준 교육과정은 사용자가 쉽게 이해하고 사용할 수 있는 형태로 제작하여야 한다. 또한 정보 이해력을 높이기 위해 기술 내용은 뚜렷한 목표와 명확한 주제를 제시하여야 한다. 각기 다른 환경에 있는 사용자들이 실제로 사용할 수 있게 하려면 전달 내용이 분명해야 하고, 의도하고자 하는 바가 명시적으로 드러나는 문장으로 기술해야 한다. 사용자가 각자의 환경과 수준에 맞는 교육과정을 쉽게 선택할 수 있도록 사용자의 입장을 고려한 내용을 구체적이면서 간결하게 적도록 한다.
자료의 유용성	국제적으로 통용 가능한 표준 교육과정은 다양한 교육 환경에 실제 적용 가능한 유용하고 현실적인 내용으로 구성되어야 한다. 즉, 학습자의 요구, 학습 동기, 개별 성향에 따른 다양한 목적과 목표 설정에 유용해야 하며 학습 목표의 설정이나 학습 내용 선정, 교육 자료의 선택 및 제작, 평가 등에 실제 적용 가능한 것이어야 한다. 표준 교육과정은 다양한 교육 기관 및 교육 집단을 대상으로 한 요구 분석 결과를 토대로 한국어 교수 학습 능력을 제고할 수 있는 방안을 모색할 수 있는 기초 자료로서의 역할이 전제되어야 한다. 학습자의 일상생활 속의 요구와 관련된 언어 지식과 기술에 초점이 맞춰져야 하며 교육 기관, 교육 설계자 등의 교육 환경에서 필요로 하는 실질적 요구에 맞게 설계되어야 한다.
적용의 융통성	국제적으로 통용될 수 있는 교육과정은 표준적이고 범용성이 있어야 한다. 여기에서 범용의 한 축은 다양한 변인에 맞게 개작될 수 있음을 의미하는 것으로 상이한 조건과 상황에서도 사용할 수 있도록 개작이 가능해야 한다. 포괄적이고 명확한 공동의 기반을 제공하고자 하지만, 유일한 통일 체계를 강요하는 것이 아니라 상황에 따라 유연하게 적용할 수 있는 개방적이고 융통성 있는 체계를 목표로 한다.

④ 표준 교육과정의 등급 체계

- 한국어능력시험의 등급 체계 등을 고려하여 6등급 체계로 구성하고 고급 단계 이상의 도달 목표를 한정하지 않고 개방형으로 두어 '6+등급'을 설정

⑤ 표준 교육과정의 교육 시간

- 각 등급당 72시간~200시간이었는데 이는 국외 세종학당, 한국문화원, 한글학교 등의 교육기관의 교육 과정이 선택하고 있는 72시간(12주*6시간)을 최소치로 잡고 국내 정규기관 및 한국어능력시험이 채택하고 있는 200시간(10주20시간)을 기반으로 산출한 것임
- 표준 교육과정의 교육 시간을 교육 여건이나 환경, 학습 대상 등 다양한 변인을 고려하지 않고 고정시킬 경우 국외 중등학교, 대학기관, 세종학당, 결혼이민자, 사회통합프로그램 등은 적용하기 어려운 경우가 발생하기 때문임

⑥ 표준 교육과정의 등급 범주 설정

㉠ 주제 : 17개 범주 85개 항목 제시
㉡ 기능 및 과제 : 5개 범주 52개 항목 제시
㉢ 언어 지식
가. 어휘: 10,635개 제시
(1급: 735개, 2급 1,100개, 3급 1,655개, 4급 2,200개, 5급 2,365개, 6급 2,580개)
나. 문법: 336개 제시
(1급: 45개, 2급: 45개, 3급: 67개, 4급: 67개, 5급: 56개, 6급: 56개)
다. 발음: 5개 범주 72개 항목 제시
㉣ 언어 기술 : 듣기, 말하기, 읽기, 쓰기 (등급별로 항목과 내용 제시)
㉤ 텍스트: 4개 범주 144개 항목 제시
㉥ 문화: 4개 범주 77개 항목 제시
㉦ 평가: 등급별로 항목과 내용 제시

⑦ 세부 목표

㉠ 발음 목표

등급	내용
1급	• 단모음을 듣고 구별한다. • 단모음을 어느 정도 정확하게 발음한다. • 이중모음을 듣고 구별한다. • 이중모음을 어느 정도 정확하게 발음한다. • 자음을 듣고 구별한다. • 자음을 어느 정도 정확하게 발음한다. • 평음, 격음, 경음의 차이를 알고 어느 정도 정확하게 발음한다. • 'ㄹ'이 탄설음과 설측음으로 발음되는 규칙을 알고 이를 적용하여 발음한다. • 무성음 'ㄱ, ㄷ, ㅂ, ㅈ'이 유성음 사이에서 유성음으로 발음되는 규칙을 알고 이를 적용하여 발음한다. • 평서문과 의문문의 문말 억양을 구별한다. • 평서문과 의문문의 문말 억양을 어느 정도 정확하게 실현한다. • 음절이 중성, 초성+중성, 중성+종성, 초성+중성+종성으로 이루어져 있음을 안다. • 중성, 초성+중성, 중성+종성, 초성+중성+종성으로 이루어져 있는 음절을 정확하게 발음한다. • 홑받침이나 쌍받침으로 끝나는 음절이 모음으로 시작하는 음절과 이어질 때 앞 음절의 끝 자음인 종성이 다음 음절의 초성으로 발음된다는 것을 안다. • 겹받침이 모음으로 시작하는 음절과 이어질 때 뒤에 것만 다음 음절의 초성으로 발음된다는 것을 안다.

	• 평파열음이 아닌 소리가 음절의 종성에 오게 되면 평파열음으로 바뀌는 것을 안다. • 음절 끝에 자음군이 올 경우 한 자음은 탈락하고 나머지 자음만 발음된다는 것을 안다. • 장애음의 비음화가 일어난 발화를 듣고 이해한다. • 장애음의 비음화가 일어나는 환경을 알고 정확하게 발음한다. • 'ㅎ'이 탈락된 발화를 듣고 이해한다. • 'ㅎ'이 탈락되는 환경을 알고 정확하게 발음한다.
2급	• 'ㅢ'가 달리 발음되는 환경을 알고 구별하여 발음한다. • 발화를 듣고 끊어 말하는 단위를 파악한다. • 발화를 이해 가능한 단위로 끊어 말한다. • 설명의문문과 판정의문문의 문말 억양을 구별한다. • 홑받침과 쌍받침에 대한 연음 규칙을 적용하여 정확하게 발음한다. • 겹받침에 대한 연음 규칙을 알고 정확하게 발음한다. • 종성이 평파열음화 규칙에 따라 평파열음으로 바뀐 후 연음된 발화를 듣고 이해한다. • 평파열음이 아닌 소리가 음절의 종성에 오게 되면 평파열음으로 바뀌는 것을 알고 이를 적용하여 음절의 종성을 정확하게 발음한다. • 자음군 단순화 규칙을 적용하여 비교적 정확하게 발음한다. • 평파열음 뒤 경음화 현상이 일어난 발화를 듣고 이해한다. • 관형형 어미 '-(으)ㄹ' 다음에 경음화 현상이 일어난 발음을 듣고 이해한다. • 관형형 어미 '-(으)ㄹ' 다음에 경음화 현상이 일어나는 환경을 알고 정확하게 발음한다. • 유음의 비음화가 일어난 발화를 듣고 이해한다. • 구개음화가 일어난 발화를 듣고 이해한다. • 격음화 현상이 일어난 발화를 듣고 이해한다. • 'ㅡ'가 [ㅜ]로 발음되는 것을 이해한다. • 조사나 어미의 'ㅗ'를 'ㅜ'로 발음하는 것을 듣고 이해한다. • 'ㅎ'이 비음이나 유음 다음에 탈락되거나 약화된 소리를 듣고 이해한다.
3급	• 설명의문문과 판정의문문의 문말 억양을 어느 정도 정확하게 실현한다. • 문장 내에서 나타나는 억양 패턴을 이해하고 이를 어느 정도 정확하게 실현한다. • 종성을 평파열음화 규칙에 따라 평파열음으로 바꾼 후 연음하여 발음해야 하는 단어를 정확하게 발음한다. • 평파열음 뒤 경음화 현상이 일어나는 환경을 알고 정확하게 발음한다. • 비음과 유음 다음에 경음화 현상이 일어난 발음을 듣고 이해한다. • 유음의 비음화가 일어나는 환경을 알고 정확하게 발음한다. • 'ㄴ'이 'ㄹ'로 바뀐 발화를 듣고 이해한다. • 구개음화가 일어나는 환경을 알고 정확하게 발음한다. • 격음화가 일어나는 환경을 알고 정확하게 발음한다. • 평파열음화 뒤 격음화가 일어난 발화를 듣고 이해한다. • 경음화 환경이 아닌 곳에서 경음으로 발음되는 소리를 듣고 이해한다. • 받침 'ㄴ, ㄷ'이 'ㅁ, ㅂ, ㅃ, ㅍ' 앞에서 'ㅁ, ㅂ'으로 발음되거나, 받침 'ㄴ, ㄷ, ㅁ, ㅂ'이 'ㄱ, ㄲ, ㅋ' 앞에서 'ㅇ'과 'ㄱ'으로 발음되는 것을 이해한다.
4급	• 끊어 말하기 단위에서 일어나는 음운 현상을 알고 어느 정도 정확하게 발음한다. • 휴지에 따른 발음의 변화를 이해한다. • 비음과 유음 다음에 경음화 현상이 일어나는 환경을 알고 정확하게 발음한다. • 'ㄴ'이 'ㄹ'로 바뀌는 환경을 알고 정확하게 발음한다. • 'ㄴ'이 첨가된 발화를 듣고 이해한다. • 평파열음화 뒤 격음화 현상이 일어나는 환경을 알고 정확하게 발음한다. • 'ㅗ, ㅜ'와 'ㅣ'로 끝나는 어간 다음 'ㅏ, ㅓ'로 시작하는 어미가 올 때 'ㅘ, ㅝ'와 'ㅕ'로 발음되는 것을 이해한다. • '-(으)려고'의 경우 '려' 앞에 'ㄹ'이 첨가되는 소리를 듣고 이해한다.

	• 모음과 모음이 이어질 때 제3의 단모음으로 줄어든 발음을 듣고 이해한다.
5급	• 억양에 따라 달라지는 화용적 의미를 파악하고 이를 어느 정도 정확하게 실현한다. • 휴지에 따라 발음이 달라짐을 알고 이를 실현한다. • 휴지에 따른 문장의 의미 차이를 이해한다. • 휴지에 따라 문장의 의미 차이가 있음을 알고 이를 실현한다. • 자연스러운 의사소통과 발화 효과를 위해 발화 속도를 적절히 조절해 발화한다. • 특정 한자어 단어에서 경음화 현상이 일어난 발음을 듣고 이해한다. • 특정 한자어 단어에서 경음화 현상이 일어나는 환경을 알고 정확하게 발음한다. • 'ㄴ'이 첨가되는 환경을 알고 정확하게 발음한다. • 'ㄴ'이 첨가된 다음 비음화와 유음화가 일어나는 발화를 듣고 이해한다.
6급	• 경음화 환경이 아닌 합성어에서 경음화 현상이 일어난 발음을 듣고 이해한다. • 경음화 환경이 아닌 합성어에서 경음화 현상이 일어나는 환경을 알고 정확하게 발음한다. • 'ㄴ'이 첨가된 다음 비음화와 유음화가 일어나는 환경을 알고 정확하게 발음한다.

ⓛ 말하기의 등급별 목표

등급	내용
1급	• 자기 자신을 소개한다. • 주변의 일상적인 대상이나 사물에 대해 말한다. • 자신과 관련된 일상생활에 대해 짧게 묻고 답한다. • 일상생활에서 빈번하게 사용되는 정형화된 표현(인사, 감사, 사과 등)을 적절하게 말한다. • 정확하지는 않지만 한국인이 이해할 수 있는 발음을 구사한다.(1, 2급)
2급	• 친숙한 상황에서 일상적으로 많이 말하는 주제(하루 일과, 취미, 취향 등)에 대해 비교적 잘 말한다. • 일상생활에서 자주 가는 장소(식당, 가게, 영화관 등)에서 자신에게 필요한 정보를 주고받는다. • 공공장소(병원, 은행, 기차역 등)에서 기본적으로 필요한 대화를 한다. • 정확하지는 않지만 한국인이 이해할 수 있는 발음을 구사한다.(1, 2급)
3급	• 친숙한 사회적 · 추상적 주제(직업, 사랑, 교육 등)나 자신의 관심 분야에 대해 간단한 대화를 한다. • 일상적으로 많이 말하는 주제(하루 일과, 취미, 취향 등)에 대해 유창하게 말한다. • 자신의 경험이나 생각에 대해 간단한 담화를 말한다. • 대화 상대나 대화 상황에 따라 높임말과 반말을 적절하게 사용한다. • 비원어민의 발음과 억양에 익숙하지 않은 한국인도 쉽게 이해할 수 정도로 말한다.(3, 4급)
4급	• 친숙한 사회적·추상적 주제(직업, 사랑, 교육 등)나 자신의 관심 분야에 대해 자신의 생각을 비교적 유창하게 말한다. • 간단한 보고나 요청, 지시를 큰 어려움을 느끼지 않고 한다. • 주변의 인물이나 상황을 사실적으로 묘사한다. • 친숙한 업무 상황(간단한 회의, 브리핑, 업무 지시 등)이나 격식성이 낮은 공식적인 자리(회식, 동호회, 친목 모임 등)에서 격식과 비격식 표현을 구분하여 자신의 의견을 비교적 유창하게 말한다. • 비원어민의 발음과 억양에 익숙하지 않은 한국인도 쉽게 이해할 수 정도로 말한다.(3, 4급)
5급	• 친숙하지 않은 사회적·추상적 주제(정치, 경제, 과학 등)나 자신의 업무, 학문 영역에 대해 유창하고 타당하게 설명하거나 주장한다. • 업무, 학문 관련 공식 상황에서 격식에 맞게 말한다. • 다양한 매체를 통한 여러 유형의 대화나 담화상황(화상 회의, 전화 회의, 프레젠테이션 등)에서 적절하게 말한다. • 상황에 따라 한국인과 같은 주저 표현을 전략적으로 사용한다. • 대부분의 상황에서 한국인과 같은 발음과 억양, 적절한 발화 속도를 유지하면서 자연스럽고 유창하게 말한다.(5, 6급)

6급	• 친숙하지 않은 사회적·추상적 주제(정치, 경제, 과학 등)나 자신의 전문 분야에 대한 입장을 논리적이고 체계적으로 말한다. • 다양한 주제에 대한 토론이나 대담에서 자신의 주장에 대한 타당한 근거를 논리적으로 말한다. • 대부분의 상황에서 적절한 한국어 대화 및 담화 구조와 전략을 알고 이를 자연스럽고 유창하게 말한다. • 대부분의 상황에서 한국인과 같은 발음과 억양, 적절한 발화 속도를 유지하면서 자연스럽고 유창하게 말한다.(5, 6급)

ⓒ 듣기의 등급별 목표

등급	내용
1급	• 일상생활에 대한 쉽고 기초적인 대화를 듣고 이해한다. • 일상생활에서 빈번하게 사용되는 정형화된 표현(인사, 감사, 사과 등)을 듣고 이해한다. • 대화 상대방의 자기소개를 듣고 주요 정보를 파악한다. • 한국어 모어 화자가 천천히 정확하게 발음하는 발화를 이해한다.(1, 2급)
2급	• 일상생활에 대한 간단한 대화를 듣고 내용을 이해한다. • 질문, 제안, 명령 등의 표현을 듣고 적절하게 반응한다. • 일상생활에서 자주 가는 장소(식당, 가게, 영화관 등)에서 오가는 대화를 듣고 이해한다. • 공공장소(병원, 은행, 기차역 등)에서의 담화를 듣고 주요 내용을 이해한다. • 한국어 모어 화자가 천천히 정확하게 발음하는 발화를 이해한다.(1, 2급)
3급	• 친숙한 사회적·추상적 주제(직업, 사랑, 교육 등)에 대한 담화를 듣고 주요 내용을 이해한다. • 동의, 반대, 금지 등의 표현을 듣고 화자의 발화 의도를 파악한다. • 격식적 상황과 비격식적 상황에서 이루어지는 담화를 듣고 그 특성을 파악한다. • 비교적 복잡한 구성의 일상 대화를 듣고 전반적인 내용을 이해한다. • 한국어 모어 화자의 자연스러운 억양과 속도의 발화를 대체로 이해한다.(3, 4급)
4급	• 친숙한 사회적·추상적 주제(직업, 사랑, 교육 등)에 대한 담화를 듣고 세부 내용을 이해한다. • 요청, 보고, 지시 표현을 듣고 적절하게 반응한다. • 인물과 사건을 설명하는 담화를 듣고 주요 내용을 이해한다. • 친숙한 업무 상황(간단한 회의, 요약 보고(브리핑), 업무 지시 등)이나 격식성이 낮은 공식적인 자리(회식, 동호회, 친목 모임 등)에서 오가는 대화를 어려움 없이 이해한다. • 한국어 모어 화자의 자연스러운 억양과 속도의 발화를 대체로 이해한다.(3, 4급)
5급	• 친숙하지 않은 사회적·추상적 주제(정치, 경제, 과학 등)에 대한 간단한 담화를 듣고 주요 내용을 이해한다. • 협상, 보고, 상담 담화를 듣고 화자의 의도를 파악한다. • 일반적인 주제의 학문적 대화나 강연, 토론을 듣고 세부 내용을 이해한다. • 일반적인 내용의 방송 담화(뉴스, 다큐멘터리, 생활 정보 등)를 듣고 내용을 대체로 이해한다. • 발음, 억양, 속도 등에서 개인차가 있는 한국어 모어 화자의 발화를 대부분 이해한다.(5, 6급)
6급	• 친숙하지 않은 사회적·추상적 주제(정치, 경제, 과학 등)에 대한 다양한 종류의 담화를 듣고 대부분 이해한다. • 설득, 권고, 주장 담화를 듣고 논리적인 흐름을 파악한다. • 전문적인 주제의 발표, 토론, 강연 등을 듣고 세부 내용을 이해한다. • 시사적인 문제를 다룬 방송 담화(보도, 대담, 토론 등)를 듣고 인과 관계를 분석하며 내용을 추론한다. • 발음, 억양, 속도 등에서 개인차가 있는 한국어 모어 화자의 발화를 대부분 이해한다.(5, 6급)

ⓓ 읽기의 등급별 목표

등급	내용

1급	• 한글 자음과 모음, 받침 등을 식별하여 띄어쓰기 단위로 어느 정도 끊어 읽는다. • 소리와 표기가 다를 수 있음을 알고 짧은 문장을 바르게 읽는다. • 일상생활에서 자주 볼 수 있는 간판, 안내 표지판 등을 읽고 내용을 이해한다. • 일상생활에 관한 짧은 글을 읽고 내용을 이해한다.
2급	• 일상생활에서 자주 접하는 소재의 글을 읽고 이해한다. • 일상생활에서 자주 볼 수 있는 안내문이나 게시문의 주요 정보를 읽고 이해한다. • 간단한 생활문(메모, 일기 등)을 읽고 전반적인 내용을 이해한다. • 일상생활을 설명한 글을 읽고 이해한다.
3급	• 친숙한 사회적·추상적 주제(직업, 사랑, 교육 등)에 관한 글을 읽고 핵심 내용을 이해한다. • 복잡한 구조의 생활문(전자우편(이메일), 초청장 등)을 읽고 전반적인 내용을 이해한다. • 복잡한 구조의 실용문(전단지, 안내문 등)을 읽고 주요 정보를 파악한다. • 단순한 구조의 설명문을 읽고 정보를 파악한다.
4급	• 친숙한 사회적·추상적 주제(직업, 사랑, 교육 등)에 관한 글을 읽고 핵심을 파악하며 세부 내용을 이해한다. • 비교, 대조, 나열 등이 사용된 설명문을 읽고 글의 내용을 이해한다. • 비교적 친숙한 소재를 다룬 논설문을 읽고 중심 내용과 뒷받침 내용을 이해한다. • 소재가 쉬우며 길이가 짧은 문학 작품을 읽고 대강의 내용을 이해한다.
5급	• 친숙하지 않은 사회적·추상적 주제(정치, 경제, 과학 등)에 관한 글을 읽고 대강의 내용을 이해한다. • 자신의 전문 분야에 관한 글을 읽고 핵심 내용을 이해한다. • 다양한 소재의 글을 읽고 글의 논리적 구조에 따른 의미를 파악한다. • 길이가 비교적 짧고 전개 구조가 단순한 문학 작품을 읽고 전체적인 내용과 작가의 의도를 파악한다.
6급	• 친숙하지 않은 사회적·추상적 주제(정치, 경제, 과학 등)에 관련된 글을 읽고 내용을 정확하게 이해한다. • 자신의 전문 분야에 관한 글을 읽고 핵심을 파악하며 세부 내용을 이해한다. • 다양한 소재에 관한 글을 읽고 글의 논리적 의미 관계 및 필자의 의도를 파악한다. • 텍스트의 유형이나 형식에 관한 이해를 바탕으로 다양한 텍스트를 정확하게 이해한다. • 복잡하지 않은 전개 구조와 비유나 함축 표현이 적은 문학 작품을 읽고 감상한다.

ⓜ 쓰기의 등급별 목표

등급	내용
1급	• 한글 자음과 모음을 결합해 글자를 쓴다. • 맞춤법에 맞게 짧은 문장을 바르게 쓴다. • 간단한 메모를 한다. • 일상생활에 관한 짧은 글을 간단한 구조로 쓴다.
2급	• 자신의 일과를 비교적 정확하게 쓴다. • 경험한 일이나 앞으로의 계획에 관해 문장과 문장이 자연스럽게 연결되도록 쓴다. • 친숙한 인물, 사물, 장소 등을 간단하게 소개하는 글을 장르적 특성에 맞게 쓴다.
3급	• 자신과 관련된 생활문을 비교적 정확하게 쓴다. • 친숙한 사회적 · 추상적 주제(직업, 사랑, 교육 등)에 관한 글을 간단한 구조로 쓴다. • 실용문(안내문, 전자 우편(이메일) 등)을 단락과 단락이 자연스럽게 연결되도록 쓴다. • 간단한 구조의 설명문에 핵심 내용이 잘 드러나도록 쓴다.
4급	• 친숙한 사회적 · 추상적 주제(직업, 사랑, 교육 등)에 관하여 정확하게 설명하거나 의견을 들어 주장하는 글을 쓴다. • 친숙한 소재를 다루는 논설문의 구조에 맞게 자신의 주장과 뒷받침 내용을 쓴다. • 짧고 간단한 구조의 수필을 일관된 내용으로 쓴다.

	• 예시, 비교/대조 등을 활용하여 글을 쓴다.
5급	• 친숙하지 않은 사회적・추상적 주제(정치, 경제, 과학 등)에 관해 논리적 구조를 반영한 글을 쓴다. • 자신의 전문 분야에 관하여 핵심 내용이 드러나도록 글을 쓴다. • 다양한 소재의 글을 요약하고 자신의 의견을 반영한 요약문을 쓴다. • 정의, 인용 등을 활용하여 글을 쓴다.
6급	• 친숙하지 않은 사회적・추상적 주제(정치, 경제, 과학 등)에 관해 논리적이고 정확하게 의견을 전개하는 글을 쓴다. • 자신의 전문 분야에 관하여 핵심 내용과 세부 내용이 연결되도록 글을 쓴다. • 평론, 학술 보고서, 학술 논문 등의 전문적인 글의 특성을 이해하고 간단하지만 일관된 내용 구조를 가진 글을 쓴다. • 비유, 분류, 분석 등을 활용하여 글을 쓴다.

ⓗ 문화 목표 기술과 문화 내용 기술

문화 목표 기술	
1. 한국의 일상생활 문화를 이해할 수 있다.	
2. 한국인의 생활방식을 이해할 수 있다.	
3. 한국인의 가치관과 사고방식을 이해할 수 있다.	
4. 한국의 근·현대문화와 전통문화를 이해하고 즐길 수 있다.	
5. 한국의 정치, 경제, 사회, 문화 전반에 관한 제도를 이해할 수 있다.	
6. 한국과 자국의 문화를 비교하여 문화의 다양성과 특수성을 이해할 수 있다.	
7. 한국문화에 대한 자신의 태도나 견해를 가질 수 있다.	
8. 한국문화와 관련된 일반적인 인식들에 대해 평가할 수 있다.	
범주	문화 내용 기술
문화 지식	1. 한국인의 기본적인 의식주 문화를 이해한다.
	2. 한국인의 교통, 기후, 경제 활동 등의 생활문화를 이해한다.
	3. 한국의 가족 문화와 가족생활을 이해한다.
	4. 한국인의 여가 문화와 개인적 문화 활동을 이해한다.
	5. 한국 사회와 한국인의 사회적 활동을 이해한다.
	6. 한국의 지리와 지역적 특성을 이해한다.
	7. 한국의 전통 문화와 세시 풍속을 이해한다.
	8. 한국의 정치, 경제, 사회, 문화, 교육 등 제도문화를 이해한다.
	9. 한국의 역사 및 국가적 상징, 역사적 인물 등을 이해한다.
	10. 한국인의 가치관과 사고방식을 이해한다.
문화 관점	1. 한국인의 의식주 문화를 자국의 문화와 비교·이해한다.
	2. 한국인의 생활문화를 자국의 문화와 비교·이해한다.
	3. 한국의 가족 문화를 자국의 문화와 비교·이해한다.
	4. 한국인의 여가 문화를 자국의 문화와 비교·이해한다.
	5. 한국 사회의 전반적인 특징을 자국 문화의 특징과 비교·이해한다.

	6. 한국의 전통 문화와 세시 풍속을 자국의 문화 및 풍습과 비교·이해한다.
	7. 한국 제도문화의 특징을 자국 문화의 특징과 비교·이해한다.
	8 한국인의 가치관과 사고방식을 자국의 가치관과 비교·이해한다.
	9. 한국문화에 대한 자신의 태도나 견해를 가진다.
	10. 한국문화와 관련된 일반적인 인식을 형성한다.

㉧ 등급별 총괄 목표

등급	내용
1급	• 정형화된 표현을 이용해 일상생활에서 매우 간단한 의사소통(자기소개, 인사, 물건 사기 등)을 할 수 있다. • 기초적 어휘와 간단한 문장을 이해하고 사용할 수 있다. • 가장 기본적인 한국의 일상생활 문화를 이해하고 자국의 문화와 비교할 수 있다.
2급	• 기초 어휘와 단순한 문장을 이용해 일상생활에서 자주 마주치는 간단한 문제를 해결할 수 있다. • 일상생활에서 자주 다루는 개인적·구체적 주제에 대해 간단하게 의사소통할 수 있다. • 기본적인 한국의 일상생활 문화를 이해하고 자국의 문화와 비교할 수 있다.
3급	• 일상생활에서 자주 마주치는 문제를 대부분 해결할 수 있으며, 친숙한 사회적 맥락에서 요구되는 과제를 어느 정도 해결할 수 있다. • 친숙한 사회적·추상적 주제와 자신의 관심 분야에 대해 간단하게 의사소통할 수 있다. • 문어와 구어를 어느 정도 구분해 사용할 수 있다. • 대부분의 한국의 일상생활 문화와 대표적인 행동 문화, 성취 문화를 이해하고 자국의 문화와 비교할 수 있다.
4급	• 친숙한 사회적 맥락에서 요구되는 과제를 대부분 해결할 수 있으며, 자신의 직업과 관련된 기본적인 업무를 처리할 수 있다. • 친숙한 사회적·추상적 주제와 자신의 관심 분야에 대해 비교적 유창하게 의사소통할 수 있다. • 문어와 구어를 적절히 구분해 사용할 수 있으며, 대상과 상황에 따라 격식체와 비격식체를 구분하여 사용할 수 있다. • 한국의 대표적인 행동 문화, 성취 문화를 이해하고 자국의 문화와 비교할 수 있다.
5급	• 덜 친숙한 사회적 맥락에서 요구되는 과제를 어느 정도 해결할 수 있으며, 자신의 업무나 학업과 관련된 기본적 의사소통 기능을 수행할 수 있다. • 친숙하지 않은 사회적·추상적 주제 및 자신의 직업이나 학문 영역에 대해 간단하게 의사소통할 수 있다. • 공식적인 맥락에서 격식을 갖추어 의사소통할 수 있다. • 한국의 다양한 행동 문화, 성취 문화 및 대표적인 관념 문화를 이해하며 자국의 문화와 비교하여 문화의 다양성과 특수성을 이해할 수 있다.
6급	• 덜 친숙한 사회적 맥락에서 요구되는 과제를 적절히 해결할 수 있으며, 자신의 업무나 학업과 관련된 의사소통 기능을 어느 정도 수행할 수 있다. • 친숙하지 않은 사회적·추상적 주제 및 자신의 직업이나 학문 영역에 대해 비교적 유창하게 다룰 수 있다. • 한국인이 즐겨 사용하는 담화·텍스트 구조를 적절히 이용할 수 있다. • 한국의 다양한 행동 문화, 성취 문화, 관념 문화를 이해하며 자국의 문화와 비교하여 문화의 다양성과 특수성을 이해할 수 있다.

(2) 세종학당 교육과정 (국제 통용 한국어교육 표준 교육 모형에 근거함)

① 기본 원리

- 외국어 또는 제2 언어를 한국어로 배우고자 하는 사람을 대상으로 한국어를 교육하는 기관 또는 프로그램에 교육과정 운영 설계의 지침을 제공하는 기본 원리
- 세종학당 교육과정은 한국어 의사소통 능력 향상을 위한 기본 교육과정과 현지 학습자의 특수한 요구에 맞춘 특별 교육과정으로 구성되어 있음

② 등급 체계

<table>
<tr><th>구분</th><th colspan="8">일반과정</th><th colspan="2">심화과정</th></tr>
<tr><th rowspan="2">등급</th><td colspan="2">1급</td><td colspan="2">2급</td><td colspan="2">3급</td><td colspan="2">4급</td><td>5급</td><td>6급</td></tr>
<tr><td colspan="2">초급1</td><td colspan="2">초급2</td><td colspan="2">중급1</td><td colspan="2">중급2</td><td>고급1</td><td>고급2</td></tr>
<tr><th>세종한국어</th><td>세종1</td><td>세종2</td><td>세종3</td><td>세종4</td><td>세종5</td><td>세종6</td><td>세종7</td><td>세종8</td><td colspan="2" rowspan="3">기관 선택</td></tr>
<tr><th>세종한국어 회화</th><td colspan="2">세종한국어
회화1</td><td colspan="2">세종한국어
회화2</td><td colspan="2">세종한국어
회화3</td><td colspan="2">세종한국어
회화4</td></tr>
<tr><th>세종한국문화</th><td colspan="2">세종한국문화1</td><td colspan="2">세종한국문화2</td><td colspan="2"></td><td colspan="2"></td></tr>
</table>

3장 한국어 평가론

1. 평가의 기본 개념

(1) 정의

- 협의 : 주어진 영역에서 개인의 능력, 지식, 수행 등을 측정하여 어떤 대상에 대하여 가치 판단을 내리는 것
- 광의 : 평가 대상에 대한 자료 수집, 결과의 해석, 교육적 처방에 대한 판단 등을 포함한 의사 결정 과정
- 학습자가 목표언어를 어느 정도 습득했는가를 평가하는 것은 교육의 전반적인 상황을 판단하고 교육과정을 구성하는 데 기준이 됨

(2) 평가의 목적

① 평가의 기능

㉠ 교수적 기능
- 학생들에게 가르침을 주어 능력을 증진시켜 주는 기능
- 평가의 과정을 통해서 새로운 부분을 깨닫게 됨
- 학습 목표와 강조점을 숙지하게 되어 실력을 향상시킴

㉡ 관리적 기능
- 교사와 학생에게 피드백을 제공
- 평가를 통해서 개별 학습자 또는 학급이 느끼는 제반 문제점을 발견

㉢ 동기적 기능
- 학생과 교사 모두에게 자극제적인 기능
- 자신의 부족한 부분을 깨닫게 됨으로써 스스로를 독려

㉣ 진단적 기능
- 교사와 학생, 특히 개별적인 학생의 문제점을 파악
- 특정의 교수·학습 문제에 주의를 집중시키는 역할

㉤ 교과과정적 기능
- 평가를 통해 교육 제반 문제를 이해
- 교과 과정의 올바른 방향을 설정하는 데 도움

② 역류 효과 (파급 효과) : 평가가 교수·학습에 미치는 효과

㉠ 역류 효과를 높이기 위한 노력
- 시험 시행 후 의견 제시
- 장단점 제시

㉡ 역류 효과의 특징
- 본인의 학습 상태를 알게 함
- 교육과정, 교수법 개선의 계기
- 학습자의 동기 유발과 자신감 고취

(3) 언어능력 평가의 역사

① 과학 이전의 시기

- 직관적 시기라고도 불리는데 언어교육 자체에 뚜렷한 학술적 배경이 없었기 때문에 언어 평가는 일반적인 평가 원리에 머물러 있었음
- 1920년대 초반까지 언어학은 문법 항목과 언어적 요소 등 언어의 규범 언어학적 지식에 근거를 두었고 언어교육은 문어체 위주의 문법번역식 교수법이 널리 사용되었음
- 1950년대까지 언어평가는 비과학적이고 직관적인 시기라고 일컬어졌음
- 이 시대의 언어 평가는 주관적이며 교사의 개인적 인상에 의존하였고, 특히 제대로 훈련받지 못한 교사들에 의한 임의적인 언어 평가가 자주 이루어졌음
- 의사소통을 위한 구어의 중요성은 거의 무시되었고 주관식 위주의 번역, 평론, 독해 등에 있어서 개방형 질문지 등 '쓰기 영역'의 평가 종류가 다양하였음

② 심리 측정 및 구조주의 시기

- 과학적 시기라고도 일컫는데 언어 능력을 측정하는 데 있어서 객관성을 강조하여 과학적인 방법을 최대한으로 활용하였음
- 언어 능력을 객관적으로 측정하려면 어휘력, 발음, 문법 실력 등을 각각 분리하여 측정한 후 종합하면 전체 실력을 평가할 수 있다고 역설하였음 이 시기의
- 언어 평가 유형을 분리식 시험이라고 하였는데, 이것은 분리된 기초 언어 능력(문법, 어휘, 발음 등)을 측정하는데 효율적이고 다지선다형과 같은 문항을 채점하는 데에는 객관성이 있어서 신뢰도를 확보하였으며, 수험자의 언어 숙달도를 수량화 할 수 있게 되었고, 통계적 평가가 가능해졌음

③ 심리언어학 및 사회언어학적 시기

- 1970년대에 들어서 언어 평가는 이전의 분리식 유형 시험에서 탈피하고 가능한 한 언어를 전체로 보고자 노력하면서 언어 평가에 대한 통합적 접근이 대두하였음
- 언어학적으로 변형생성 언어학파의 집중적인 연구 활동뿐만 아니라 심리언어학 및 사회언어 출현은 언어에 대한 단편적 지식이 아닌 전반적인 평가를 주장하였고, 인지심리학에서는 언어습득과 인지의 중요성을 강조하였음
- 언어 평가 경향을 통합적 시기라고 부르기도 하는데 제2 언어 학습자의 의사소통능력을 평가하는 방법을 개발하기 시작하였으며 사회언어학적 이론의 영향을 받아 통합적 시험이 대두됨으로써 빈칸 채우기나 받아쓰기 같은 시험 유형의 개발과 연구가 활발하였음

④ 의사소통적 시기

• 언어 평가가 측정하고자 하는 언어능력을 단지 단일요인으로 보는 시야에서 탈피하여, 언어능력에 대한 평가를 다차원적으로 보고 있으며 언어평가의 관심이 언어표현의 정확성보다는 평가에 주어진 과제의 실현에 바탕을 둔 의사소통의 효율성이 중심이 되었음

2. 평가의 요건(조건)

신뢰도	측정 결과를 신뢰할 수 있는가? 어떤 상황에서 측정해도 같은 결과가 나오는가?	• 채점자 신뢰도 • 평가 자체의 신뢰도 • 재검사 신뢰도 • 동형검사 신뢰도
타당도	측정하고자 하는 목적에 적합한 평가 도구인가? 평가에 필요한 내용을 충실히 반영하고 있는가?	• 안면 타당도 • 내용 타당도 • 구인 타당도 • 준거 관련 타당도 - 공인 타당도 - 예측 타당도
실용도	실현 가능한 평가인가?	• 실시의 용이성 및 경제성 • 채점의 용이성

(1) 신뢰도

• 동일한 검사나 평가를 반복 시행했을 때 개인의 시험 점수가 일관성 있게 나타나는 정도로서, 시험의 안정성을 말함
• 평가의 신뢰도는 시험 문제와 채점자에 따라 결정됨

① 시험 신뢰도 : 동일한 대상에게 동일한 조건하에서 반복하여 시험을 치렀을 때 동일한 결과를 얻을 수 있는 정도와 관계

㉠ 재검사 신뢰도 (안정성계수, 피험자신뢰도)
• 동일한 검사를 동일한 대상 집단에게 두 번 실시했을 때 차이가 없다면 신뢰도가 높음
• 이때의 차이를 측정오류라고 함 → 평가의 반복가능성과 관련됨

㉡ 동형 검사 (등가계수, 도구안정성)
• 비슷한 형식의 검사를 동일한 대상 집단에 실시한 후 두 검사에서 나타난 점수 간의 상관관계를 산출해서 얻는 신뢰도 → 문제의 형식이나 도구로서의 신뢰도를 검사하기 위함

㉢ 반분 신뢰도
• 한 검사를 두 개의 동등한 부분으로 각각 나누어 따로 채점하여 반분된 두 검사 사이의 상관관계를 구한 후, 이를 전체 검사 안에서 기대할 수 있는 상관관계로 바꾼 신뢰도

㉣ 문항 내적 일치도
• 검사에 포함된 문항 하나를 모두 독립된 한 개의 검사로 생각하여 그들 간의 합치도, 동질성, 일치성을 종합하는 신뢰도

② 시험의 시행 신뢰도 : 시험장의 소음 등

③ 채점자 신뢰도 : 채점자가 채점한 결과의 일관성을 말함

㉠ 채점자 간 신뢰도 : 하나의 평가에 대해 여러 채점자들의 채점 결과가 서로 비슷하거나 다른 정도

㉡ 채점자 내 신뢰도 : 한 채점자가 여러 답안지를 채점할 때 일관성에 대한 정도

④ 신뢰도에 영향을 끼치는 요인

㉠ 평가 문항 수 : 문항 수와 신뢰도는 비례관계
㉡ 문항의 난이도 : 난이도가 높다고 신뢰도가 높은 것은 아님
- 바닥 효과 : 평가 문항이 너무 어려울 때
- 천장 효과 : 평가 문항이 너무 쉬울 때

㉢ 문항의 변별도 : 수험생 개개인의 점수의 격차 (변별도가 클수록 신뢰도는 높아짐)

(2) 타당도

- 어떤 평가 도구가 원래 측정하고자 하는 내용이나 평가 목표에 맞게 제대로 측정하였는지에 대한 정도

① 안면 타당도

- 어떤 검사 도구가 목표하는 수험자의 능력을 평가하고자 할 때, 검사가 그 외형상으로 보아 검사 목적에 부합되는가를 묻는 것으로, 검사의 형식이나 내용이 외형상으로 보기에 타당한가를 나타내는 정도

② 내용 타당도

- 검사 도구가 검사하려고 하는 내용이나 교육 목표를 어느 정도로 충실히 측정하고 있는지를 분석 측정하려는 타당도
- 문항 내용이 교과 내용의 중요한 것을 빠뜨리지 않고 충분히 포괄하고 있는가, 문항의 난이도가 학생 집단의 특성에 비추어 보아 적절한가, 그리고 문항의 표본이 모집단을 잘 대표하고 있는가에 따라 내용타당도가 결정됨

③ 구인 타당도

- 평가가 측정하려고 하는 어떤 특성의 개념이나 이론과 관련됨
- 구인 : 구성 요인을 말하는 것으로 예를 들어 의사소통능력이 문법적 능력, 담화적 능력, 사회 언어학적 능력, 전략적 능력으로 구성되어 있다고 한다면 의사소통능력을 측정하기 위한 평가가 이러한 구인을 제대로 측정하고 있는지를 밝히는 것

④ 준거 관련 타당도

- 한 검사의 점수와 어떤 준거의 상관계수로 검사 도구의 타당성을 나타내는 말인데, 검사 점수가 다른 수행의 측정, 대개 기존에 시행된 검사와 관련된 정도를 말하는 공인 타당도와 검사 점수가 어떤 미래의 수행의 기준과 관련된 정도를 말하는 예측 타당도가 있음

㉠ 공인 타당도
- 같은 수험자로 하여금 다른 시험을 보게 하여 수험자의 결과가 일치하는 정도를 파악함
- 정도 차이가 크게 벌어질수록 공인 타당도는 떨어진다고 봄

㉡ 예측 타당도
- 평가 결과가 학습자의 앞으로 일에 대한 것을 어느 정도 예측할 수 있느냐를 보는 것
- 예) 입학시험에서 고득점을 받은 학생이 입학 후 학업 성적에서도 높은 점수를 받았다면 입학시험의 예측 타당도는 높은 것으로 볼 수 있음

★ 타당도와 신뢰도의 관계

• 타당도를 만족시키면 신뢰도는 항상 만족함 (타당도는 신뢰도에 포함되는 개념)
• 신뢰도가 높다고 타당도가 높은 것은 아님
• 신뢰도는 타당도를 위한 필요조건이지 충분조건은 아님 (타당도는 신뢰도의 충분조건)

(3) 실용도

• 평가가 실제 상황에서 효과적으로 시행될 수 있도록 하는 여러 가지 여건의 만족도

① 경제성

• 평가의 관리와 채점에 걸리는 시간을 고려해야 함
• 시험지 제작, 시험 관리자, 채점자 등과 관련된 비용을 고려해야 함

② 실시의 용이성

• 평가 시행이 신속하고 효과적으로 수행되어야 함

③ 채점의 용이성

• 주관식 문항이 많으면 채점하는 데 시간이 많이 걸리고 채점자 간 신뢰도를 확보하기 쉽지 않음

★ 채점 방법

① 종합적(총체적) 채점 (holistic scoring)

• 작문 또는 말하기 수행을 전체적인 인상에 근거하여 수행 하나에 단일한 점수를 부여하는 것
• 대규모의 표준화된 표현 능력 시험 채점에 용이함
• 빠른 평가가 가능하므로 실용적이라는 장점이 있기는 하나, 글에 두드러지게 나타나는 한두 가지의 피상적인 특징으로 평가할 가능성이 높으며, 발달 단계가 다른 하위 기술의 구사력에 대한 정확한 평가나 진단 정보를 제공하지 못한다는 한계를 가짐
• 일반적으로 둘 이상의 채점자가 필요하기 때문에 큰 불일치가 나타날 수 있음

② 분석적 채점 (analytic scoring)

• 평가 범주를 구분하고 각 범주별로 수행 능력을 기술한 후, 그 기준에 맞춰 평가하는 방식
• 분석적 채점 방식은 문어 수행 능력을 구성하는 수행의 다양한 측면을 고루 평가할 수 있으며, 발달 정도가 다른 하위 기술을 적절히 평가할 수 있다는 장점을 가짐
• 범주별로 나누어 평가하다 보면 자칫 전체적인 면에 대한 평가를 놓칠 수 있고 평가하는 데 시간이 많이 걸린다는 단점이 지적되기도 함
• 전체적인 판단에 중점을 두지 않아 채점의 확실성과 타당성이 떨어짐

3. 평가의 유형

(1) 기능 및 목적에 따른 유형

① 성취도 평가

• 학습 기간 동안 학습자가 교육 목표에 어느 정도 도달했는가를 평가하는 것 (총괄 평가적 기능)

- 성취도 평가는 학습한 교육 내용에 대한 것만 평가하고, 평가 범위가 정해져 있음
  예) 월말고사, 중간고사, 기말고사

② 숙달도 평가

- 배치 및 선별의 목적으로 사용되기도 하는데 전반적인 언어 능력을 측정
- 특정한 목적을 수행하기에 충분한 언어 구사력을 갖추고 있는지, 또는 어떤 능력에 관해 미리 정해져 있는 기준에 도달하는지 못 하는지에 대해 측정함
  예) 한국어능력시험(TOPIK)

③ 배치 평가

- 학습자 능력에 맞는 등급에 배치하기 위해 실시함
- 교육과정이 시작되기 전에 전반적인 능력을 평가하여 언어 수준을 측정함

④ 진단 평가

- 일정한 기간의 학습 후에 학습자의 약점과 강점을 파악하기 위한 평가
- 특히 다수의 학습자가 쉽게 잘 배우는 부분과 잘 배우지 못하는 부분을 진단해서 그러한 부분의 교육내용과 방법을 수정하고 보완하기 위한 목적으로 사용함
- 성적을 서열화하거나 등급화하지 않고, 수험자의 취약점을 지적하고 보완할 수 있는 방안을 제시해 주는 것이 바람직함
- 교수 활동이 투입되기 전에 적절한 처방이나 치료, 교정하려는 데 뜻이 있음
- 교육과정을 수정하고 내용을 강화, 보완하기 위한 평가

⑤ 형성 평가

- 교수학습이 진행되는 과정에서 수시로 학생들의 학습 정도를 측정함으로써 학습자에게 피드백을 주어 각 학습자로 하여금 학습 내용과 방법을 개선하도록 실시하는 시험
- 주로 수업시간에 배운 내용에 대해 수업 중에 실시하므로 간단한 퀴즈 형태로 제시됨
- 실제 한국어 교실 수업의 경우, 한 시간의 수업과정에서 교사가 그 시간의 수업목표에 따라 수업내용을 진행시켜 나가는 과정에서 다음 단계로 넘어가기 전에 소항목의 교수학습 내용을 점검하는 것이 형성 평가의 형태로 이루어지고 있음

⑥ 총괄 평가

- 학습이 다 끝난 후에 학습 목표를 학습자가 얼마나 성취했는가를 종합적으로 평가하는 것
- 한 과정의 교육 프로그램이 끝난 후에 실시되는 데 평가 결과는 학습자의 성취도를 평가하는 것뿐만 아니라 교육 프로그램 자체에 대한 평가로도 사용됨

⑦ 언어적성검사

- 앞으로 일어날 수행의 가능성을 예측하는 데 목적이 있음

시기	평가 종류
학습 전	배치 평가, 진단 평가, 언어적성검사
학습 중	형성 평가
학습 후	총괄 평가, 성취도 평가
상관없음	숙달도 평가

(2) 방법에 따른 유형

① 상대평가와 절대평가

규준지향평가 (상대평가)	준거지향평가 (절대평가)
• 집단 내의 평가 대상들 간의 상대적 평가 • 평가 대상들 간의 성취도상의 변별을 강조 • 선발을 목적으로 하는 입시 등에 유용 • 평가 도구의 신뢰도 중요	• 절대적인 준거에 비추어 성취도를 확인 • 임의로 미리 정해진 교수 목표에 학습자의 언어 능력이 부합되는지 평가 • 개별 학생의 성취 정도에 관심 • 특정 자격요건의 확인, 자격시험 등에 유용 • 평가 도구의 내용 타당도 중요

② 객관식평가

- 실용도와 신뢰도는 높으나 타당도가 다소 떨어짐
- 채점자의 주관적인 판단이 요구되지 않으며 각 문항에 대한 정답이 일정함

③ 주관식평가

- 신뢰도와 실용도가 떨어지나 문항의 내용타당도는 높음

④ 직접평가와 간접평가

㉠ 간접평가

- 언어 사용 능력을 간접적인 수단과 방법으로 측정하는 방식
- 예) 다지선다형 지필고사 빈칸 채우기 등
- 교육 현장에서 이루어지는 대부분의 평가는 간접평가에 해당됨

㉡ 직접 평가

- 실제적이고 자연적인 의사소통 상황에서의 언어 사용 능력을 직접적으로 측정하는 방식
- 예) 구두시험 작문시험 등

⑤ 분리평가

- 언어의 세부적 요소에 대한 지식 정도를 측정하는 것
- 문법 구조, 어순, 음운 구조나 발음, 어휘, 철자 / 듣기, 말하기, 쓰기, 읽기
  예) 한국어능력시험(TOPIK)

⑥ 통합평가

- 상황에 적합한 언어를 이해하고 사용하는 능력의 정도를 측정하는 방법
- 토론, 보고, 묘사, 받아쓰기, 구술 면접시험, 규칙 빈칸 메우기(close test)

★ 규칙빈칸 메우기(close test)

- 전체적 언어 능력을 측정하기 위해 한 번에 두 가지 이상의 기능을 동시에 측정하는 통합평가로 제작, 시행, 채점이 용이함

- 일반적으로 여섯 번째나 일곱 번째 단어들을 삭제한 불완전한 글이 제공되며 수험자는 빈칸에 알맞은 단어를 채워야 함
- 빈칸에 적절한 단어를 쓰려면 많은 언어 능력이 필요하게 됨
- 어휘, 문법구조, 담화구조, 읽기 기술 및 책략, 예측 문법의 지식으로 구성됨

⑦ 속도평가

- 학습자의 언어수행 유창성에 중점을 두고, 주어진 시간 내에 얼마나 많이 풀어내는지 측정하는 수행속도가 비교되는 평가
- 쉬운 문제를 다량으로 출제하여 제한된 시간 내에 얼마나 많이 풀 수 있는가를 측정

⑧ 능력평가

- 매우 어려운 문제를 충분한 시간을 주고 풀게 함으로써 수험자의 지식이나 구성능력을 측정

⑨ 수행기반평가

- 교사가 학생이 학습과제를 수행하는 과정이나 그 결과를 보고, 그 학생의 지식이나 기능이나 태도 등에 대해 전문적으로 판단하는 평가방식
- 학생 스스로가 자신의 지식이나 기능을 나타낼 수 있도록 산출물을 만들거나, 행동으로 나타내거나, 답을 작성(서술 혹은 구성)하도록 요구하는 평가
- '행동'이란 단순히 신체를 움직이는 것만을 의미하는 것이 아니라 자신의 지식이나 기능, 태도 등을 드러내기 위해 말하거나, 듣거나, 읽거나, 쓰거나. 그리거나, 만들거나, 더 나아가서 그것을 계획하고 준비하는 과정까지도 포함하는 인간의 모든 활동을 의미함
- 수행평가의 방법
  → 서술형(주관식) 검사, 논술형 검사, 구술시험, 토론, 면접법, 관찰법, 자기평가 보고서법, 동료평가 보고서법, 연구 보고서법, 프로젝트법, 포트폴리오

★ 포트폴리오 (Grabe & Kaplan, 1996)

- 과정 중심 쓰기 평가의 대표적인 평가 유형
- '작품집' 또는 '수행내용철'이라는 용어로도 번역되는 포트폴리오를 대상으로 하는 평가를 가리킴
- 한 편의 글이 완성되기까지의 모든 과정과 단계에서 쓰인 글 모음이 될 수도 있고, 일정 기간 동안 학습자가 쓴 여러 편의 글 모음이 될 수도 있음

① 포트폴리오 평가의 장점

- 여러 쓰기 주제와 과제 유형에 걸쳐 여러 글들에 대한 평가를 가능하게 함
- 학습자 자신의 글과 쓰기 향상에 대하여 성찰하게 할 가능성이 있음
- 학습자가 산출할 수 있는 최선의 글을 평가함
- 학습자가 평가 받기를 원하는 글을 선택할 책임감을 부여해 줌
- 가르침과 평가 사이의 연결을 강하게 해 주는데 이는 평가 구도에서 매우 바람직한 특성임

② 포트폴리오 평가의 단점

- 평가의 수단을 가리키기보다는 실제적으로는 글을 모으는 수단을 가리킴
- 단일 점수나 잣대를 수립해야 하는 복잡한 문제 발생
- 신뢰성과 관련하여 문제가 있음
  (쓰기 선택의 자유가 많아질수록 등급에서 같음을 수립하기가 어려워지기 때문)
- 등급을 매기는 데 시간이 더 많이 걸리고, 평가 선택 내용에서 품이 더 많이 듦

• 학습자가 실제로 모든 글을 썼다는 것을 평가자가 어떻게 판단할 것인지의 문제가 있음

★ PBT → CBT → IBT

지필 기반 평가(PBT) : 연필이나 펜으로 종이에 답을 쓰는 형식
컴퓨터 기반 평가(CBT) : 컴퓨터로 시험을 보는 형식
인터넷 기반 평가(IBT) : 인터넷과 컴퓨터를 활용하여 이루어지는 형식

(3) 기능별 평가 유형

① 듣기 평가의 유형

㉠ 음운 듣기
㉡ 어휘 듣기
㉢ 문법적 특질 듣기
㉣ 정보 듣기
㉤ 이어지는 말 찾기
㉥ 핵심 내용 찾기
㉦ 내용 이해하기
㉧ 요지 파악하기
㉨ 요약하기
㉩ 제목 찾기
㉪ 추론적 듣기
㉫ 담화 유형 구분하기

② 읽기 평가의 유형

㉠ 단어 및 문장에 맞는 그림 찾기 혹은 단어에 맞는 문장 찾기
㉡ 제목 읽고 의미 해석하기
㉢ 글 읽고 제목 붙이기
㉣ 담화상에서 단어, 문법, 관용어 의미 해석하기
㉤ 어휘 및 담화 표지 찾기
㉥ 담화 완성하기
㉦ 정보 파악하기
㉧ 중심 내용 및 주제 파악하기
㉨ 단락별 주제 연결하기
㉩ 글의 기능 파악하기
㉪ 글쓴이의 태도, 어조 파악하기
㉫ 문장 삽입, 삭제하기
㉬ 지시어가 지시하는 내용 찾기
㉭ 글의 세부 내용 파악하기

③ 쓰기 평가의 유형

㉠ 그림을 통한 쓰기
㉡ 어순 배열하기
㉢ 문장 연결하기
㉣ 질문에 대답하기
㉤ 바꿔 쓰기
㉥ 대화 완성하기

ⓢ 빈칸 채우기
ⓞ 정보 채우기
ⓩ 자료를 이용한 글쓰기
ⓒ 글 완성하기
ⓚ 제목에 따라 작문하기

④ 말하기 평가의 유형

ⓐ 개인 인터뷰
ⓑ 짝 인터뷰
ⓒ 학생이 교사 인터뷰하기
ⓓ 그림이나 지도 설명하기
ⓔ 토의하기
ⓕ 시청각 자료 내용 이야기하기
ⓢ 시청각 자료에 대해 토론하기
ⓞ 토론하기
ⓩ 역할극
ⓒ 발표하기
ⓚ 통역하기

⑤ 어휘 평가의 유형

ⓐ 어휘 완성하기
ⓑ 어휘 대치하기
ⓒ 어휘 간의 관계 추론하기
ⓓ 동의어, 반의어 찾기
ⓔ 어휘 풀이 또는 정의하기

⑥ 문법 평가의 유형

ⓐ 문법적 오류 인지하기
ⓑ 문장 완성하기
ⓒ 지시에 맞게 문장 변형하기
ⓓ 주어진 어휘의 형태를 문법에 맞게 변형하기

4. 평가 문항 유형

• 평가 문항 : 평가 목표에 따른 평가 내용을 구체적 항목으로 구현한 것으로 평가 도구의 구성 요소이며 채점의 기본 단위임

(1) 폐쇄형

• 폐쇄형 문항의 경우 다른 문항 유형보다 문제해결에 비교적 적은 시간이 요구됨
• 평가항목에서 적합하고 대표적인 표본을 광범위하게 표집해서 포함시킬 수 있음
• 채점을 위한 전문성 훈련이 따로 필요 없고, 신속하고 객관적인 채점이 가능하며 채점 신뢰도가 높음
• 난이도, 변별도, 문항반응분포 등의 평가결과 분석도 가장 용이함
• 단편적인 이해력의 측정으로 제한되기 쉬우며 추측 요인을 제거하기 어렵다는 단점이 있음
• 진위형은 양자택일, 선다형은 셋 이상의 선택 항목으로 구성된 것 중에서 정답을 선택하게 하는 것이며, 배합형은 문제군과 답지군을 제시하여 관련되는 것끼리 연결하도록 하는 것임

(2) 반개방형

- 단답형, 괄호형, 규칙빈칸 메우기 등이 있는데, 단답형은 지문의 내용에 대한 이해도나 어휘의 의미, 용어 등의 지식 측정에 효과적임
- 제작하기가 비교적 쉬우며 과제 수행 시간과 채점 시간의 측면에서도 효과적임
- 선택형보다는 추측 요인의 영향을 덜 받음
- 괄호형은 문법 구문에 관한 지식, 시제 활용, 간단한 표현능력을 평가하는 데 효과적임
- 규칙빈칸 메우기는 일정한 원칙에 따라 연속적으로 빈칸을 삽입한 문단을 완성하게 하는 형태의 문항임
- 의미 있는 담화맥락에서 통사적, 형태론적, 의미론적인 단서 등 언어의 다양한 양상에 관한 지식을 평가할 수 있음
- 언어감각과 세부적인 지식을 통합적으로 평가하기에 적합하지만, 평가 요소를 모두 포함시킬 수 있는 문단을 제작하기가 어려움

(3) 개방형

- 개방형(논술형)은 질문이나 지시문에 여러 개의 연속된 언어행위로 답하게 하는 문항형태임
- 문항 제작이 비교적 용이하며, 학습한 요소들을 통합하여 표현할 수 있으므로 반응이 제한적이지 않음
- 문항의 양호도 검증이 어렵고, 객관적 채점이 어려우며 채점하는 데 많은 노력과 시간 전문성이 요구됨
- 문항의 난이도, 변별도, 문항 반응 분포 등을 '문항 양호도'라고 함

5. 평가 도구의 개발 단계

평가의 기획 → 평가 항목의 선별 → 문항과 지시문 작성 → 문항 검토와 사전 평가 → 최종 형태 제작 → 평가 결과의 해석과 활용

(1) 평가의 기획

- 평가를 계획하는 단계로 평가할 내용, 난이도 등을 고려하는 단계
- 교육 과정, 학습 목적 및 목표를 참고하여 평가 목표를 설정하고 평가 요소 등이 결정됨

(2) 영역별 평가항목의 선별

- 평가 계획에 맞는 평가항목 목록을 작성하는 단계
- 평가항목은 언어의 기능을 분리하거나 각 기능을 통합하여 결정될 수 있음
- 출제 구상표를 만드는 것이 필요한데, 출제 구상표에는 문항 번호, 문항 형태, 배점, 문항 유형, 출제 의도, 평가 문항, 내용, 텍스트 유형 및 난이도에 대한 내용이 담기게 됨

(3) 문항과 지시문 작성

- 실제 문항을 작성하는데, 나중에 문항을 검토할 때 삭제될 문항을 고려해 출제 구상표에 있는 문항의 수보다 약 1.3배 많은 문항을 작성해 두는 것이 좋음

(4) 문항의 검토와 사전 평가

- 만들어진 문항에 오자가 없는지 그 문항이 타당한지에 대한 점검을 하는 단계
- 평가 제작자 스스로 문항 검토를 하는 것보다 동료 교사의 도움을 받는 것이 더 효과적일 수 있는데 그 이유는 당사자가 보지 못하는 것을 다른 사람이 볼 수 있기 때문임
- 사전 평가는 대규모 시험의 경우는 최소 100명의 예비 평가자를 선정해 제작된 평가 도구로 평가를 진행한 후 그 결과를 토대로 평가 도구에 수정을 가하는데 도움을 주게 됨
- 소규모 시험의 경우는 사전 평가가 그다지 효율적이지 못하기에 굳이 추천하지 않음

(5) 최종 형태 제작

- 문제지와 답안지를 만들어 최종 평가 도구를 완성함
- 문항을 배치할 때는 쉬운 문제에서 어려운 문제 순으로 배치하는 게 좋으며 수험자가 평가를 편하게 치를 수 있도록 같은 페이지에 같은 유형의 문제를 배치하는 것이 좋음

(6) 평가 결과의 해석과 활용

- 채점, 점수의 해석, 그리고 평가의 검증이 이루어짐

(7) 평가 도구 개발의 유의점

① 측정하고자 하는 평가 목표를 명확하게 규정함
② 측정하고자 하는 평가 목표에 적합한 평가 방법을 선택함
③ 듣기와 읽기 같은 언어 이해 능력 평가에 활용하는 자료를 선정할 때는 수험자의 수준과 특성을 고려함
④ 평가를 위해 실제 언어 자료를 재구성할 경우에는 자료의 실제성을 훼손하지 않도록 주의함
⑤ 듣기 자료와 읽기 지문과 같은 하나의 자료를 활용하여 여러 개의 선다형 문항을 출제할 경우에는 문항들이 서로 어떠한 영향을 주고받는지 세심하게 살펴 지역 독립성을 유지하고, 지역 종속성의 문제가 생기지 않도록 주의함
⑥ 문두, 혹은 문항 지시문은 수험자에게 출제 의도를 정확하게 전달할 수 있도록 함
⑦ 폐쇄형 평가인 선다형 문항일 경우 오답 매력도를 충분하게 고려해야 함
⑧ 수험자에게 문항 유형이 얼마나 익숙한지를 고려함
⑨ 말하기나 쓰기와 같은 언어 표현 영역의 개방형 평가 문항은 채점을 염두에 두고 산출한 결과물을 통해 수험자의 능력을 제대로 파악할 수 있도록 설계함

★ 문항 분석 지수

① 문항 난이도 : 문항의 쉽고 어려운 정도를 나타내는 지수

- 문항 난이도로 문항을 평가하는 절대적인 기준은 없으나 일반적으로 난이도 지수가 0.30 미만이면 매우 어려운 문항, 0.30 이상~0.80 미만이면 적절한 문항, 0.80 이상이면 매우 쉬운 문항이라고 평가함

② 문항 변별도 : 문항이 피험자의 능력을 변별해 내는 정도를 나타내는 지수

- 점수가 높은 집단이 정답으로 응답하고 점수가 낮은 집단이 오답으로 응답했다면, 그 문항은 변별도가 높은 문항임
- 변별도 구하는 방법 : 문항 점수와 피험자의 총점의 상관계수로 추정
- 변별도 지수
  ㉠ 변별력이 높은 문항 : 0.40 이상
  ㉡ 변별력이 있는 문항 : 0.30~0.39
  ㉢ 변별력이 낮은 문항 : 0.20~0.29
  ㉣ 변별력이 매우 낮은 문항 : 0.10~1.19
  ㉤ 변별력이 없는 문항 : 0.10 미만
- 변별도 지수가 0.20 미만인 문항은 수정하거나 제거해야 함

③ 문항 신뢰도 : 검사 개발의 문항분석 과정에서 사용되는 것으로, 문항의 표준편차와 문항점수와 전체문항의 상관계수와의 곱으로 이루어짐

- 두 문항이 전체점수에 대해 동일한 상관을 가지며 그중 한 문항의 분산이 다른 문항의 분산보다 클 때는 분산이 큰 문항은 전체점수의 신뢰도에 더 큰 영향을 미치게 됨
- 문항의 내적 일치도 : 검사를 구성하고 있는 부분 검사 또는 문항 간의 일관성의 정도를 말하며, 검사를 구

성하는 부분 검사나 문항들이 측정하고자 하는 내용을 얼마나 일관성 있게 측정하였느냐 하는 문제임
- 표준편차가 크면 클수록 점수 분포 범위가 더 커짐
- 시험성적이 특정 점수대에 몰려있는지 아니면 넓은 범위에 걸쳐 균등하게 분포되어 있는지를 알려주므로 개개인 점수를 해석하는 데 있어 단순한 평균보다 더 정확한 기준을 제공함
- 중앙치 : 점수가 순서대로 배열되었을 때 일련점수의 중앙 점수임
- 최하점수와 중앙치까지의 사이에 해당하는 학생 수와 반대로 중앙치에서 최고점수까지의 사이에 해당하는 학생 수가 같음
- 백분위 등급 : 개인별 평가 성적을 등급을 매기는 데 쓰이는 개념으로 타인과 비교한 각 수험자의 상대적 위치를 알 수 있음
- 한 수험자의 백분위 등급은 해당 평가에서 그보다 낮게 득점한 수험자 집단의 백분율을 나타냄

6. 한국어능력시험(TOPIK)

(1) 시험의 목적

- 한국어를 모국어로 하지 않는 재외동포·외국인의 한국어 학습 방향 제시 및 한국어 보급 확대
- 한국어 사용능력을 측정·평가하여 그 결과를 국내 대학 유학 및 취업 등에 활용

(2) 응시 대상

- 한국어를 모국어로 하지 않는 재외동포 및 외국인으로서
  ① 한국어 학습자 및 국내 대학 유학 희망자
  ② 국내외 한국 기업체 및 공공기관 취업 희망자
  ③ 외국 학교에 재학 중이거나 졸업한 재외국민

(3) 연혁

① 1997년 : 한국학술진흥재단 제1회~제2회 시행

② 1999년 2월 : 사업주관기관 변경 (한국학술진흥재단 → 한국교육과정평가원), 제3회~제20회 시행

③ 2011년 1월 : 사업주관기관 변경 (한국교육과정평가원 → 국립국제교육원), 제21회~제34회 시행

④ 2014년 7월 20일 한국어능력시험(TOPIK) 개편

- 획득한 총 점수에 따른 인정 등급 판정
- 기존의 어휘, 문법 과목이 없어지고 그 내용은 읽기에 흡수됨
- 영역별 최저득점 요구하는 과락점수 폐지

(4) 시험장 현황

- 시험 시기 : 한국 연 6회 및 해외 연 4회, 지역별·시차별로 날짜가 상이함
- 시험장 : 국내 62개 지역 + 해외 82개국 238개 지역 = 83개국 300개 지역 (2020.1.31. 기준)

(5) 시험의 활용처

- 정부초청 외국인장학생 진학 및 학사관리

- 외국인 및 12년 외국 교육과정이수 재외동포의 국내 대학 및 대학원 입학
  (일반적으로 3급 이상의 한국어능력시험 성적증명서를 입학서류와 함께 제출해야 하며, 졸업 전까지 4급 이상을 취득해야만 졸업이 가능)
- 한국기업체 취업희망자의 취업비자 획득 및 선발, 인사기준
- 외국인 의사자격자의 국내 면허인정
- 외국인의 한국어교원 자격 심사(국립국어원) 지원 서류
- 영주권 취득
- 결혼이민자 비자 발급 신청

(6) 문항 구성

① 수준별 구성

시험 수준	교시	영역	유형	문항수	배점	총점
TOPIK Ⅰ	1교시 (100분)	듣기	선택형	30	100	200
		읽기	선택형	40	100	
TOPIK Ⅱ	1교시 (110분)	듣기	선택형	50	100	300
		쓰기	서답형	4	100	
	2교시 (70분)	읽기	선택형	50	100	

② 문제유형

㉠ 선택형 문항(4지선다형)
㉡ 서답형 문항(쓰기 영역)
- 문장완성형(단답형) : 2문항
- 작문형 : 2문항(200~300자 정도의 중급 수준 설명문 1문항, 600~700자 정도의 고급 수준 논술문 1문항)

(7) 시험의 수준과 등급

구분	TOPIK Ⅰ		TOPIK Ⅱ			
	1급	2급	3급	4급	5급	6급
등급 결정	80점 이상	140점 이상	120점 이상	150점 이상	190점 이상	230점 이상

(8) 등급별 평가 기준

시험 수준	등급	평가 기준
TOPIK Ⅰ	1급	자기 소개하기, 물건 사기, 음식 주문하기 등 생존에 필요한 기초적인 언어 기능을 수행할 수 있으며 자기 자신, 가족, 취미, 날씨 등 매우 사적이고 친숙한 화제에 관련된 내용을 이해하고 표현할 수 있다. 약 800개의 기초 어휘와 기본 문법에 대한 이해를 바탕으로 간단한 문장을 생성할 수 있다. 또한 간단한 생활문과 실용문을 이해하고, 구성할 수 있다.
	2급	전화하기, 부탁하기 등의 일상생활에 필요한 기능과 우체국, 은행 등의 공공시설 이용에 필요한 기능을 수행할 수 있다. 약 1,500~2,000개의 어휘를 이용하여 사적이고 친숙한 화제에 관해 문단 단위로 이해하고 사용할 수 있다. 공식적 상황과 비공식적 상황에서의 언어를 구분해 사용할 수 있다.

TOPIK Ⅱ	3급	일상생활을 영위하는 데 별 어려움을 느끼지 않으며 다양한 공공시설의 이용과 사회적 관계 유지에 필요한 기초적 언어 기능을 수행할 수 있다. 친숙하고 구체적인 소재는 물론, 자신에게 친숙한 사회적 소재를 문단 단위로 표현하거나 이해할 수 있다. 문어와 구어의 기본적인 특성을 구분해서 이해하고 사용할 수 있다.
	4급	공공시설 이용과 사회적 관계 유지에 필요한 언어 기능을 수행할 수 있으며, 일반적인 업무 수행에 필요한 기능을 어느 정도 수행할 수 있다. 또한 뉴스, 신문 기사 중 비교적 평이한 내용을 이해할 수 있다. 일반적인 사회적·추상적 소재를 비교적 정확하고 유창하게 이해하고 사용할 수 있다. 자주 사용되는 관용적 표현과 대표적인 한국 문화에 대한 이해를 바탕으로 사회·문화적인 내용을 이해하고 사용할 수 있다.
	5급	전문 분야에서의 연구나 업무 수행에 필요한 언어 기능을 어느 정도 수행할 수 있으며 정치, 경제, 사회, 문화 전반에 걸쳐 친숙하지 않은 소재에 관해서도 이해하고 사용할 수 있다. 공식적 · 비공식적 맥락과 구어적·문어적 맥락에 따라 언어를 적절히 구분해 사용할 수 있다.
	6급	전문 분야에서의 연구나 업무 수행에 필요한 언어 기능을 비교적 정확하고 유창하게 수행할 수 있으며 정치, 경제, 사회, 문화 전반에 걸쳐 친숙하지 않은 주제에 관해서도 이해하고 사용할 수 있다. 원어민 화자의 수준에는 이르지 못하나 기능 수행이나 의미 표현에는 어려움을 겪지 않는다.

4장 언어교수 이론

1. 외국어 교수법 기본 개념

(1) 개념

• 외국어 교수법 : 특정 언어 이론 및 학습 이론에 바탕을 둔 체계적인 교수 행위
• 언어 이론과 언어 학습 과정에 대한 교사의 이해는 외국어 교수법의 토대가 됨

(2) 외국어 교수법의 구분

① 전통적 관점

• 교수자들이 실천하던 방법 (이론적 배경이 없음)
예) 문법 번역식 교수법, 직접식 교수법

② 구조주의적 관점

• 언어학습을 언어 구성 요소를 숙달하는 것으로 간주함
• 구조화된 언어를 항목화하여 학습의 대상으로 삼음
예) 청각 구두식 교수법, 전신 반응식 교수법, 침묵식 교수법

③ 기능주의적 관점

• 언어를 의사소통 기능과 의미의 표현 수단으로 간주함
• 언어 학습의 궁극적인 목표는 언어 이해와 언어 사용 능력의 함양
예) 의사소통식 교수법, 자연적 교수법

④ 상호작용적 관점

- 언어를 인간 사이의 사회적 상호작용 수단으로 이해한 것
- 타인과의 의사소통 과제를 수행함으로써 궁극적으로 언어능력을 증진시킬 수 있음
  예) 과제 중심 교수법, 총체적 교수법

(3) 교수법의 변천

- 현대적인 한국어교육이 시작된 1950년대 후반부터 1980년대까지 한국어교육 현장에서는 청각 구두식 교수법이 주류를 이루었고, 문법 번역식 교수법도 부분적으로 활용됨
- 1990년대 들어 의사소통 중심 교수법으로 교수법의 흐름이 서서히 바뀌어 감
- 2000년대 들어 학습자 변인 학습 목적 변인, 학습 매체 변인, 학습 장소 변인에 따라 한국어 교육은 더욱 다양화 되어서 여러 교수법을 체계적으로 혼합하여 활용하는 절충식 교수법을 모색하고 있음
- 변화
  ① 구조 중심 → 기능 중심의 언어관
  ② 언어 중심 → 문화도 함께 다루는 문화관
  ③ 결과 중심 → 과정 중심의 학습관
  ④ 교수자 중심 → 학습자 중심

2. 외국어 교수법의 유형

(1) 문법번역식 교수법 : 19세기 전반까지 사용된 고전적인 교수법

① 목적

- 문학적인 텍스트를 읽어가면서 교양과 논리력을 쌓음

② 전제

- 제2 언어는 문헌연구의 도구
- 제2 언어 학습을 통한 교양과 논리력 향상

③ 방식

- 중세 라틴어와 희랍어 같은 고대 언어 번역 (어휘와 문법을 익혀 자신의 모국어로 번역)
- 읽기와 쓰기 강조
- 규칙을 암기해서 문법을 배울 수 있다고 봄

④ 특징

- 번역이지 통역이 아니므로 발화 자체에는 의미를 두지 않음
- 문법규칙과 어휘 위주 수업
- 수업의 매개어는 모국어
- 연역적인 문법 지도
- 정확성을 강조
- 교사 중심 수업
- 교수자의 위치/역할 : 완벽한 지식을 가진 절대자

⑤ 장점

- 수업 규모가 커도 가능

• 형식적, 체계적, 인지적
• 성인 학습자에게 유리
• 읽기, 쓰기 학습에 유리
• 모국어로 가르치기 때문에 교수자의 수업 부담 감소

⑥ 단점

• 의사소통능력 배양 어려움
• 듣기, 말하기 교육 어려움
• 교사 권위적, 학생 수동적
• 교사와 학습자 간, 학습자들 간의 상호작용이 거의 없음
• 암기 위주의 수업이므로 학습자들의 학습 의욕이나 동기를 충족시키기 어려움

(2) 직접 교수법 : 19세기 중엽 문법 번역 교수법에 대한 개혁안으로 나옴

① 목적

• 모국어와 비슷한 과정을 거쳐 제2 언어를 배워 의사소통을 가능하게 함

② 전제

• 제2 언어 학습 목적은 의사소통임

③ 방식

• 목표어를 사용하여 모국어 습득 방식으로 교수 (아동이 모국어를 습득하는 원리에서 착안)
• 학습자의 모국어 사용과 번역은 피함
• 듣기, 말하기 강조, 원어민 발음 모방
• 정확한 발음, 구문 반복 연습
• 학습자가 문법의 용법을 추론하는 방식의 귀납적 문법 학습
• 물질 명사 중시의 어휘 강조
• 학습자의 모국어를 사용하지 않음

④ 특징

• 언어의 의미에 초점
• 귀납적인 문법 지도
• 상황중심의 교수요목
• 시각적 보조자료 활용
• 말하기(표현 활동) 중시
• 발음 지도 강조
• 발생한 오류에 대한 즉각적 수정
• 듣기-말하기-읽기-쓰기 순으로 진행
• 문법 교수 모형은 PPP모형에 기반함
• 교수자의 위치/역할 : 학습자의 언어구사모델이므로 정확한 표현 구사

⑤ 장점

• 의사소통능력 함양
• 교사 학생 간의 상호작용

⑥ 단점

• 의미 전달의 비효율성
• 목표어에 능숙한 교사 확보의 어려움
• 명시적 문법 설명의 부재로 인한 학습자의 오해 초래
• 학습자 자발적 발화 기회 적음
• 인지 능력이 발달한 성인학습자에게 비효율적
• 어휘, 문법 비체계적 제시 → 학교 : 피진어화(化)

(3) 청각구두식 교수법 : 1950년대 후반에서 1960년대 중반에 걸쳐 인기를 누림

① 목적

• 구어 기술을 우선적으로 반복 연습하여 의사소통이 가능하도록 함

② 전제

• 구어 우선, 반복 학습 (언어는 습관임)
• 목적은 의사소통, 귀납적 방법

③ 방식

• 구두 표현 중심의 문형을 모방, 반복, 암기함
• 설명보다 연습을 통해 음성구조와 문장구조를 익힘

④ 특징

• 귀납적인 문법 설명
• 교사의 모국어 사용 제한
• 어학실(Lab)의 사용
• 목표어의 음운 자질을 정확하게 인식, 발화하는 것을 강조
• 형태의 정확성 중시
• 발음을 강조하고 어휘를 통제하여 오류가 나오지 않게 함
• 오류가 발생하면 즉시 교정
• 교사 주도적으로 수업을 진행
• 교수자의 위치/역할 : 언어학자이자 모범이 되는 모국어 화자로서의 역할

⑤ 장점

• 자연스러운 구어 연습 활용
• 말하기, 듣기 능력 향상
• 초급 단계에서 효과적
• 구문의 체계적인 도입

⑥ 단점

• 창조적 표현력의 결여
• 무의미한 기계적인 연습
• 단순한 모방 기억술이 실제 언어 능력으로 이어지지 못함
• 의사소통능력 신장이 안 됨

(4) 전신 반응식 교수법 : 1970년대와 1980년대 성행

① 목적

• 긴장을 감소시키고 긍정적인 학습 분위기를 조성하여 행동으로 언어를 학습함

② 전제

• 신체적 움직임을 동반한 언어학습이 성공적인 회상의 가능성을 높여준다는 흔적이론에 바탕을 둠 (J. Asher)
• 내용을 듣고 그에 따라 신체를 움직일 때 듣기 능력 발달

③ 방식

• 교사는 외국어로 명령하고 학습자들과 함께 행동
• 교사가 지시문을 말하고 실제 수행하는 것을 보여줌

④ 특징

• 어린이의 모국어 습득에 착안
• 듣기 강조
• 신체 활동을 동반한 학습을 강조
• 구조주의 언어관에 근거해 단계별 명령문 활용
• 학습자가 자발적으로 발화할 때까지 강요하지 말 것 (학습자의 침묵기 인정)
• 학습자의 오류에 대해 처음에는 교사의 과도한 교정 자제
• 인본주의적 방식
• 언어의 형태보다 의미를 강조하고, 문법은 귀납적으로 지도
• 교수자의 위치/역할 : 구체적인 수업 계획을 준비해야 함 (가르치는 것보다 학습의 기회를 제공)

⑤ 장점

• 초급 단계의 학습자에게 용이 - 듣기 능력 향상
• 학습자의 흥미 유발
• 개임으로 수업하기 때문에 학습자의 불안감과 스트레스 완화
• 새로운 문법과 어휘의 도입에 걸리는 시간이 단축됨

⑥ 단점

• 고급 단계에서 추상적 개념 도입 어려움
• 학습자의 말하기 능력을 이끌어내기 어려움
• 장난스런 학습자의 통제 문제

(5) 침묵식 교수법 : Gattegno에 의해 개발되고 1970년대에 널리 퍼짐

① 목적

• 학습자의 인지적 능력을 먼저 작용하게 한 후 발화하게 하여 언어습득
• 초급 학습자에게 말하기와 듣기 능력을 길러 주는 것

② 전제

• 깨달아야 발화할 수 있음

③ 방식

• 발음-철자의 관계를 나타낸 채색된 도표 이용
• 그림책이나, 테이프, 도표 등 다양한 보조 자료 사용

④ 특징

• 발견과 창조를 통한 표현 중심 학습
• 교사 중심의 청각 구두식 교수법에 반발하여 나옴
• 교사의 불필요한 간섭을 최대한 억제함으로써 학습효과를 얻으려는 방법론
• 이미지 기억 장치 활용
• 문제 해결 강조
• 초급 단계에 적합
• 교사는 피델 차트(Fidels chart)와 색깔 막대(Cuisennaire rod)를 사용
• 오류를 교사가 즉각적으로 수정하지 않음 (자가 교정과 동료 교정)
• 교수자의 위치/역할 : 교사는 말을 적게 하고 학습자의 수업 참여를 이끌어줌

⑤ 장점

• 시각 도구를 통한 집중력 유도와 문자에 대한 부담을 줄여줌
• 심리학에 바탕을 둔 학습자 중심의 교수법

⑥ 단점

• 자료 준비에 많은 시간 할애
• 학습자가 목표어에 노출될 기회가 줄어듦
• 교사의 수업 준비 어려움
• 최소한의 교사 설명으로는 추상적인 어휘를 학습자에게 이해시키기 어려움
• 교사와 학습자 간의 상호작용 부재
• 학습 효과가 나타날 때까지 어느 정도의 시간이 소요됨

(6) 암시적 교수법 : 불가리아 정신과 의사 Lozanov에 의해 개발

① 목적

• 인간의 잠재력은 연상을 통해 극대화되며 이는 언어학습도 마찬가지임
• 짧은 기간 안에 높은 수준의 대화 기술을 습득

② 전제

• 그림이나 음악은 심리적 부담을 덜어줌
• 감정적으로 편안한 상태 때 언어학습이 잘 이루어짐

③ 방식

• 요가와 소련심리학에 기인한 교수법으로 무의식을 통한 암시의 작용을 교수법에 접목시킴
• 학습에 도움을 주는 음악을 사용해서 학습효율의 극대화 도모
• 원형 탁자에서 세미나 형식으로 토론

• 교사는 대화를 읽고 학습자는 음악 속에서 들음
• 질문과 역할극 등으로 대화를 익힘

④ 특징

• 잠재의식, 무의식 중시
• 교사의 절대적 권위
• 편안한 교실 환경 중시
• 학생들은 명상이나 요가를 하는 기분으로 수업에 참여
• 교수자의 위치/역할 : 조력자, 목표어를 사용하지만 학습자의 모국어를 사용해도 무방함

⑤ 장점

• 학습자의 긴장과 불안을 제거하여 많은 학습량을 흡수할 수 있음
• 학습자의 심리 고려
• 문제 이해와 창조적 문제 해결 가능

⑥ 단점

• 암시 혹은 무의식의 효과가 과학적으로 증명되지 않음
• 특별한 훈련을 받은 유능한 교사양성의 어려움
• 교재 구성과 환경 조성의 어려움

(7) 공동체 언어 학습법 : 미국의 심리학자 Curran이 도입

① 목적

• 학습자가 모국어 또는 통역된 목표어를 사용하여 교사와 유의미한 대화를 나누며 외국어를 학습

② 전제

• 집단 내의 개인을 존중하고 서로 협력하는 관계에 있을 때 학습이 촉진됨

③ 방식

• 학습자가 모국어로 발화하면 교사는 그 말을 제2 언어로 통역하여 다시 말해 줌
• 소규모 학생으로 구성된 상담교수법
• 말하고 싶은 화제를 선정하여 교사에게 번역 요구

④ 특징

• 상담학습 이론을 외국어 학습에 적용
• 교사는 학생의 정서와 감정까지 도와주어야 함
• 언어 상담자인 교사와 상담 의뢰자인 학습자 간의 전인적인 신뢰관계, 상호작용 강조
• 인본주의 심리학에 기반
• 학습자들 간의 엿듣기 중시
• 정해진 교수요목 및 교수자료가 없음
• 교수자의 위치/역할 : 교사는 상담자 역할, 모국어와 목표어를 모두 잘하고 학생들을 잘 이해하는 사람

⑤ 장점

• 학생들은 교사와 관계없이 자유롭게 발화 가능
• 실수에 대한 스트레스를 적게 받고 녹음을 통해 수정 가능
• 학습자의 흥미 유발

⑥ 단점

• 다양한 학습자의 효과적인 통제 어려움
• 이중 언어가 능숙하고 상담가적인 훈련을 받은 언어 교사 양성의 어려움
• 수업의 목표 불분명
• 평가의 난해성
• 유창성이 강조되어 상대적으로 정확성이 떨어짐
• 녹음의 부담감

(8) 총체적 언어 교수법

① 목적 : 인본주의 및 구성주의 학습 이론에 기반한 것으로, 학습자가 학습 자료와 활동을 선택하여 학습함

② 전제

• 개개의 학습자들은 문화의 한 구성원, 지식의 창조자로 존중됨

③ 방식

• 문자의 해독에 초점을 두어 문법, 어휘 등의 요소를 개별적으로 가르치지 않고 총체적, 종합적으로 교수함

④ 특징 (Goodman, 1986)

• 언어를 구성요소별로 분리하지 않고 전체를 하나로 봄
• 의미를 우선으로 하며 언어 형식은 부차적인 것으로 간주함
• 실제적인 상황 속에서 의미를 담은 총체언어를 제시함
• 언어의 네 기능이 학습의 필요에 따라 적절히 통합되도록 함
예를 들어 학습 주제에 대해 듣고, 내용이나 대본 쓰고 발표하기 등을 통해 전체적인 언어 기술이 발달한다고 봄
• 총체언어 교육을 위해 특별하게 고안된 교재는 없음
• 구어와 문어의 상호작용과 연계를 강조함
• 학습 활동은 학습자 입장에서 고안하고 학습자 중심으로 가르침

⑤ 장점

• 학습자의 요구나 경험을 존중하며 실제적인 자료 사용

⑥ 단점

• 수업에서 실제 자료 못지않게 교육 자료 또한 필요함
• 토대가 되는 아이디어를 제외하고는 특별한 교수법을 상정하지 않음
• 정확성이 떨어짐

(9) 자연적 접근법 : 1980년대 초반 Krashen에 의해 확립

① 목적

• 언어 지식을 자연적 순서에 따라 교수하는 것이 가장 바람직함

② 전제

• 언어교육의 목표는 의사소통 능력임

③ 방식

• 형태보다 내용 강조
• 오로지 의사소통 활동만 함 (자연적인 환경에서 일어나는 의사소통 활동)
• 오류 수정을 하지 않음

④ 특징

• 청각구두식 교수법과 인지주의적 접근법에 대한 비판
• 제2 언어 습득 가설에 기반
• 가능한 많은 입력 제시
• 시각적 보조 자료 활용
• 이해 기능(듣기, 읽기) 중심
• 학습자의 불안감 제거
• 산출을 강요하지 않고 기다림
• 많은 어휘를 초기에 제시해서 의사소통 활동을 도움
• 교수자의 위치/역할 : 이해 가능한 입력을 제시하여 학습자의 불안감이나 스트레스를 낮춤
다른 학생들과의 협력 활동 통해 부담감 낮춤

⑤ 장점

• 의사소통의 강조로 인해 교실에서의 성공적인 외국어 습득의 조건 제공
• 학습자의 언어자아가 위협을 받지 않도록 배려
• 유의미한 의사소통 활동 강조

⑥ 단점

• '이해 가능한 입력'이라는 것의 모호성
• 침묵기를 인정하면서 학습자의 발화가 지연될 가능성이 있음
• 의식적인 학습도 때로는 필요함
• 학습 이론의 배경이 되는 가설들의 입증 불가능

★ Krashen의 5가지 가설

① 습득-학습 가설

• 습득 : 언어를 자연스럽게 숙달할 때 일어나는 무의식적인 과정
• 학습 : 언어에 대한 의식적인 규칙들이 발전하는 과정
• 교실에서 '습득'이 일어날 수 있도록 형식보다 의사소통 기회 제공 강조

② 자연적 순서 가설

• 문법적 순서는 예측 가능한 자연적인 순서대로 습득됨
• 습득의 순서는 대체로 난이도와 유사

- 오류 수정은 학습 의욕 저하를 초래

③ 모니터 가설

- 학습된 언어지식은 의사소통상황의 감시자(monitor) 역할에 그침
- 학습된 언어능력을 습득된 언어능력을 위한 보조적, 보충적 수단으로 활용

④ 입력 가설

- 이해 가능한 입력이 제2 언어 습득의 유일한 원천
- 학습자에게 이해 가능한 입력이 충분히 이루어지면 말하기는 자연히 나타나게 됨

⑤ 정의적 여과기(감정 여과기) 가설

- 인지적 요인보다 정의적 요인이 더 큰 영향 : 동기, 태도, 자신감 등
- 심적인 부담이 적고, 학습에 대한 방어적인 태도가 없는 상태, 즉 정의적 여과기가 낮은 상태에서 습득이 일어남
- 학습 초기에 발화 산출 강요하지 말 것, 오류를 직접 수정해주지 말 것

(10) 의사소통 중심 접근법 : 1960년대 후반부터 등장하여 1970년대 이후 크게 확장

① 목적

- 언어는 실제 사용되는 맥락을 바탕으로 타인과의 의사소통을 위함

② 전제

- 담화적 차원에서 언어를 가르침
- 학습자에 대한 요구분석이 필요함

③ 방식

- 짧은 대화 상항 제시
- 구두학습을 제시 (구두연습)
- 질문과 대답, 자유로운 연습
- 놀이나 역할극 등의 말하기 활동

④ 특징

- 영국의 기능주의 언어학과 미국의 사회언어학의 영향을 받음
- 구체적이고 실질적인 의사소통능력 배양에 초점
- 유창성 중시
- 맥락화된 발화의 생성 강조
- 모국어 사용은 상황에 따라 용인
- 번역도 학습에 도움이 된다면 활용함
- 문장이 아닌 담화 강조
- 화제 중심, 과업 중심 교재와 실물 교재 사용
- 학습자의 오류를 일일이 교정하지 않음
- 교수자의 위치/역할 : 학습자의 요구분석가, 피드백을 해주는 상담자, 학습자 중심 학습과정을 조직하는 관리자

⑤ 장점

• 교수법과 교수요목 개발에 큰 영향을 미침
• 학습자 중심의 교수법
• 학습자의 흥미 유발

⑥ 단점

• 학습자의 부정확성을 방지하기 어려움
• 비체계성과 문법의 단계적 도입의 어려움
• 등급별 난이도 조정 어려움
• 반복적이고 누적적인 학습이 아니므로 학습자의 오류 수정이 잘 되지 않음

(11) 내용 중심 교수법

① 목적

• 교과 내용의 습득과 동시에 외국어의 습득 (학습하게 될 언어와 내용을 통합하여 가르치는 것)

② 전제

• 언어학습과 내용학습을 통합한다는 것은 구체적으로 언어를 어휘, 문법, 발음으로 나누어서 학습하는 것이 아니라 내용과 연관 지어 총체적으로 학습하는 것
• '내용' : 언어 교수의 목적을 위해 주제(theme)를 사용한 것
• 언어 자체에 대한 학습이 아니라 정보를 얻는 수단으로 언어를 사용해야 언어를 효과적으로 학습할 수 있음

③ 방식

• 전 단계 : 내용 자료에 나오는 언어를 학습하고 간단한 관련 자료로 내용을 도입한 후 주제 내용에 내해 간단하게 말함
• 본 단계 : 주제 자료를 보거나 듣거나 읽은 다음에 주제에 대해 토론하고 이를 바탕으로 글쓰기를 함
• 후 단계 : 글 쓴 것을 발표하거나 이에 대해 토의함

④ 특징

• 언어와 내용을 동시에 학습
• 학습자는 자신과 관련된 내용 영역에 집중
• 내용을 통해 언어가 맥락화됨
• 학문상 또는 직업상 필요한 언어 능력을 개발
• 실제적 자료를 사용
• 언어 기능을 통합하고 인지적 복잡성과 언어적 복잡성을 향상시킴
• 학문 목적, 직업 목적 등의 특수 목적을 위한 외국어 교육에 주로 활용됨

⑤ 장점

• 수업에서 교사가 학습자의 요구를 충족할 수 있음
• 흥미 있고 유의미한 내용을 제공하여 학습자의 내적 동기를 증가시킴

⑥ 단점

- 언어 교사가 언어를 주제의 내용이 아니라 기능으로 훈련 받았고 일반 교과목으로 가르치는 데 필요한 충분한 지식의 부재로 인한 교수의 어려움
- 언어 교사와 일반 교과목 교사가 한 팀으로 가르칠 때 교수의 효율성이 감소할 가능성이 있음

⑦ 교수 모형

- 주제 기반 언어 교육은 주제나 화제를 중심으로 교수요목이 구성된 언어 프로그램을 제공하며 화제들을 다룰 때 모든 기능을 포함함
- 내용 보호 언어 교육은 내용 영역을 잘 아는 교사가 적절한 수준의 난이도로 언어를 사용하여 학습자들이 내용 교과목을 이해할 수 있도록 함
- 병존 언어 교육은 서로 연계된 내용 과정과 언어 과정을 제공하는데, 각각의 과정은 내용 전문가와 언어 교사가 맡아서 동일한 내용을 가르침
- 기능 중심 접근 방법은 필기하기, 강의 듣기 등 특별한 학문적 기능에 초점을 둠

(12) 과제 중심 교수법

① 목적

- 학습자가 주어진 과제를 해결하기 위한 수단으로 목표 언어를 사용하여 실제적인 의사소통 능력을 기름

② 전제

- 학습자는 과제를 수행하며 언어 습득을 위한 언어 입력과 출력을 동시에 제공 받는데, 실제 의사소통 활동을 행하며 외국어를 배우는 것이 효과적임
- 과제 : 결과를 달성하기 위해 의사소통 의도를 갖고 목표어를 사용하는 활동

③ 방식

- 전 활동 : 과제의 주제와 목표를 소개하고 주제와 관련된 어휘 제시
- 본 활동 : 학습자가 짝이나 조별로 목표어로 대화하면서 과제를 수행하는데, 과제 내용을 보고하거나 발표할 준비를 하게 됨
- 후 활동 : 학습자들의 발표를 녹음, 청취하거나 과제 수행 방법을 비교하고 필요한 경우 언어 자료를 연습시킴

④ 특성

- Krashen의 '이해 가능한 입력'을 가능하게 하고 Long의 '의미 협상'을 하면서, Swain의 '생산적인 출력'을 가능하게 하여 자연적이고 의미 있는 의사소통 활동을 할 수 있게 됨
- 구조주의적, 기능적, 상호작용적 모형에서 노출되었으며 교수요목은 실생활 과제와 교육적 과제로 구분됨
- 학습의 과정과 결과를 모두 고려함

⑤ 장점

- 교사의 가르침보다는 주로 학습 과제 자체가 학생들을 학습의 과정 속으로 끌어들여 학생들이 학습의 과정에 능동적으로 참여하도록 함
- 학습자 중심 수업이며, 학습자는 실제적인 과제 수행을 통해 대화의 문맥을 중요시 여기게 되고, 사회언어학적 능력도 향상시킬 수 있음

⑥ 단점

- 교수를 위한 일차적인 교육적 입력 자료를 과제에 의존하는 경향이 강함

• 체계적인 문법이나 어휘 교수요목이 없음
• 학습자의 수행 능력 편차에 따른 학습 효과를 극대화하기 위해서 교사의 부담이 증가함
• 과제 유형 목록, 과제 순서의 배열, 과제 수행 평가와 관련하여 명확한 기준이 없음

(13) 형태 초점 교수법 (M. H. Long)

① 기본 개념

• 의사소통 접근법과 학습자의 주의력이라는 인지심리학적 접근법을 통합
• 의사소통 위주의 수업 방법을 유지하면서 필요한 경우, 즉 학습자들이 목표 언어의 문법 구조나 기타 형식적인 측면에 대하여 여러 가지 다양한 방법으로 학습자들의 관심과 주의력을 목표 형식에 끌어들이는 것

② 특징

• 유창성과 정확성을 향상시킬 수 있는 문법 지도 방법
• 학습자 스스로 문법 규칙을 발견할 수 있는 귀납적 학습
• 문법 형태를 시각적, 청각적으로 처리하여 학습자들을 주목시킬 수 있음
• 학습자들이 의미협상을 통해 명시적인 지식을 발견하도록 함

③ 도티와 윌리엄스가 정리한 형태 초점 교수법

	의사소통에 방해 없음 ↔ 의사소통에 방해 있음						
입력 홍수	O						
과제 필수적 언어	O						
입력 강화		O					
의미 협상		O					
고쳐 말하기			O				
출력 강화			O				
상호작용 강화				O			
딕토글로스					O		
의식 고양 과제					O		
입력 처리						O	
가든 패스							O

3. 최근 외국어 교수법의 동향

(1) 교수법 흐름의 특징

① 교수법에 따라 중요하게 생각하는 언어가 다름

• 문자 언어 강조 : 문법 번역식 교수법, 총체적 교수법
• 구두 언어 강조 : 직접 교수법, 청각 구두식 교수법, 침묵식 교수법, 전신 반응식 교수법, 암시적 교수법, 공동체 언어 학습법
• 모두 강조 : 의사소통 중심 교수법, 내용 중심 교수법

② 교수법에 따라 문법 제시 방법이 다름

- 연역적 제시 : 문법 번역식 교수법
- 귀납적 제시 : 직접 교수법, 청각 구두식 교수법, 전신 반응식 교수법, 침묵식 교수법, 의사소통 중심 교수법, 자연적 교수법, 내용 중심 교수법, 과제 중심 교수법

③ 교수법에 따라 수업에서 교수자와 학습자 중에서 어느 것에 중점을 두는지가 다름

- 교수자 중심 : 문법 번역식 교수법, 직접 교수법, 청각 구두식 교수법, 전신 반응식 교수법, 암시적 교수법
- 학습자 중심 : 침묵식 교수법, 총체적 교수법, 공동체 언어 학습법, 의사소통 중심 교수법, 자연적 교수법, 내용 중심 교수법, 과제 중심 교수법

(2) 언어 교수 경향

① 의사소통 중심 교육

- 1970년대 이후 번역이나 해석과 지적 능력으로서의 언어가 아닌 의미를 교환하는 도구로써의 언어에 초점을 맞추어, 외국어 교육의 목표를 의사소통능력 신장에 둠

- 언어능력 개념의 변화

Chomsky(1965)	Hymes(1972)	Cummins(1981)	Canale(1983)
• 언어수행 (parole) • 언어능력 (langue)	• 언어적 능력 • 의사소통능력	• 학문적 숙달능력 • 기본적 소통 능력	의사소통능력의 4가지 범주 제시

- 의사소통능력의 범주 (Canale와 Swain, 1980)

㉠ 문법적 능력 : 어휘, 발음, 규칙, 철자법, 단어 형성, 문장 구조 (Hymes의 언어적 능력에 해당)
㉡ 담화적 능력 : 문장 사이의 상호 관계
㉢ 사회언어학적 능력 : 언어를 사용하는 사람들 간에 이루어지는 상호 작용
(언어가 사용되고 있는 사회적 상황에 대한 이해를 필요로 함)
㉣ 전략적 능력 : 언어 수행상의 변인이나 불완전한 언어 능력 때문에 의사소통이 중단되는 경우 이를 보완하기 위해 사용하는 언어적, 비언어적 의사소통능력
예) 우회적 화법, 반복, 머뭇거림, 회피, 추측, 의역하기

② 과제 중심 교육

㉠ Skehan의 정의
- 의미가 중요하고, 해결해야 할 문제가 있고, 실생활 활동과 관련이 있으며, 결과물을 기준으로 평가할 수 있는 목표를 지닌 활동

㉡ Nunan의 정의
- 교육적 과제 : 언어 숙달을 목적으로 교실 안에서 이루어지는 과제 활동
- 실제적 과제(목표 과제) : 실제 상황에서 활용할 수 있는 의사소통 활동

③ 과정 중심 교육

- 예를 들어, 과정 중심 쓰기 교육은 쓰기 수업의 단계별로 순환적 쓰기과정(구상하기 → 초고 쓰기 → 고쳐 쓰기 → 편집하기)을 통해 학습자의 쓰기 능력을 향상시킴

③ 사용이 전제된 교육

• 학습자를 언어사용 활동에 참여시켜 실제 상황 속에서 자발적으로 언어를 사용하도록 유도함

④ 학습자 중심 교육

• 언어의 실제 사용에 초점이 맞추어지면서 학습자 중심으로 교육의 방향이 바뀜
• 학습자의 정의적, 심리적 요인과 사회적 상호작용을 중시
• 학습자의 요구와 학습 동기가 교육과정에 반영돼야 함

⑤ 정보 획득 수단으로써의 언어 사용

• 언어가 다른 것을 학습하기 위한 수단으로 언어를 사용할 수밖에 없는 환경 조성을 강조함
• 다문화 아동 : 언어를 이용하여 사회, 생활, 문화를 학습하도록 함

5장 한국어 교재론

1. 교재의 정의와 기능

(1) 교재의 정의

• 광의 : 언어학습을 유발하기 위한 모든 의도적인 활동에서 동원되는 모든 입력물 (활용 가능한 언어 학습 자료)
• 협의 : 교육목표에 도달하도록 교육과정에 따라 교육내용을 선정하여 가시적으로 제시한 것
• 교육현장의 3대 요소 : 교사, 학습자, 교재(교수·학습의 도구)

(2) 교재의 기능 (서종학 외, 2007)

	교수자	학습자
수업 전	• 교육목표 제시 • 교육과정 구현	• 학습 동기 유발
수업 중	• 교수내용 제공 • 교수법 제공 • 교수자료 제공	• 학습내용 제공 • 학습방법 제공
수업 후	• 교사와 학습자 매개 • 교수평가의 근거 제공 • 교육내용의 일관성 확보	• 평가 대비 자료 • 연습을 통한 정착 기능 수행 • 수업 수준의 일정성 확보

(3) 좋은 교재가 갖추어야 할 조건

① 학습자에게 영향을 주어야 함
② 학습자가 편하게 느끼고 자신감을 갖도록 도와주어야 함
③ 학습 내용이 학습자와 관련이 있고 유용한 것이어야 함
④ 학습자가 필요로 하고 또한 학습자의 의욕을 증진시킬 수 있는 것이어야 함
⑤ 실제 언어 자료를 보여 줄 수 있어야 함
⑥ 입력되는 언어적 요소는 학습자의 관심을 끌 만한 것이어야 함
⑦ 학습자가 목표어로 의사소통할 수 있는 기회를 제공해야 함

(4) 한국어 교재의 유형 (박영순, 2003)

① 영역별

㉠ 언어기능 영역 : 말하기 / 듣기 / 읽기 / 쓰기
㉡ 내용 영역 : 회화 / 문화 / 어휘 / 문법

② 수준별 : 초급 / 중급 / 고급 / 최고급 / 한국학 전공자

③ 성격별 : 교수 학습용 / 자습용 / 교사용 / 인터넷용 / 수험대비용

④ 위상별 : 주교재용 / 부교재용 / 과제용 / 평가용 / 워크북

⑤ 목적별 : 일반 목적 / 취업 목적 / 진학 목적 / 관광 목적 / 교양 한국어

⑥ 대상별

㉠ 연령 : 성인 / 대학생 / 중고생 / 어린이
㉡ 결혼 이주자 / 이주 노동자 / 외교관 / 군인

⑦ 언어권별 : 영어권 / 중국어권 / 일본어권 / 스페인어권 / 독일어권 / 프랑스어권 / 몽골어권 / 베트남어권 / 태국어권

⑧ 거주 기간별 : 단기 체류 / 장기 체류 / 영주권자 / 귀화자

⑨ 기타 : 외국인 / 재외동포

(5) 학습자별 교재의 특성

일반목적 학습자	• 주로 국내 대학 부설기관에서 교육이 이루어짐 • 통합교재, 기술별 교재, 언어범주별 교재 • 초급에서는 시각자료를 많이 담은 초급교재가 주로 많음
학문목적 학습자	• 대학 진학 시 입학 및 강의 수강 능력 향상 목표 • 중급 이상의 학습자 대상 • 사고도구어를 반영함 (분석하다, 분류하다)
직업목적 학습자	• 직무수행에 필요한 한국어 능력 향상 위주
결혼이민자	• 2005년 여성가족부에서 발행한 '여성 결혼 이민자를 위한 한국어(초급)' • 2007년 여성가족부와 국립국어원에서 발간한 '여성 결혼 이민자를 위한 한국어(첫걸음, 중급)' • 2009년부터 2012년에 걸쳐 국립국어원에서 '결혼 이민자와 함께하는 한국어 1~6권' 개발 • 의사소통 상황을 중심으로 쉬운 일상어휘, 구체적 표현 위주
중도 입국 자녀	• 교육부에서 2012년 12월에 '초등학생을 위한 표준 한국어 1~2', '중학생을 위한 표준 한국어 1~2', '고등학생을 위한 표준 한국어 1~2' 개발 • '의사소통 한국어'와 '학습 도구 한국어' 개발
이주노동자	• 2010년 국립국어원이 개발한 '이주 노동자를 위한 아자아자 한국어 1~2' • 2012년 고용노동부와 한국산업인력공단이 공동으로 개발한 '고용허가제 한국어 능력 시험을 위한 한국어 표준 교재'

	• 정부차원에서 관심을 갖고 진행하고 있으나 연구가 아직 부족한 실정
재외동포	• 1973년 재미 어린이용 '국어' • 2009년부터 재외 한글학교 표준 교육과정에 대한 연구를 바탕으로 국립국제교육원의 주도로 재외 동포 아동용 한국어 교재 개발이 이루어지고 있음 • 국내 한국인 대상 정보를 그대로 싣고 있어 이해하기 어렵고 동기유발에 어려운 점이 있음
북한 이탈 주민	• 북한 이탈 주민의 언어는 지역 방언이면서도 사회 계층별 사회 방언의 성격을 띰 • 남한과 북한에서 사용하는 언어는 같은 언어이면서도 남한인과 북한 이탈 주민 서로에게 상당히 낯선 언어임 • 북한 이탈 주민의 한국어교육은 다문화적 관점에서 접근이 필요한 • 단기적으로 한국어교육적 성격을 지니나 장기적으로는 국어교육적 성격으로 변모해야 함

2. 교재 개발

(1) 한국어 교재의 변천사

① 1기 : 한국어 교육의 초창기 (1959-1975)

- 청각 구두식 교수법에 의한 교체 연습이 중심이 됨
- 교육 시 모국어 사용 강조
- 본문 제시 → 단어 설명 → 문법 설명 → 연습
- 선교사를 위한 교재가 많았음

② 2기 : 한국어 교재 변화가 시작된 변화기 (1976-1988)

- 다양한 목적을 가진 일본인 학습자가 증가
- 일본인 학습자를 위한 교재는 읽기가 강조됨
- 재외동포 교재로 문교부에서 지원한 초등학교용 국정교과서가 쓰이기도 함

③ 3기 : 한국어교육의 발전기 (1989-2000)

- 체계적인 교재가 개발되기 시작함
- 의사소통 중심 교수법이 시도됨
- 흑백이지만 시각화를 시도한 교재가 등장하기도 함

④ 4기 : 한국어 교재의 도약기 (2001-현재)

- 과제 중심, 기능 통합형 교재와 같이 다양한 교재가 개발됨
- 언어권별, 언어 기능별 교재가 다양화되고 전문화됨
- 온라인 교재, 멀티미디어 교재가 개발됨

(2) 교재의 범주

① 소재와 주제
② 기능과 과제
③ 담화 유형
- 응집성 : 하나의 담화가 통일된 주제를 가지고 있는 경우
- 응결성 : 내용의 연결을 위해 형식면에서 일정한 구조를 가지는 경우(접속부사 등)

④ 언어 내적 요소 : 발음, 어휘, 문법 등 (지금까지 빈도, 난이도, 학습자의 요구 등에 의해 선정·배열)
⑤ 문화 요소 : 자료의 실제성을 높이고 과제수행 중심으로 구성. 학습자의 호기심을 자극하고 문화차이를 이해시키는 데 도움이 됨

(3) 교수요목과 교재

① 구조 교수요목 : 1990년대 중반까지의 교재의 교수요목
② 상황 교수요목 : 최근 개발되는 교재에서 채택
③ 주제 교수요목 : 최근 개발되는 교재에서 채택
④ 기능 교수요목 : 최근 개발되는 교재에서 채택
⑤ 개념 교수요목 : 때때로 주제 교수요목의 일부가 포함됨
⑥ 과제 기반 교수요목 : 주제 교수요목과 함께 채택
⑦ 혼합 교수요목 : 최근 개발되는 교재에서 채택

(4) 교재 개발의 원리

① 교육의 목적 및 목표를 분명히 하고 교육과정과 교수요목을 설계하여 이를 실현하기 위한 교재가 되어야 함
② 학습자나 교육환경을 비롯한 다양한 변인을 고려하여 교재를 개발해야 함
③ 학습자 요구 조사가 선행되어야 하며 학습자 중심의 교재가 되어야 함
④ 한국어 사용 능력이 실질적으로 신장될 수 있도록 해야 한다.
⑤ 정확하고 자연스러운 한국어를 익힐 수 있도록 교재가 구성되어야 한
⑥ 학습자의 배경 지식을 활용하고 지적 호기심을 유발할 수 있는 교재의 구성이 필요함
⑦ 한국어와 함께 한국 문화를 교육할 수 있도록 교재를 개발해야 함
⑧ 의사소통 목적을 달성할 수 있도록 목표 언어를 사용할 기회를 충분히 제공하여야 함
⑨ 자가진단, 수준평가가 가능하도록 구성되어야 함
⑩ 다양한 매체를 이용해 한국어 교재를 개발해야 함

(5) 교재 개발의 절차

① 학습자 요구조사를 바탕으로 교육과정 수립
② 교육목적, 교육목표, 교수요목 설정
③ 교육내용 선정 및 배열과 조직
④ 단원 구성과 집필
⑤ 교재 시험 사용
⑥ 수정 및 평가

(6) 교재의 개작

① 개념 : 선택한 교재를 평가한 후 교육 목적과 대상에 맞추어 수정하는 것

② 개작 방법 : 수정, 삭제, 첨가, 단순화, 상세화, 재배열, 재집필 등

③ 교재 개작이 필요한 구체적인 요인

㉠ 특정 내용이 누락되었을 경우
㉡ 교재가 학습자의 수준이나 숙달도에 맞지 않을 경우
㉢ 교재의 언어 상황과 언어 표현이 실제성과 구체성을 결여하고 있음을 인지할 경우
㉣ 교재에 흥미 유발 요소가 부족하여 보완하려는 경우

④ 단순화

• 수업 변인별 특징을 중심으로 교재의 복잡한 요소를 명료하고 간단하게 재구성하여 활용하는 것
• 학습자 중심, 개별화 및 현지화를 모색하는 데 유용함

⑤ 상세화

- 수업 변인별 특징에 따라 교재를 구체화 또는 정교화하여 활용하는 것
- 수업 내용과 구조가 특정 부분에 집중된 경우나 언어 영역 중 어느 한쪽으로 치우쳐 개발된 경우에 상위 목표에 준하여 전체적 세분화를 가능하게 할 수 있음

(7) 웹 기반 교재

① 정의

- 웹의 특성과 웹이 제공하는 자료들을 바탕으로 만들어진 교재로, 한국어 교육을 목적으로 하여 웹에서 만들어진 홈페이지이며 '한국어 학습 사이트'로도 불림

② 특징

㉠ 학습자의 접근이 용이함
㉡ 보다 쉽게 실제성 있는 자료를 사용할 수 있으며 이를 통해 학습자의 흥미를 이끌 수 있음
㉢ 자기 주도적이고 능동적인 학습을 촉진시킴
㉣ 상호작용성이 강함
㉤ 학습자의 요구에 따른 맞춤형·개별화 학습이 가능함

③ 유형

	운영 기관	웹교재 명칭	제공 언어	목표 / 교재 특징	학습 대상
정부 기관	국립국제교육원	KOSNET	영어, 일본어 중국어 스페인어	• 기초적 한국어 학습과 문화 • 학습에 필요한 자료 제공 • 채팅 가능	외국인 재외동포 유아, 어린이 성인 초급 학습자
	세종학당재단	누리-세종학당	영어, 몽골어 중국어, 베트남어	• 초급 한국어의 기능별 콘텐츠로 제시 • 다양한 과제 제공	재외동포 이주민, 외국인 초·중급 학습자
	문화체육관광부	Korean through English	영어	• 기초적 한국어 학습 • 듣기, 읽기, 쓰기	재외동포 외국인
	재외동포재단	Study Korean	영어, 중국어 일본어, 러시아어	• 한국 사회 문화에 대한 관심 유도 • 상황중심이 다양한 학습 활동 가능	재외동포 (어린이, 청소년 대상)
대학 기관	서강대	Sogang Korean program	영어	• 한국 경제, 정치, 문화 등 소개 • 한국에 대한 이해 높임	외국인 재외동포 초~고급 학습자
	서울대	Click Korean	영어	• 한국어 교육용 온라인 콘텐츠 제공 • 문제 해결적 학습방식	외국인 초~중급 학습자
방송 기관	EBS	한국말 쉬워요		• 회화 교육 프로그램 제공 • 실생활에서 활용도 높은 어휘와 용법 중심	여성결혼이민자 초급 학습자

	KBS	Let's learn Korean	영어, 러시아어 일본어 등	• 다양한 언어 지원 • 회화 중심의 콘텐츠 제공	외국인 재외동포 초급 학습자

④ 웹 기반 한국어교육의 장점

- 학습의 개별화 효과를 증진시킴
- 학습자와 프로그램 간의 상호작용의 기회를 제공함
- 프로그램의 활용을 통한 학습자의 주의를 집중시키고 학습 동기를 촉진시킴
- 학습자들의 학습 수준을 진단해 줄뿐만 아니라 처방이 용이함
 (학습자들은 무제한 반복할 수 있으며 수준에 맞는 선택적 학습이 가능하며, 시간에 대한 제약이 없어 자유롭게 학습 시간을 선택할 수 있음)
- 학습자가 실수를 두려워하지 않고 새로운 것들을 시도해 보도록 인내심을 갖고 격려해 주며 독립된 문제 상황에서 적절한 전략을 구사할 수 있는 가능한 환경을 제공해 줌
- 빠른 시간 내에 많은 양의 데이터를 효과적으로 탐색함으로써 정보의 수집과 분류, 정리를 통한 문제 해결 능력을 증진시켜 줌
- 개별 학습자에 대해 정보를 저장하여 개별적 처치를 용이하게 함

(8) 부교재

① 정의

- 교사말, 교육적 목적으로 제작된 자료, 실제 자료 등의 주교재 이외의 모든 자료
 예) 실제 자료, 사진, 그림, 듣기 자료로서의 CD, 단어카드, 문형카드, 연습지, 워크북

② 기능

㉠ 학습자의 이해를 높임
㉡ 자료 활용 가능성을 높임
㉢ 평가에 도움을 줌
㉣ 교사와 학습자 간의 의사소통을 도움
㉤ 교사의 역할을 부분적으로 대신할 수 있음

3. 교재의 평가

(1) 교재 평가와 선정을 위한 원칙 (Grant, 1987)

① 의사소통성 : 의사소통능력을 향상시킬 수 있도록 고안되었는가?
② 목표성 : 프로그램의 목표 및 목적에 부합하는가?
③ 교수성 : 가르칠 때 어려움이 없고 교수 방법론과 밀접하게 연관되는가?
④ 부교재 : 지침서나 테이프, 워크북이 존재하는가?
⑤ 등급성 : 학습자의 숙달도에 따라 적합하게 구성되었는가?
⑥ 매력성 : 전체 과정에 대한 인상이 어떠한가?
⑦ 흥미성 : 학습자가 어떤 흥미를 찾아낼 수 있는가?
⑧ 검증 : 실제 교육 현장에서 검증된 적이 있는가? 있다면 어떤 상황에서 누구에 의해 검증되었으며 그 결과는 어떠한가?

(2) 교재 평가 기준 (Stevick, 1972)

① 3특성(Qualities)

- 강도 : 학습자 요구에의 적합성, 자료의 사실성, 학습자 만족도, 실생활 활용성
- 경중 : 단원별 자료의 양과 각 행별 문장의 양
- 투명성(명확성) : 자료의 일관성, 문법 항목 및 문장 구조의 간결성

② 3차원(Dimensions) : 언어적 차원, 사회적 차원, 주제적 차원

③ 4요소(Components) : 언어 사용 기회, 언어 사용 사례, 어휘 탐색, 구조 관계 탐색

평가 범주	세부 범주
교수 학습 상황 분석	학습 기관, 학습자, 교사
외적 구성 평가	• 물리적 요소 및 실용성 - 쪽수, 무게, 지질, 가격, 글꼴, 오탈자 • 시각자료와 디자인 - 레이아웃, 삽화의 양과 크기 및 배치 • 편집 및 구성 - 교재의 분권 여부, 모국어 번역 여부, 색인 등
내적 구성 평가	• 학습 내용 - 주제, 어휘, 문법, 발음과 억양, 문화 • 언어 기능 - 말하기, 읽기, 쓰기, 듣기 • 연습과 활동 • 평가와 피드백
총체적 평가	유용성, 일반성, 적용성, 유연성

(3) Neville Grant(1987: 120) 교재 평가표

- CATALYST Test : communicative(소통성), aims(목표성), teachability(교수성), available add-ons(부교재), level(등급성), your impression(매력도), student interest(흥미도), tried and tested(검증도)

① 교재가 학습자에게 적합한가?
• 학습자의 흥미를 유발하는가? • 학습자의 평균 연령을 고려했을 때, 학습자가 흥미 있어 하는가? • 문화 사회학적으로 수용 가능한가? • 교사가 파악하고 있는 학습자의 요구나 흥미를 교재가 반영하고 있는가? • 난이도에 따라 숙련도가 적절한가? • 교재의 길이는 적절한가? • 교과의 물리적 특성이 적절한가? • 실제적인 자료가 충분하여 실제 생활과 밀접하게 연관되어 있는가? • 언어에 대한 지식과 언어의 적절한 사용 사이에 수용 가능한 균형을 이루는가? • 언어 기술과 방법론 간의 상호연계성이 수용 가능한 균형을 이루는가? • 학습자가 목표 언어를 독립적으로 사용하기에 충분한 수업 활동 내용이 있는가?
② 교재가 교사에게 적합한가?
• 교과의 전반적인 내용과 편집 레이아웃이 괜찮은가? • 방법론과 부가적 보조 교재의 도움과 해답을 포함하는 명료하고 좋은 교사지침서가 있는가? • 교사지침서에 의존하지 않고도 교실 내에서 사용할 만한가? • 추천하는 방법론(접근법)이 교사와 학습자, 교실에 적절한가? • 다른 접근법들이 필요할 때 쉽게 적용 가능한가? • 사용하는 교재가 수업 준비를 위한 시간 낭비를 줄이는가?

• 워크북이나 제공되는 시청각 자료 등 기타 부가적 자료가 유용한가? • 점검과 수정을 위한 충분한 준비가 있는가? • 교재가 나선형으로 구성되어 항목들이 규칙적으로 복습되고 다른 과에서 다시 사용되는가? • 이 교재가 동료에게도 적절한가?
③ 교재가 교수요목이나 시험에 적합한가?
• 교재가 권위자에 의해 추천되거나 인정되었는가? • 교재가 창조적 방법론에 바탕하고, 공식적인 교수요목을 따르는가? • 교과가 잘 등급화되어 있어, 언어의 체계적인 적용 범위를 제공하는가? • 실제 교수요목보다 잘 진행되었다면 이는 수정 보완의 결과인가? • 교재에 사용된 방법론이나 내용, 학습 활동이 잘 계획되고 진행되었는가? • 특정 시험 등의 특별 목적을 위해 잘 구성되었는가? • 교재의 방법론이 학습자들의 특별요구(시험 등)에 도움이 되었는가? • 시험이 요구하는 내용과 학습자들이 요구하는 내용과 균형이 잘 맞는가? • 시험을 위한 충분한 사전 연습이 있었는가? • 교과가 시험에 대해 유용하게 도움이 되는가?

(4) 거시적 평가와 미시적 평가

외적/거시적 평가	내적/미시적 평가
• 대상 학습자와 숙달도 수준 • 교재 사용 목적 및 환경 • 언어 제시 방법과 내용 구성 및 조직 • 학습자 대상 및 교육과정과 교수방법론의 관계 • 학습 과정 교재의 역할(주교재 Vs 부교재) • 교사지침서 여부 • 어휘 목록 혹은 색인 • 시각 자료(사진, 차트, 도표)활용/제시방법, 유용성 • 레이아웃과 제시 방식 • 문화적 편견이나 치우침. 문화에 대한 균형 잡힌 시각 • 평가 자료(진단·과정·성취도 평가) 제시여부 및 유용성	• 교재에서 언어 기술을 제시하는 방법 • 자료(교재)의 등급화와 연속성 • 읽기/듣기/말하기/쓰기 내용 및 자료 유형과 실제성 • 학습자 요구에 맞는 교재 내용과 적절한 연습 제시 • 자습 가능성 • 교사와 학습자의 연관성 • 내용의 난이도와 이해 정도

(5) 특수목적별 교재 평가 시 분석 기준

① 학문 목적 교재

㉠ 요구분석 : 학습자의 요구분석, 교육시간, 학습 규모, 교사의 언어적 능력이 교재에 고려되었는가?
㉡ 학습 내용 : 학문 목적 학습자의 학문적 요구에 부합되는 내용인가?
㉢ 학습 전략 : 언어의 네 가지 기능이 학습전략과 연관되어 학습되도록 구성되어 있는가?

② 직업 목적 교재

㉠ 이주 노동자를 위한 교재
- 일상생활, 직장생활, 현장업무 상황을 담은 통합교재인가?
- 이주 노동자가 자신의 권익을 보호하는 기능이 포함되어 있는가?
- 학습자의 학습 수준에 따라 중점으로 하는 교육이 달라지는가?
  (초급수준에서는 말하기, 듣기 등 구어 교육 → 중고급에서는 읽기, 쓰기 등 문어 교육)

㉡ 비즈니스 한국어 교재
  • 학습자의 언어권, 직위, 연령과 같은 학습자 변인이 실제 과제와 관련되어 고려되어 있는가?
  • 비즈니스 상황에 적절한 담화 구조 학습이 잘 되어 있는가?
  • 한국의 기업 문화에 대한 내용이 포함되어 있는가?

③ 결혼 이주민을 위한 교재

㉠ 사회적 측면 : 가정과 지역사회 내에서 핵심적인 구성원의 역할을 할 수 있도록 구성되어 있는가?
㉡ 학습자 측면 : 학습 동기와 학습 목표를 충족시킬 수 있는 학습이 이루어지고 있는가?
㉢ 학부모 측면 : 자녀와의 의사소통 상황이 구성되어 있는가?
㉣ 교수·학습 상황 측면 : 방문 교육 또는 집합 교육을 위한 교재인가?

6장 한국어 표현교육론

<한국어 말하기 교육론>

1. 말하기의 기본 개념

(1) 말하기의 개념

• 화자의 생각과 감정, 정보 등을 비언어적 요소와 함께 음성 언어로 표현하여 화자와 청자가 의사소통하는 행위

(2) 말하기의 특징

① 축약형

  • 음성적, 형태적, 통사적, 화용적 축약이 모두 나타남
  • 축약, 생략, 비문법적인 형태들이 빈번히 사용됨

② 수행 변인

  • 화자가 도중에 주저하거나 머뭇거리거나 말을 수정하는 경우가 많음
  • 언어 실행 시 생기는 오류나 수정이 여과 없이 그대로 전달됨
  • 비언어적인 표현 양상 포함

③ 중복성

  • 반복적인 표현이 많고 정보가 풀어져 있는 경우가 많음
  • 문어에 비해 정보의 농도가 낮음

④ 무리짓기

  • 유창한 표현이 단어가 아닌 구로 이뤄짐

⑤ 구어체

  • 관용적 표현이나 축약형, 공통의 문화적 지식 등이 포함됨
  • 사회문화적 어휘나 표현을 많이 사용

⑥ 발화 속도

- 다양한 발화 속도로 전달됨
- 유창하게 발화하려면 적절한 속도를 지녀야 함

⑦ 억양과 강세

- 어조, 억양, 강세 등의 요소가 의미를 전달하는 데 중요한 요소가 됨

⑧ 상호 작용

- 대화는 상호작용 규칙(협상하기, 명료화하기, 신호에 주의하기, 순서 지키기, 화제 지정 등)의 지배를 받음
- 양방향 활동이므로 의미 협상을 위해서는 이러한 상호작용을 익혀야 함

⑨ 간접적인 표현이나 담화에 있어서 대화상의 함축적 표현이 많음

⑩ 잘못된 발화 습관이 화석화될 수 있음

(3) 말하기 교육의 목표

- 등급별 말하기 교육의 목표 및 교육 내용 (김정숙, 2006)

등급	교육 목표	교육 내용		
		과제/기능	내용	담화 유형
고급	사회적·추상적 주제를 다루고, 자신의 전문 분야에서의 기능 수행 능력을 기름	주장하기	사회적 주제 추상적 주제 전문적 내용	확장된 담화
중급	일상적·개인적 주제를 유창하고 정확하게 다루며, 친숙한 추상적·사회적 주제를 다루는 능력을 기름	설명하기 묘사하기 비교하기	친숙한 사회적 주제 친숙한 추상적 주제	문단
초급	일상생활을 수행하는 데 필요한 기본적인 의사소통 능력을 기름	간단한 질문 간단한 대답	일상적 주제 친숙한 주제 구체적 주제	문장 문장의 연쇄

2. 언어 교수법과 말하기 교육

(1) 문법번역식 교수법

- 말하기와 발음은 등한시됨

(2) 직접 교수법

- 의사소통적 말하기, 발음 강조
- 실제 의사소통에서 대화자들로서의 역할보다는 교수·학습 과정에서 상대 역할을 하는 데 지나지 않음

(3) 청각 구두식 교수법

- 대화 형식으로 된 교사의 발화를 듣고 따라하고, 곧이어 교사의 질문에 대해 학습자가 응답을 반복하는 과정
- 다양한 의사소통 상황에 대처할 수 있는 맥락화 능력은 떨어짐

(4) 전신 반응 교수법

• 교사 발화가 명령 화행에 치우쳐 있음

(5) 자연적 접근법

• 듣기 입력 후 간단한 어휘로 초기 발화가 나타나게 되고, 그 단계에서 한 단계 높은 학습 자료가 주어진다면 자연스럽게 발화가 나타나게 됨

(6) 공동체 언어 학습

• 학습자의 유의미한 말하기 발화가 자극됨
• 교사와 학습자 간의 상호 작용 속에서 학습자가 말하고 싶은 것을 말하게 함

(7) 의사소통 중심 교수법

• 언어 체계보다 언어 사용을 강조
• 실제성을 높여 학습자가 현실 세계에서 수행해야 할 의사소통 상황에 대처하게 함

3. 말하기 교육 방안

(1) 말하기 교육의 원리

① 실제성 중심

• 실제성 : 언어 사용의 맥락과 기능, 표현이 실제의 의사소통 상황을 반영하는 정도
• 실제성을 높이기 위해서는 학습자의 요구를 반영해야 함
• 구어적 특성을 반영한 교육 (발음과 억양에 대한 정확한 교육이 필요함)
• '문맥 속에서 연습하기'를 통해 다양한 유의미적 연습 기회를 제공

② 정확성과 유창성의 균형

• 정확성은 오류 없이 구사하는 능력이며 유창성은 막힘없이 자연스럽게 사용하는 능력과 정도 (이미혜, 2002)
• 유창성에 기본 목표를 두되 올바른 의사 전달을 위해 정확성을 유지
• 문법 규칙을 이해하고 내재화시킬 수 있도록 연습의 단계를 거치는 것이 반드시 필요함

③ 과제 중심 교육

• 문제 해결 능력 기르고 교실 밖에서의 언어 수행력을 높이기 위함
• 교육적 과제를 통해 실제적 과제를 수행할 능력을 갖추도록 과제를 설계해야 함
• 말하기 과제 구성의 원리 : 유창성 증진, 교실 환경(학습자의 수준, 학습자의 수, 학습동기)에 맞게 계획, 단순한 구성, 생산어휘 중심, 숙달도 증진, 선수학습과의 유기성, 흥미 유지

④ 기능 통합적 교육

• 상대의 말을 인지하고 반응하는 수업이 될 수 있도록 다른 기능과의 연계 수업을 구성
• 기능별 연계 활동은 하나의 기술 훈련을 통해 습득된 기능이 다른 기능을 강화시키는 데 도움이 됨

⑤ 담화 차원의 교육

• 한국어 담화 공동체에서 사용하는 이야기 방식을 가르쳐야 함
• '기능'에 기본을 두고 '형태'를 함께 고려하여 의미의 전달과 이해에 초점을 둠
• 구어 담화의 유형

상호성 여부 (듣기 상황) / 듣기의 목적	일방향적		쌍방향적	
	공식적	비공식적	공식적	비공식적
친교적	자기 소개, 축사			대화
정보교환적	뉴스, 일기예보. 광고, 안내 방송, 강의, 발표	지시	상담, 문의, 인터뷰	
비평적	연설		토론, 토의	
감상적	낭송, 낭독, 노래			

⑥ 의사소통 전략과 비언어적 행위 교육

• 의사소통 전략 : 학습자 스스로 어려움을 극복하고 의사소통을 이어나가는 데 도움이 되는 방법들
예) 정형화된 표현 사용하기, 돌려 말하기, 코드 스위칭, 도움 요청하기, 간투사 사용하기
• 표정이나 몸짓 등의 비언어적 전략을 포함

(2) 말하기 수업에서 교사의 역할 (허용 외, 2005)

① 통제자 : 수업 시간과 내용을 현명하게 통제할 수 있는 통제력
② 촉진자 : 학습자들이 어려움을 극복하면서 과제 수행을 해 나갈 수 있도록 실마리를 제공
③ 상담자 : 학습자들이 겪게 되는 어려움과 심리적 부담감이나 두려움에 대해 수시로 이야기를 나눔
④ 관찰자 : 학습자의 오류 및 습관 등에 대해 늘 관심을 기울이면서 관찰해 둠으로써 필요할 때 적절한 조언 제공
⑤ 참여자 : 토론, 역할극 활동 때에 교사가 직접 참여함으로써 학습자들에게 필요한 정보나 실마리를 제공하고 학습자와의 유대감을 강화하는 기회로 활용
⑥ 평가자 : 활동이나 과제 수행이 끝날 때마다 적절한 평가를 해 줌

(3) 말하기 오류 수정

① 오류의 정의 : 대상언어에 대한 지식 부족으로 발생한 잘못된 언어 생산물

② 오류의 유형과 원인

㉠ 생략 : 필수 요소를 생략하거나, 지나친 단순화
㉡ 지나친 일반화 : 목표 언어의 규칙이나 유형을 그것이 허용하지 않는 부분에까지 적용
㉢ 전이 : 모국어 규칙을 목표어에 똑같이 적용
㉣ 총체적 오류 : 의사소통에 방해가 되는 오류
㉤ 국소적 오류 : 의미 이해에 큰 지장을 주지 않는 오류

③ 오류의 수정 방법

㉠ 연습 단계에서의 오류 수정 : 정확성 확보가 목적
• 오류 사실을 인지시키고 학습자 스스로의 수정을 유도
• 동료에게 질문하여 답하게 하거나 동료의 도움을 얻어 수정(초기 단계에서는 교사가)

• 오류가 있는 문장의 예시문을 제시
• 직접적으로 교사가 수정
• 간접적인 방법(몸짓, 억양 등)으로 오류 및 수정 내용을 지시

ⓛ 활용 단계에서의 오류 수정 : 유창성 확보가 목적
• 학습자의 오류를 기록하여 과제 활동 후 개인적으로 또는 학급 전체를 대상으로 수정
• 과제활동을 수행하기에 어려운 오류는 교사가 개입하여 수정
• 동료의 과제 활동을 듣고 오류를 파악하여 서로 수정해 주기

④ Harmer(2001)의 오류 수정 방법

㉠ 반복 요구
예) 학생 : 학교에 만났어요. 교사 : 뭐라고요? 다시 한번?

ⓛ 모방
예) 학생 : 학교에 만났어요. 교사 : 학교에 만났어요?

ⓒ 지적 또는 질문
예) 학생 : 학교에 만났어요. 교사 : 아, 뭔가 틀렸네요. 뭐가 틀렸죠?

ⓔ 표정 : 표정이나 몸짓으로 틀렸음을 암시

ⓜ 힌트
예) 학생 : 학교에 만났어요. 교사 : 조사에 조심해서 다시 한 번 말해 보세요.

ⓗ 직접 고쳐주기
예) 학생 : 학교에 만났어요. 교사 : 학교에서 만났어요.

4. 말하기 활동의 유형

(1) 의사소통 학습의 과정 (Littlewood, 1981)

의사소통 행위 전 활동	구조적 활동
	인위적 의사소통 활동
실제적 의사소통 활동	기능적 의사소통 활동
	사회적 상호작용 활동

① 의사소통 행위 전 활동

㉠ 구조적 활동
• 문법 체계와 언어 항목이 결합되는 방식에 초점을 두는 활동
• 의사소통 능력을 구성하는 지식의 특정한 요소나 기술을 분리하고 그것을 따로 연습할 수 있도록 함
예) 듣고 따라하면서 발음을 연습

ⓛ 인위적 의사소통 활동
• 형식적 연습에서 실제 의사소통으로 이어지도록 고안된 전형적인 대화 주고받기로 어떤 것은 훈련(drill)에 가깝지만 어떤 것들은 대화(dialog)에 가까움
가. 교체 연습

나. 질문 듣고 대답하기
다. 시각 자료(그림, 사진, 도표, 지도, 실물 자료) 활용하기

② 실제적 의사소통 활동

㉠ 기능적 의사소통 활동
• 학습자에게 정보를 전달하려는 의사소통 욕구를 불러일으켜 자연스럽게 기능을 연습할 수 있도록 하는 활동
• 의사소통 전 활동의 지식과 기술을 통합하여 총체적인 연습을 할 수 있도록 준비된 것
• 오직 정보에 대한 의사소통만을 포함함
가. 정보차 활동 : 다른 사람과 정보를 공유하여 자신이 필요한 정보를 찾아내는 상호작용적 활동
나. 직소 활동 : 각기 다른 정보를 주고 의사소통을 통해 서로의 정보를 수합하여 하나의 목표를 달성하게 하는 활동 (정보차 활동의 하나이며 협동적 활동임)
다. 문제해결 활동
라. 묘사하여 말하기

㉡ 사회적 상호작용 활동
• 분명한 사회적 맥락 속에서 행해지는 실제 의사소통과 유사한 활동
가. 역할극 : 특정한 상황 속에서 학습자가 각각 하나의 역할을 맡아 상호작용을 하는 활동
나. 게임 : 스무 고개, 끝말잇기, 퍼즐 게임 등이 있음
다. 토론 : 특정한 주제에 대해서 자신의 주장을 펼치면서 상대방을 설득하고, 상대방의 주장에 대해서는 동의하거나 반박하는 활동
라. 발표 : 자신이 선택하거나 주어진 주제에 대해 준비한 이야기를 발표하는 방법

★ 기타 유형

• 직소 토론 : 하나의 문제가 주어지면 각 구성원이 그 문제의 한 부분식을 맡아 조사하고 최종적으로 모든 구성원들의 부분을 조합하여 문제를 해결하는 방식 (협동심과 책임감을 기를 수 있음)

• 가상 모의극, 시뮬레이션 : 실제 상황을 대신할 모의적인 상황을 이용하여 교육하는 것을 말한다. 예를 들면 텔레비전 시사토론 프로그램 등을 시뮬레이션으로 설정하고 말하기 교육을 한다든지, 대담 프로그램에서 인터뷰 상황을 설정하고 말하기 교육을 하는 것 등

• 의견차 활동 : 경험적 데이터에 근거하지 않은 개인적인 신념이나 감정으로 다른 사람이 이에 대해 이의를 제기하고 학습자들이 의견을 주고받는 활동
교사가 읽기 자료나 사진 등을 제시하여 주제를 정하고 토론을 거쳐 결론이나 해결책에 도달하는 방법도 있고, 학습자 스스로 주제를 정하고 자료를 찾아서 이끌어가는 토론 활동도 있는데, 주로 중·고급 학습자에게 유용함

• 탄뎀 학습 : 서로 다른 모국어 화자 두 사람이 상대의 언어를 학습하기 위하여 2인 1조의 팀을 만들어 상대의 언어를 학습하는 학습자인 동시에 상대방의 학습을 도와주는 교수자의 역할을 하는 자기주도적 학습 방법 (의사소통능력 향상, 이문화 이해 능력 향상, 자기주도력 향상)

• 과제 활동 : 말하기의 상호작용적인 기술을 익힐 수 있도록 대부분 역할극의 형태로 제시

초급	중급	고급
• 처음 만난 사람과 인사 나누기 • 주말 약속 정하기 • 휴가 계획 말하기	• 학교생활에 대한 조언 구하기 • 은행에서 통장 개설하기 • 하숙집 구하기	• 신문기사 내용 전달하기 • 공적인 부탁 거절하기 • 직장에서의 고민 듣고 위로하기

(2) 브라운(Brown, 2007)의 말하기 활동 유형

① 모방형 : 언어 형태의 일부 특정한 요소에 집중하도록 실행된다. 기계적 훈련, 통제된 활동 속에서 하나의 요소에 주의를 집중시킴

② 집중형 : 모방형보다 한 단계 더 나아간 것으로 언어의 음성적, 문법적 측면을 연습하는 활동은 무엇이든 이 범주에 속함 (짝 활동을 통하여 일정한 언어 형태를 되풀이할 수 있음)

③ 반응형 : 질문에 대한 짧은 응답으로 이루어지는 활동으로, 더 이상의(정보교류적/사교적) 대화로 발전되지 않음

④ 정보교류적(대화) : 특정 정보를 전달하거나 교환하기 위한 목적으로 수행된다. 반응형 언어를 확장한 것이라고 할 수 있는데, 회화는 반응형 언어 행위보다 의미 협상적 성격이 강함

⑤ 사교적(대화) : 정보 교환보다는 사람들 간의 사회적 관계를 유지하기 위한 것이다. 학습자들은 대화자 사이의 관계나 격의 없이 쓰는 형태, 빈정거림과 같은 요소들이 언어적으로 어떻게 표현되는지 이해할 필요가 있음

⑥ 확장형(독백) : 중급에서 고급 수준의 학생들의 결과 보고, 요약 정리, 짧은 연설 등 혼자서 길게 말하도록 요구됨 (독백은 계획적일 수도 있고 즉흥적일 수도 있음)

(3) 교실 활동의 대화 유형

① 교사 중심 유창성 강조 : 토론, 시뮬레이션
② 교사 중심 정확성 강조 : 문형 연습, 반복 훈련
③ 학습자 중심 유창성 강조 : 역할극, 프로젝트 활동, 게임
④ 학습자 중심 정확성 강조 : 대화문 연습

(4) 수준에 따른 말하기 활동

• 등급별 말하기 활동의 예 (김선정 외, 2010)

등급	적합한 활동의 예
초급 이상	• 문장 만들어 이야기하기 • 문답이나 대화 완성하기 • 질문에 답하기 • 답을 듣고 질문 만들기
중급 이상	• 단어 게임하기 • 상황에 따른 역할극하기 • 비교해서 말하기 • 이야기 재구성하기 • 설명하기
고급 이상	• 좌담회하기 • 발표하기(프레젠테이션) • 촌극이나 연극하기 • 인터뷰하기 • 특정 주제에 대해 이야기하기

(5) 그룹(모둠) 활동 시 유의사항

• 가능하면 단순한 방법으로 그룹을 만듦
• 서로 다른 언어 능력을 가진 학생들을 섞어서 그룹을 만듦
(언어 능력이 우수한 학생과 다소 떨어지는 학생을 적절히 섞어서 편성)
• 그룹 활동에 적당한 연습 활동을 주의 깊게 선택함
• 교사는 연습 활동을 상세히 제시함
(학생들을 그룹으로 나누기 전에 교사는 무엇을 해야 하는지 정확하게 설명하여 제시)
• 교사는 뭔가 심각한 문제가 있지 않는 한 그룹 활동에 간섭하지 않음
(교사는 학생에게 활동에 대한 책임감을 부여해야 함)
• 오류를 수정하지 않음
(심각한 오류는 기록해 두었다가 다음 차시 수업에서 다시 가르침)
• 적절한 순간에 그룹 활동을 중지시킴
(학생들이 지루해할 때까지 활동을 질질 끌어서는 안 됨)
• 각 그룹별로 활동한 내용을 발표시킴

5. 말하기 의사소통 전략

(1) 회피전략

① 화제(주제) 회피 : 학습자가 목표어의 어휘나 문장 구조를 모를 때 주제 자체에 대해 말하는 것을 멈추는 것
② 메시지 포기 : 주제는 유지하지만 주제에 대해 전달하려 했던 메시지는 말하지 않고 그 전달을 포기하는 것

(2) 보상전략

① 우회적 화법 : 특정 행동을 기술하거나 예를 듦 (아는 언어를 사용하여 설명)
② 근접 대체어 : 가능한 근접한 대안적 용어를 사용함
③ 다목적어 사용 : 일반적이고 특별한 의미가 없는 어휘를 특정 낱말이 필요한 상황까지 확대해서 사용
④ 단어 만들기 : 그럴 듯한 규칙을 바탕으로 제2 언어에 존재하지 않는 단어를 창조해냄
⑤ 조립식 문형 : 흔히 '생존'을 위해 암기한 상투적인 문구들을 사용함
⑥ 비언어적 신호 : 마임, 제스처, 얼굴 표정, 소리 모방
⑦ 직역 : L1에서 L2로 단어, 숙어, 복합어 또는 구문을 그대로 직역
⑧ 외국어화 : L1 단어를 L2 음운론적 체계나 형태론적 체계에 맞게 조절하여 사용
⑨ 언어전환 : L2 발화 중에 L1, L3 단어로 언어를 전환하는 경우
⑩ 도움 요청 : 직접적 또는 간접적으로 도움을 요청
⑪ 시간 벌기 : 시간을 메우는 표현이나 우물쭈물거릴 때 사용하는 표현들을 통해 휴지를 채우고 생각할 시간 얻음

<한국어 쓰기 교육론>

1. 쓰기의 기본 개념

(1) 쓰기의 개념

• 문자 언어를 매개로 이루어지는 표현활동으로 생각이나 느낌을 표현함으로써 타인과 의사소통하는 것

(2) 문자 언어의 특징 (Brown, 1994)

① 영구성

• 일단 완성된 글이 독자에게 전달되면 수정이나 해명이나 취소가 불가능해짐

- 독자는 반복해서 쓰인 단어, 문구, 문장, 글 전체를 읽을 수 있음
- 학습자로 하여금 쓰기를 두렵게 만드는 제1 요인이므로, 교사는 학습자가 최종적인 글을 제출하기 전에 자신들의 글을 수정하고 정교화할 수 있도록 도와주어야 함

② 산출 시간

- 생산과 수용에 걸리는 시간에 구애를 받지 않음
- 좋은 글을 쓰기 위해서는 적절한 시간이 주어져야 함
- 쓰기 수업에서는 학습자로 하여금 주어진 시간을 효과적으로 활용할 수 있는 전략의 개발이 필요함

③ 시·공간적 거리감

- 글은 생산되는 시점이나 장소가 아니라 다른 시간과 다른 장소에서 읽히기 때문에 필연적으로 글을 쓰는 사람과 읽는 사람 사이에 거리가 발생함
- 이 거리는 문자 언어를 더 이해하기 어렵게 만드는 요소임
- 이 거리를 좁히기 위해서는 인지적 공감대를 형성해야 하는데, 독자의 관점과 사고를 고려해야 함
- 독자를 예상하면서 글을 쓰는 훈련이 필요함

④ 철자법

- 쓰기를 통해 뭔가를 표현할 때에는 문자 외에는 의지할 수 있는 수단이 없기 때문에 정확하게 맞춤법에 맞게 쓰는 것이 중요하며, 정확성에 대한 이러한 요구가 학습자로 하여금 쓰기를 어렵게 느끼게 만듦
- 독자는 행간에 숨은 작가의 의도를 찾기 위해 노력해야 하며, 작가의 의도와 다르게 해석되기도 함

⑤ 복잡성

- 문어는 구어보다 문장이 복잡하게 구성되며 문화권마다 독특한 수사적인 전통이나 흐름이 있음
- 훈련과 연습을 통해 목표어 문장의 연결법이나 통사적인 다양성을 익혀야 함

⑥ 어휘

- 쓰기는 말하기 비해 난이도가 높고 다양한 어휘가 사용되므로 일상생활에서 거의 사용하지 않는 즉, 사용빈도가 떨어지는 어휘들이 많이 발견됨
- 어휘력 확대 방안이 함께 강구되어야 함

⑦ 형식성

- 어떤 종류의 글이든 글은 각각의 글에서 요구하는 관습적인 형식이 있음
- 형식은 언어권마다 다르므로 쓰기 수업에서는 수사학적인 형식, 구성상의 형식에 대한 연습과 훈련이 필요함

(3) 쓰기에 필요한 지식 (Tribble, 1997)

① 내용 지식 : 필자가 쓸 글의 주제 영역에 대해 가지고 있는 지식
② 맥락 지식 : 텍스트가 읽혀질 사회적 맥락에 대한 지식 (유사한 장르나 텍스트가 가지고 있는 글의 구조적, 형식적 특징에 대한 지식)
③ 언어 지식 : 어휘나 문법, 언어체계에 대한 지식
④ 쓰기 과정 지식 : 준비 단계부터 글을 검토하고 편집하는 단계에 이르기까지의 과제에 대한 지식

(4) 쓰기 교육의 단계별 목표 (김선정 외, 2010)

초급	중급	고급
• 맞춤법의 기본 원리에 맞게 글을 쓸 수 있음 • 기본적 형태의 어형 변화의 구사가 가능함 • 서류나 서식에 기입할 수 있고 짧은 메시지나 전화 메모 등 실용문을 쓸 수 있음 • 어휘, 문법을 재구성해서 친숙한 주제로 단순한 문장을 쓸 수 있음 • 학습 주제와 관계있는 구어체 문장과 편지, 일기와 같은 문어체 문장 표현이 가능함	• 맞춤법과 문법에 맞게 문장을 구성하는 데 크게 어려움을 느끼지 않음 • 문장을 만드는 데 문법적인 오류가 보이기는 하나 비교적 정확한 문장을 구사함 • 생활과 밀접한 관련이 있는 사회적 소재에 대해서도 어느 정도 글을 쓸 수 있음 • 주어진 텍스트를 요약하고 그에 대한 자신의 주장을 논리적으로 구성할 수 있음	• 구두법이나 철자 등에 약간의 오류가 있을 수 있으나 문장 구조를 이해하며 친숙한 주제에 대해서는 꽤 긴 글을 쓸 수 있음 • 묘사, 서술, 요약 및 의견 주장 등의 내용을 적절하게 표현할 수 있음 • 정치, 경제, 사회, 문화 전반에 걸친 친숙하지 않은 주제에 관해 쓸 수 있음 • 연대기적 서술, 논리적 서술, 논술, 묘사 등의 문장을 구성할 수 있음

2. 쓰기 교육의 흐름과 원리

(1) 언어 교수법과 쓰기 교육

① 문법 번역식 교수법

• 문법 규칙에 맞는 예문을 써 보는 것으로, 문법 수업의 보조적인 역할에 지나지 않음

② 직접 교수법

• 문법 번역식 교수법에 비해 쓰기는 그 위상이 줄어듦

③ 청각 구두식 교수법

• 읽기를 확인하기 위한 보조 수단에 불과함
• 쓰기에는 큰 관심을 두지 않음

④ 의사소통 중심 교수법

• 쓰기를 의사소통의 수단으로 보고, 언어 사용 위주의 교육을 강조함

(2) 쓰기 교육 접근법

① 결과 중심 접근법 : 텍스트 중시

• 텍스트 자체를 중시하는 쓰기에 대한 전통적인 관점
• 텍스트의 구조, 문체, 수사법, 철자 등의 형식을 중시
• 모범적 텍스트 모방
• 정확성에 관한 피드백을 통해 오류 수정

② 과정 중심 접근법 : 필자 중시

• 글쓰기 단계를 중심으로 학습 지도

- 복잡하고 순환적인 창의적 과정
- 충분한 시간을 제공해야 하며, 글의 형식이 아닌 내용에 대해 피드백을 해야 함
- 특징
  ㉠ 학습자가 글 쓰는 과정을 이해하고, 완전한 글을 만들어 가도록 이끔
  ㉡ 글을 쓰는 과정과 결과를 균형 있게 추구함
  ㉢ 학습자가 글을 통해 나타내고자 하는 것을 스스로 발견하게 함
  ㉣ 글을 다시 쓸 수 있는 시간적인 여유를 주며, 구상개요 작성, 교정, 다시 쓰기를 위한 전략을 형성하도록 도움
  ㉤ 교정 과정을 중시하며, 교사뿐만 아니라 동료의 피드백도 권장함
  ㉥ 쓰기 수업은 학습자 간, 교사와 학습자의 상호작용으로 구성함
  ㉦ 학습자의 글에 대한 반응과 오류 수정은 신중하게 함

③ 장르 중심 접근법 : 독자 중시

- 목표 사회에서 통용되는 텍스트의 특성, 구성 방식 등을 이해하고 쓰도록 함
- 글을 쓰기 전에 텍스트의 장르에 대한 형식을 이해하도록 교수함
- 모범글 제공 → 장르의 구성적 특성과 자주 사용되는 표현 익힘 → 연습 → 장르의 글을 자유롭게 쓰기
- Feez의 단계별 교수 학습 모형
  ㉠ 1단계 : 맥락 이해하기
  ㉡ 2단계 : 모형화와 텍스트 분석
  ㉢ 3단계 : 함께 글 구성하기
  ㉣ 4단계 : 개별적으로 글 구성하기
  ㉤ 5단계 : 관련 글 연결하기

(3) 쓰기 교육의 원리

① 내용과 담화 조직의 구성을 강조해야 함
② 쓰기의 과정에 초점을 두어야 함
③ 실제 의사소통 상황에서 수행할 가능성이 높은 과제를 중심으로 쓰기 교육을 실시해야 함
④ 한국어 담화 공동체가 기대하고 요구하는 새로운 글쓰기 방식(한국어 문어 텍스트의 특성 반영)에 맞추어 글을 쓰도록 해야 함
⑤ 독자의 반응을 예상하며 글을 쓰는 연습을 해야 함
⑥ 상호활동적, 협력적 활동이 되어야 함
⑦ 다른 언어 기술과의 통합 교육을 실시해야 함
⑧ 쓰기 전략을 사용할 수 있도록 교수해야 함
⑨ 학습자의 생각을 초고에 최대로 담기 위한 계획 활동을 포함해야 함
⑩ 학습자 요구를 반영한 실제적인 쓰기와 학문적인 쓰기의 배합이 중요함

(4) 쓰기 이론

① 형식주의 작문 이론

- 규범 문법과 수사학적 원칙을 강조함
- 텍스트를 객관적인 연구의 대상으로 보고 객관적인 방법에 의해서 객관적인 지식을 얻을 수 있다는 객관주의 지식관에 입각하고 있음
- 신비평이론, 구조주의 언어학, 행동주의 심리학 등 주변 학문의 영향을 받아 텍스트의 의미가 텍스트에 독립되어 자율적으로 혹은 스스로 맥락화 된다고 보았음
- 필자는 자신이 구성한 의미를 모범적인 수사 규칙을 사용하여 텍스트에 표현함으로써 독자가 그것을 따르도록 하며, 텍스트는 독자가 의미를 쉽게 해독할 수 있도록 모범적인 수사 규칙을 활용하여 능률적으로 구성되어야 함

② 인지주의 작문 이론

- 인지주의 작문 이론이 등장한 배경에는 언어학에서 촘스키가 주창한 변형생성 이론이 큰 역할을 하였음
- 언어학의 초점을 형식적인 언어 구조로부터 언어 사용자가 언어 구조를 구성하는 심리적 과정으로 전환시켰음
- 쓰기에서 결과보다는 과정에 관심을 가지게 하였고, 인지주의 작문 이론에서는 개별 필자의 의미 구성 과정을 중시하여 필자의 쓰기 행위를 분석의 대상으로 삼아 쓰기 과정에서 작용하는 필자의 지적 작용에 관심을 두었음
- 텍스트를 필자의 계획, 목적과 사고를 언어로 번역한 것으로 정의하고, 텍스트를 통한 의미 구성 능력은 필자의 목적의식과 사고 능력의 계발을 통하여 신장되는 것으로 설명하고 있음

③ 사회적 구성주의 작문 이론

- 사회구성주의자들은 지식은 외부 세계에 객관적으로 존재하는 것이 아니며 공동체 구성원들 간의 사회적 상호작용을 통해서 구성되는 언어적 실체로 보았음
- 필자 개개인은 개별적으로 쓰기를 하는 것이 아니라 의미를 구성하는 과정에 영향을 미치는 언어 사용 집단 혹은 언어 공동체의 일원으로서 쓰기를 한다고 주장하였음
- 텍스트는 실질적인 의미가 필자 자신과 타인 사이 또는 개인과 언어 공동체의 협상과 해석의 결과이기 때문에, 담화 공동체 구성원들 간의 대화를 강조하였음

④ 대화주의 작문 이론

- 개인과 개인 사이에 균형을 유지하려는 상호작용을 중요시함
- 바흐친(Bakhtin)은 의미 구성을 필자와 독자, 개인과 집단의 대화를 통해서 설명함으로써 개인과 담화 공동체의 영향 관계는 어느 한쪽이 다른 한쪽에게 일방적으로 영향을 주거나 일치를 강요하는 관계가 아니라 쌍방에서 힘의 우위 다툼을 통해서 조화를 이루는 방식으로 진행된다고 주장하였음
- 텍스트는 잠재적 의미만을 담고 있으며 필자와 독자는 정통적인 언어 사용자이고, 텍스트를 통한 의미 구성 능력은 상호 교호성의 계발을 통하여 신장될 수 있으며 상호 교호성의 계발은 필자와 독자의 협상과 상호작용으로 가능하다고 설명함

3. 쓰기 수업의 구성

(1) 쓰기 수업의 단계

- 쓰기의 단계별 활동 (김정숙, 2006)

구상하기 (쓰기 전)	초고 쓰기 (쓰기)	다시 쓰기 (쓰기 후)
① 아이디어를 내고, 주 아이디어를 찾음 ② 주제와 관련된 사실이나 내용을 모음 ③ 주 아이디어로 발전시킬 수 있도록 사실과 아이디어를 조직함	① 도입으로 주제문을 쓰고 배경 정보를 제공 ② 각각의 지지 문단을 발전시키고 올바른 문단 구성을 따라가는지 확인함 ③ 의도하는 의미를 표현하기 위해서 분명하고 간단한 문장을 사용함 ④ 주 아이디어에 초점을 맞춤 ⑤ 사전을 사용해 적절한 표현을 찾음	① 글의 흐름에 일관성, 통일성이 있는지 확인함 ② 주제가 분명하게 드러나는지 확인함 ③ 글이 도입, 전개, 마무리로 구성되었는지 확인함 ④ 문단들의 관계를 확인함 ⑤ 주제문을 확인함 ⑥ 철자법, 문법, 문장 구조가 정확한지 확인함 ⑦ 문장의 의미를 확인함 ⑧ 글이 재미있는지 확인함

① 쓰기 전 활동 : 앞으로 쓸 글에 대해 구상하는 아이디어 형성단계 (학습자 간 의견 교환)

㉠ 글을 쓰는 목적 인식하기
㉡ 글의 방향이나 주제 선정
㉢ 주제 관련 사실이나 내용 모으기
㉣ 아이디어를 내고 핵심아이디어 찾기, 아이디어 조직하기
㉤ 학습자 전략 : 개요쓰기, 브레인스토밍, 목록만들기, 다발짓기, 자유연상, 마인드맵, 주제에 대해 토론하기, 정보수집활동(읽기의 스키밍, 스캐닝 활용), 상의하기

② 쓰기 본 활동 : 구상하기 단계에서 이끌어내고 조직한 아이디어를 글로 옮기는 단계

㉠ 주제문을 쓰고 배경정보를 제공
㉡ 각각의 지지 문단을 발전시키고 문단 구성이 논리적인지 확인
㉢ 자신의 의도를 표현하기 위해 분명하고 간결한 문장 사용
㉣ 핵심아이디어에 초점을 맞추도록 함
㉤ 사전을 사용하여 적절한 표현을 찾도록 함
㉥ 학습자 전략 : 빨리 쓰기, 읽으면서 고쳐 쓰기, 정교화 전략, 줄이기 전략, 문단 맞추기

③ 쓰기 후 활동 : 고쳐 쓰기 단계(다시 쓰기 단계)로 초고의 오류나 실수를 고치고 수정

㉠ 글의 일관성, 통일성 확인 : 글의 도입, 전개, 마무리 구성 확인, 문단 사이의 관계 확인
㉡ 주제가 분명히 드러나는지 확인 : 주제문 확인
㉢ 철자법, 문법, 문장 구조의 정확성 확인, 문자의 의미 확인
㉣ 학습자 전략 : 다시 쓰기, 고쳐 쓰기, 돌려 읽기, 동료의 의견 듣기, 집단수정 활동, 교사의견 듣기, 상의하기

(2) 쓰기 활동의 유형 (Brown, 2000)

① 모방 쓰기 : 글자 또는 문장을 단순히 써 보는 연습

㉠ 받아쓰기 : 교사는 한국어의 음운 변동 규칙에 따라 읽어주어야지 형태소별로 따로 떼어서 읽어주면 안 됨
㉡ 베껴 쓰기

② 통제된 또는 유도된 쓰기 : 학습자의 창의력을 발휘할 여지가 많지 않음

㉠ 시각 자료를 이용해서 쓰기
㉡ 어순 배열하기
㉢ 문장 확장하기
㉣ 질문에 대답하기
㉤ 지시대로 바꿔 쓰기
㉥ 빈칸 채우기
㉦ 문단 완성하기
㉧ 딕토콤프
- 학습자가 교사의 이야기를 듣고 제시어를 이용해서 내용을 재구성하여 쓰는 활동
- 절차
  가. 대여섯 줄 내외의 짧은 글이나 이야기를 학습자들에게 들려준 후에 내용을 칠판이나 카드로 제시하고 다시 한 번 글을 읽어 줌
  나. 학습자들은 2차로 들은 것을 바탕으로 제시어들의 위치를 정함
  다. 교사는 한두 차례 더 글을 읽어 학생들이 글을 완성하도록 함
  라. 글의 전부를 칠판에 써 주면 학습자들은 자신의 글과 비교하면서 수정함
- 음성언어로 주어진 완결성 있는 텍스트를 이해하고, 의미적 일치에 중점을 두어 문자언어로 재산출하는 통합

활동
- 원문 재구성이라는 통제가 주어지지만 학습자의 자율성과 창조적인 언어사용을 바탕으로 재구성을 실시한다는 점에서 기존의 통제된 글쓰기와 구별됨
- 쓰기의 최종 단계인 작문을 실시하기에 앞서 텍스트 구성 방법을 학습하고 표현력을 신장시키는 것이 가능
- 절차적 특성상 텍스트에 대한 이해가 반드시 선행되어야 하며 이해가 되지 않으면 다음 쓰기 활동 자체가 가능하지 않음
- 최종적인 쓰기 과제를 달성하기 위해서는 텍스트의 내용 및 구조를 파악하고 이를 쓰기와 연결시키는 것이 중요함
- 원문 재구성이라는 뚜렷한 듣기 목적을 가진 딕토콤프는 학습자의 이해 능력 신장과 밀접한 관련을 가지며 효과적인 듣기 교육 방안으로 활용 가능함

ⓧ 딕토글로스
- 문법이 문장 안에서 어떻게 기능하는가를 배우기 위한 것
- 목표
  가. 주어진 텍스트를 재구성하는 과정에서 학습자의 문법 생산 능력을 사용할 수 있는 기회를 제공
  나. 텍스트를 재구성하는 과정에서 학습자가 목표어에 대해 아는 것과 모르는 것을 찾아낼 수 있도록 장려함
  다. 텍스트 수정을 통해 학습자 스스로 자신의 언어 사용을 정교화하고 향상시킴
- 절차 : 준비(20분) → 받아쓰기(5분) → 재구성(30분) → 분석, 수정 토의(30분)
  가. 짧고 탄탄한 구성의 텍스트를 정상 속도로 2번 읽어 줌
  나. 그 동안 학습자는 친숙한 단어와 구를 메모함
  다. 소규모 그룹에서 수행할 때 학습자들은 엉성한 텍스트를 모아서 공유한 자료를 바탕으로 텍스트를 재구성함
  라. 학습자의 각 그룹에서는 자신들이 재구성한 텍스트를 만드는데 문법적인 정확성과 텍스트의 문장 내의 응집성을 고려해야 하지만 원본과의 동일성을 고려할 필요는 없음
  마. 학습자 그룹의 다양한 유형의 텍스트는 정밀하게 분석되고 비교, 토의되면서 완성도 높게 재조정됨

ⓩ 이야기 구성하기 : 제공된 여러 어휘와 표현들을 이용해서 완성된 글을 써 보게 하는 활동

ⓚ 다시 쓰기 : 이야기를 읽은 후 그것을 학습자의 관점에서 다시 써 보게 하는 활동

③ 자율적 쓰기

㉠ 수업 시간에 노트 필기하기
㉡ 일지 쓰기
㉢ 쇼핑 목록 작성하기

④ 전시용 쓰기 : 보여주는 것을 목적으로 하는 쓰기

㉠ 작문 시험
㉡ 학술적 에세이 또는 보고서 쓰기
㉢ 학업 또는 연구 계획서

★ **학문 목적 쓰기** : 대학 수학을 목적으로 하는 학문 목적의 쓰기는 다음과 같은 특징을 가짐

① 주제는 학업에서 필요한 주제들로 학습자들의 전공 및 교양 관련 주제들임
학습자들의 전공과 관련성이 높은 주제를 다루도록 하는 것이 바람직함

② 텍스트는 일반적인 쓰기 텍스트와 비교하여 텍스트의 종류 및 문법 형태, 어휘 등에서 차이를 가짐
학문적 텍스트는 일반적이고 형식화된 구조를 갖고, 학문적 내용에서 쓰이는 문법을 사용함
어휘 및 표현에 있어서도 일반적인 어휘와는 다른 학술적인 어휘 및 표현 사용이 많음
학습자는 이러한 학문적 텍스트의 구조적 특질이나 수사적 전략을 이해해야 함

③ 학문 목적 쓰기의 과제는 일반 목적의 쓰기의 과제와 큰 차이가 있음

대학에서 학업을 수행하기 위해서는 보고서 쓰기, 시험 답안 작성하기, 교재 내용 요약하기, 노트 필기하기 등의 쓰기 과제를 수행할 수 있어야 함

⑤ 실제 쓰기 : 진정한 의사소통을 목적으로 하는 쓰기

㉠ 편지쓰기
㉡ 요청하는 글
㉢ 일기 쓰기

★ 목적에 따른 유형

① 개인적 내용의 쓰기 : 일기, 일지 등과 같이 개인적 필요에 따라 쓰는 글로 대개 기억을 도와주기 위한 수단으로 사용
② 창의적 내용의 쓰기 : 시나 소설, 수필 등 자신뿐 아니라 다른 사람과 공유하기 위한 글의 종류
③ 사회적 내용의 쓰기 : 가족이나 친구들과의 사회적 관계를 확립하고 유지하기 위한 쓰기
④ 전문적 내용의 쓰기 : 연구논문, 계약서, 협정서 쓰기 등과 같이 학문이나 전문 분야와 관련된 글
⑤ 공적 쓰기 : 공적인 서한이나 문서 등 조직이나 기관의 구성원으로서 써야 하는 글

(3) 교사의 쓰기 지도 (Brown, 2007)

① 글을 잘 쓰는 이들의 습관을 교수 기법에 포함함
② 과정과 결과의 균형을 맞춤
③ 문화적 또는 문학적 배경을 설명함
④ 읽기와 쓰기를 연계함
⑤ 실제성 있는 쓰기 활동을 최대한 많이 부여함
⑥ 예비 쓰기, 원고 쓰기, 고쳐 쓰기의 각 단계별로 교수 기법의 기본 틀을 구성함
⑦ 가능한 한 상호작용적인 교수 기법을 제공하도록 함
⑧ 학습자의 글에 대한 반응 및 수정 방법을 세심하게 적용함
⑨ 학습자에게 쓰기의 수사적, 형식적인 관습들을 명확하게 지도함

(4) 오류 수정 (피드백)

① 단계별 피드백

㉠ 초안(초고)에 대한 고쳐 쓰기
- 전체적인 오류
- 도입 부분에 대한 언급
- 주제와 관계가 먼 부분에 대해 언급
- 부적절하거나 어색한 단어와 표현을 지적함

㉡ 교정안에 대한 고쳐 쓰기

- 문법적인 오류(철자, 구두점, 문법구조) 지적은 하되, 교정은 하지 않음
- 학습자 스스로 오류를 수정할 기회를 부여
- 문장 내, 문장 간의 일관성
- 어휘 선택에 대한 언급

㉢ 최종글에 대한 고쳐 쓰기

- 문법적인 오류 수정은 물론 철자, 구두점, 문법구조들을 세밀히 확인
- 어휘 수정
- 글의 전체 구성과 내용에 대한 교사 의견 언급

② 오류 교정의 원리 (Bernd Kast, 1999)

- 형태 중심의 연습에 목적을 둔 쓰기 활동에서는 형태를 정확하게 수정해 주어야 함
- 학습자가 글을 통해 무언가를 전달할 목적으로 쓴 글에서는 주제에 대한 자신의 생각을 표현하고, 독창적이고 창조적으로 글을 쓸 수 있도록 오류에 관대해져야 함
- 대표적인 오류 몇 가지를 표시하고 이를 수업 시간에 다룸
- 글의 잘 된 부분에 대한 칭찬과 오류 교정을 함께 제공함
- 반복된 오류는 중요하게 다루고 실수는 심각하게 다루지 않음
- 아직 학습하지 않은 내용에 대한 오류는 교사가 아무 말 없이 수정해 줌 (수정해 주지 않으면 학습자들이 맞는 것으로 오해할 수 있음)
- 학습자 전체를 대상으로 오류를 다룰 때는 누구의 오류인지가 드러나지 않게 함

★ 피드백 : 학습 결과에 대한 정보를 제공하기 위한 의사소통의 형태

① 제공 주체

㉠ 교사 피드백
- 학습자는 자신의 글에 대해 가능하면 많은 부분을 교사가 언급해 주기를 바람
- 글쓰기의 주체로서 학습자의 역할을 유도하기 위해서는 절차를 통해 오류를 수정해 주는 것이 좋음
- 초안에 대한 피드백에서는 전체적인 구성과 내용을 중심으로 언급하고 문법적인 오류는 지적하되 스스로 수정하도록 유도함
- 구체적인 오류 수정은 최종 글에 대해서 하는 것이 학습자들이 문법적인 부분에 집착하지 않도록 하는 방법임
- 초고를 교정하여 다시 쓰는 과정중심의 작문 수업에서는 교사와 학습자가 약속한 상징 부호를 사용하여 오류를 교정해 줄 수 있음
- 오류의 존재를 표시하거나 오류의 내용을 알려줌으로써 학습자 스스로 자신의 글에 대한 문제를 파악하고 교정할 수 있는 기회를 부여함
- 상징부호를 사용하는 방법은 좋은 쓰기 습관을 길러주며, 자신의 오류를 스스로 범주화할 수 있는 능력을 키워주고 오류 유형에 관심을 갖게 하므로 장기적으로 실시하는 것이 바람직함

㉡ 동료(학습자 간) 피드백
- 쓰기 단계에서 학습자 간의 피드백은 다른 학습자들의 글을 개별적으로 또는 그룹으로 읽고 의견을 나누는 것임
- 단순히 그룹 활동으로 서로의 초안을 돌아가며 읽고 장단점을 말하는 것은 완벽한 언어 능력이 결여되어 있는 학습자에게는 효과적이지 못함
- 사전에 학습자가 글을 평가할 수 있는 기준을 적용하는 질문지를 제공하는 것이 바람직함
- 질문의 내용은 문법적인 부분보다는 글의 내용과 구성에 초점을 맞추어 응집성이 있는 논리적인 글 구성을 확인하도록 유도하는 것이 좋음
- 학습자들은 평가 기준으로 동료의 글을 읽으면서 자신과 다른 학습자들의 글에 대해 좀 더 독자적인 비평가가 될 수 있으며, 올바른 글쓰기의 기준이 내재화되어 글에 대한 통찰력과 분별력이 생김

② 방법

㉠ 직접 피드백 (오류 부분과 고쳐야 하는 형태를 알려줌)
- 교사가 학생들이 작성한 글에서 발견된 오류의 올바른 형태를 제공해 주는 방법으로, Elis(2009)는 불필요한 단어나 구 등을 지워 주기, 빠진 단어를 넣어 주기, 혹은 올바르지 않은 단어의 올바른 형태를 써 주

는 등의 방법을 들고 있음
• Ferris(2003)는 직접 수정 피드백의 방법을 범주화하여 삭제, 삽입, 대체, 재작성의 4가지로 제시하기도 하였음

㉡ 간접 피드백 (오류 부분 줄긋기)
• 학습자들이 쓰기 과정에서 범한 오류의 올바른 형태를 바로 제공해주는 대신 학습자에게 오류가 있음을 알려주어 스스로 수정할 수 있도록 하는 것임
• Ferris와 Roberts(2001)는 간접 수정 피드백의 방법을 부호 표시 방법부터, 언어적 설명의 방법까지 4단계로 제시함
가. 성격 : 인지적 피드백(요약, 구체화, 설명, 범위), 정의적 피드백(칭찬)
나. 기능 : 형성적 피드백(글의 형성 과정을 도와줌), 수정적 피드백(문법적 오류 수정에 초점)

4. 쓰기 평가

(1) 수준별 평가

초급	1급	생활과 관련된 매우 간단한 대화나 생활문을 쓸 수 있음
	2급	자주 쓰이는 문장의 종결형과 연결형을 사용하여 간단한 문장 구성
중급	3급	생활과 관련 있는 사회적 소재에 대해 글을 쓸 수 있음 - 문어체 종결 표현을 사용해 문단 구성하기
	4급	업무환경에 요구되는 일반적인 글쓰기를 부분적으로 수행할 수 있음
고급	5급	친숙하지 않은 주제를 어느 정도 표현 가능 - 자기의 전문분야에서 요구되는 글쓰기 기능 수행 가능
	6급	친숙하지 않은 주제를 대체로 표현 가능

(2) 쓰기 영역 주관식(작문) 문항 평가 범주 (한국어능력시험의 작문 문항 평가 기준표)

평가 범주		평가 내용
내용 및 과제 수행		요구된 내용을 적절하게 포괄하며, 과제를 적절히 수행하였는가를 평가
글의 전개 구조		적절한 문단 구조를 이용하고 담화 장치를 적절하게 사용하여 응집성 있게 구성하였는가를 평가
언어 사용	어휘	어휘를 적절하고 정확하며 유창하게 사용하였는가를 평가
	문법	문법을 적절하고 정확하며 유창하게 사용하였는가를 평가
	맞춤법	맞춤법에 맞게 표기하였는가를 평가
사회언어학적 격식		작문의 장르적 특성 등에 맞추어 언어사용역(register)의 사용이 적절한가를 평가

7장 한국어 이해교육론

<한국어 듣기 교육론>

1. 듣기의 기본 개념

(1) 듣기의 개념

• 음성언어를 매개로 하여 이루어지는 의사소통 활동으로 청자가 화자로부터 정보를 전달받고 이를 이해하여 처리하는 과정

(2) 언어 교수법과 듣기 교육

① 문법번역식 교수법

- 문어 중심, 듣기 교수 부재

② 직접 교수법

- 듣기와 말하기를 동시에 학습할 것을 주장
- 시청각 교재의 활용을 제시했지만 여전히 보조적 역할

③ 청각 구두식 교수법

- 말하기의 보조적 수단

④ 전신 반응식 교수법

- 집중적으로 듣기가 조명되기 시작
- 교사의 명령어를 들어야 함

⑤ 자연적 교수법

- 침묵기(듣기만 하는 기간)를 권장하여 말하기에 불안감을 느끼지 않고 듣기 활동만 할 수 있도록 허용

⑥ 의사소통 중심 교수법

- 담화를 적극적으로 유추, 해석, 평가하는 듣기가 본격적으로 진행됨
- 역동적인 과정으로서 성공적인 의사소통의 중요기반으로 자리 잡음

(3) 듣기의 특징

① 음성은 표현되자마자 사라져 버림

- 의사소통의 흐름을 놓치지 않기 위한 특별한 전략과 기술이 필요함
- 문자 언어보다 이해하기 어려움
- 시간적인 제약
- 필요한 정보를 골라 들을 수 있어야 함

② 구어적 요소의 영향을 받음

- 비언어적이고 비문법적인 요소 다수 포함
- 휴지, 머뭇거림, 반복, 수정, 다른 요소의 삽입 등 전략적 기술들이 사용됨

③ 언어 외적인 요소가 이해에 많은 영향을 미침

• 화자의 어조, 표정, 동작을 고려해야 정확한 이해를 할 수 있음

(4) 듣기 교육의 목표

① 음소 식별하기
② 한국어의 발음 규칙 이해하기
③ 담화 맥락 안에서 어휘의 의미 이해하기
④ 관용 표현의 의미 이해하기
⑤ 맥락을 통해 학습하지 않은 어휘의 의미 유추
⑥ 운소를 통해서 문장의 기능 이해하기
⑦ 문맥의 의미 이해하기
⑧ 생략이나 도치된 문장 이해하기
⑨ 어조 이해하기

(5) 듣기 처리 과정

• 듣기는 흔히 듣기 행위에 개입되는 사고의 수준에 따라 소리 듣기(hearing), 의미 듣기(listening), 청해(auding)로 분류됨

① 들리기(hearing)

• 문자 그대로 외부에서 들려오는 물리적인 소리만을 수동적으로 지각하는 활동으로 자신의 사전 경험이나 언어적·상황적 배경 맥락을 고려하지 않고 들려오는 말을 축자적으로 이해하는 수준의 듣기

② 듣기(listening)

• 주의를 기울여 소리를 지각하고 자신이 알고 있는 배경지식과 관련하여 들은 정보를 조직화하고 해석하고 평가하는 일련의 인지적 과정

③ 청해(auding)

• 가장 높은 수준의 사고를 요하는 듣기 행위로 듣기 과정의 처리 결과를 종합적으로 이해하고, 해석하며, 여기에 청자 자신의 가치 판단이나 정의적 반응까지 수반하는 보다 종합적인 과정

(6) 듣기 교육의 중요성

① 상대방 말을 이해해야 그에 맞는 발화 가능
② 듣기 교육을 우선적으로 하는 것이 좋음
③ 사용 빈도가 높은 영역

2. 듣기 자료

(1) 듣기 자료의 예

① 학습자 수준 및 듣기 교육 목적에 맞추어 교수자 작성한 자료 프린트를 녹음한 자료
② 공공장소 발화를 녹음한 CD
③ 학습자의 수준에 맞게 제작된 한국어 학습용 자료
④ 뉴스, 드라마, 다큐멘터리 등 대중 매체의 방영물을 녹화한 자료
⑤ 영화 DVD

(2) 듣기 자료 선정 시 유의점

① 다양한 유형의 담화 제시 : 실생활에서 들을 수 있는 다양한 형태에 익숙해지도록 유도

② 실제적 자료 사용 : 교육 목적에 맞는 실제적 자료에 가깝게 편집, 변형을 가한 교육적 자료를 포함

③ 학습자의 수준에 맞는 내용 : 너무 쉽거나 어려우면 학습자는 학습에 흥미를 잃어버림

④ 듣기 자료 녹음 : 다양한 구어 형태 포함

㉠ 남녀의 목소리 비율 적절하게 배합
㉡ 일정량의 소음을 의도적으로 넣음
㉢ 자연스러운 발음과 적절한 휴지를 두어 녹음
㉣ 실제상황에 따라 속도를 달리하여 녹음

(3) 듣기의 난이도에 영향을 주는 요소

① 학습자의 숙달도와 교재의 난이도 상관성
② 듣기 전 단계의 배경지식 활성화 정도
③ 적절한 속도와 정보의 조밀성 정도 : 정보가 조밀하면 듣기가 어려움
④ 학습자의 흥미와 관심 : 자료의 실제성

★ 자료 선정의 원칙

- 학습 목적, 학습자의 언어 수준, 학습 기간에 따라 적절하게 논의 되어야 함
- 흥미가 있어야 함
- 지적으로 자극적이어야 함
- 도전할 수 있는 것이어야 함
- 실제성이 있어야 함
- 사회적, 언어적으로 적절성을 갖고 있어야 함

3. 듣기 교육 모형

(1) 듣기 모형

① 상향식 모형

- 단어 → 구 → 절 → 문장 → 담화의 순서로 부분에서 전체로 이해를 넓혀가는 방식
- 소리, 낱말, 억양, 문장들의 의미를 해독하는 활동
- 발음, 억양, 강세와 음절 식별, 문장 어순, 주요 정보 메모, 요점 설명 단어 찾기, 세부 정보 찾기

② 하향식 모형

- 학습자의 배경지식을 토대로 의미를 종합해 가는 능동적 이해
- 전체 내용을 듣고 배경지식을 이용해서 자료의 내용을 이해, 추론하는 활동
- 주제파악, 방향 예측, 단락별 주제 찾기, 각 단락의 내용 파악

(2) 과정 중심적 듣기 모형

① 듣기 전 활동 : 동기와 흥미를 유발시키는 단계로 듣기 주제에 대해 소개하면서 듣기의 목적을 제시

- 학습자의 스키마 활성화 : 시각적 자료 제시, 예비 질문
- 주제와 관련된 사전정보 제시
- 듣기자료의 수사학적 담화구조에 대한 지식을 알려주는 활동
- 예) • 그림이나 사진, 도표 등을 제시하고 질문하기
  - 보조 자료 없이 들을 내용과 관련된 질문을 하기
  - 들을 내용과 관련된 어휘나 표현을 제시해 주고 학습하기
  - 읽기 활동에서 듣기 활동으로 유도하기

② 듣기 본 활동 : 전체적인 이해를 하고 내용을 파악하면서 정확히 파악하지 못한 부분을 확인

- 대략적 듣기에서 시작하여 세부적인 사항을 듣도록 유도
- 예) • 들은 내용에 대하여 O/X 판단하거나 고르기
  - 들은 내용과 관련된 그림을 제시하여 그에 맞게 순서대로 배열하기
  - 들은 내용에서 나온 어휘나 표현을 써 보기
  - 들은 내용을 요약해서 간단하게 이야기하거나 쓰기
  - 중심 내용에 대하여 O/X 판단하거나 고르기
  - 중심 내용이나 제목을 써 보기
  - 주제에 이어질 수 있는 내용을 고르기

③ 들은 후 활동 : 들은 내용을 정리하고 강화하도록 돕는 활동

- 초급 : 문법과 어휘 점검, 들은 내용 요약, 자신의 상황과 연결하여 말하기
- 고급 : 정리, 요약, 비평, 비판, 토의, 문제해결

4. 듣기 활동 유형과 분류

(1) 듣기의 유형

① 확장형 듣기

- 발화의 전체적인 의미 파악을 목표로 하는 하향식 듣기 활동
- 구체적인 활동으로는 메모장 활용하기, 긴 이야기 듣고 단락별 주제 토론하기, 강의 노트 필기 등이 있음
- 궁극적인 목표는 인위적인 학습 상황을 넘어서서 현실적인 효용성을 거두는 것임

② 선택형 듣기

- 학습자가 긴 텍스트의 내용을 다 처리하지 않고 필요한 정보만을 선택적으로 처리하도록 하는 듣기 활동
- 특정 정보만을 선별적으로 처리한다는 점에서 전체적인 글의 흐름과 내용을 파악하기 위한 확장형 듣기와 구별됨
- 특정 정보를 분리해 낸다는 점에서 집중형 듣기와 유사하나 훨씬 긴 발화를 대상으로 하며 실제 의사소통에 활용된다는 점에서 차이가 있음

③ 반응적 듣기

- 교사가 지시를 내리거나 질문을 할 때 학습자가 유의미한 동작이나 말하기로 반응을 보이도록 하는 활동
- '지난 주말 어땠어요?'와 같은 간단한 질문하기, '책을 덮으세요.'와 같은 간단한 요구하기, 그 외에 명료화하기, 이해 점검하기 등이 있음

④ 집중적 듣기

- 음소, 단어, 억양, 담화 표지 등 발화의 여러 가지 요소에 초점을 맞추는 방식의 듣기 활동
- 학습자가 듣게 되는 언어 표현 중 문법적 표지에 집중하게 하여 그것을 선별하도록 하는 듣기 활동
- 학습자에게 단어나 문장을 반복해서 들려주어 인식하게 한 후 조금 더 긴 담화를 들려주어 억양, 강세, 대비, 문법적 구조 등의 특별한 요소를 찾아내게 함

★ 담화 표지

- 발화의 명제 내용에 영향을 미치지 않으면서 발화를 연결하거나 화자의 태도를 표시하거나 담화 구조를 표시하는 등 일정한 담화상의 기능을 수행하는 언어 요소
- 작가는 자기의 의도를 보다 정확하게 전달하기 위해 담화 표지어를 사용하고, 독자는 담화 표지어를 이용하여 의미구조를 형성함으로써 보다 쉽고 정확하게 이해할 수 있음
- 글에 통일성을 부여함으로써 읽기 과정에서 사고의 흐름을 원활하게 하여 주제 파악을 용이하게 하며, 문단 간에 생각의 단절 없이 독해를 할 수 있도록 돕는 기능을 함
- 담화 구조 및 맥락에 대한 이해를 돕는 담화 표지어를 활용한 읽기 전략 지도가 필요함
- 분류
  ① 화제 제시, 전환 혹은 마무리 : 있잖아, 다름 아니라, 그건 그렇고, 아무튼
  ② 화자 자신의 말 강조 또는 약화하거나 말할 시간을 벌고 청자의 주의를 집중시킴 : 아니, 글쎄, 자, 뭐
  ③ 화자의 태도 표시 : 솔직히, 사실은
  ④ 담화 구조 표시로 화제를 알리는 기능 : 이제부터, 오늘은, 이번 시간에는
  ⑤ 내용 강조 : 중요한 것은, 강조하면

⑤ 반복적 듣기

- 듣고 따라하거나 반복적으로 말하도록 요구하는 활동
- 발음 연습에 활용함

⑥ 상호작용형 듣기

- 듣기 기능은 진정한 의사소통적 교류를 통해 말하기 기능과 교묘하게 통합되어야 함

(2) 화자·청자에 따른 분류

① 청자의 태도에 따라 : 적극적 듣기, 비판적 듣기, 공감적 듣기

② 화자의 의도에 따라 : 설명형 듣기, 설득형 듣기, 주장형 듣기, 친교형 듣기

③ 화자와 청자의 입장에 따라 : 분석적 듣기, 공감적 듣기, 대화형 듣기

(3) 상황에 따른 분류

① 비상호적 듣기 : 대중 연설, 안내 방송, 대중 매체, 녹음된 메시지, 강의나 설교, 공연 등과 같이 화자의 말을 듣되 상호작용을 할 수 없는 듣기임

② 상호적 듣기 : 두 명 이상의 화자와 청자가 서로의 역할을 교대하면서 양방향 의사소통의 구두 상호작용에 참여하는 방식

③ 독백형 듣기 : 화자가 자기 자신을 청자로 하여 이야기를 하고 듣는 것으로 계획을 세우거나 과거의 담화 내용을 상기할 때 사용함

(4) 목적에 따른 분류

① 친교적 듣기 : 사교 목적의 상호작용적 듣기에는 사회적 관계 유지를 목표로 하는 인사나 소개, 농담, 칭찬 등이 포함되며 상대방에 대한 관심과 친절, 존경 등이 중시됨

② 정보습득적(업무 처리적) 듣기 : 새로운 정보를 흡수하거나 새로운 기술을 습득하는 목적의 듣기로 지시나 묘사, 안내 방송, 뉴스, 강의 듣기 등이 있으며 정보의 정확성이 중요함

③ 평가적 듣기

④ 이해적 듣기

(5) 태도에 따른 분류

① 분석적 듣기 : 상대방의 말을 듣고 분석하고 검토함으로써 전체 내용을 이해하는 듣기 방법으로, 강의나 선거 유세, 방송 뉴스, 텔레비전 광고 등을 들을 때 사용됨

② 공감적 듣기 : 상대방의 생각이나 감정을 이해하는 데 듣기의 일차적인 목적이 있음

5. 듣기 전략

(1) 상위인지(메타, 초인지) 전략

- 학습할 내용을 학습자가 미리 점검하고 계획함으로써 언어 학습 과정을 스스로 관리하고 통제하는 전략
- 듣기 이해에 있어서 계획, 점검, 평가를 말함
- 과제의 요구와 흐름을 깨닫고, 적절한 전략을 적절한 시기에 적절한 방법으로 사용하는 것을 총괄하는 것은 상위 인지 전략의 몫임

① 점검하기 : 들으면서 내가 과연 잘 이해하고 있는지를 순간적으로 점검하고, 자신의 능력에 맞게 듣기 수행을 계획
② 자기 관리하기 : 듣기 전이나 듣는 중에 마음을 가다듬고 정신을 집중함
③ 목적을 가지고 선택적으로 듣기 : 무엇을 들어야 할지를 간단하게 선택한 후 들음
④ 못 들은 내용에 집착하지 않기 : 못 들은 문장에 대해 너무 걱정하지 않고 빨리 다음 문장에 주의를 기울여 들음

(2) 인지 전략

① 메모하며 듣기 : 간단히 메모를 하면서 들음
② 한국어로 생각하며 듣기 : 자신의 모어로 번역하기보다는 바로 한국어로 의미를 파악하고자 함
③ 배경지식을 이용하여 정교화하기 : 들리는 내용을 세상에 대한 지식이나 이전에 알고 있던 내용에 비추어 이해함
④ 요약하기 : 들으면서 들은 부분에 대한 요약을 간단하게 하거나 들은 후 들은 내용을 마음 속으로 정리함
⑤ 비언어적 단서를 통해 추론하기 : 발화자, 발화자들의 관계, 발화의 상황을 통해 내용을 추론함
⑥ 언어적 단서를 듣고 추론하기 : 조사, 담화 표지, 어조, 문맥 등을 이용하여 내용을 추론함
⑦ 담화적 특징을 통해 추론하기 : 듣는 내용이 어떤 종류의 담화인지를 파악하고 그 담화의 특징을 이용하여 내용을 추론함
⑧ 다음 내용을 예측하며 듣기 : 다음에 무슨 내용이 나올지를 추측하면서 들음
⑨ 반복 어구나 강조하는 말을 듣기 : 말의 속도가 갑자기 변화되고, 화자가 천천히 명확하게 강조하여 말하거나 반복하여 말하면 그것에 주의를 기울이며 들음

(3) 사회·정의적 전략

① 협동하기 : 모르는 내용을 파악하기 위해 동료와 협동함
② 부연 설명, 반복을 요구하기 : 이해하지 못한 내용에 대해 다시 설명해 줄 것을 요구함

(4) 브라운(Brown, 2007)의 구체적인 듣기 전략

① 핵심어 찾기
② 비언어적인 화자의 의도 예측하기
③ 대화 상황에서 화자의 의도 예측하기
④ 자신의 인지적 구조와 정보 연결하기
⑤ 의미 추측하기
⑥ 명료화하기
⑦ 전반적으로 이해하며 듣기
⑧ 듣기 이해 시험을 위해 다양한 시험 전략 연습하기

(5) 교수·학습 전략

① 모든 단어를 들어야 한다는 강박관념에서 벗어나게 하기
② 학습자가 들어야 하는 이유를 분명하게 알도록 하기
③ 몸짓, 표정, 시청각 자료 활용
④ 과제 중심적인 접근
⑤ 듣기 활동 유형을 다양하게 구성
⑥ 학습자의 인지 능력 고려
⑦ 교실 한국어 활용

(6) 듣기 전략 지도

① 예측하기 : 학습자로 하여금 다음에 이어질 내용이 무엇인지 추측하게 함
② 추론하기 : 말하는 사람의 억양, 표정이나 몸짓과 같은 신체 언어 등에 주의를 기울이게 함으로써 화자의 태도를 추론하고 전하고자 하는 의미를 이해하게 함
③ 맥락 파악하기 : 주어진 맥락과 관련되어 학습자가 기존에 가지고 있는 배경지식을 활용하여 해당 단어 뜻을 추측하거나 전체적인 의미를 이해하게 함
④ 단어 알려 주기 : 듣기 자료를 들려주기 전에 중용한 단어를 미리 알려줌 (맥락 속에서는 그 의미를 추측하여 이해할 수 있지만 실제로 활용할 수 없는 수동적 어휘를 확장해 나가는 것이 중요함)
⑤ 담화 유형과 표지 인식하기 : 담화에서 순서를 나타내는 어휘(우선, 먼저, 그리고 등)는 다음에 나타날 말이 앞의 말과 어떤 관계인지를 알려 줌

6. 듣기 수업 구성

(1) 수업 원리

① 실제와 유사하고 다양한 담화 유형을 포함해야 함
② 구어적 특성이 잘 나타나야 함
③ 모어 환경에서의 듣기 활동과 같은 방법으로 접근해야 함

(2) 수업 내용

① 학습자의 요구와 흥미와 관심사를 최대한 반영하여 학습 동기를 극대화하여 듣기의 중요성을 스스로 인지하게 함
② 실제 생활에서의 과제 수행 능력을 배양하도록 구성해야 함
③ 학습자의 이해 정도를 관찰하는 데 필요한 다양한 학습 활동이 요구되는데 이때 수업 목적에 따라 상향식 모형과 하향식 모형을 적절히 포함하여야 함
④ 듣기는 일회적·제한적이므로 학습자가 스스로 듣기 이해를 향상시킬 수 있는 전략을 개발할 수 있도록 교육해야 함
⑤ 다른 언어 능력의 배양과 연계해서 지도해야 함

(3) 학습자 변인별 듣기 교육

- 듣기 수업에서 자료로 이용되는 것은 학습자가 필요로 하고 관심을 가지는 내용이어야 하며 학습자의 특성에 맞게 구성되어야만 학습의 효과가 극대화될 수 있음
- 학습자 변인에 따라 듣기 수업 구성을 달리하는 것이 바람직함
- 일반적인 학습자 변인으로는 모국어 변인, 학습 목적 변인, 연령 변인, 타 외국어 학습 경험 유무 변인, 어휘력 변인, 학습 환경 변인 등 여러 가지가 있음

① 모국어 변인

- 학습자가 제1 언어로 어떤 언어를 배웠느냐에 따라 학습의 내용과 방법을 달리하는 것이 효과적임
- 모국어의 특성과 한국어의 특성 차이에 따른 대조언어학적 측면도 전혀 간과할 수는 없고 어떤 모국어 환경에서 자랐느냐에 따라 학습자의 성향에도 상당한 차이가 있을 수 있기 때문

② 학습 목적 변인

- 학습 목적은 수업의 주제와 세부 내용을 구성하는 데 절대적인 유의사항이 됨
- 학습 목적은 크게 일반 목적과 특수 목적으로 나뉘며 일반 목적은 여행 및 방문 목적, 생활 목적 등으로 구분되고 특수 목적은 취업 및 직업 목적과 학문 목적으로 나뉨
- 목적에 따라 학습자의 유형이 나뉘고 학습자 유형별로 접할 수 있는 주제가 달라지고 그에 따라 어휘도 달라지며 발화의 패턴에도 차이가 날 수 있음

③ 연령 변인

- 학습자가 아동이냐 성인이냐, 청소년이냐는 듣기 수업의 구성과 방법을 결정하는 데 중요한 변인이 됨

(4) 청자의 이해를 확인할 수 있는 방법 (Lund, 1990)

① 행동하기 : 청자는 지시에 따라 신체적으로 반응함
② 선택하기 : 청자는 주어진 그림이나 사물, 텍스트 가운데서 해당하는 것을 선택함
③ 전이하기 : 청자는 들은 내용을 그림으로 나타냄
④ 대답하기 : 청자는 메시지에 관한 질문에 답함
⑤ 요약하기 : 청자는 강의를 듣고 요약하거나 글로 적음
⑥ 확장하기 : 청자는 이야기를 듣고 끝부분을 완성함
⑦ 되풀이하기 : 청자는 들은 내용을 모국어로 번역하거나 그대로 반복하여 말함
⑧ 모형 따르기 : 청자는 가령 예시하는 주문을 듣고 식사를 주문함
⑨ 대화하기 : 청자는 적절한 정보 처리를 보여주는 대화에 참여함

7. 수준별 듣기 능력과 평가

(1) 수준별 듣기 능력

① 초급

- 한국어 음소 구분 능력
- 억양의 기능을 파악하는 능력
- 단어의 축약형 파악 능력
- 단어의 경계를 구별할 수 있는 능력
- 주제 관련 어휘와 주요 어휘를 찾아낼 수 있는 능력

② 중급

- 문맥에서 어휘의 의미를 추측해내는 능력
- 중요한 문법적 형태와 통사적 장치를 아는 능력
- 문장 구성 성분을 찾아낼 수 있는 능력
- 구어 담화의 결속장치를 파악하는 능력
- 중심생각, 가정, 일반화 등을 파악할 수 있는 능력
- 주제에 대한 화자의 태도를 이해할 수 있는 능력
- 후속 내용 예측 능력

③ 고급

- 두 사람의 대화에서 공통된 주제를 파악하는 능력
- 발화 교정이 일어났는지 이해하는 능력
- 담화 표지의 기능을 파악할 수 있는 능력
- 목적에 따른 듣기 전략 적용 능력
- 강의의 목적과 범위를 파악하는 능력
- 학술적 내용에 대한 배경지식 활성화 능력
- 문어적 구어나 구어적 구어를 망라한 다양한 사용역에 대한 친숙성
- 강의를 듣고 노트 필기하는 능력

(2) 듣기 평가 유형

① 음운의 식별을 통한 의미 파악 능력

- 문제 유형 : 음운 식별하기, 단어 받아쓰기, 숫자 식별하기 등

② 듣고 정보를 파악하는 능력

- 문제 유형 : 세부 내용 파악하기, 일치하는 내용 파악하기, 같은 의미 파악하기, 중심 내용 파악하기, 내용 요약하기, 제목 붙이기, 적절하게 대답하기, 적절하게 행동하기 등

③ 들은 내용을 적용하는 능력

- 문제 유형 : 인사말에 반응하기, 의문문에 반응하기 등

④ 들은 내용을 바탕으로 추론이나 종합하는 능력

- 문제 유형 : 화제 추론하기, 화자의 태도 추론하기, 담화 유형 추론하기, 담화 참여자 추론하기, 담화 장소 추론하기, 담화 상황 추론하기. 이어질 내용 추론하기

(3) 듣기 평가 기준

초급	1급	일상생활의 아주 기본적이면서 개인적인 소재를 다룬 간단한 대화나 이야기 이해
	2급	공공시설 이용에 관련된 소재를 이해할 수 있으며 구별하기 어려운 음운 변화를 이해할 수 있음
중급	3급	친숙한 사회적 소재를 다룬 대화나 이야기를 할 수 있음
	4급	사회적 관계 유지에 필요한 사회적 소재를 다룬 대화
고급	5급	고유 업무 영역이나 전문 연구 분야와 관련된 소재와 내용을 이해할 수 있음

	6급	전 영역에 대해 심도 깊게 다룬 소재를 이해할 수 있음

<한국어 읽기 교육론>

1. 읽기의 기본 개념

(1) 개념

• 텍스트에 나타난 다양한 정보를 추출하여 자신의 배경지식과 통합시키고 이해하는 과정(koda, 2005: 4)

(2) 특성

① 읽기는 목적을 가진 이해 활동 : 정보 활동, 지식 확장, 정서적 위안, 호기심 충족 등
② 읽기는 선택적 이해 활동 : 자신에게 필요한 것, 읽기 목적에 필요한 텍스트를 선택적으로 읽으면 됨
③ 사람들은 읽기 목적과 텍스트의 유형에 따라 각기 다른 방식으로 읽음

(3) 읽기 교육의 목표

1) 초급 읽기의 목표 : 일상생활
2) 중급 읽기의 목표 : 친숙한 사회 주제
3) 고급 읽기의 목표 : 전문적인 글

(4) 언어 교수법과 읽기 교육

① 문법번역식 교수법

• 단어나 문장의 의미를 모국어로 번역하는 데 주력하여 읽기와 어휘력이 강조된 교수법
• 글을 이해하는 것보다는 번역하는 텍스트 위주의 읽기

② 직접교수법

• 읽기보다는 듣기와 말하기를 중시

③ 청각 구두식 교수법

• 말하기 연습에서 필요한 문법적인 구조나 어휘 학습을 위한 수단으로만 사용됨

2. 읽기 자료

(1) 읽기 자료 선정 기준

① 학습자의 수준을 고려한 자료여야 함
② 학습자의 흥미와 동기에 대한 고려가 필요함
③ 다양한 읽기 전략을 개발시킬 수 있는 자료를 선택해야 함
④ 읽기 자료는 실제적이어야 함
⑤ 목표어권의 문화에 대한 정보를 제공하는 읽기 자료를 선택하는 것이 좋음
⑥ 제목이 자료의 전체 내용을 함축적으로 요약하고 있는 것이 바람직함
⑦ 읽기 자료의 내용 및 주제가 학습자에게 친숙하고 동기를 유발할 수 있어야 함

(2) 읽기 자료 선택 또는 구성 시 고려해야 할 사항 (Nuttall, 1996)

① 흥미로운 자료 : 학습자에게 흥미로워야 하며 교육적 가치를 잘 고려하여 선택해야 함
② 학습적 유용성 : 학습자의 능력을 발달시킬 수 있는 자료여야 함
언어 지식이 내용을 전달하기 위해 어떻게 사용되었는가에 초점을 맞추면서 학습자가 언어를 통해 내용을 끌어내는 능력을 개발시킬 수 있어야 함
③ 난이도 : 학습자의 수준을 정확하게 파악하고 이에 맞는 글을 골라야 함
④ 다양성 : 같은 주제 안에서 다양한 장르의 글을 넣는다거나 다양한 시각, 다양한 종류의 글을 넣어 다양성을 확보할 수 있어야 함
⑤ 실제성 : 실생활에서 바로 볼 수 있는 자료들은 학생들의 입장에서 매우 흥미롭고 학습 의욕을 고취시킴
실제 자료를 그대로 사용하는 것이 가장 바람직하기는 하지만 만약 수준에 맞는 적합한 글을 찾을 수 없다면 부득이 원본을 간략화하거나 때로는 교사가 스스로 자료를 제작할 수도 있음

3. 읽기 교육 모형

(1) 읽기 모형

① 상향식 모형 (1960년대)

- 작은 단위(음절, 단어)에서 큰 단위(주제, 상황)로의 선형적 이해
- 학습자는 주어진 언어 정보를 조합하여 이해하는 수동적인 역할에 지나지 않음
- 단어를 인식하고 암기하고 간단한 단어를 읽고 해석할 수 있는 것
- 수업 구성 : 글 제시 → 낭독(모방, 반복) → 분석, 설명 → 이해
- 읽기 방법
  가. 번역하며 읽기 : 간단한 유형의 지식에 대해 쉽게 이해할 수 있는 경우에 많이 사용됨
  나. 다시 읽기 : 글을 읽고 다시 읽기를 통해 이해를 강화시키는 방법
  다. 소리 내어 읽기 : 자신의 발화 기관을 움직여 목표어를 발음해 가면서 읽는 것
  라. 환언하기 : 자신이 모르는 부분을 만났을 때 글의 일부를 자기가 잘 알고 있는 말로 바꾸어 이해하는 과정
  마. 끊어 읽기 : 유의미한 단위인 구나 절로 끊어 읽는 과정
  바. 분석하기 : 자신이 알고 있는 것과 모르는 것으로 나누어 의미를 추측하는 과정

② 하향식 모형 (1970년대)

- 사전 지식이나 배경으로부터 구체적인 언어 정보를 이해해 가는 과정
- 저자의 의도 및 주제 파악, 내용 추측 등 거시적인 관점에서 파악함
- 전체적인 글의 이해를 목적으로 함
- 학습자가 창조적인 읽기를 하도록 권장
- 읽기 방법
  가. 추론하기 : 소재나 제목을 통해서 글의 내용과 이야기를 마음속으로 상상하여 글의 내용을 파악하는 과정
  나. 배경지식 활용하기 : 모국어를 통해서나 자신의 개인 경험이나 세상 지식에 비추어 글을 이해하는 과정

과정/영역	상향식 읽기	하향식 읽기
글의 의미 소개	글에 내재	글에서 독자가 구성
단어와 이해의 관계	단어 인지는 이해에 필수	단어를 몰라도 이해 가능
정보파악의 단서	단어, 음성 - 문자 단서 사용	의미, 문법적 단서 사용
읽기 진행 방향	해독 → 어휘 → 통사 → 담화	담화, 통사, 어휘 지식 → 해독
읽기 구성 방식	문자를 소리로, 소리를 의미로	의미의 예상과 확인
강조하는 언어 단위	문자, 문자와 음성의 연결	문장, 문단, 글

읽기 학습	단어 인지 기능을 숙달하여 학습	유의미한 활동을 통해 학습
지도의 중점	단어의 정확한 인지	글의 의미 이해
학생 평가의 중점	하위기능의 숙달	글에서 얻은 정보의 종류와 양

③ 상호작용 모형 (1980년대)

- 학습자의 배경지식을 바탕으로 하여 배경지식을 추측하고, 글에서 구체적인 언어 정보(어휘, 표현 등)를 포착하여 이를 근거로 사전 이해를 확인하거나 수정하며, 다시 글로 이동하여 정보를 파악하는 과정을 반복하는 상호작용적 관점에서 읽기 과정을 봄
- 전략중심 읽기 지도 : 읽기 행위에 대한 목적, 과제의 성격, 읽기 유형에 따른 방법 교수
- 수업구성 : 배경지식 공유, 활용 → 글 제시 → 정독(내용 이해, 정보 파악) → 이해 확인, 설명
  가. 독자가 갖고 있는 기존 지식이 읽기 학습에 영향을 미침
  나. 글의 독해에는 개념 중심과 자료 중심의 두 해석 과정이 모두 필요함
  다. 독해 수준이 깊으면 깊을수록 내용을 더 잘 이해하고 기억도 오래함
  라. 읽는 상황(읽기에서의 과제, 독자의 읽기 목적, 배경지식, 독자의 요구, 흥미, 태도 등)이 독해 및 기억에 영향을 미침

★ 문지방 가설 (Clarke, 1979)

- 모국어의 독해 능력이 제2 언어의 독해 능력으로 전이가 이루어지려면 일정 수준의 제2 언어 숙련도를 가지고 있어야 한다는 가설
- 문지방 수준 : 언어능숙도를 의미
- 모국어의 독해능력보다 목표어의 언어 능력이나 독해 능력이 상대적으로 더 중요하다는 견해

(2) 읽기 교수·학습 모형

① DRA(Directed Reading Activity)

- 읽기 능력을 향상, 강화시키는 데 가장 널리 사용되어 온 읽기 지도 방법
- 소설, 전기 등 이야기 글이나 내용 교과적인 글 등의 지도를 위하여 사용될 수 있음
- 방법은 다섯 단계로 나누어짐
  ㉠ 동기 유발 및 배경 지식, 경험의 개발
  ㉡ 글 읽기(낭독 또는 묵독) - 다 읽은 후 질문에 대한 답을 찾는다.
  ㉢ 읽기 기능 학습-지시어나 중심문장 찾기, 문단 나누기, 사실과 의견 구별하기, 내용 요약하기 등의 읽기 기능을 지도할 수 있다.
  ㉣ 후속 학습 활동 앞의 단계에서 익힌 읽기 기능을 연습 문제를 통하여 직접 해 보는 활동이다.
  ㉤ 강화 학습 활동-유사한 글을 읽어보거나 관련된 글짓기 등 다른 교과와 관련된 활동을 해본다.

② DRTA(Directed Reading Thinking Activity)

- DRA보다 학생 중심적인 수업 모형
- 학생들이 글을 읽을 때, 예언을 하고 그 예언이 맞는지를 확인하면서 학생 스스로 생각하도록 지도하는 학생 계획
- DRTA는 다섯 단계의 과정으로 구성됨
  ㉠ 읽는 목적을 설정하거나 확인하기
  ㉡ 읽는 목적이나 자료의 성격에 알맞게 조절하며 읽도록 지도하기
  ㉢ 읽는 상황을 관찰하기
  ㉣ 독해 지도하기
  ㉤ 중요한 읽기 기능을 지도하기

③ GRP(Guided Reading Procedure)

- 글의 구조를 확인하는 기능을 익히고 개선하며, 독해와 회상하는 능력을 개선하는 데 도움을 주며, 내용 교과적 성격의 글을 지도하는 적절한 방법
- 학생들은 불분명하고 에매한 질문들을 인식하게 되며, 읽는 동안에 집중력을 증가시키며, 자기 수정 훈련을 할 수 있고 글 속의 새 정보들을 구조화할 수 있음
- GRP의 지도과정은 다음과 같음
  ㉠ 읽기의 목적을 설정한다. 학생들은 정해진 시간 동안만 책을 읽고 덮음
  ㉡ 학생들은 글을 읽고 기억한 내용을 회상하고, 학생들의 반응은 간략하게 칠판에 기록됨
  ㉢ 학생들이 말한 내용이 맞는지 다시 읽으면서 확인하도록 함
  ㉣ 학생들이 아는 것(배경 지식)에 더하여 새로운 내용을 이해시키도록 함
  ㉤ 단기 기억 상태를 확인하기 위해 평가가 실시됨

④ 직접 교수법(Direct Instruction)

- 독서의 결과보다는 과정을 중요시한 인지심리학이 등장함으로써 독서 과정에서 직접 교수가 중요한 역할을 하게 됨을 인식하게 되었음
- 직접 교수법의 지도 과정은 다음과 같음
  ① 주의 집중시키기 : 학습 준비의 자세를 갖추도록 지도함
  ② 학습 내용 개관하기 : 학습할 내용과 활동이 무엇인지 알려 줌
  ③ 새로운 어휘, 용어 소개하기 : 학생들이 잘 모르는 용어나 자주 나오는 중요한 어휘를 미리 지도할 필요가 있음
  ④ 단계적으로 과정을 설명하기 : 학습 내용을 한 단계 한 단계 구체적 과정을 자세히 설명함
  ⑤ 과정을 실제로 보여주기 : 문제 해결 방법과 과정을 구체적으로 시범을 통하여 보여주어야 함
  ⑥ 연습 활동을 지도하기 : 새로운 문제를 주고 교사가 시범해 보인 책략에 따라 학생들이 실제로 연습을 해 봄
  ⑦ 혼자 스스로 연습하도록 지도하기 : 학습한 책략을 혼자서 자발적으로 연습하도록 해야 함
  ⑧ 필요한 경우 다시 한 번 지도하기

(3) 스키마 이론

① 정의 : 독자의 기억 속에 체계적, 조직적으로 저장되어 있는 지식 구조 (사전 지식, 배경지식)

② 기본 특성 (D. Rumelhart, 1984)

㉠ 스키마에는 여러 변인이 있음
㉡ 하나의 스키마는 다른 스키마를 내포할 수 있음
㉢ 개념상 서로 관련되는 여러 스키마는 각각의 스키마가 표상하는 개념의 추상 정도에 따라 위계적 관계를 맺음
㉣ 스키마는 지식을 표상함

③ 읽기 과정에서 스키마의 6가지 기능

㉠ 읽기 자료에 담긴 정보를 받아들이기 위한 이상적 지식 구조를 형성함
㉡ 많은 정보들 중에서 중요한 정보와 그렇지 않은 정보를 선택적으로 받아들이게 함
㉢ 추론의 과정을 통해 글에 명시적으로 드러나지 않은 정보를 찾게 함
㉣ 정보의 탐색 순서와 절차를 제공함
㉤ 독자가 읽은 내용을 재편집하고 요약함
㉥ 새로운 정보들을 기존의 정보와 연결시켜 일관성 있는 형태로 재구성함

④ 종류

㉠ 내용 스키마

- 대상과 사건들의 지식과 학습자들이 읽음으로써 얻어지는 사회 문화적인 지식과 이해를 포함한 것
- 글의 내용에 대한 새로운 메시지의 해석을 구조화하도록 돕기 때문에 형식 스키마보다 글의 이해에 큰 영향을 끼침
- 독자의 직접, 간접적인 경험과 먼 텍스트를 접하게 되면 배경지식의 활성화를 유도해야 함

㉡ 형식 스키마(교재적 스키마, text schema)

- 필자가 자신의 생각을 구성해 나가는 방식에 대한 독자의 지식
- 담화 구조와 관습에 관한 지식 (전형적인 구조나 규약에 대한 지식)

⑤ 필요성

- 텍스트 이해는 스키마를 이용한 적극적인 이해 활동이므로 스키마를 활용한 읽기 교육은 읽기 텍스트를 성공적으로 이해하는 데 중요한 역할을 함

4. 읽기 교육의 원리와 방법

(1) 읽기 교육 원리

① 실생활에서 접할 수 있는 다양한 유형의 텍스트 자료를 활용
② 담화 유형이나 읽기 목적에 따라 텍스트를 읽는 시간을 탄력적으로 운영
③ 음독보다 묵독이 읽기 수업의 주가 되어야 함
④ 번역에 의존하지 말고 전후 맥락 속에서 의미를 유추하도록 지도
⑤ 텍스트 유형이나 읽기 목적에 따라 각기 다른 전략을 사용할 수 있도록 지도
⑥ 한국어 텍스트의 핵심적인 기존 구조를 이해시켜야 함
⑦ 독자의 스키마를 활성화 시켜야 함 : 글에 대한 예측 능력을 높여 신속하고 정확한 내용 이해를 하게 함
⑧ 교실 밖에서도 읽기가 이루어질 수 있도록 지도 : 어휘력 향상 및 독해 속도를 향상시키는 가장 좋은 방법은 다독을 활용하는 것임
⑨ 글의 표면적인 의미뿐만 아니라 함축된 의미도 화용론적인 정보를 통하여 끌어내도록 함

(2) 브라운의 읽기 지도를 위한 원리

① 상호작용적인 교육과정에서는 반드시 구체적인 읽기 기술 지도의 중요성을 간과하지 않도록 함
② 내적으로 동기를 유발하는 기법을 사용해야 함
③ 텍스트를 선정할 때는 진정성과 가독성의 균형을 맞춰야 함
④ 읽기 책략을 개발하도록 격려해야 함
⑤ 상향식 기법과 하향식 기법 모두를 포함해야 함
⑥ 읽기 전, 읽는 도중, 읽은 후 단계들에 대해 계획을 해야 함
⑦ 기법 속에 평가를 넣는 것이 좋음

(3) 읽기 전략

① 상위인지(메타인지, 초인지) 전략

- 읽기 과정과 이해 정도 모니터링
- 읽기 전에 어떻게 읽을지 계획하는 것
- 읽기 능력을 향상하기 위해 달성해야 할 목표를 설정하는 전략
- 새로운 자료를 읽기 전에 관련 어휘 목록을 만드는 것
- 읽기 기술을 익히기 위해 동료 학습자와 서로 협력하여 학습하는 전략

② 인지 전략 : 읽을 때 사용하는 전략

- 스키밍(훑어 읽기) : 대강의 전체 내용을 파악하는 활동
  예) 게시판의 안내문 읽기
- 스캐닝(뽑아 읽기) : 특정 정보를 찾기 위해 빠른 속도로 내용을 읽는 학습활동
  예) 기계의 매뉴얼 읽기
- 음독(소리내어 읽기) : 말하기 연습과 훈련과정에 매우 유익
- 묵독(조용히 읽기) : 속도가 빠르며 이해도가 높기 때문에 실용적이고 효과적임 (중·고급 학습자에게 권장)
- 정독(집중형 읽기) : 세부적인 내용까지 다 파악해 가면서 꼼꼼하게 읽는 방법
  예) 계약서
- 통독 : 대의나 핵심 요점을 파악해 가는 읽기 방법
- 다독(확장형 읽기) : 자율적으로 선택하여 읽음으로 언어능력을 전반적으로 향상시키는 학습방법

③ 효과적인 독서를 위한 SQ3R 전략

㉠ 조사하기(survey) : 글을 읽기 전에 제목이나 굵은 글씨 등을 훑어보고 글의 대강을 파악하는 단계
㉡ 질문하기(question) : 핵심 질문을 머릿속에 떠올리는 단계
㉢ 읽기 (read) : 질문들에 대한 해답을 찾아가며 적극적으로 텍스트를 읽는 단계
㉣ 암송하기(recite) : 읽기 단계에서 찾은 자신의 질문에 대한 해답을 암송하는 단계
㉤ 검토하기(review) : 암송한 내용을 응용하거나 재생산할 수 있는 방안을 연계하여 생각하는 단계

④ Cohen(1990)의 읽기 전략

구분	유형 설명	세부 전략
지원 전략	학습자의 상위수준 전략 사용을 촉진하기 위해 수행되는 읽기 행위 유형	전체 내용을 대충 훑어 읽기, 특정 정보를 검색하기 위해 부분적으로 훑어 읽기, 건너뛰면서 읽기, 글에 표시하면서 읽기, 글에 수록된 어휘 설명 이용하기
의역 전략 (인지 전략)	의미를 명확하게 하기 위한 글의 해독 전략	통사구조 단순화하기, 단어나 구의 동의어 찾기, 글 속에 표현된 주요 관점과 기본적인 내용 찾기, 글을 이루는 부분 내용들의 기능 확인하기
글의 일관성 확립 전략 (응집성 전략)	글을 일관성 있는 담화로 이해하기 위해 배경지식이나 글 속의 단서를 이용하는 전략	글의 구조 알아보기, 맥락 이용하기, 글 속 담화기능 구분 하기, 글 읽으며 다음 내용 추측하기, 문단 끝에 제시된 정보를 통해 그 문단의 내용을 탐색하기, 읽고 있는 문단에서 얻은 지식으로 다음 정보를 미리 추측하기
상위인지 전략	추측 및 이해 점검 전략, 읽기 과정을 점검하기 위해 사용되는 의식적 전략	모르는 단어나 문장 건너뛰고 읽기, 읽고 있는 문단 요약하기, 각 문단의 세부 설명에 주의 기울이기, 계획하기, 자기 평가하기, 계획 수정하기, 잘못된 이해 알아채기

⑤ 의미 단위 끊어 읽기

- 한국어는 읽는 사람과 문장의 의도에 따라 의미 단위가 달라질 수 있으며 끊어 읽는 곳도 다양하게 나타남
- 김서형(2008)은 의미단위 끊어 읽기 전략에서 기본절차로 문장구조의 파악이 선행되어야 한다고 하였음
- 중·고급 단계로 갈수록 문장의 구조가 단문에서 복문으로 전환되며, 복합문들이 더 복잡해지는 경향을 보이기 때문에 초급에서보다 더 구체적인 끊어 읽기 기준을 제시해야 한다고 하였음

㉠ 주어부와 술어부를 분간 기준으로 하여 휴지를 둠
㉡ 수식 관형사(구)와 피수식 체언 간에는 휴지를 두지 않음
㉢ 수량 단위나 나열구 뒤에 휴지를 둠

㉣ 감탄사 등의 독립어 뒤에도 휴지를 둠
㉤ 주제어, 초점, 강조의 표현 어구에는 뒤에 휴지를 둠
㉥ 접속 어미 뒤에 휴지를 둠
㉦ 부사(화) 삽입구의 앞과 뒤에는 휴지를 둠
㉧ 인용 보문 뒤에 휴지를 둘 수 있음
㉨ 여러 개의 하위절이 결합된 문장에는 상위절에서 의미적으로 분간되는 큰 단위에 우선적으로 휴지를 둠

5. 읽기 수업 구성

(1) 읽기 전 활동

• 읽기 전 활동은 텍스트를 읽기 전에 주제에 관한 배경지식을 활성화하고 부족한 지식을 제공하여 주고 텍스트에 새로 도입될 어휘지식을 미리 학습시키기 위한 과정

① 읽기 전 단계에 교사가 해야 할 것들 (Wallace, 1992)

• 학습자가 읽기 목적을 인식할 수 있도록 도와주어야 함
• 읽기를 시작하기 전에 읽기 자료를 소개함
• 읽기 자료에 대한 전반적인 정보를 얻을 수 있도록 해줄 수 있는 하향식 과제를 제공하는 것이 좋음
• 읽기 자료를 적당한 길이로 나눔 (읽기 자료를 통째로 읽히면 학습자들의 읽기 능력 차이로 인해 수업의 효율성이 떨어질 수 있음)
• 읽기 자료에서 학습해야 할 것이 무엇인지 파악하는 것이 중요함
• 길잡이 질문을 제시함

② 읽기 전 단계에 유용한 활동

• 미리 훑어보기
• 특정 정보 검색하기
• 읽기 선행 질문 답하기
• 시각 자료 보고 생각하기 또는 토론하기
• 글의 주제와 관련된 것 떠오르는 대로 말해보기
• 의미망 작성하기
• 핵심 어휘 연결하기
• 설문 조사하기 또는 설문에 대답하기
• 새로운 어휘 학습하기
• 질문 만들기

(2) 읽기 본 활동

• 전체적인 내용 이해를 가지고 작가의 의도를 이해하고 글의 구조를 파악하는 단계
• 읽기 자료를 실제로 읽는 단계로 학습자가 자신의 읽기 기술과 전략 활용을 연습하는 단계
• 글의 내용 이해, 구체적인 정보 찾음
• 사전단계에서 예측한 것을 텍스트 내용을 토대로 확인하고 검증
• 새로운 어휘, 어구, 문법을 지도
• 개인 활동, 짝 활동, 소그룹 활동으로 문제 해결

① 효과적인 읽기 기술과 전략

• 글의 요지를 파악하기 위해 단락 별로 중요한 핵심 단어를 찾아 밑줄을 치게 하거나 페이지의 여백에 메모함
• 독해 과정이나 독해 정도를 점검

• 읽기 전략의 수정 : 글을 읽으면서 다음 내용이나 주제에 관한 예측이 맞는지 틀리는지 자신의 전략을 점검함

② 읽기 본 단계에 유용한 활동

• 훑어 읽기
• 읽기 전 단계의 선행 질문 답 확인하기
• 글의 내용에 표시하기
• 글의 구조 파악하기
• 메모하기
• 정보차 활동
• 길잡이 질문에 대답하기

(3) 읽기 후 단계

• 읽은 내용을 정리하고 강화하도록 돕는 활동
• 읽기 본 단계에서 읽은 글의 내용에 대한 이해 정도를 점검하거나 추론적 이해나 비판적 읽기를 하는 기회를 제공하는 단계
• 가장 중요한 역할 중의 하나는 읽기 본 단계에서 얻은 새로운 정보를 기존 지식과 연계하여 장기 기억에 저장하는
• 관련된 자료를 통하여 어휘나 표현, 중심 내용을 확장하는 활동
• 글의 내용 요약하기, 토론하기, 강연듣기

① 읽기 후 단계에 유용한 활동

• 독해 질문에 답하기
• 요약하기 또는 요약 완성하기
• 의미망 작성하기
• 표 또는 지도, 그래프, 그림 완성하기
• 내용이나 정보 추론하기
• 개요 만들기
• 관계없는 문장 찾기
• 적절한 연결사 찾아 쓰기
• 이야기 재구성하기
• 단락의 기능 파악하기
• 글의 수사 구조 파악하기
• 글쓴이의 의도나 목적 파악하기
• 사실과 의견 구분하기
• 글 내용에 대해 토론하기
• 글의 내용을 자신의 생각이나 경험과 연결하기
• 글의 내용을 새로운 상황에 적용해 보기
• 읽은 내용을 구두 언어로 전이하기
• 읽은 내용을 글이나 편지 쓰기
• 역할극 또는 연극하기

② 읽기 과제 (Davies, 1995)

㉠ 수동적 과제
• 선다형 문제 풀기, 이해 확인 질문에 답하기, 빈칸 완성하기, 진위형 문제에 답하기, 어휘 학습, 사전 학습, 빨리 읽기, 단락 순서 맞추기

㉡ 능동적 과제

• 주요 부분 표시하기, 도표 만들거나 완성하기, 표 만들거나 완성하기, 글이나 도표 제목 붙이기, 글 순서 맞추기, 예측하기, 복습하기, 요약하기, 회상하기, 노트 필기하기

6. 읽기 평가

(1) 읽기 평가에 활용되는 문항 유형

① 사실적 이해 문항

• 세부 내용이나 정보 파악하기
• 소재 파악하기
• 지시어의 지칭 대상 파악하기
• 도표나 그래프 등 시각 자료 의미 해석하기

② 추론적 이해 문항

• 글의 주제 파악하기
• 문장의 논리적 흐름 파악하기
• 단락이나 문장의 순서 파악하기
• 문맥에 알맞은 말 찾기
• 글 읽고 제목 붙이기

③ 평가적 이해 문항

• 글쓴이의 심정이나 태도 파악하기
• 글을 쓴 이유, 목적, 근거 파악하기
• 글의 분위기 파악하기

(2) 수준별 평가 내용

초급	1급	일상생활과 관련이 있는 간단한 실용문을 읽고 의미 파악
	2급	일상생활과 관련된 설명문이나 생활문의 내용을 파악
중급	3급	친숙하고 구체적인 사회, 문화 소재를 다룬 간단한 글을 읽고 내용을 파악
	4급	비교적 친숙한 사회적 소재를 다룬 논설문이나 설명문을 이해할 수 있음
고급	5급	친숙하지 않은 주제를 다룬 논설문, 설명문과 신문기사, 건의문 등을 어느 정도 이해할 수 있음
	6급	전문적, 추상적인 소재를 다룬 설명문, 논설문과 한국 문학을 대표하는 작품을 읽고 감상할 수 있음

8장 한국어 발음교육론

1. 발음 교육 개관

(1) 발음 지도의 필요성

• 말하기, 듣기, 쓰기, 읽기의 모든 능력에 영향을 미쳐 의사소통에 중요한 역할을 함
• 학습자에게 학습의 자신감을 주고 학습동기를 유발하는 역할

• 교사 자질 : 음운체계에 대한 음성학적, 음운론적 지식과 음소뿐 아니라 운소에 대한 지식

(2) 음소 교육의 순서

① 자음 지도

• 자음군은 하나의 자음만 발음
• 무성음과 유성음이 대립이 아님
• 탄설음[r]은 혀끝을 윗잇몸에 한 번 튕기며 발음 (나라)
• 설측음[l]은 어말의 받침 발음

★ 자음과 모음의 발음 제시 순서

① 단모음 10개 → 초성자음(19개) + 단모음 → 이중모음(11개) → 초성자음 + 이중모음 → 받침소리(7개)
② 모음 → 자음
③ 평음 → 격음 → 경음

② 모음 지도

• '모음'이라는 메타 언어를 사용하지 않음
• 턱의 높낮이를 비교
• 반모음/j/ + 아, 어, 오, 우, 에, 애 → 야, 여, 요, 유, 예, 얘
• 반모음/w/ + 아, 어, 에, 애 → 와, 워, 웨, 왜
• '의' 발음 지도
  ㉠ 어두 : [ㅢ]
  ㉡ 자음 + ㅢ : [ㅣ]
  ㉢ 관형격 조사 : [ㅔ]
  ㉣ 둘째 음절 이하 : [ㅣ]
  예) 민주주의의 의의 → [민주주이에 의이]

③ 운율자질(초분절자질) : 장단, 억양, 강세 등

㉠ 강세
가. 한국어에서는 낱말의 첫 음절에 강세가 오는 경우가 많음
특히 단음절어나 2음절어의 경우는 첫 음절에 강세가 옴
나. 세 음절 이상으로 된 낱말의 경우는 첫 음절이 받침이 없고 모음이 짧게 발음되면 강세는 둘째 음절에 오기도 함
다. 한국어의 강세는 영어와 달리 단어 내의 강세 위치가 일정하게 정해진 것이 아니라 발화의 속도, 즉 말토막이 몇 개로 구성되어 있는가에 따라 해당 음절에 강세가 있을 수도 있고 없을 수도 있음

㉡ 억양
가. 서술문과 감탄문은 끝을 내림
나. 의문사가 있는 의문문 : 뭐 먹니? ↗ (행위) / 뭐 먹니? ↘ (대상)
다. 의문사가 없는 의문문은 끝을 올림
라. 명령문은 끝을 짧게 끊고 청유문은 길게 끎음

㉢ 장단
가. 용언의 단음절 어간에 어미 '-아/어'가 결합되어 한 음절로 축약되는 경우
예) 보- + 아 → [봐:]
나. 표현적 장음 : 화자의 심리 상태를 표현하기 위해 모음을 길게 발음

예) 저기 → [저:기]

④ 한국어의 음절

• 음절 구조
가. 모음(V) : 아, 어, 오, 우
나. 자음(C) + 모음(V) : 가, 나, 다, 라
다. 모음(V) + 자음(C) : 안, 양, 온, 융
라. 자음(C) + 모음(V) + 자음(C) : 깍, 독, 혼

2. 언어 교수법과 발음 지도법 변천

(1) 문법 번역식 교수법

• 학습대상 언어의 문법을 이해하고 독해를 하는 데 있었기 때문에 구두 언어보다는 문자언어가 중요하게 다루어짐
• 발음이 차지하는 비중은 문법이나 어휘에 비해 훨씬 미약하였음

(2) 직접 교수법

• 구두 언어 능력의 중요성을 강조하고 원어민과 같은 정확한 발음 습득을 중요하게 다루었음
• 모델이 되는 발음을 학습자들이 듣고 따라하면 자연스럽게 학습대상 언어의 발음을 습득하게 된다고 보았음
• 외국어 학습자는 모국어 화자의 정확한 발음을 듣고 따라하는 방식을 통해 학습대상 언어의 발음을 익힐 수 있다고 보았음

(3) 자연적 교수법

• 초기단계에서는 학습자들이 발화하기 이전에 단지 듣기만을 하도록 지도
• 학습자들이 발화를 해야 한다는 심리적 부담 없이 듣기에만 초점을 두게 되고, 이러한 과정을 거치면서 목표어의 소리 체계가 내면화하여 학습자들은 나중에 발음에 대한 어떠한 명시적인 교수를 받지 않더라도 목표어의 발음을 잘할 수 있게 된다는 것임

(4) 청각 구두식 교수법

• 발음은 언어 교육의 매우 중요한 요소로 간주되어 학습 단계의 초기부터 강조되었으며, 각각의 낱말을 명시적으로 정확하게 발음하도록 교수
• 교사는 낱말의 정확한 발음을 제시하고 학습자들은 제시된 발음을 듣고 따라함
• 발음기호나 조음위치, 조음방법 등에 관한 음성학적 정보를 사용함
• 발음 학습에는 대조분석 이론의 영향을 받아 최소 대립 연습 방법을 사용함

(5) 인지적 접근법

• 구조주의와 행동주의 심리학에 반대하고 외국어 교육에서 모국어 화자와 같은 발음은 절대 달성될 수 없는 목표라고 여겨 발음을 문법과 어휘에 비해 덜 강조하게 되었음

(6) 침묵식 교수법

• 목표어의 음과 구조 모두의 정확한 발화에 관심을 둠
• 교사는 말소리-색깔 차트, 단어 차트, 색깔 막대 등의 도구를 사용하여 개별적인 소리뿐만 아니라 구 안에서의 소리 결합, 융합, 억양 등을 교수함

• 침묵식 교수법이 청각 구두식 교수법과 다른 점은 음성기호를 사용하지 않고 음의 체계에 초점을 둔다는 점임

(7) 의사소통 중심 접근법

• 아무리 문법이나 어휘가 뛰어나더라도 발음을 알지 못하면 의사소통을 위한 입문 단계에 이르지 못한다는 이유로 발음교육의 필요성을 역설하였음
• 발음교육의 목표를 원어민 화자와 같은 수준의 정확한 발음을 습득하는 데에 두지 않고, 이해 가능한 발음의 습득에 두었음
• 발음지도의 중심 분야가 분절음이 아니라 강세, 리듬, 억양 등과 같은 초분절음소로 바뀌었고 문장 자체보다는 담화 차원의 발화 상황이 중요하게 다루어졌음
• 발음이 전체 의사소통에서 차지하는 비중이 그다지 크지 않은 것으로 여겨짐

3. 한국어 음운의 변동

(1) 음소배열제약 : 음소와 음소의 연결을 제한하는 제약

① 평폐쇄음 뒤에 평음이 연결될 수 없음 예) 먹- + -지 → [먹찌]

② ‘ㅎ’과 평음은 서로 연결될 수 없음 예) 놓- + -고 → [노코]

③ 비음 앞에 장애음이 올 수 없음 예) 먹- + -는 → [멍는]

④ ‘ㄹ + ㄴ’ 연쇄는 허용되지 않음 예) 별 + 님 → [별림]

⑤ ‘ㄹ’ 앞에는 ‘ㄹ’ 이외의 자음이 올 수 없음 예) 권 + 력 → [궐력]

⑥ ‘ㅎ’은 모음 및 공명음과 모음 사이에서 탈락되는 경우가 많음 예) 좋- + -은 → [조음], 많- + -은 → [마는]

⑦ ‘ㅈ, ㅉ, ㅊ’ 다음에 활음 [y]가 올 수 없음 예) 가지- + -어 → [가저]

(2) 연음 : 선행 음절의 종성이 후행 음절의 초성으로 이동하여 발음되는 현상

① 홑받침이 올 경우
예) 한국어[한구거], 옷이[오시]

② 겹받침이 올 경우
예) 값이[갑시], 젊어[절머]

③ 종성 자음이 ‘ㅇ, ㅎ’일 경우
예) 종이[종이] : ‘ㅇ’이 초성에 올 수 없음, 낳은[나은] : 탈락

④ 자음으로 끝나는 형태소 뒤에 어휘 형태소가 와서 합성어나 명사구를 이룰 경우
예) 겉옷[거돋], 맛없다[마덥따], 옷 안[오단] : 평폐쇄음화가 적용된 후에 연음이 일어남

(3) 대치 : 어떤 한 음운이 다른 음운으로 바뀌는 현상

① 평폐쇄음화(중화 현상) : 음절 말 위치에 있는 장애음이 파열되지 않는 평폐쇄음인 ‘ㅂ, ㄷ, ㄱ’ 중 하나로 바뀌는 현상

• 7개의 대표음(ㄱ, ㄴ, ㄷ, ㄹ, ㅁ, ㅂ, ㅇ)으로 중화되어 소리 나는 현상

- 겹받침 : 두 자음 중 한 자음만 발음
- 겹받침 다음에 모음이나 뒷받침과 같은 자음이 오면 두 자음을 모두 발음
  예) 넓이 → [널비], 읽고 → [일꼬]

② 비음화 : 장애음과 비음이 연속될 때 장애음의 조음 위치는 변하지 않고 장애음이 비음으로 소리 나는 현상

- 평음(ㄱ, ㄷ, ㅂ)이 비음을 만났을 때 비음(ㅁ, ㄴ, ㅇ)이 되는 현상
  예) 국민 → [궁민]
- 유음(ㄹ)이 비음(ㄴ, ㅁ)을 만났을 때 비음이 되는 현상
  예) 정류장 → [정뉴장], 심리 → [심니]
- 장애음이 유음을 만났을 때
  예) 국립 → [궁닙]

③ 유음화 : 비음인 'ㄴ'이 앞이나 뒤에서 유음 'ㄹ'을 만나 'ㄹ'로 바뀌는 음운 현상

- 비음 'ㄴ'이 유음 'ㄹ'을 만났을 때 'ㄹ'이 되는 현상
  예) 칼날 → [칼랄], 진리 → [질리]

④ 구개음화 : 치조음 'ㄷ, ㅌ'이 모음 'ㅣ'를 만났을 때 경구개음 'ㅈ, ㅊ'으로 바뀌는 현상

- 형태소 경계에서 음절 말 자음 'ㄷ, ㅌ'이 'ㅣ'나 'ㅣ' 모음과 결합한 이중모음으로 시작하는 조사나 어미, 접미사와 결합하는 경우에 일어남
  예) 같이 → [가치], 닫혀 → [다쳐]

⑤ 경음화(된소리되기) : 평음이 경음으로 바뀌는 현상

- 평음과 평음이 만날 때 경음이 되는 현상
  예) 국밥 → [국빱]
- 관형사형 '-(으)ㄹ' 뒤
  예) 먹을 것 → [머글껃], 잘 데 → [잘떼]
- 용언 어간 말 'ㄴ, ㅁ' 뒤
  예) (신발을) 신고 → [신꼬]
- 한자어에서 폐쇄음이나 'ㄹ' 뒤
  예) 입구 → [입꾸], 발달 → [발딸]
- 관형격 기능을 지니는 사이시옷이 필요한 합성어
  예) 눈동자 → [눈똥자]

(4) 탈락 : 기저에 있던 음운이 표면형에서 없어지는 현상

① 자음군단순화 : 음절 종성에 두 개의 자음이 올 경우 하나의 자음이 탈락하는 현상

- ㄱㅅ : 'ㄱ' 예) 몫[목]
- ㄴㅈ : 'ㄴ' 예) 앉다[안따]
- ㄴㅎ : 'ㄴ' 예) 않고[안코]
- ㄹㅁ : 'ㄹ' 예) 젊다[점:따]
- ㄹㅅ : 'ㄹ' 예) 외곬[외골]
- ㄹㅌ : 'ㄹ' 예) 핥다[할따]
- ㄹㅍ : 'ㅍ' 예) 읊고[읍꼬]
- ㄹㅎ : 'ㄹ' 예) 앓다[알타]
- ㅂㅅ : 'ㅂ' 예) 없다[업따]

- ㉠ ㄹㄱ : 'ㄱ' 예) 맑다[막따], 늙지[늑찌]
  ㉡ ㄹㄱ : 'ㄹ' 예) 맑게[말께], 읽고[일꼬]
- ㉠ ㄹㅂ : 'ㄹ' 예) 여덟[여덜], 넓다[널따]
  ㉡ ㄹㅂ : 'ㅂ' 예) 밟다[밥따], 밟지[밥:찌]

② 모음 탈락

- 'ㅡ' 탈락
  예) 쓰- + 었다 → 썼다
- 동음 탈락
  예) 가- + 아 → 가

(5) 첨가 : 원래 없던 음운이 새로 생기는 현상

- 'ㄴ' 첨가 : 파생어나 합성어 구성에서 앞말의 끝이 자음이고, 뒷말이 'ㅣ, ㅑ, ㅕ, ㅛ, ㅠ'로 시작할 때 'ㄴ' 음이 첨가 되어 '니, 냐, 녀, 뇨, 뉴'오 소리 나는 현상
  예) 솜이불 → [솜니불], 한여름 → [한녀름]
- 'ㄹ' 뒤에 첨가되는 'ㄴ'은 'ㄹ'로 발음됨
  예) 물약 → [물략], 서울역 → [서울력]

(6) 축약 : 둘 이상의 소리가 합쳐져 하나의 새로운 소리가 되는 현상

- 격음화(유기음화)

- 'ㅎ'(ㄴㅎ, ㄹㅎ) + 'ㄱ, ㄷ, ㅈ' → 'ㅋ, ㅌ, ㅊ'
  예) 좋다 → [조타], 끊지 → [끈치], 잃고 → [일코]
- 받침 'ㄱ(ㄹㄱ), ㄷ, ㅂ(ㄹㅂ), ㅈ(ㄴㅈ) + ㅎ → 'ㅋ, ㅌ, ㅍ, ㅊ
  예) 입학 → [이팍], 맏형 → [마텽], 앉히고 → [안치고]
- 'ㄷ'으로 발음되는 'ㅅ, ㅈ, ㅊ, ㅌ'의 경우
  예) 못해요 → [모태요], 몫하고 → [모카고], 옷 한 벌[오탄벌]

4. 발음 교육 방법

(1) 발음 교육 시 고려 사항

① 한국어 화자들도 구별하지 못하는 음의 구별을 지나치게 요구해서는 안 됨
② 표기대로 발음하지 않도록 해야 함
   음운체계나 음운현상 등 발음법에 바탕을 두어서 발음해야 함
③ 학습자들에게 일단 전달된 음은 지속적으로 일관성 있게 유지되어야 함
④ 학습자들이 정확한 발음을 내려고 노력하고 있는가에 늘 관심을 가져야 함
⑤ 발음을 연습할 때도 학습자가 문장의 의미를 이해하도록 해야 함
⑥ 새로운 음을 결정할 때에 발음하기 어려운 것부터 하지 말고, 전체 음체계 속에서 상대적 난이도 등을 고려하여 결정함
⑦ 적절한 교육적 표기법과 시청각 보조 자료를 이용함
⑧ 표준이 되는 발음을 충분히 들려주어야 함
   지나치게 천천히 발음해서는 안 되며 일반적 속도로 자연스럽게 발음하는 게 좋음
⑨ 억양이나 강세로 인해 의미 해석이 달라지는 경우에는 이에 초점을 두어 가르쳐야 함
⑩ 교수자는 학습자의 모국어 발음에 대한 음운적 지식을 가지고 있어, 학습자의 발음 오류를 예측할 수 있는 것이 좋음
⑪ 수업 외의 시간에도 CD나 웹 사전 등과 같은 보조 자료를 권장하여 반복적인 자율 학습이 이루어지도록 하는 것이

좋음

(2) 발음 교육 단계

① 제시(도입, 설명) 단계

- 간단한 조음방법 설명 : 발음규칙, 발음법 설명, 한국어와 모국어의 차이 인식
- 쉬운 것에서 어려운 것으로 단계적 학습 유도
- 적절한 교육적 표기법, 시청각 보조 자료 이용
- 표준이 되는 발음을 충분히 들려줌

② 연습 단계

- 학습자들의 발음을 평가하고 칭찬이나 지적
- 교사는 처음에는 천천히 말하여 학생들이 정확한 발음을 습득하게 한 후 빠르게 발화하여 자연스럽게 규칙을 익히도록 함
- 단어 연습 → 문장 연습
- 목표음이 들어간 대화문을 여러 번 따라 읽히기

③ 생성(활용) 단계

- 자연스럽고 즉흥적인 상황에서 창의적인 발화를 하도록 유도
- 조사활동, 역할놀이, 인터뷰, 즉흥연설 등과 같이 담화차원으로 확대해 학습자들이 발음에 주의를 기울이며 의사소통을 할 수 있도록 유도

(3) 발음 교육의 활동 유형

① 듣기
② 듣고 따라하기
③ 목표 언어 조음 위치 설명 및 모국어 음과의 대조 연습
④ 최소대립쌍 연습
⑤ 큰 소리로 반복해서 읽기
⑥ 발화 녹음 후 듣고 수정하기
⑦ 역할극을 통한 발음 연습
⑧ 말하기를 통한 연습

5. 언어권별 발음 오류

(1) 영어권 학습자들의 발음 오류 유형

오류 유형	오류의 예
/ㅓ/를 /ㅗ/처럼 발음함	'어서'의 /ㅓ/를 분명하게 발음하지 못하고 '오소'처럼 발음함.
/ㅡ/를 발음하지 못하고, 가끔 /ㅜ/ 비슷하게 발음하는 경우도 있음	'으뜸'을 잘 발음하지 못하고, 가끔 '우뚬' 비슷하게 발음할 경우도 있음
/ㅡ/ 발음을 잘 못하기 때문에 이중모음 /ㅢ/ 발음 역시 잘 하지 못함	'의사'에서의 /ㅢ/를 잘 발음하지 못함
평음(/ㄱ, ㄷ, ㅂ, ㅅ, ㅈ/)과 경음(/ㄲ, ㄸ, ㅃ, ㅆ, ㅉ/),	'가, 다, 바, 사, 자'를 '까, 따, 빠, 싸, 짜'와 구별하지

격음(/ㅋ, ㅌ, ㅍ, ㅊ/)을 구별하여 인식하지도 발음하지 못함	못하고 종종 혼동하여 발음함
모음 앞의 /ㅅ/을 /ㅆ/으로 발음함	'사랑'을 '싸랑'처럼 발음함
/ㅈ/을 [ʤ]로 발음함. 무성 환경에서는 [ʒ]로 발음하는 경우도 있음	'점심'의 /ㅈ/을 한국어와 다른 [ʤ]로 발음함
/ㅊ/을 [ʧ]로 발음함	'체조'의 /ㅊ/을 한국어와 다른 [ʧ]로 발음함
/ㄴ/이 연이어 나올 때 /ㄴㄴ/ 중에서 /ㄴ/ 하나를 생략하고 발음함	'안녕'을 [아녕]처럼 발음함
탄설음 [r]을 혀를 말아서 발음하는 소리인 [ɹ]로 발음함	'도로'에서 /ㄹ/을 [ɹ]로 발음함
음절 말의 /ㄹ/을 영어의 [ɫ]로 발음함	'달과'에서 /ㄹ/을 연구개음화한 어두운 음인 [ɫ]로 발음함(즉, 혀를 말아 한국의 [l]보다 훨씬 더 뒤쪽에서 발음함)
/ㄹ/이 연이어 나올 때 /ㄹㄹ/ 중에서 /ㄹ/ 하나를 생략하고 발음함	'달라'를 [다라]처럼 발음함

(2) 일본어권 학습자들의 발음 오류 유형

오류 유형	오류의 예
/ㅐ/ 발음을 /ㅔ/에 가깝게 발음함	'대문'을 [데문]처럼 발음함
/ㅓ/ 발음을 /ㅗ/에 가깝게 발음함	'어서'를 '오소'와 비슷하게 발음함
/ㅗ/ 발음을 원순성이 약한 음으로 발음함	'오소'에서 /ㅗ/의 원순성이 약하여 /ㅓ/와 비슷하게도 들림
/ㅡ/ 발음을 원순성이 약간 있게 발음함	'으뜸'을 '우뚬' 비슷하게 발음함
/ㅜ/ 발음을 원순성이 약하게 발음함	'두루'를 '드르'와 비슷하게도 발음함
/ㅢ/를 잘 발음하지 못함	'의사'에서의 'ㅢ'를 이중모음으로 정확하게 발음하지 못함
모음 간의 /ㅇ/를 [ㄱ]으로 발음하는 경향이 있음	'잉어'를 '이거', '담쟁이'를 '담재기'로 발음함(특히 관동 지방에서)
경음과 격음을 잘 구별하여 인식하지도 발음하지도 못함(특히 음절 초에서)	'까, 따, 빠, 짜'를 '카, 타, 파, 차'와 구별하지 못하고 종종 혼동하여 발음함
음절 초에서 평음과 격음을 잘 구별하여 발음하지 못함	'가, 다, 바, 자'를 '카, 타, 파, 차'와 구별하지 못하고 종종 혼동하여 발음함
/ㅅ/을 모음 사이에서 유성음화하여 발음함	'가사'에서의 /ㅅ/을 [z]처럼 발음함
/ㅎ/을 유성음 사이에서도 약화시켜 발음하지 않음	'전화'에서 /ㅎ/도 강한 기식이 동반된 /ㅎ/으로 발음함
음절 초의 /ㅈ/을 유성음으로 발음함	'자식'에서 /ㅈ/을 유성음으로 발음함
받침에 쓰이는 /ㄴ, ㅁ, ㅇ/ 발음을 잘 하지 못함	'돈'에서 /ㄴ/, '곰'에서 /ㅁ/, '공'에서 /ㅇ/을 잘 발음하지 못함
음절 말 폐쇄음 /ㅂ, ㄷ, ㄱ/을 개음절화하여 발음함	'밥'에서 /ㅂ/뒤에 /ㅡ/ 비슷한 발음을 첨가하여 [바브]처럼 됨

음절 말의 설측음 /l/을 개음절화하여 발음함	'달'에서 받침 /ㄹ/ 뒤에 /ㅡ/ 비슷한 발음을 첨가하여 [다르]처럼 됨
유음화를 잘 적용하지 못함	'논리'를 [놀리]가 아닌 [논리]로 발음함

(3) 중국어권 학습자들의 발음 오류 유형

오류 유형	오류 예
/ㅡ/를 잘 발음하지 못함.	'으뜸'을 분명하게 발음하지 못하여 '으뜸'과 '어뗨'의 중간 정도로 들림.
/ㅗ/와 /ㅓ/를 개별적으로 잘 발음하지 못하고 구분도 발 못함	'오소/어서', '어서/오서'를 분명하게 구분하여 발음하지 못함
/ㅢ/를 잘 발음하지 못함(단모음 /ㅡ/ 발음 문제에서 파생한 것)	'의사'를 잘 발음하지 못함.
평음 발음을 잘 못함	'발'을 '빨'처럼 발음함
무성자음이 유성음화 환경에 있어도 무성음으로 발음함	'방법'에서 뒤의 유성음 /ㅂ/을 초성의무성음처럼 발음함
받침 발음을 잘 못함	'먹었다, 둥글다, 방에, 광고'를 [머어다, 두그다, 바에, 과고]처럼 발음함
/ㅅ/을 /ㅆ/처럼 발음함	'사'와 '싸'를 구분하여 발음하지 못함
/ㅈ/과 /ㅊ/을 잘 구별하지 못함	'자' 와 '차'를 구분하여 발음하지 못함
/ㅈ/계열의 자음과 이중모음이 결합될 때 이중모음으로 발음함	'가져'를 [가저]로 발음하지 않고 [가져]로 발음함
탄설음 /ㄹ/ 앞에서 얼화 현상을 일으킴	'사람' 을 [살람]처럼 발음함
한국어에서 비표준적인 자음동화의 발음을 자연스럽게 함	'문법, 한국' 을 [뭄뻡], [항국]으로 발음함
유음화를 잘 적용하지 못함	'신라'를 [신라]로 발음함(이 경우 /ㄹ/은 설측음으로 발음하는 경향이 많음)
비음화를 잘 적용하지 못함	'종로' 를 [종로]로 발음함(이 경우 /ㄹ/은 설측음으로 발음하는 경향이 많음)
파열음 음가를 가진 받침 자음 뒤의 평음을 경음으로 발음하지 않음	'늑대'에서 '대'를 [때]로 발음하지 않음
음절 연음에 익숙하지 않음	'밥을' [바블]로 자연스럽게 이어 발음하지 않고 부자연스럽게 절음해 발음하거나 심지어는 '옷이' [오디]처럼 발음함

영어 유음			
영어음	기호(발음법)	예	한국어와의 관계
r 탄설음	r (혀를 말지 않음)	city, ladder, butter	한국어의 초성에 해당
	ɹ (혀를 둥글게 말아서)	race, royal	한국어에 없음

l 설측음	밝은 l (어두나 모음 앞)	late, life, silly, foolish	한국어의 종성에 해당
	어두운 l (어말이나 자음 앞)	feel, soul, self, help	한국어에 없음

9장 한국어 문법교육론

1. 문법교육의 기본 개념

(1) 개념

① 문법교육 : 언어학적 규칙 체계로서의 문법을 적절한 문맥에 맞춰 조율된 문법적 의미를 이해한 바탕에서 적절하게 사용할 수 있게 하는 것

② 국어교육에서의 문법교육 : 모국어의 문법규칙을 이해하고 바른 언어생활을 할 수 있도록 함

③ 외국어로서의 한국어교육에서의 문법교육 : 문법구조를 이해시키고 한국어로 의사소통할 수 있도록 도움

(2) 문법교육 유용론

① 문법은 정치한(fine-tuning) 규범 언어를 만드는 기준이 됨
- 일상의 비규범적 언어를 진단, 교정하려면 기준이 되는 문법이 필요함

② 문법이란 문장 제조기 역할을 함
- 문법은 바른 문장을 제조하는 것이 임무이므로 문장 제조를 바르게 하려면 문법을 알아야 함
- 외국어 학습 시에 바른 문장을 생성해 내려면 해당 외국어의 문법 지식이 있으면 유리함

③ 문법 교육이 없으면 언어 오류를 교정 받지 못하여 오용 언어 습관이 고착되어 화석화됨
- 문법 교육을 받지 않으면 바른 발음, 바른 어휘, 바른 문장의 개념을 이해하고 교정할 수 있는 자가 변별 능력을 상실하여 잘못된 어법이 고착됨

④ 문법 학습에서 강조된 것은 일상 언어생활에서 주의, 환기(noticing)하면서 자기 언어 사용 능력을 강화하게 됨
- 문법 학습에서 기억된 것, 지적받은 것은 계속 주의하게 되어 학습 강화 효과를 주어 바른 언어 능력을 강화시킴

⑤ 언어 학습이나 이해에는 개별 문법 항목을 교수 학습하는 것이 효율적임
- 언어는 방대한 것이라 어떤 기준으로 접근하여 가르칠 것인가의 교수 전략이 필연적으로 요구되는데 문법 범주나 규칙별로 교수 학습하여 전체를 이해하고 학습하게 하는 것이 전형적이면서도 효율적임
- 방대한 언어 세계를 학습하는 데는 문법범주만큼 정제화, 계열화된 지식 영역이 없음

⑥ 다양한 계층, 성격의 청소년, 성인 집단에 언어를 교육할 때는 문법 규칙에 따라 가르치는 것이 효율적임
- 언어교육에서 교사의 역할이란 언어의 규칙과 사실로 이루어진 총체적 지식을 학습자에게 전달하는 일뿐이라고 보는 태도이며 그 전달은 문법 범주별 지식이 가장 체계적으로 정제되어 있다고 봄

⑦ 학습자의 체질에 따라서는 문법 학습에 기대를 거는 학습자들이 있어 이들의 요구에 부응해야 함
- 다중 언어권에서는 다양한 언어 학습법에서 좌절과 실패를 경험하는 학생들이 발생하는데 오히려 전통적인 문법 학습에 기대를 거는 학생들도 있으므로 이들의 수요를 위해서도 문법교육이 필요함

⑧ 외국어 학습 시에는 모어 문법 지식이 유용함
- 외국어 학습을 할 때 모어 문법과의 대조 분석을 통해 이해하는 방법도 유용하여 모어 문법을 제공할 필요가 있

음
• 모어 문법을 잘 아는 사람과 잘 모르는 사람에게서 외국어 학습에 차이를 보이기도 함

⑨ 모어 문법에 대한 이해 학습 자체가 개인의 인지 능력 발달에 기여함
• 모어 문법에 대한 학습 시에 구어와 문어의 차이를 알고 규범문법과 기술문법의 갈등을 이해하며 문법범주들의 하위분류 체계에 대한 비판적 이해를 통해 측정할 수 없는 무형의 분석력과 논리력을 향상할 수 있음

(3) 문법교육 무용론

① 언어 학습은 기능 학습이므로 문법의 노하우 지식은 무용함
• 문법 지식을 알고 있는 것과 사용하는 것은 별개의 것임
• 언어는 실천을 통해 사용하는 것임

② 문법적 능력은 의사소통 능력의 한 구성요소일 뿐임
• 문법적 능력이 높다고 해서 언어 능력이 함양된 것은 아님
• 언어 능력은 의사소통 능력이 전반적으로 함양되어야 하는 것이며, 이런 의사소통 능력을 높이는 것이 언어교육의 목적이 됨

③ 제2 언어 성공은 학습이 아니라 습득임
• 언어는 모국어 습득과 같이 자연스럽게 해야 하는 것이며 학습으로는 한계가 있음
• 학습할 때에도 자연 순서에 맞춰 학습하는 것이 중요하며 이런 자연 순서가 문법 학습 순서와는 다름

2. 문법교육의 원리와 오류 수정

(1) 언어 교수법과 문법교육

① 문법 번역식 교수법

• 정확한 번역에 중점을 둠
• 목표어의 문법규칙을 정확히 설명하고 학습자에게 주입하는 방식
• 문법 제시 방식은 연역적 제시를 사용함

② 청각 구두식 교수법

• 문법의 구조적 의미를 강조
• 목표언어의 구조를 반영한 문형연습 중시
• 반복 연습하여 익히는 방식

③ 인지주의 교수법

• 문법체계의 작동에 대한 이해에 초점을 둠
• 문법규칙을 설명해서 학습자가 이해하도록 하는 것을 중시

④ 자연적 접근법

• 이해 가능한 입력 자료를 풍부하게 제공하는 것을 중시
• 교실에서의 문법교육은 불필요하다는 입장을 고수함

⑤ 의사소통 중심 교수법

• 언어의 형태보다 의미를 중시하며 문법의 사용을 강조하는 기능으로 제시할 것을 주장함
• 형태 중심이 아니라 과제 중심의 연습에 중점을 둠

(2) 문법교육의 원리

① 학습자 중심으로 수준에 맞게 (숙달도 단계에 맞게 교육)
② 의사소통 활동을 위해 연습을 많이 제공 (의사소통의 능력으로 이어져야 함)
③ 목표의미나 기능을 단순하고 간략하게 제시
④ 다양한 형태, 호응되는 술어와 함께 제시
⑤ 지식측면보다 사용적 측면에 초점을 둠
⑥ 흥미를 떨어뜨리지 않도록 함
⑦ 문어와 구어의 다른 형태를 구별하여 학습자들의 혼란을 막아줌
8) 새로운 어휘 제시나 단어의 확장을 자제하여 목표문법에만 집중하게 함

(3) 문법을 가르칠 때의 경험적 원칙 (Thornbury, 1999)

① 문맥의 원칙 : 문법은 문맥 속에서 가르쳐야 하며 다른 문법 형태와의 의미 차이를 구별하는 것이 중요함
② 사용의 원칙 : 문법 자체를 가르치지 말고 문법 사용을 촉진해야 함
③ 경제의 원칙 : 연습 시간을 최대화하려면 문법 설명은 최소화할 필요가 있음
④ 관련성의 원칙 : 문법 지식을 다 가르칠 필요가 없으며, 새로 학습하는 문법은 이미 학습한 것과 어떤 연관이 있는지, 또 어떤 차이가 있는지 의미적으로 구별하는 것이 중요함
⑤ 양육의 원칙 : 문법을 배우는 것은 순간적인 과정이 아니라 점진적 과정임
⑥ 적절성의 원칙 : 문법 규칙을 학습자의 수준, 요구, 흥미, 기대, 학습 방식에 따라 재해석하여 적절하게 만들어야 함

(4) Thornbury(1999)의 오류 수정 방법

① 부정하기 : '틀렸어요.'라고 명확히 부정적인 피드백을 주며 학습자에게 무엇이 틀렸는지 단서를 제공하지 않음
학습자는 스스로 찾아 교정해야 함
② 교체 표현 즉시 제시하기 : 틀린 부분을 교사가 직접 고쳐 주는 방법
③ 문법 용어를 사용해 오류 지적하기 : '어미가 틀렸어요.'처럼 문법 용어로 해당 오류 부분을 지적함
④ 다른 또래 구성원을 통해 교정을 유도하기 : '틀렸어요. 다른 사람 없어요?'
⑤ 오류 앞부분 반복하여 유도하기 : 교사가 오류가 나타난 부분 앞까지 학습자의 발화를 반복하거나 오류 부분을 손가락으로 지적하여 오류를 발견, 교정할 수 있게 하는 방법
⑥ 반복 발화 반문하기 : 학습자 발화를 반복하되 무엇인가 이상하다는 의문의 억양으로 하여 오류를 깨닫게 하는 방법
⑦ 발화 재반복 요구하기 : 학습자에게 못 알아들었다고 밝힘으로써 무엇이 틀렸음을 암시하며 재발화를 요구하는 것
⑧ 오류 상황을 적용하기 : 오류 표현대로 이해했을 때의 문제점을 지적하는 방법
'한 개의 종이'라고 했을 때, 종이가 한 개라고?'처럼 지적하거나 반문하여 문제를 깨닫게 하는 방법
⑨ 즉시 교정 : '한 개의'는 '한 개의 상품'처럼 쓰고 종이는 '한 장의 종이'로 해야 한다고 즉시 교정하는 방법
⑩ 교정하여 들려주고 반문하기 : '아, 한 장의 종이, 그렇지?'처럼 바른 표현을 알려 주고 반문하는 방법
⑪ 긍정하기 : 일단 오류를 무시하고 소통에 기여하는 쪽으로 수용하는 방법
⑫ 오류 판서하고 나중에 다루기 : 아무 말을 하지 않고 오류를 칠판에 써 두었다가 뒤에 다루는 방법

3. 문법 교수·학습 모형

(1) 연역법과 귀납법

① 연역법 (先 규칙 제시 - 後 자료 제시)

- 대규모 강의
- 분석적 학습자에게 유리
- 학습목표의 제시가 용이하여 목표에 따른 성취도를 쉽게 확인 가능
- 학습자의 흥미 감소로 참여도 저조
- 실생활에서의 의사소통능력이 떨어짐

② 귀납법 (先 자료 제시 - 後 규칙 제시)

- 언어자료로부터 규칙을 찾아가는 발견학습으로 학습동기를 유발 (능동적)
- 아동과 초급 학습자들에게 내재화하는 데 유리
- 직접교수법이나 청각구두식 교수법에서 선호
- 학습자의 일시적 잘못된 추론으로 시행착오 과정이 발생할 수 있음
- 자료제시를 위해 교사의 수업준비 부담이 있음

(2) 결과 중심의 문법교육과 과정 중심 문법교육

① 결과 중심의 문법교육

- 언어의 형식과 의미에 초점
- 정확한 문장의 생성이 목표

② 과정 중심의 문법교육

- 실제 상황 속에서 문법을 사용하는 것이 목표
- 문법 사용 과정에서의 효율적 메시지 전달에 목표

(3) 제시훈련모형(PPP)과 과제훈련모형(TTT)

① PPP 모형

- 제시(Presentation) : 하나의 문법항목을 분리하여 명확하게 제시·설명, 해당 문법의 지시문 제시
- 연습(Practice) : 큰 단위로 이동하며 연습 (정확성 획득), 문법항목을 넣어 서로 질문하기
- 생산(Production) : 유창성 목표, 상황을 통해 자율적으로 해당문법을 활용
- 특징 : 형태 중심의 문법 교육 접근법, 연역적 방법으로 문법을 제시하고 연습, 상향식, 교사 위주 수업, 정확성 우선

② TTT 모형

- 과제 1(Task 1) : 교사가 설정한 의사소통 과제를 수행
- 교수 활동(Teach) : 과제 1의 결과를 토대로 교사가 과제 1이 제대로 수행되는 데에 필요한 언어적 지식을 제시하고 연습시킴
- 과제 2(Task 2) : 학습자들이 과제 1과 유사한 과제를 다시 수행
- 특징 : 전체 담화를 이해하면서 학습자 간의 상호작용, 과정 속에서 특정 문법 지도, 과제를 제시하여 과제를 해결함으로써 언어를 습득, 유창성 우선, 담화 상황 중심

(4) 명시적 교수와 암시적 교수 (DeKeyser, 1995)

- 문법 교수의 중간에 규칙 설명이 들어가는 것을 명시적 교수, 그리고 규칙 제시나 특정 언어적 형태에 대한 유도가 없는 것을 암시적 교수라고 정의하였음

• 화용 교육에서 명시적 접근법과 암시적 접근법을 구분하는 근거가 되었음
• Rose(2005)는 수업에서 교사에 의해 규칙 설명이 제공되거나, 학습자가 직접적으로 특정 언어적 형태에 대해서 물어보고 스스로 메타언어적 일반화를 도출하려 한다면 명시적 접근으로 볼 수 있고, 반대로 규칙 제시나 특정 언어적 형태에 대한 교수가 직접적으로 이루어지지 않을 경우에는 암시적 접근으로 볼 수 있다고 하였음

4. 문법교육 내용과 방법

(1) 문법 교육 시 고려 사항 (강현화, 2005)

① 교사 문법과 학습자 문법의 차이를 구별해야 함
  • 교사가 알고 있는 문법 전부를 학습자에게 가르칠 필요는 없음

② 이해 문법과 표현 문법의 차이를 구별해야 함
  • 학습자에게 제시된 모든 문법을 표현할 수 있어야 하는 것은 아님

③ 구어 문법과 문어 문법의 차이를 구별해야 함
  • 문체적 차이를 이해하고 구별할 수 있도록 문법이 쓰인 맥락을 함께 제시하는 것이 중요함

④ 교수 문법과 참고 문법의 차이를 구별해야 함
  • 어디까지 가르칠지 학습자의 수준을 참고하여 학습 범위를 설정하고 학습 내용을 선정함

(2) 문법 규칙의 기준

① 사실성 : 문법 규칙이 사실 언어 자료에 기반하기
② 제한성 : 규칙의 예외를 밝혀 규칙 적용의 한계를 밝히기
③ 명료성 : 문법 규칙의 설명은 애매, 모호한 설명 없애기
④ 단순성 : 규칙은 단순하게 하기
⑤ 친근성 : 규칙은 학습자가 이미 아는 지식을 활용하기
⑥ 적절성 : 규칙에 대한 학습 집단의 이해가 다를 수 있음을 고려하기

(3) 교육용 문법 항목의 등급화 선정 기준

① 사용 빈도 : 가장 많이 사용되는 항목을 먼저 교육함
② 난이도 : 의미, 기능, 담화로서의 난이도를 의미함
③ 일반화 가능성 : 가장 무표적이고 파급 효과가 큰 것을 먼저 교육함
④ 학습자의 기대문법 : 학습자 중심의 교육을 반영함

(4) 수준별 교수 방법

① 초급 문법 교수 방법

㉠ 문법 항목의 여러 사용법 중 기본 사용법부터 가르침
㉡ 유사한 의미를 나타내는 문법 항목 간의 학습 순서를 정함
㉢ 규칙이나 문법 용어를 명시적으로 제시하지 않음
㉣ 문법의 의미와 기능이 잘 드러나는 간단한 문장으로 예시
㉤ 문법 연습 문장은 학습자가 관심을 가지는 주제로 함
㉥ 사용 맥락이 중요하지만 예문을 주기 전에 문법 의미 확인함

② 중급 문법 교수 방법

㉠ 선수 학습한 내용과 새로 학습하는 내용과의 비슷한 문법을 비교하는 것은 필수적임
㉡ 문법 항목이 구어나 문어 중에서 언제 사용하는지 확인해야 함
㉢ 언어권별로 자주 나타나는 오류 사항을 지적함

③ 고급 문법 교수 방법

㉠ 새로운 문법을 배우기보다는 중급 단계까지 학습한 내용을 심화하는 것이 좋은
㉡ 문장 구조나 문형의 단조로움을 피하고 세련된 문장을 구성하도록 지도함
㉢ 표현 간의 미묘한 차이, 비슷한 상황을 묘사하는 다양한 표현, 속담이나 관용어, 연어 관계를 지도해야 함

(5) 문법교육의 평가

① 한국어 수준별 어휘 및 문법의 이해능력
② 어휘 및 문법 구사의 정확성 및 적절성의 평가
③ 표준적 문장의 구성 능력의 평가
④ 한국어 언어 구조에 관한 지식의 평가
⑤ 어휘 및 문법의 문화적, 역사적 배경에 관한 이해도의 평가
⑥ 한자 및 한자어의 이해 및 구사 능력의 평가

5. 문법교육의 연습과 활동

(1) 문형 연습

① 기계적인 연습

㉠ 반복 연습
예) -아/어 보이다 : 작아 보이다/커 보이다/건강해 보이다

㉡ 대체 연습
예) 요즘에는 (   )이 잘 팔린다 : 과일/옷/음료

㉢ 변형 확장 연습
예) • 질문: 신촌에 가려면 어떻게 (   )?
• 대답 : (   )에서 내려서 (   )호선으로 갈아타세요.
→ (   )가려면 (   )?

㉣ 연결 연습
예) (으)면 : '열심히 공부하다' - '한국어를 잘할 수 있어요'

㉤ 지시대로 연습하기
예) 연습지에 학습자가 어떻게 문장을 생성하면 되는지 예문을 함께 제시함

② 통제된 문법 연습

㉠ 응답 연습: 보기에 어휘 항목을 제시하고 밑줄에 알맞은 말을 넣어 대화를 완성하는 방법

㉡ 주어진 조건 안에서 응답 연습하기 : 그림이나 도표를 제시하고 질문을 주어 대답하도록 하는 연습

(2) 유의적인 연습 : 배운 문법을 사용하여 유의적인 맥락을 제시하는 연습

① 문법 구조 인지
예) 신문 기사를 통해 과거 시제로 표현된 부분에 밑줄을 그어 사용 맥락 하에 쓰인 형태에 집중하게 함

② 어휘를 통한 연습
예) '10억이 있다', '다시 태어나다'와 같은 어휘 표현 제시
→ '만약 나한테 10억이 있다면…'과 같이 창의적 표현을 할 수 있게 함

③ 유의미한 문법 연습
예) '영희는 아이스크림을 좋아한다.'
→ 영희는 디저트로 아이스크림을 언제나 먹는다.
→ 영희는 아이스크림이 없으면 못 산다.

④ 조건에 따른 문법 연습
예) (　　　　　　) 포기하지 않을 거예요.
→ 희망이 있는 한 포기하지 않을 거예요.

⑤ 자유 작문
예) 시청각 자료나 상황적 단서를 주고 그 다음에 어떤 일이 벌어질지 추측하여 자유롭게 말하거나 쓰게 함

(3) 형태 초점(Focus on form) 문법교육 (Long, 1991)

• 의사소통 중심의 교수법에서 형태를 강화하기 위해 전체 교육과정 중에 보충적으로 문법수업을 삽입하는 방식

①	입력포화 (입력홍수)	가르칠 문법의 다양한 예문을 대량으로 제공
②	과제수행 필수 언어	과제수행용 필수표현 제공
③	의미협상	동료와의 피드백을 통해 의미협상 과정으로 터득하기
④	출력강화	출력표현에 대해 묻거나 유도 질문하여 오류를 수정하고 표현을 정교화하기
⑤	상호작용을 통한 강화	학생 간, 학생-교사 간 상호작용에서 나타나는 문법요소에 대한 인식 강화
⑥	창의적 받아쓰기	형식과 어휘에 주목하여 들은 내용을 메모했다가 재구성한 뒤 원본과 대조
⑦	의식 고양	무의식에 있는 언어 형식을 의식의 차원으로 끌어올리거나 인지하도록 유도
⑧	입력 처리	문법규칙을 설명한 후 다양한 입력 제시
⑨	순차적 제시	학습자들이 규칙에 따라 자유롭게 문법을 적용하게 한 후 오류발생 시 시정해줌
⑩	비계	교육 내용이 학습자 수준보다 높을 때, 징검다리처럼 교사가 중간 힌트를 제공
⑪	고쳐 말하기	학습자의 오류를 교사가 암시적으로 고쳐 말해줌으로써 학습자가 올바른 교사의 발화를 듣고 스스로 고치도록 하는 방법

★ 스캐폴딩(scaffolding, 비계)

• 건축에서 유래된 용어(비계)로, 학습자가 자신의 근접발달영역에 따라 향상될 수 있도록 수업에서 교사(또는 동료 학습자)가 도움이나 힌트를 제공해 주는 행위를 의미
• 일반 교실 수업에서 유능한 동료, 교수자, 전문가 등이 학습자에게 적절한 스캐폴딩을 직접 제공하는 것뿐 아니라, 이러닝 상황에서도 학습자에게 다양한 도움이나 단서정보를 제시하거나 인지적 점검을 유도하는 등의 전략을 제공함

10장 한국어 어휘교육론

1. 어휘교육의 기본 개념

(1) 어휘의 개념

① 기초 어휘 : 언어생활 속에서 빈도수가 높고 사용 범위가 넓으며 파생어나 합성어 등 이차 조어의 근간이 되는 최소한의 필수 어휘 목록

② 기본 어휘 : 특정한 목적에 의해서 인위적으로 조사되고 선정되어 공리성을 지닌 어휘 목록

③ 1차 어휘 : 모어에서 자연스럽게 습득되는 어휘

④ 2차 어휘 : 학습에 의해서 습득된 어휘

⑤ 학습용 기본 어휘 : 일상생활에 필요한 기본 어휘를 교육적인 목적에 맞도록 재구성한 것

⑥ 학습용 어휘의 등급 설정 기준

㉠ 고빈도성 기초 어휘 순으로 우선 학습 어휘를 선정함
㉡ 중복도가 높은 단어 순으로 우선 학습 어휘를 선정함
㉢ 편찬될 교재의 단원별 주제와 관련된 기본 어휘를 우선적으로 학습해야 하며 어휘 자체의 상관관계(의미망)도 고려함
㉣ 기본 의미를 가진 어휘, 파생력이 있는 어휘를 우선 학습 어휘로 선정함
㉤ 단원의 문법 교수요목과 연계를 가진 어휘를 우선적으로 학습해야 하며 문법 이해를 위한 필수적인 기능어를 우선 학습 어휘로 삼음
㉥ 교수 현장과의 연계로 교수 현장에서 필수적인 단어는 저빈도 어휘라도 우선 학습 어휘의 대상에 넣을 수 있음

⑦ 기능어

- 말과 말 또는 문장과 문장 사이에서 문법적인 기능을 수행하는 보조적 어휘의 종류
- 한국어에서는 조사 어미 등이며, 영어에서는 전치사, 접속사 등
- 기능어는 내용어에 비해 어휘 수가 한정되어 있고 의미가 쉽게 변하지 않기 때문에 언어 학습 초기 단계에서 학습한다면 효과적인 의사소통에 중요한 역할을 할 수 있음

⑧ 내용어

- 단어의 의미 내용을 나타내는 것으로 문법적 기능을 나타내는 기능어와 구분되는 어휘의 종류
- 어휘 학습 면에서 기능어는 어린 나이에 완성이 되고 확장 또는 변화가 거의 없지만 내용어는 성인이 되어서도 매년 약 10% 이상의 화장이 일어남
- 기능어에 대한 학습은 일반 목적의 언어 학습과 특정 목적의 언어 학습이 큰 차이를 보이지 않는 반면 내용어는 학습 목적과 학습 대상에 따라 차이를 두고 교육이 이루어지고 있음

(2) 이해 어휘와 표현 어휘

① 이해 어휘

- 한 개인이 알고 있는 어휘 중에서 일상적으로 직접 사용하지는 못해도 듣거나 글을 읽었을 때 그 의미나 용법을 이해할 수 있는 어휘 (수동적 어휘, 획득 어휘)

② 사용 어휘

- 일상적으로 말을 하거나 글을 쓸 때 직접 사용이 가능한 어휘 (능동적 어휘, 발표 어휘, 표현 어휘)
- 속성
  ㉠ 학습자에 따라서 상대적임
  ㉡ 학습자가 표현 의도를 실현하기 위해서 사용할 수 있는 여러 표현 어휘 중에서 하나를 선택하여 사용하므로 선택적임
  ㉢ 위상이 다른 단어들이 공존하기에 복합적임

③ 특징

- 사용 어휘의 양은 이해 어휘의 3분의 1 정도로 추정됨
- 영어의 경우 수동적 어휘는 10만 단어 이상인데 비해 사용 어휘는 1~2만 단어 정도임
- 왓츠(A. F. Watts)와 매키(W. F. Mackey) 등에 따르면 외국어 학습에서 3~5천 단어의 사용 어휘 수와 5천~1만 단어의 이해 어휘 수가 그 외국어에 대한 상위 중간 단계의 숙달 능력을 지닌 것으로 보인다고 보고함
- 한국어의 이해 어휘는 대략 4~5만 단어 내외인 것으로 여겨짐
- 사용 어휘와 이해 어휘는 완전히 독립된 어휘 체계가 아니라 이해 어휘가 사용 어휘로 전환이 가능함
- 초급 단계에서는 이해 어휘가 바로 사용 어휘로 전환되어야 함
- 초급 단계에서는 의사소통 상황에서 직접 활용이 가능하도록 사용 어휘의 비중을 더 두어 가르치고 고급 단계로 갈수록 이해 어휘에 더 비중을 두어 가르치는 것이 바람직한 방법임

(3) 한국어 어휘의 기본적 특징

① 유의어, 동음이의어가 많음
② 존칭어, 친족어 발달
③ 상징어와 감각어 발달
⑤ 4음절 이상이 드묾

(4) 어휘교육의 필요성

① 어휘교육 유용론

- 성공적인 제2 언어의 사용을 위해 적당량의 어휘 습득은 필수적임
- '문법 없이는 의미가 거의 전달되지 않지만 어휘가 없으면 의미는 전혀 전달되지 않는다.'는 지적에서도 어휘교육의 중요성이 강조됨
- 1970년대 중반부터 다시 어휘에 대한 관심이 되살아나고 어휘의미론적인 관점을 도입하였음

② 어휘교육의 무용론

- 외국어를 배우는 데 있어서 제일 중요한 것은 소리 체계와 문법 구조를 배우는 것이지 어휘를 배우는 것은 아님 (Fries, 1945)
- 통사적 구조를 연습하는 데 필요한 어휘만 알고 있으면 충분함
- 학습자가 필요로 하는 단어를 예측할 수 없으며, 어휘 학습은 어휘의 축적일 뿐임
- 1960년대의 변형문법은 어휘는 주변적인 것이며 질서 있는 문법의 불규칙한 부분으로 여김

(5) 어휘교육의 목표

① 어휘의 의미와 용법을 정확히 이해하여 어휘를 올바르게 사용하게 할 것
② 한국인의 정신, 한국 문화 등 한국 사회 전반에 대한 이해의 폭을 넓힐 것
③ 어휘력 확장을 통해 효과적인 의사소통을 할 수 있는 능력을 키울 것

(6) 언어 교수법과 어휘교육

① 문법 번역식 교수법

- 어휘교육의 차지 범위 큼
- 번역어와 모국어가 함께 제시
- 암기식의 어휘교육

② 청각 구두식 교수법

- 문맥을 통한 어휘 습득
- 모국어와 목표언어 의미대조 목록 사용 금지
- 학습자의 어휘 확장은 읽기 단계
- 어휘교육에 대한 특별한 관심 없음

③ 인지주의 접근법

- 모국어의 역할 강조
- 문장 단위 중심의 접근법
- 모국어의 어휘 형성 원리를 바탕으로 목표어 어휘 형성

④ 의사소통 중심 접근법

- 어휘 교수 측면에 전환점
- 문법보다 어휘 강조

2. 어휘교육 원리와 방법

(1) 어휘 등급을 위한 선정 기준

① 고빈도성으로 기초어휘 순으로
② 중복도가 높은 단어 순으로
③ 교재의 단원별 주제와 관련된 기본 어휘 - 어휘 자체의 상관관계(의미장)도 고려함
④ 기본 의미를 가진 어휘, 파생력이 있는 어휘
⑤ 단원의 문법 교수요목과 연계를 가진 어휘 - 문법 이해를 위한 필수 기능어
⑥ 교수 현장에서 필수적인 단어는 - 저빈도 단어라도 선정

(2) 어휘 제시 방법

① 실물, 그림, 동작 등을 통한 비언어적 제시 (구체적인 어휘일 경우)
② 설명하기 : 다양한 예문
③ 의미 관계를 이용한 어휘 제시 : 유의어, 반의어, 상위어, 하위어
④ 문맥을 통한 어휘 제시 (의미장 중심, 연어 관계 이용)
⑤ 문자적으로 풀어서 설명 (정의적 제시)
⑥ 모국어 어휘와 대조하여 제시
⑦ 게임을 통해 단어 외우기
⑧ 격자형 비교표(Grids) : 어휘 간 의미차이를 격자에 담아 구별
예) 신선하다-서늘하다-시원하다-싸늘하다-쌀쌀하다
⑨ 정도 차이 비교선(Clines) : 정도에 따라 순서대로 나열하여 제시
예) 빈도 : 항상, 자주, 때때로, 이따금

⑩ 군집(clusters) : 관계있는 단어들을 다시 분류해서 관계를 정리하고 체계를 잡는데 사용
예) 가족 관계
⑪ 수형도 : 상하관계를 나타낼 때
⑫ 한자 어휘 제시
- 이해 위주로 교육
- 한자문화권이라도 사용하는 의미가 다를 수 있으므로 교육 필요
- 중급 이상 단계에서의 한자 교육은 어휘력을 향상시키는 데 도움이 됨
- 한자권 학생에게는 초급단계에서, 비한자권 학생에게는 중급단계에서 제시
- 초급단계에서 제시되는 한자는 300자, 쓰기는 150자 정도

⑬ 추상어휘 제시 : 사용 맥락 속에서 이해할 수 있도록 제시
⑭ 구 단위 이상의 고정표현
- 필요성
  ㉠ 교사 중심으로 이루어지던 교육을 학습자 중심 교육으로 전환하는 데에 기여함
  ㉡ 개별 어휘 학습에 비해 학습자의 모국어 전이에 따른 오류를 줄일 수 있음
  ㉢ 어휘에 대한 맥락적 지식이나 연어관계에 대한 정보를 얻을 수 있음
  ㉣ 의사소통 능력에 있어서 유창성을 증진할 수 있음

★ 어휘의 사용을 향상시키는 활동

① 격자형 비교표는 '선선하다, 시원하다, 서늘하다' 등의 유의어 혹은 유사한 의미를 갖는 어휘의 의미 차이와 각 개별 단어의 의미 자질을 인식하게 해 주어 뜻을 정교화 할 수 있음

② 정도 차이 비교선은 대개 경사선에 의해서 나타나는데, 이 경사선에 배열된 단어들은 정도의 차이를 보여줌 예를 들면 '언제나, 자주, 때때로, 이따금'을 가지고 경사선을 활용한 어휘 학습을 생각해 볼 수 있음

③ 군집은 중심이 되는 단어의 주변에 그룹화된 단어들의 무리로 새 단어들이 서로 만날 때, 이들은 가장 적당한 장소에서 군집의 형태로 맞추어질 수 있고 이러한 절차는 관계된 단어들을 재분류해 보는 좋은 기회를 제공함

④ 연어를 활용하는 방법은 그 단어와 같이 나오는 단어들을 학습하는 것으로 학습자들이 소그룹으로 나뉘어 연어의 목록 사전이나 다른 단어 목록을 찾거나 문맥에서 단어의 예를 찾음으로써 그 단어의 연어를 찾음

(3) 어휘별 교육 방법

형태제시 (정확한 맞춤법 제시)	파생어	접사의 의미는 가르쳐주되, 지나친 확장 금지
	합성어	대표 어휘를 선정하여 교육하면 어휘력을 확장하는 데 효과적
	관용어	중급 이상의 학생을 대상으로 하되, 표현과 이해영역을 다르게 접근하고 한국 문화·역사에 관한 인식도 함께 교육
	음성상징어 (의성어·의태어)	문맥 속에서 의미 파악, 의미의 유사성이 있는 어휘와 함께 교육
의미제시 (사전적 의미 + 맥락)	유의어	상황과 문맥 속에서 유의어 간 차이점 명확히 제시
	반의어	같은 계열의 어휘는 묶어서 의미장으로 교육
	다의어	중심의미와 주변의미로 나누어 학습자 수준에 맞추어 순차적으로 제시
	상의어·하의어	학습자 수준에 맞추어 어휘를 확장하면 의사소통능력이 신장됨
	동음이의어	문맥을 통해 의미를 변별할 수 있는 다양한 연습을 마련
사회언어적	경어	기본의사소통 어휘들은 초급에서 교육. 평어, 경어 쌍으로 묶어 집중지도

특징 제시 (사용맥락 제시)	완곡어	사회 문화적인 배경, 사용할 수 있는 맥락도 함께 교육
	비속어	사회 문화적인 배경 함께 교육
	방언	일정단계 이상에서는 의사소통을 위하여 듣기 교육이 필요
	외래어	외국어 어휘와 모국어 어휘 간에 형태적 전이의 기회를 제공하며 단기간에 많은 어휘의 양을 증대시키는 효과가 있음

(4) 어휘 교육 시 유의점

① 구성요소의 문법적 설명 피할 것 : 어려운 용어 사용 자제
② 과다한 정보 제시는 피할 것 : 간단한 설명 위주, 간결한 문장 제시
③ 모국어 어휘와 대응하여 암기하지 않도록 주의
④ 유의적 어휘교육 : 다양한 문맥과 함께 제시, 실제 사용에 중점
⑤ 한국어 특징을 고려한 교육 : 조어(造語)력을 이용할 것
⑥ 말할 때 쓰는 어휘인지, 글을 쓸 때 쓰는 어휘인지 구별하여 제시
⑦ 어휘 연습은 어휘의 용법과 의미를 충분히 활용할 수 있도록 해야 함
⑧ 학습자 어휘전략을 개발
⑨ 학습자의 능력을 고려하여 단계적으로 교육
- 초급 : 핵심적인 의미 위주로 암기나 번역을 통한 도구적 학습
- 중급 : 파생이나 관련어를 통한 어휘 확장, 구 단위 표현 익히기
- 고급 : 학습된 어휘를 이용하여 의미의 심화나 다의 습득

(5) 한국어능력시험 어휘 관련 등급별 평가항목

① 1급

- 일상생활에 필요한 가장 기본적인 어휘
- 사적이고 친숙한 소재, 수와 셈
- 기본 인칭, 의문대명사, 지시대명사, 사물이름, 위치
- 기본 형용사, 동사, 물건사기, 음식주문 등 기초 생활어휘

② 2급

- 일상생활에 자주 사용되는 어휘
- 공공시설에서 필요한 어휘, 주변 상황을 나타내는 어휘
- 약속, 계획, 여행, 건강에 관한 어휘
- 아주, 많이, 별로, 거의 등의 기본적인 빈도부사

③ 3급

- 일상생활에서 사용하는 대부분의 어휘
- 직장생활, 병원, 은행 업무에 관한 어휘
- 감정표현 어휘, 사회 현상에 관한 어휘
- 기본 한자어, 간단한 연어

④ 4급

- 일반적인 소재를 표현할 수 있는 추상적인 어휘
- 직장에서 업무를 수행하는데 필요한 어휘

- 신문, 기사 자주 나오는 어휘, 빈도 수 높은 관용어, 속담
- 일반적인 사회 현상에 관한 핵심적 개념

⑤ 5급

- 사회 현상을 표현할 수 있는 추상적인 어휘
- 직장에서 특정 영역에 관한 기본 어휘
- 세부 의미 표현 어휘 (노랗다: 누렇다, 누르끼리하다)
- 자주 쓰는 시사용어 및 사회 특정 영역의 외래어
- 일반적으로 사용되는 관용어, 속담

⑥ 6급

- 사회 현상을 표현하는데 필요한 추상적 어휘
- 방언, 약어, 은어, 속어의 이해 및 사용
- 각 영역에서 쓰이는 전문용어
- 문화적 의미를 크게 함의하고 있는 관용어, 속담

3. 어휘교육의 활동 유형

(1) 초급

① 어휘 카드 이용
- 구체적인 명사의 경우는 그림을 카드에 삽입하는 방법을 사용함
- 추상적인 어휘는 짝 활동이나 그룹 활동을 통해 어휘를 추측하게 함

② 게임 활용
- 초급단계에서는 학습 동기는 높지만 한국어 능력이 낮기 때문에 이에 맞는 게임을 이용함

㉠ 실물 보고 한국어로 써 보기
㉡ 같은 소리로 시작하는 말 잇기 : 제시된 단어와 같은 자음으로 시작하는 단어의 목록을 말하거나 씀
㉢ 모음 찾기 게임 : 어휘에서 모음을 빼고 ㄷ자음만을 제시하면서 교사가 그 어휘를 발음해 주면 학생들이 알맞은 모음을 찾는 게임
㉣ 틀린 철자 찾기 : 그룹을 나누어서 틀린 철자가 있는 카드를 찾게 하는 게임
㉤ 벽에 붙이기 : 수업 전에 배울 단어를 벽에 붙여 놓고 수업이 끝난 후에 암기한 어휘를 말해 보게 함
㉥ 이야기 듣고 그림 그리기 : 이야기를 듣고 그림을 그린 후 원본과 비교해 봄

③ 어휘장 활용
- 학습자에게 어휘를 체계적으로 익히게 한다는 장점이 있음

(2) 중급

- 어휘를 생성하는 원리에 의해 어휘 확장을 이룰 수 있으므로 파생어와 합성어에 관한 교육이 집중적으로 이루어짐

(3) 고급

- 모르는 의미의 어휘를 문맥 속에서 파악하기
- 어휘 자체의 구성을 통해 의미 파악하기

★ **한자의 구성 원리 - 육서법(六書法)**

① 상형(象刑)
- 구체적인 사물의 모양을 본떠서 글자를 만드는 방법
- 한자의 기본자를 이루는 것이므로 잘 알아두어야 함
  예) 人, 心, 耳, 月, 山, 川, 母, 竹, 馬, 高

② 지사(指事)
- 어떤 상황이나 추상적인 개념을 점이나 선 또는 부호로써 나타낸 방법
  예) '本' : '木' + '一' → 나무의 뿌리 부분에 한 획을 그음 : 사물의 밑(바탕)을 나타냄

③ 회의(會意)
- 각각 나름의 뜻을 가진 글자를 둘 이상 합하여 새로운 뜻을 가진 글자를 만드는 방법
  예) '男' : 밭(田)에서 힘(力) 들여 일하는 사람 → 남자

④ 형성(形聲)
- 한쪽은 뜻을 나타내고, 다른 한쪽은 음(소리)을 나타내도록 만든 방법
  예) '問' : '口'(뜻: 묻다) + '門'(음: 문) → 입으로 질문하는 것을 나타낸 글자

⑤ 전주(轉注)
- 기존 한자의 원래 의미가 유추, 확대, 변화되어 새로운 의미로 바뀌는 것 (음이 바뀌는 경우도 있음)
  예) '惡'(악할 악) : 악한 것이 미우므로 → 미워할 (오)

⑥ 가차(假借)
- 음이 같거나 비슷한 글자를 임시로 빌려서 다른 사물이나 형태를 표현하는 방법
  예) 亞細亞(아세아) : 아시아 (Asia)

11장 한국 문화교육론

1. 문화의 기본 개념

(1) 문화의 개념

① 언어교육 목표 : 의사소통 능력의 습득으로 목표언어사회와 그 사회의 문화를 이해

② 제2 언어 능력 : 언어 능력 + 의사소통 능력 + 문화 능력

③ 문화 능력 : 제2 언어를 심리-사회-문화적 현실체와 연결시키는 능력

④ 문화 개념 (Brooks, 1935)

- big C : 한 사회의 구성원이 역사적으로 삶을 영위하면서 성취해온 문학, 예술, 무용, 전통음악, 건축, 제도와 같은 문물
- little C : 한 사회의 구성원들의 일상생활에서 나타나는 행동 양식, 태도, 가치관 등 집단이 공유하는 인간생활의 모든 면

⑤ Hammerly(1986)의 문화 분류

• 정보 문화 (모국어 화자들의 평균적인 정보) : 사회, 경제, 역사, 교육, 지리, 가치관, 태도
• 행동 문화 (일상생활) : 의식주, 풍습, 의례
• 성취 문화 (성취된 업적) : 예술, 종교, 문학, 건축물, 제도

⑥ 조항록(2002) 의 문화 분류

• 언어 문화 : 형태, 음운, 통사, 언어사회학, 사회언어학
• 일상생활 문화 : 언어적·비언어적 행위, 신념, 가치관, 태도
• 성취 문화 : 성취문물 문학, 예술 무용, 제도, 건축물

구분	대항목	소항목
성취문화	일상생활	의생활(한복, 교복 등), 식생활(전통음식, 김치, 불고기 등) 주생활(주택 종류, 집 안의 장소 등) 여가(전통놀이, 민속놀이, 세시 풍속, 찜질방 등)
	제도	교육 제도(학교 제도, 시험), 행정제도(기관, 법), 문화재 교통 통신(철도, 버스, 항공, 지하철, 우체국)
	예술	언어/문학(한글, 속담, 수수께끼, 신화, 소설 등), 음악(대중가요, 사물놀이 등), 무용(전통무용, 현대무용), 종합(굿, 탈춤, 영화, 연극, 전시회, 콘서트 등)
	산업기술	건축, 산업 기술(반도체, IT, 자동차 등)
	자연 상징물	자연물(독도, 백두산, 동해. 무궁화, 진돗개, 한우), 일반 상징물(태극기, 서울. 붉은 악마, 숫자 등)
행동문화	언어/문학	대화방식(인사, 호칭, 경어, 부탁. 요청, 권유. 거절, 감사. 칭찬, 금지, 명령, 청유, 비속어, 은어, 유행어, 비유적 표현, 반말, 대화 등) 관용표현(속담, 격언, 관용어구) 문학(시, 소설, 수필 등)
	준언어	음조/음량/속도, 발화(특정 단어를 부드럽게, 강하게 등)
	비언어	몸동작(손짓, 눈동작, 시선, 얼굴표정, 몸자세의 변화, 신체접촉 등) 거리(밀접거리, 개인거리, 사회거리, 공중거리), 시간(물리적, 정신적 시간, 상황, 침묵 등)
관념문화	가치관, 민족성, 정서, 사상, 신앙	

⑦ 커뮤니케이션 맥락 이론 (맥락 의존도에 따른 문화 분류)

㉠ 저맥락 문화 (서양) : 언어 자체의 사전적 의미 속에서 함의를 이해하는 의사소통 방식
• 개인주의 문화
• '나'의 가치 중시
• 직설적이고 명료한 의사소통
• 일관성
• 화자의 책임 강조
• 발화량이 많음

㉡ 고맥락 (동양) : 맥락을 통해 함의를 이해하는 의사소통 방식
• 집단주의 문화
• 집단 가치 중시
• 원형적 논리
• 우회적이고 함축적인 의사소통
• 청자의 책임 강조

• 침묵도 중요한 의사소통 수단

(2) 문화교육의 시작

• 1970년대 이후 의사소통 능력 중심 교수법이 나타나면서 효과적이고 원활한 의사소통을 위해서 그 언어에 대한 문화의 이해가 필수적이라는 주장이 제기됨

• 브라운(Brown)은 언어와 문화의 불가분성 언급 : 제2 언어 학습에서 문화는 중요한 요소라고 언급

(3) 문화교육의 필요성

① 문화적 지식은 언어의 4가지 기능을 보다 효과적으로 배우고 사용하도록 도움
② 학습 동기를 유발시켜 교육 목표에 효과적으로 접근하게 함
③ 문화 차이에 대한 오해 방지

2. 문화교육의 내용

(1) 문화교육의 목표

① 문화교육을 통해 한국 문화에 따른 의사소통 방식을 이해하며, 한국어 사용 능력 신장
② 문화교육을 통해 상황, 목적, 대상에 맞는 문화적 행동과 문화적 표현 사용 가능
③ 문화교육을 통해 편견과 오해를 버리고 한국 문화를 객관적으로 판단 가능 (문화 교류 역할 가능)

(2) 숙달도별 문화 교수 목표 (한재영 외, 2005)

① 초급

• 한국어에 흥미와 자신감을 갖고 한국어로 의사소통 할 수 있는 기본능력을 기름
• 일상생활에 관한 말과 글의 의미를 이해하고 표현함
• 표정이나 제스처와 같은 비언어적 의사소통의 차이를 이해함
• 문화 간의 차이점을 이해하고 인정함
• 한국 문화에 대한 선입견이나 고정관념을 갖지 않고 한국 문화를 객관적이고 체계적으로 이해하려는 태도를 기름

② 중급

• 한국어로 다양한 정보를 받아들이고 활용함
• 한국인들의 행동 양식과 의사소통 요령을 터득하여 일반적인 화제에 대하여 한국어로 자연스럽게 의사소통함
• 한국어의 언어 표현에 담긴 문화적 의미를 이해함
• 한국어로 표현된 말이나 글을 통해 한국인의 가치관과 세계관을 이해함
• 한국의 사회제도와 풍습을 이해함

③ 고급

• 한국어로 상황에 맞는 자연스러운 의사소통을 함
• 일반적 주제 및 추상적 내용의 말이나 글의 의미를 평가하면서 이해함
• 문화 현상의 심층적 의미를 이해함
• 한국의 전통 문화를 이해하고 그 문화적 특성을 바르게 소개함
• 상호문화적인 이해를 하여 문화적 정체성을 가짐

등급	목표
1급	• 한국인의 기본적인 사고방식과 생활 방식을 이해함으로써 단순한 사회활동에 적응력을 가짐
2급	• 한국인의 기본적인 사고방식과 생활양식을 이해하지만 아직 이해의 정도가 충분하지는 못함 • 학생의 모국 문화와 다른 한국 문화의 독특한 양상을 거부감 없이 이해할 수 있게 됨
3급	• 한국 문화와 관련된 내용(한국의 예절과 풍습)에 대해 정보를 구하고 소개할 수 있음
4급	• 한국인의 사고방식과 문화(한국의 풍습, 미신, 속담 등)를 이해함
5급	• 한국의 정치, 경제, 사회, 문화적 상황에 대한 전문적인 이해가 가능함 • 일부 방언을 이해할 수 있으며 지역에 따른 향토적 특성을 이해할 수 있음
6급	• 한국의 정치, 경제, 사회, 문화적인 상황에 대해 전문적으로 설명할 수 있음 • 준비된 내용으로 한국의 역사 및 전통 문화, 지역별 특성의 소개 및 안내가 가능함

(3) 문화교육에서 고려해야 할 요소들

① 문화적 정형 : 집단의 일반적인 특징을 구성원 각각의 특징으로 과잉 일반화
② 태도 : 긍정적인 태도를 갖도록 도움
③ 사회적 거리 : 두 문화 간의 사회적 거리가 크면 클수록 학습자는 목표언어에 어려움을 느낌
④ 자기 민족 중심주의 : 문화 다원주의적 관점에서 문화 간의 차이를 알려주고 인간은 동일하다는 사실을 일깨워 줌

(4) 문화 변용

① 외국어 학습자의 타문화 이해 단계 (Omaggio Hadley, 1993)

㉠ 1단계 : 흥미, 행복
- 피상적 고정관념을 갖는 단계
- 이국적이고 경이적이며 신비롭다는 인식

㉡ 2단계 : 문화충격
- 문화 간 차이점 인지
- 목표 문화를 비합리적인 것으로 인식하고 믿지 못함

㉢ 3단계 : 지적 분석 단계
- 목표 문화권 사람들의 시각에서 인식
- 문화갈등에서 점차 회복

㉣ 4단계 : 문화적 몰입 단계
- 목표 문화권 사람들의 시각에서 감정 이입하여 목표문화 음미
- 거의 완전히 극복

② 베리의 문화변용 (Berry 외, 1986)

구분		자신의 문화에 대한 태도	
		긍정적	부정적
다른 문화에 대한 태도	긍정적	통합	동화
	부정적	분리, 거부	주변화, 격리

③ 자문화와 타문화

- 자문화와 타문화는 특정 사회 집단이 정체성을 유지해가는 틀로서 내적 특징을 공유하는 내집단 의식과 여기에서 벗어난 외집단 의식을 기준으로 한 분류임
- 자문화와 타문화의 관계에 형성된 타자성은 개별 문화가 지닌 독특한 자질 그리고 여기에 기인하는 사고, 판단, 표현의 차이를 인정하는 근간이 됨
- 세계화 시대에 언어, 일상생활에 걸쳐서 나타나는 보편성은 원형적이며 근원적인 요소임
- 계층, 집단, 민족을 초월하여 모든 사람에게 공통적인 존재 방식, 예컨대 주거, 노동, 식사 등의 활동 및 영역에 있어서 확산되고 변이된 양상으로 나타남
- 타문화의 이해를 가능하게 하는 일치성의 층은 상당히 두꺼움

④ 모국 문화 목표 문화

- 번역이나 교육에서처럼 상호 문화적 소통 상황을 염두에 둔 구분
- 상호 문화적 접근에서 목표 문화는 중심을 기준으로 이해되는 대상으로서의 객체물이 아니라 모국 문화와의 통합적 관점에서 사고의 확장에 이르기 위한 주체적인 대상으로 존재함
- 목표 문화는 상호 문화적 소통에서 자기중심적 이해뿐만 아니라 양방향적으로 경험하고 사고하는 단초로서 문화들 간의 융합과 진화를 가져옴

(5) 문화교육 내용 선정

① 문화교육 선정의 준거

㉠ 유용성 : 의사소통에 도움
㉡ 학습성 : 교수 환경 고려
㉢ 교수성 : 한국어 교사의 교수 능력 고려
㉣ 일반화 가능성 : 해당 문화요소에 대한 선행 연구의 일반화 가능성
㉤ 학습자의 기대 : 학습자의 요구, 기대, 필요
㉥ 문화적 유표성 : 목표 문화의 차별성

② 학습목적별 문화교육의 내용과 범위

학습목적	시기별		문화지식	문화방식
	전통문화	현대문화	정보문화·성취문화	행동문화
이주목적	●	●	●	●
학문목적	◐	●	○	●
직업목적	○	●	○	●
일반목적	◐	●	◐	●

③ 학습자 대상별 문화교육 내용

학습자	문화교육 내용
재외동포	• 민족적 정체성과 현지문화에서의 적응
이주노동자	• 복지문제 및 안전교육, 법, 종교문화, 일상문화, 직장문화
여성결혼이민자	• 가정생활문화, 양육과 교육, 이주사회문화, 정체성
다문화가정자녀	• 생애주기별 교육, 21세기 글로벌인재로 육성

일반목적학습자	• 역사, 정치, 문학, 경제 등의 문화의 보편성과 다양성을 고려
학문목적	• 일상생활문화, 교양 수업

④ 학습자 숙달도에 따른 문화교육 범위

㉠ 초급 단계
- 인사예절, 언어예절(예:높임말), 호칭, 가족관계, 화폐 단위, 몸짓 언어, 한국 음식, 식사 예절, 초대하기, 교통, 전화 예절, 경제 활동(예: 재래시장, 마트 이용하기, 전단지 읽기), 한국의 명절, 공휴일(예: 명칭, 날짜), 지리(예: 길찾기), 병원(예: 접수하기, 증세말하기)

㉡ 중급 단계
- 생일 문화, 여가 생활, 한국 음식(예: 요리법), 명절 풍습(예: 세시 풍속), 대표적인 유적지, 관광지 소개, 한국 축제 소개, 관공서(예: 통장 만들기, 출입국관리소에서 비자 연장하기), 경제 활동(예: 환율에 따른 경제생활), 한국 도시들의 특징, 속담, 관용어(예: 직설적인 것), 병원(예: 보험료 환급받기)

㉢ 고급 단계
- 문화유산, 역사와 위인, 한국의 현대사, 문학 작품, 전통 문화, 결혼 문화, 한국의 가정과 세대별 갈등, 한국인의 가치관, 민족성, 한국의 종교, 정치, 교육 제도, 현대 사회 현상(예: 청년실업, 저출산, 최저 임금, 감정노동), 직장 문화(예: 면접, 회식, 조직 생활 문제), 속담, 관용어(예: 문화적인 색채가 짙으며 비유적인 것)

3. 문화교육의 원리와 방법

(1) 문화교육의 원리

① 언어교육에서 문화교육은 문화의 개별적인 지식을 전달하는 것이 아니라 문화 비교를 통해 상호문화 이해의 과정으로 진행되어야 하며, 이를 위해 타문화 이해라는 심리적 과정에 대한 이해가 필요함

② 문화교육은 문화 자체를 가르칠 것이 아니라 문화 산물, 문화행위, 문화가치, 학습자의 자기인식으로 나누어 구체적인 언어교육과 연관되어 진행하도록 해야 함

③ 문화교육의 구체적인 방법은 교실 활동과 교실 밖 활동으로 나누어 살필 수 있는데, 이 과정에서 학습의 목표가 되는 문화에 대한 인식을 효과적으로 유도할 수 있도록 교사는 배려해야 함

④ 문화교육은 학습자, 학습목표, 상황 등의 차이를 고려하여 필요한 문화내용과 가능한 문화내용 중심으로 이루어져야 함

(2) 문화교육 시 유의점

① 문화항목이 언어학습에 긍정적 효과를 주는가?
② 한국인들이 해당 문화항목을 문화로 인정하는가?
③ 언어능력에 맞게 문화적 내용도 배치되었는가?
④ 문화적 내용이 언어학습에 흥미를 주는가?
⑤ 구체적이고 실질적인가?
⑥ 자국문화의 자만심을 배제한 객관성이 있는가?

(3) 문화교육 방법 및 활동

① 비교 방법(문화 설명)
- 문화 간의 차이점을 이해하고 표현하도록 유도하는 방법 (활동: 토론, 발표하기, 프로젝트 수행)

② 문화 동화장치

- 1962년 피들러가 고안한 것으로, 학습자들이 문화적 편견이나 고정 관념, 충격, 오해를 가질 만한 문화 항목을 제시하여 토론을 통해 문화적 감수성을 고양하는 한편 문화 차이를 극복할 수 있게 하는 교육 방법
- 문화감지 도구(재명명) : 1971년 트리안디스(H. C. Triandis)가 제안한 것으로, 피훈련자가 목표 문화권에서 보편적으로 경험할 수 있는 전형적인 사례를 기술한 후 그러한 상황에 처했을 때 피훈련자가 반응할 수 있는 선택 문항을 3~4개 정도 제시하여, 선택하게 한 후, 각각의 선택 문항에 대해 효과적인 피드백을 받아 다양한 각도에서 문화 차이를 인식할 수 있게 하는 방법

③ 문화 캡슐

- 테일러(H. D. Taylor)가 고안한 것으로, 특정 문화 현상과 관련한 시청각 자료나 실물을 제시하고 이에 대한 설명과 질의응답을 통해 학습자들의 문화 이해를 증진시키는 교육 방법
- 학습자가 목표 문화에 대한 흥미를 가지고 목표어 및 문화 수업에 보자 적극적이고 객관적인 자세를 가질 수 있도록 교수하는 데 목표를 둠
- 단계
  - ㉠ 1단계 : 교사가 개별 문화 현상에 대한 시각 자료나 실물 자료를 제시하여 학습자들이 문화 요소를 인식하게 함
  - ㉡ 2단계 : 설명 등을 통해 학생들에게 목표 문화의 지식을 전달함
  - ㉢ 3단계 : 수사 의문형 또는 개방형 질문으로 학습자들이 목표 문화를 모국 문화와 비교하며 이해하도록 함

④ 문화 섬 : 교사가 교실 주변을 포스터, 그림, 자주 바뀌는 게시문 등을 이용하여 목표 문화의 전형적인 측면들을 보여주는 것으로, 학습자의 주의를 끌어 질문을 유도하기 위해 기획됨

⑤ 참여 관찰 : 목표 문화의 공동체 구성원으로 직접 참여하여, 그 사회에서 유형화된 문화적 행위를 인지하고 이해할 수 있게 하는 것

⑥ 직감적 반응소 : 교사의 몸짓이나 판토마임, 얼굴 표정 등의 명령을 보고 관찰한 뒤 행동에 옮겨 학습하는 방법

⑦ 인터넷 활용, 영상 매체나 잡지의 활용

⑧ 접촉 : 수업 중 초대 형식의 방문객과 토의하기, 편지나 메일 교환하기, 언어 교환하기, 버디(buddy) 활동

(4) 문화교육의 결과

① 목표문화에 대한 고정관념에서 벗어날 수 있게 해줌
② 문화적 충격이 있을 시 완충역할을 하거나 회복하여 적응하는 데 도움이 됨
③ 언어습득 시 배경을 알 수 있게 되므로 이해도가 높아짐

(5) 국가의 다문화정책

① 다문화주의 모형

- 소수 이민자들의 문화적 차이를 인정
- 소수 문화에 정당성을 부여하며 그 정체성을 인정
- 미국이 대표적 - '샐러드 볼' 등으로 묘사

② 동화주의 모형

- 소수의 비주류문화를 주류문화에 흡수, 동화시키려는 모형

- 소수민족과 그 문화를 인정하지 않고 주류문화를 통해 사회통합을 꾀하는 모형
- 프랑스가 대표적

③ 차별적 배제주의 모형

- 3D직종과 같은 특수한 노동시장에서만 이민을 인정하여 내국인과 차별성을 두는 모형
- 이민자들은 사회, 정치적인 권리를 누리는데 제한을 받음 (복지혜택 제외, 선거권 제한, 국적취득의 속인주의)
- 이민자의 정착을 차단하려는 모형으로 독일이 대표적

★ 다문화주의

- 다문화는 한 사회 안에서 다양한 문화들이 병존하거나 공존하는 사회구조의 현상을 가리키는 용어
- 한 지리적 공간에 둘 이상의 복수문화가 공존 내지 병존하는 현상을 가리켜 정태적인 문화의 경계를 전제
- 문화적 다양성과 타자성을 다루는 데 있어 암묵적인 무간섭과 방치로 일관하여 비주류문화권 구성원들의 지역적 분리와 사회적 주변화란 한계를 노출시킴

★ 상호문화주의

- 서로 다른 문화적 배경을 지닌 사회구성원들이 상호관계 속에서 쌍방향적으로 역동적인 문화교류와 대화하는 현상
- 문화와 문화의 만남 속에서 문화상호 간의 대화와 교류를 강조
- 한 지리적 공간에서 둘 이상의 복수문화가 서로 접촉하여 서로의 경계를 허물고 상호접촉, 상호대화, 상호작용, 상호융합을 통해 새로운 혼종문화를 탄생시키는 역동적 과정에 초점
- 주류사회 구성원과 비주류사 회구성원의 상호접촉과 상호대화, 상호작용을 장려하여 공통의 문화적 기반을 마련하는 데 주안점을 둠

12장 한국어교육실습

1. 한국어교육실습의 개념

- 한국어 교원 자격 취득을 위한 필수 이수 영역
- 한국어교육실습은 한국어 교원 자격 취득을 위해 이수해야 하는 다섯 개의 영역 중 하나

1영역	한국어학
2영역	일반언어학 및 응용언어학
3영역	외국어로서의 한국어교육론
4영역	한국문화
5영역	한국어교육실습

2. 한국어교육실습 구성

- 한국어교육실습 교과목의 운영은 크게 '이론 수업', '강의 참관', '모의수업', '강의실습'으로 구성됨
- 실제 한국어교육 현장을 경험해볼 수 있는 강의 실습 및 현장 강의참관은 필수로 운영해야 함

(1) 이론 수업

- '한국어교육실습의 의의 및 목표', '한국어교사로서의 자질과 역할', '교수 설계 및 한국어 수업 교실 운영', '강의참

관 및 강의실습에 대한 사전 준비 안내 및 사후 평가 보고' 등을 주된 내용으로 함
• 기관의 특성에 따라 온라인, 온오프라인 병행으로 운영할 수 있음
• 이론 수업은 전체 실습 교과목 강의 시간의 5분의 1 이하로 운영해야 함

(2) 강의참관

• 현장 강의참관을 원칙으로 함
• 현장 강의참관을 하지 않을 경우, 강의 실습을 5분의 1 이상으로 구성하여 수강생이 실제 한국어교육 현장 경험을 할 수 있도록 해야 함
• 강의참관은 한국어 수업을 단지 수동적으로 구경하는 것이 아니며, 모든 장면 하나하나를 눈여겨보고 그것에서 교육적 시사점을 발견하고자 노력할 필요가 있음
• 자신이 교육 현장에 나갔을 때의 모습을 떠올려보면서 참관에 임하는 것이 바람직함
• 일부의 수업 사례가 한국어 수업의 전형이라는 편견에 빠지지 않도록 해야 함
• 강의참관의 의의 : 예비 한국어교원이 한국어 수업 현장을 직접 관찰하는 기회를 통해 한국어 교육 현장에 대한 이해의 폭을 넓힐 수 있음

(3) 모의수업

• 담당 교수의 지도하에 오프라인으로 실시함을 원칙으로 하며, 반드시 담당 교수의 지도와 평가가 있어야 함
• 동료 수강생의 모의수업도 볼 수 있는 기회를 제공해야 함
• 학습자의 특성을 전제로 수업을 계획하고 실행하며 지도 교수 및 동료의 평가, 피드백 과정을 거쳐 자신의 수업 기술을 발전시키도록 돕는 실천적 교수 방법임

① 모의수업 전
  • 교안 작성
② 모의수업 중
  • 제한된 시간을 고려하여 모의수업 진행
  • 모의수업 진행자(교사)와 모의수업 참여자(학습자)의 역할에 충실
③ 모의수업 후
  • 동료 간 피드백 교환
  • 교수자의 지도
  • 자가 피드백, 동료 피드백, 교수자 피드백의 종합 정리, 자신의 수업에서 수정·보완할 내용을 구체화

(4) 강의실습

• 강의실습은 담당 교수(실습 기관의 현장 실습 지도자 인정)의 지도하에 오프라인으로 실시해야 하며, 반드시 담당 교수의 지도와 평가가 있어야 함

3. 교안 작성

(1) 교안의 개념

• 교안이란 교수·학습 활동을 효과적으로 진행하기 위한 조직적이고 구체적인 수업 진행 계획서임
• 수업의 목적, 내용, 자료, 교육 방법, 평가 방법과 수업 중 교사와 학생의 역할 등 수업에서 이루어지는 모든 활동과 내용을 종합적으로 기술해 놓은 것임

(2) 교안작성의 5가지 요소

① 구체성 : 중요한 교사말은 모두 직접 기록, 그 외 설명은 요점식으로 요약된 문장으로 기입
② 명확성 : 깨끗하고 성실하게 작성함

③ 실효성 : 강의를 전제로 하여 작성함
④ 평이성 : 학습자들의 수준을 고려하여 애매한 용어를 사용하지 않음
⑤ 논리성 : 객관적이고 보편타당성이 있어야 하며, 체계적이고 규칙적이어야 함

(3) 교안 기술과 표기의 방식

• 대본식 교안 : 시나리오처럼 가르칠 내용과 발화 내용을 모두 적는 형식의 교안을 말하며, 교사의 행동이나 수업 진행 과정은 대개 '-한다'와 같이 동사로 적고, 발화 부분은 교사와 학생의 말을 모두 구체적으로 적음

대본식 교안의 예

과일 사진사과, 배, 수박, 포도, 바나나내을 보여 주며 학생들이 과일 이름을 말하게 한다.
T: (사과 사진을 보여 주며) ○○ 씨, 이건 무슨 과일이에요?
S: 사과예요.
T: (수박 사진을 보여 주며) ○○ 씨, 무슨 과일이에요?
S: 수박이에요.

① 약어를 사용

용어	약어	의미
교사	T	Teacher
학생	S	Student
명사	N	Noun
형용사	A	Adjective
	DV	Descriptive Verb
동사	V	Verb
	AV	Active Verb
어간	st	stem

② 특수문자나 기호를 사용

• 특수문자나 부호를 사용하여 교안에서 강조할 부분이 눈에 잘 들어오게 함

③ 글자체를 달리함

• 행동 지시와 예문, 혹은 발화 내용이 쉽게 구분되도록 글자체를 다르게 표시함

④ 글상자나 도표를 사용함

• 판서 내용이나 참고 사항 등은 글상자에 넣어서 본문과 구별되도록 작성함
• 상호 비교가 필요하거나 체계화가 필요할 때는 도표 형식으로 작성해서 쉽게 확인할 수 있도록 함

(4) 교안의 요소

① 단원명(차시)

• 본 수업에서 공부해야 할 단원명 및 쪽수를 표시하여 누가 보더라도 교안의 정보가 한눈에 명확하게 들어오도록 함

예) 제10과 불고기를 먹을까요?(주교재 104쪽), 2차시

② 학습 목표

㉠ 목표의 유형

• 문법적 목표 : -(으)ㄴ데/는데, 유행이다

• 기능적 목표 : 상반되는 상황 설명하기, 수식하는 말하기

• 의사소통적 목표 : 병원이나 약국에 가서 증상을 말하고 필요한 처방을 받거나 약을 구입할 수 있다.

㉡ 목표의 기술

• 학습 목표는 교수자가 아니라 학습자 중심으로 기술함

• 피동 표현을 사용하여 말하게 한다. (X) • 피동 표현을 사용하여 말할 수 있다. (O)

• 학습 목표는 학습의 내용보다는 결과를 중심으로 기술함

• 간접화법이 무엇인지 말할 수 있다. (X) • 다른 사람을 통해 들은 말을 전달할 수 있다. (O)

③ 학습 내용

• 본 수업에서 가르치게 될 어휘와 문법 항목의 범위와 순서를 요약해서 보여줌

• 어휘 : 무슨, 음식, 맛있다, 불고기, 그럼, 한국 음식 관련 어휘 • 문법 : -(으)ㄹ까요?, -아/어요 • 과제 : 메뉴 보고 음식 말하기 식당 소개 듣고 좋아하는 식당에 대해서 쓰기 다양한 식당 소개 읽고 식당과 음식 결정하기

④ 준비물

• 교사와 학습자가 준비해야 할 자료나 과제 결과물 등을 구체적으로 기록함

• 교사 준비물 : 가격표, 모형 돈(10000원, 5000원, 1000원 권) • 학습자 준비: 쓰지 않는 물건 3가지, 사고 싶은 물건 리스트

⑤ 학습 과정

• 수업 단계별로 진행되는 세부적인 학습 과정을 기록함

• 수업의 전체적인 흐름을 기록하며 현 단계와 다음 단계 학습 내용을 파악할 수 있도록 구조적으로 적음

⑥ 교수-학습 활동

• 어휘 제시 방법, 문법 연습 방법 등 구체적인 교수 방법에 대해서 자세하게 기술함

• 교사와 학생의 발화 예시를 구체적으로 적기도 함

⑦ 학습 자료

• 수업 진행 단계에서 필요한 학습 자료를 기록함
• 실물 자료, 시청각자료, 동영상 자료 등을 다양하게 활용함

⑧ 예상 소요 시간

• 각 활동에 소요되는 예상 시간을 고려하여 정해진 시간 내에 수업이 끝날 수 있도록 조정함
• 아무리 시간을 예측한다고 하더라도 수업 초기에는 시간과 맞지 않을 수 있으므로 한두 번 수업을 해 본 후 소요 시간을 조정함

⑨ 지도상의 유의점

• 교수학습 활동을 진행하면서 고려해야 할 점이나 학습자의 수준 및 특성에 따라 다르게 지도해야 할 부분이 있다면 참고로 적어 둠

• 학생들이 말하기 연습을 하고 있을 때, 돌아다니면서 오류를 수정해 준다. • '-나 봐요'에 대해서 잘 이해하는 경우, '-는 모양이다'와 비교해서 설명한다.

(5) 수업 진행에 따른 교안 구성

① 도입 단계

전시 학습 내용의 확인 및 복습	교수자의 확인 질문과 답, 학습자들의 자유로운 대화 참여 유도, 간단한 퀴즈 등
본시 학습 내용의 도입	배울 내용을 짐작할 수 있도록 관련 화제를 꺼내거나 자료를 제시, 도입 질문, 학습자들의 동기 및 관심 유발

② 제시 단계

본시 학습 내용에 대한 이해	문법, 어휘, 본문 등 단원의 목표에 맞는 주요 내용에 대해 교수자의 설명을 통해 이해시킴

• 해당 어휘나 문법의 내용을 유추할 수 있는 그림이나 사진, 영상 자료 등을 준비해서 보여주는 것이 필요함
• 어휘나 문법의 용법을 분명하게 보여 줄, 대표성이 있는 예문을 선별해서 제시하도록 함
• 설명에 도움이 될 수 있도록 학습자들 수준에서 이해가 가능한 예문을 준비함

③ 연습 단계

기계적 연습	단순하고 반복적인 교체, 응답 연습을 통해 어휘와 문법의 활용 방법을 익힘
유의적 연습	의미적 맥락이 있는 상황에서 배운 어휘와 문법을 연습하여 배운 내용을 내재화하게 함

• 연습 단계는 제시 단계에서 배운 내용에 대해 학습자가 내재화할 수 있도록 하는 단계임

④ 활용 단계

본시 학습 내용을 응용	- 본시 학습에서 배운 내용을 토대로 실제와 유사한 상황에서 언어 기능 활용 - 다양한 기능의 통합적 활동 위주로 진행

• 실제 언어 상황과 유사한 유의미하고도 다양한 상황에서 통합적 활동을 할 수 있도록 여러 가지 아이디어를 활용하도록 함

⑤ 마무리 단계

본시 학습 내용 정리 및 최종 확인	질문이나 요약정리를 통해 본시 학습에서 이루어진 내용을 확인
숙제(과제) 제시	본시 학습 내용을 복습하고 활용해 볼 수 있는 과제 중심으로 제공
차시 학습 예고	사전 준비 사항 공지

(6) 한국어교육능력검정시험용 교안 작성법

• 교안 작성 기출 문제

	주제	숙달도	목표 문법	수업 단계	수업 시간
2회	여행	초급 후반	-(으)ㄴ 적이 있다/없다		50분
3회	병	초급 후반	-지 말다	제시/연습	20분
4회	주말 계획	초급 중반	-(으)러	제시/연습	20분
5회	여행 계획	초급	-(으)ㄹ 거예요(미래 시제)	제시/연습	20분
6회	약속	초급	-(으)ㄹ까요?	제시/연습	20분
7회	계절과 날씨	초급 후반	-아/어/여지다	제시/연습	20분
8회	공공장소 예절	초급 중반	-아/어/여도 되다	제시/연습	20분
9회	한국생활	초급 후반	-(으)ㄴ 지	제시/연습	20분
10회	일상생활	중급	-고 나서	제시/연습	20분
11회	일상생활	초급	-(으)면서	제시/연습	20분
12회	일상생활	초급	-고 싶다	제시/연습	20분
13회	여행 상품 알아보기	중급 초반	-았/었으면 좋겠다	제시/연습	20분
14회	주말 계획	초급	-(으)ㄹ래요?	제시/연습	20분

• 주제는 일상생활 중심이며 대부분 초급 수준의 문법이 출제되지만 중급 수준의 문법도 출제된 적이 있음
• '-고, -아/어/여서, -(으)니까'과 같은 초급의 기초 문법은 출제되지 않았고, 초급 중후반과 중급 초반에 해당되는 문법 항목이 주로 출제되는 경향이 있었음

① 제시 단계 교안 작성 방법

• 제시 단계에서는 '㉠ 의미 제시 ㉡ 형태 제시'의 두 단계로 작성함
• '의미 제시'에서는 해당 문법이나 표현을 사용할 수 있는 상황을 가정하여 교사가 질문을 통해 문법 의미를 알려주고, 학습자의 대답을 들은 후 교사가 학습자의 대답을 목표 문법을 사용해 다시 한 번 말해 줌
• 배운 문법이나 어휘를 이용해서 학습자의 이해를 돕는 추가 설명을 함
• '형태 제시' 단계에서는 문법의 형태와 대표적인 예문을 판서로 제시하고, 형태상 특이점을 부가적으로 설명함

② 제시 단계 교안 작성 예

<table>
<tr><td>숙달도</td><td colspan="4">초급 후반</td></tr>
<tr><td>단원 주제</td><td colspan="4">병</td></tr>
<tr><td>목표 문법</td><td colspan="4">-지 말다</td></tr>
<tr><th>단계</th><th>교수-학습 활동</th><th>학습 자료</th><th>시간</th><th>지도상의 유의점</th></tr>
<tr><td rowspan="3">제시
(설명)</td><td>① 의미 제시

• 상황을 이용해 목표 문법의 의미를 이해시킨다.

T: 친구가 감기에 걸렸어요. 그런데 아이스크림을 먹으려고 해요 괜찮을까요?
S: 아니요, 안 돼요.
T: 감기에 걸렸어요. 아이스크림을 먹으면 안 돼요. 친구에게 말해요. "아이스크림을 먹지 마세요."</td><td></td><td>3분</td><td></td></tr>
<tr><td>T: 친구가 다리를 다쳤어요. 자전거를 타도 돼요?
S: 아니요 안 돼요.
T: 네, 안 돼요. 친구에게 말해요 "자전거를 타지 마세요."

• 위의 예문을 통해 학습자가 이해한 것을 바탕으로 '-지 마세요'는 '-(으)세요'와는 반대로 금지의 의미를 나타낸다는 것을 설명한다.</td><td></td><td></td><td></td></tr>
<tr><td>② 형태 제시

• 동사 어간 뒤에 사용된다는 것을 설명하고 다양한 동사의 예를 판서해서 '-지 마세요'와 결합되는 것을 보여준다.

___V___지 마세요
먹다
마시다
나가다
무리하다</td><td></td><td>4분</td><td></td></tr>
</table>

③ 연습 단계 교안 작성 연습

- 연습 단계에서는 단순하고 반복적인 연습을 통해 문법의 형태를 익히게 한 후 담화 상황에서 다양하게 활용하는 법을 가르치는 순서로 진행됨
- 연습 단계는 ㉠ 기계적 연습 ㉡ 유의적 연습의 두 단계로 작성함
- 기계적 연습에서는 단어의 형태를 목표 문법을 이용하여 바꾸어 말하는 연습을 하게 하고, 다음 단계로 목표 문법이 담긴 사진이나 그림 자료를 보면서 해당 문법으로 말하도록 유도함
- 유의적 연습에서는 교사의 질문에 학습자가 목표 문법을 사용해서 대답하게 한 후, 학습자들끼리 일정한 상황에서 목표 문법을 활용하여 자유롭게 의사소통을 하도록 함

④ 연습 단계 교안 작성 예

<table>
<tr><td>숙달도</td><td colspan="4">초급 후반</td></tr>
<tr><td>단원 주제</td><td colspan="4">병</td></tr>
<tr><td>목표 문법</td><td colspan="4">-지 말다</td></tr>
<tr><td>단계</td><td>교수-학습 활동</td><td>학습 자료</td><td>시간</td><td>지도상의 유의점</td></tr>
<tr><td rowspan="2">연습</td><td>① 기계적 연습

• 동사 카드(가다, 먹다, 일하다, 일어서다, 무리하다 등)를 준비한 후 카드의 단어를 '-지 마세요'를 이용해서 말하게 한다.

• 아픈 사람의 그림(배가 아픈 사람, 머리가 아픈 사람, 감기에 걸린 사람, 다리를 다친 사람 등)을 보여 주고, '-지 마세요'로 발화를 유도한다.</td><td>단어 카드</td><td>6분</td><td>전체 학생을 대상으로 연습한 후 개별 학생을 대상으로 다시 확인하다.</td></tr>
<tr><td>② 유의적 연습

• 교사가 구체적인 상황을 말하면 학생들이 목표 문법을 사용해서 대답하게 한다.

T: 저는 배가 아파요 그런데 술을 마셔도 돼요?
S: 아니요, 술을 마시지 마세요.
T: 저는 감기에 걸렸어요. 그런데 밖에서 놀고 싶어요.
S: 오늘은 밖에서 놀지 마세요.

• 역할극 연습

한 사람은 의사가 되고 한 사람은 환자 역할을 한다. 환자 역할을 하는 사람이 "~가 아파요"라고 하면 의사 역할을 하는 사람이 "-지 마세요"로 대답한다. 역할을 바꾸어 한번 더 연습한다.</td><td></td><td>7분</td><td></td></tr>
</table>

(7) 교안작성 시 유의점

① 학습 목표와 학습자의 수준에 맞는 어휘와 문형을 제시해야 하며 학습자의 흥미를 유발할 수 있는 내용이어야 함
② 새 어휘와 문법, 문형을 우선적으로 제시하고 강조할 필요가 있는 어휘와 문형은 선별하여 제시함
③ 비슷하거나 같은 문형일 때는 문장구조의 제약조건을 비교해서 제시
④ 제시 문장이나 질문은 쉬운 것에서 복잡한 것으로, 짧은 문장에서 긴 문장으로 함
⑤ 예문은 자연스럽고 다양해야 하며 학습자의 사전 지식이나 배경을 알고 그에 맞는 예문을 제시해야 함
⑥ 즉시 사용이 가능하며 생동감을 유발할 수 있는 살아있는 문장을 제시해야 함
⑦ 매 학기 학습자의 수준이나 상황에 맞게 보충하거나 새롭게 작성해야 함
⑧ 수업 후 교안에 대해 평가를 한 후 부족한 부분을 보완하거나 새로운 내용, 방법 등의 추가가 필요함

(8) 교안의 평가

① 도입, 전개, 마무리의 순으로 구성되어 있는가?
② 도입 부분이 학생들의 관심과 흥미를 유발할 수 있는가?

③ 어휘와 문형은 유기적이고 단계적인가?
④ 각 급에 나오는 기본 어휘나 문형은 적절하게 다루어졌는가?
⑤ 학생들의 발화를 도출하기 위한 질문은 적절한가?

(9) 모의 수업 평가표

실습생 정보	학번		이름		(인)
모의수업 내용	일시	교재	단원	학습 목표	총점
수업 내용	1. 학습 목표에 맞게 수업이 진행되고 있는가?				① ② ③ ④ ⑤
	2. 수업 절차가 체계적으로 구성되어 있는가?				① ② ③ ④ ⑤
	3. 한국어에 대한 정확한 지식을 가지고 이해하기 쉽게 설명하고 있는가?				① ② ③ ④ ⑤
	4. 수업 자료와 활동이 단원의 주제에 맞게 활용되고 있는가?				① ② ③ ④ ⑤
	5. 교재와 부교재를 적절하게 사용하고 있는가?				① ② ③ ④ ⑤
	6. 학습자의 수준에 맞는 어휘와 문법을 사용하고 있는가?				① ② ③ ④ ⑤
	7. 학습자가 알아보기 쉽도록 정확하고 바르게 판서를 하는가?				① ② ③ ④ ⑤
	8. 수업 내용을 완전히 숙지하고 있는가?				① ② ③ ④ ⑤
수업 운용	9. 학습자들에게 참여할 기회를 골고루 부여하는가?				① ② ③ ④ ⑤
	10. 활동에 대한 지시가 명확한가?				① ② ③ ④ ⑤
	11. 활동이 원활하게 진행되도록 적절하게 관여하는가?				① ② ③ ④ ⑤
	12. 학습자의 오류를 적절한 방법으로 처리하는가?				① ② ③ ④ ⑤
	13. 학습자의 질문이나 돌발 상황에 자연스럽게 대처하는가?				① ② ③ ④ ⑤
태도	14. 교수자의 발음과 속도가 학습자가 이해하기에 적절한 수준인가?				① ② ③ ④ ⑤
	15. 학습자에 대해 호의적이고 적극적인 자세로 수업을 진행하는가?				① ② ③ ④ ⑤
	16. 학생들의 이해를 돕기 위해 자연스러운 몸짓을 사용하는가?				① ② ③ ④ ⑤
	17. 복장이 단정하고 학습지에 대해 예의를 갖추고 있는가?				① ② ③ ④ ⑤
	18. 수업 시간을 조절하여 시간 내에 수업을 마쳤는가?				① ② ③ ④ ⑤
총평					

4. 한국어 수업의 실제

(1) 수업의 전체 개요

- 학습자의 숙달도, 학습 목표, 수업 내용, 단원 주제, 수업 일시(차시), 준비물, 시간 등을 제시함
- 단원 주제 : 수업할 단원에서 성취해야 할 목표와 관련됨
- 학습 목표 : 수업을 통해 학습자가 성취해야 하는 것으로 해당 단원의 목표와 연계하여 적음

(2) 수업 내용 및 방법

- 각 단계의 수업 진행을 순차적, 구체적으로 기술함
- 교사의 설계된 발화와 학습자의 예상 발화를 기술함
- 도입 단계는 교사와 학습자 발화를 적어 수업의 흐름을 파악할 수 있도록 함
- 연습 단계는 연습 형식(유형 및 방법), 내용 등을 구체적으로 기술함
- 활동마다 소요되는 예상 소요 시간을 제시하고 사용하는 학습 자료(유인물, 칠판 제시물, 사진·그림 등 시각 자료)와 수업 운영에 필요한 기자제(CD, PPT 등)의 사용 시점과 사용 방법 및 사용 내용 등을 명시적으로 기술함

(3) 수업 절차

① 도입

㉠ 학습목표를 자연스럽게 도입하여 학습자를 동기화 시킴
㉡ 일반적인 전달보다 맥락을 이용한 유의적 방법을 통해 교육 목표 제시
㉢ 학습할 문법 항목(어휘, 표현, 문법)을 도입함

② 제시

㉠ 교사가 목표 학습 항목을 이해시키는 단계
㉡ 실제적인 문맥 속에서 학습목표를 분명하게 제시
㉢ 어휘 및 표현, 문법에 대한 설명이 주를 이룸
㉣ 교육 원리
- 어휘나 문법 항목의 의미, 형태, 화용 영역을 모두 교육해야 함
- 학습자의 모국어나 한국어 선수학습 요소를 연계시키거나, 개인적인 지식이나 경험을 활용하여 유의적인 학습이 이루어지도록 함
- 해당 문법의 형태에 따라 연역적 방법과 귀납적 방법을 적절하게 활용함

③ 연습

- 제시단계에서 이해한 의미나 규칙을 반복 학습을 통해 내재화시키는 단계
- 선행 학습 요소와 통합된 연습이 이루어져야 함
- 연습은 단순한 것에서 복잡한 것으로 진행되어야 함
- 기계적인 반복 연습에서 유의적 연습으로 이어져야 함

④ 활용

- 도입, 제시, 연습 단계를 통해 학습한 언어 내용을 의미 전달이나 기능 수행에 중점을 두고 사용하는 의사소통 단계 → 과제 수행 단계
- 학습한 어휘와 문법 형태들을 이용한 실제 생활에서의 과제를 교실에서 연습해 보게 하는 단계
- 학습자의 자율적인 활동이 되도록 함
- 단계적인 활동 방법을 구체적으로 제시함

⑤ 마무리

- 교육 내용을 정리하고 교육 내용과 관련해 학습자들을 격려하고 용기를 북돋우는 단계
- 미진한 요소를 강화시키는 단계
- 질문 등을 통해 학습 달성 여부를 확인 → 학습자의 성취도 평가
- 숙제 제시, 다음 차시 학습에 대한 예고 및 동기 부여

(4) 의사소통식 교수법 지도안

학습 목표	추측 표현으로 말할 수 있다.
주요 학습 내용	-(으)ㄴ 것, -는 것, -(으)ㄹ 것 / 어휘 : 같다
학습자 정보	초급 1단계
수업 소요 시간	50분

구분	과정	교수·학습 활동	유의점	준비물
도입 (10분)	인사/ 복습을 통한 유도 (질문/ 대답)	교사는 '-는 것, -(으)ㄴ 것, -(으)ㄹ 것'을 제시 또는 복습하면서 그 의미를 상기시켜 준다. (사과를 먹는 그림을 보여주면서) T: 이 사람은 뭐 해요? S: 사과를 먹습니다. T: 그래요. 이 사람은 사과를 먹는 사람입니다. 그럼 이 그림은 어떤 그림입니까? S: 사과를 먹는 그림입니다. T: 그렇습니다. 그래서 이 사람은 지금 사과를 먹는 거예요. (운동하는 그림을 보여주면서) T: 이 사람은 뭐 하는 거예요? S: 운동합니다. T: 그래요. 운동하는 거예요. (쇼핑하는 그림을 보여주면서) T: 그럼, 이 사람은 뭐 하는 거예요? S: 쇼핑하는 거예요. (밥 그림을 보여주면서) T: 오늘 아침에 밥 먹었어요? S: 네, 먹었습니다. T: 그래요. 이것은 여러분이 오늘 아침에 먹은 거예요. (학생 중 하나의 물건을 들어 보이면서) T: 이것은 어디에서 산 거예요? S: 동대문에서 샀어요. T: 동대문에서 산 거예요? S: 네. (영화 포스터를 보여주면서) T: 이 영화는 여러분이 본 거예요? S: 네, 본 거예요/아니요, 안 본 거예요.	(이전에 관형형 '는', '-(으)ㄴ', '-(으)ㄹ'을 모두 학습하지 않았을 경우 한 것으로만 도입할 수 있음)	그림카드

<table>
<tr>
<td></td>
<td></td>
<td>T: 오늘 오후에는 뭐 할 거예요?
S: 도서관에서 공부합니다.
T: 오후에 할 것이 공부예요?
S: 네.
T: 점심에 먹을 것이 뭐예요?
S: 아직 모릅니다.
T: 점심에 먹을 것을 아직 몰라요?
S: 네, 아마 학생 식당에 갈 거예요.

T: 집에 가서 할 것은 뭐예요?
S: 집에 가서 할 것은... 숙제(빨래, 운동 등)입니다.
T: 그래요. 여러분은 집에서 할 것이 많아요.

T: 여러분, 서울은 어때요?
S: 사람들이 많아요.

(북경에서 온 학생에게)
T: 그럼, 북경은 어때요?
S: 북경에도 사람들이 많아요.
T: 아, 그래요. 북경도 서울 같군요.
S: 네.

(노래하는 여자 그림을 보여주면서)
T: 이 사람은 뭐 해요?
S: 노래해요.
T: 가수예요?
S: 잘 모르지만, 아마 가수예요.
T: 이 사람은 가수 같아요?
S: 네.

(여러 가지로 보일 수 있는 그림을 보여주면서)
T: 이 그림은 뭐 같아요?
S: __________예요?(여러 가지 대답이 나올 수 있다)
T: 정말이에요?
S: 잘 모르지만, ________ 같아요.</td>
<td></td>
<td></td>
</tr>
<tr>
<td>제시
(10분)</td>
<td>교사/
학생 간
대화
그림을
통한
대화</td>
<td>판서: -것 같다(학습자들의 언어 능력에 따라서 과거, 현재, 미래를 하나로 고정시킬 수 있다. 여기에서는 과거로 고정시킨다.)

(학생들 중 피곤해 보이는 사람을 골라서 대상으로 삼는다.)
T: _______ 씨는 피곤하세요?
S: 네, 조금 피곤해요.
T: 그래요? 여러분 _______ 씨는 왜 피곤해요?
그 이유를 알아요?
S: 잘 모르지만, 아마 공부 너무 많이 했어요.
T: 그래요. ________ 씨는 어제 공부를 많이 한 것 같아요.

(뚱뚱한 사람의 사진이나 그림을 보여주면서)
T: 이 사람은 어때요?
S: 뚱뚱해요.</td>
<td>('같다'의
의미를
알고
활용할
수
있으면
이
과정은
생략할
수
있다.)</td>
<td></td>
</tr>
</table>

		T: 왜 뚱뚱해요? S: 많이 먹었어요/운동을 안 했어요. T: 그래요. 아마 많이 먹은 것 같아요. S: 네, 많이 먹은 것 같아요. (늦게 온 학생을 예로 들면서) T: ______ 씨는 오늘 조금 늦게 왔어요. 여러분 ______ 씨가 왜 늦게 왔어요? 알아요? S: 잘 모르지만, 아마 늦게 일어난 것 같아요. T: 네, 그래요.		
연습 (10분)	짝활동	짝활동 1 : 교사가 준비한 여러 가지 그림을 학생들에게 나누어 주고 제시된 표현을 연습하게 한다. 이때 교사는 돌아다니면서 모니터링을 한다.		
활용 (15분)	인터뷰	(배운 표현의 내재화 과정이 충분히 이루어졌다고 판단되면 과제를 주어 의사소통 활동을 하게 한다) 짝활동 2 : 돌아다니면서 반 친구들한테 질문하세요. 그리고 왜 그런지 얘기해보세요.(주요 표현을 판서해 준다) 주요 표현 : ______ 씨는 오늘 어때요? 어제 ______(으)ㄴ 것 같아요. 짝활동이 끝나면 몇몇 학생들이 나와서 발표하게 한다. 발표한 내용에 대해서 모범 대화문을 확인해 주고 오류를 수정해 준다.		
마무리 (5분)		숙제: 자신의 주위 사람들에게 대한 생각을 글로 써오게 한다.		
		`		

Ⅳ. 한국 문화 : 한국 문화 기출문제 키워드 분석

사회 현상과 사건	유물, 유산, 건축물		
-한국 사람의 일반적 성향과 특징 -최근 문화 콘텐츠 산업 -한류 -유네스코 세계문화유산 -6·25전쟁 -'개성공업지구건설운영에 관한 합의서' 체결 -개성공단 착공 -6·15 남북공동선언	-산수 무늬 벽돌 -청자연꽃무늬매병 -금동보살반가사유상 -풍속화 -진경산수화 -광개토대왕비문 -수막새 -초충도 -인왕제색도 -일월오봉도	-개발된 길(바우길, 생태길, 둘레길, 남도 갯길) -의궤 -규합총서 -산가요록 -수운잡방 -음식디미방 -목민심서 -만언사 -세한도	-가면극 -향가 -화전놀이 -쥐불놀이 -백중놀이 -연등놀이 -아리랑 -석전놀이 -고싸움 -농기싸움

-일본 식민지 정책	-계상정거도		
-사화와 붕당	-한옥	-온돌	
-조선 후기 사회 변화	-마루	-무정	
-6자 회담	-동의보감	-진달래꽃	-차전놀이
-팬덤 문화	-화왕계	-님의 침묵	-남사당
-녹색 성장	-삼대목	-오랑캐꽃	-야유(野遊)
-남북 사이의 화해와 불가	-계원필경	-수덕사 대웅전	-오광대
침 및 교류·협력에 관한	-십문화쟁론	-봉정사 극락전	-시조창
합의서	-조선시대 건물내부 공간	-부석사 무량수전	-민요
-금강산관광의정서 체결과	-오방색	-내소사 대웅보전	-애국가
실시	-금오신화	-귀촉도	-공무도하가
-1차 서해안 연평해전	-연암집	-신라초	-황조가
-남북한 UN 동시 가입	-구운몽	-화사집	-구지가
-1차 남북고위급회담 개최	-동문선	-종묘, 종묘제례, 종묘제례	-정읍사
-한국 사회의 가족 변화	-조선시대 모자	악	-동동
-7·4 남북 공동 성명 발표	-사대문(四大門)의 명칭과	-문화재	-처용가
-남북 기본 합의서 채택	방향	-미술관	-정석가
-제1차 경제개발5개년계획	-조선시대 서원	-초조대장경	-가시리
(경제개발 정책)	-한성순보	-고려대장경	-유충렬전
-산업화	-독립신문	-직지심체요절	-홍계월전
-베이붐 세대	-황성신문	-무구정광대다라니경	-숙영낭자전
-자유무역협정	-대한매일신보	-흘림기둥	-박씨부인전
-핵안보정상회의	-사부학당		-하회별신굿탈놀이
-ASEM 회의	-육영공원		-가곡
-G20 정상회담	-원산학사	-민속놀이	-꼭두각시놀음
-APEC 정상회담	-배재학당	-승무	-홍길동전
-저출산·고령화 현상	-정지용 문학관	-탈춤	-광포전설
-한민족 공동체 통일 방안	-효석 문학관	-판소리	-구운몽
-한반도 비핵화에 관한 공	-청마 문학관	-산조	-한국통사
동선언	-혼불 문학관	-창극	-동국역사
-다문화 현상	-창덕궁	-사물놀이	-조선상고사
-식생활	-창경궁	-학춤	-조선상고사감
-금융실명제	-덕수궁	-정악과 속악	-영산회상
-IMP에 구제금융 요청	-경복궁	-강강술래	
-평창 동계올림픽	-취악기		
-새마을운동	-조선왕조실록		

제도, 뮤지컬, 영화		**축제, 지역, 국문학**	**인물**	
-관혼상제	-난타	-단오제	**<소설가>**	**<화가>**
-친족(친척과 인척) 관	-점프	-인형극제	공선옥	구본웅
계와 호칭	-명성왕후	-마임 축제	김동리	길진섭
-전통적 인사법 큰절	-대장금	-판타스틱 영화제	김동인	김홍도
-민간신앙과 신	-서편제	-온달장군 축제	김승옥	김환기
-금줄	-칼의 노래	-홍길동 축제	김유정	박수근
-다도(茶道)	-쉬리	-아랑제	김재영	이우환
-상례·제례	-시월애	-처용제	나도향	이응노
-세시풍속과	-장화, 홍련	-칠머리당 영등굿	박경리	이중섭
전통 풍습	-엽기적인 그녀	-별신굿탈놀이	박범신	천경자
-제천의식(의례)	-태극기 휘날리며	-모시짜기	박완서	
-전통 통과의례	-공동경비구역 JSA	-산천어 축제	박종화	**<작곡가>**

-전통 혼례 절차 -조선 시대 4대 명절 -제사상차림 -전통장례 -반상차림 -집안 신 -전통복식 (전통 의복) -씨름 기술 -정치 제도 -동지(冬至) -세한삼우(歲寒三友) -십장생 -태극기 4괘 -오신채(五辛菜) -두레 -무속의례 -대취타 -절기 -조선 중앙 통치 기구 3사 -국경일 -한국 방송사 -극예술연구회 -중양절	-해운대 -박하사탕 -웰컴 투 동막골 -타짜 -암살 -순정만화 -공포의 외인구단 -쌍화점 -최종병기 활 -왕의 남자 -그림자 살인 -씨받이 -별들의 고향 -밀양 -아리랑(나운규) -춘향전(이명우) -월하의 맹서(윤백남) -검사와 여선생(윤대룡) -취화선 -기생충 -아제아제바라아제 -오아시스 -국제 영화제 수상작 -안시 국제 애니메이션 페스티벌 그랑프리 -칸 영화제 -모스크바 영화제 -베를린 영화제 -토니상 -맨부커상	-머드 축제 -서동 축제 -태백제 -한양과 서울 -몽골마을 -이슬람 사원 -필리핀 시장 -국경 없는 마을 -발해 -고조선 -가야 -백제 -고구려 -신라 -독도 -안동 하회 마을 -경주 양동 마을 -강릉 학 마을 -전주 한옥 마을 -구비문학/국문문학 /한문문학 -소악부 -가전체 소설 -기행록 -시조(사설시조) -판소리계 소설 -패관 문학 -잡가 -한시 -1930년대 시의 특징 -한국 문학의 문예사조	박지원 박태원 손창섭 심훈 염상섭 이광수 이기영 이상 이청준 이태준 이효석 조세희 조정래 채만식 최명희 최서해 최인호 최인훈 하근찬 한설야 허준 현진건 홍명희 황석영 황순원 **<시인>** 김소월 모윤숙 박용철 박인환 서정주 신동집 이용악 정지용 한용운	나운영 안익태 윤이상 장일남 홍난파 김시습 (조선 전기 문신) 조위한 (조선 중기 문신) 김만중 (조선 후기 문신) 김인겸 (조선 후기 문신) 김정희 (조선 후기 문신) 이방익 (조선 후기 무신) 정선 (조선 후기 화가) 정약용 (조선 후기 문신) 강수진(무용수) 최승희(무용가) 김덕수(연주가) 황병기(연주가) 조수미(성악가) 백남준 (비디오작가) 차범석(극작가)

< 부록 >

(1) 주요 통계

한국의 연령별 인구규모 및 구성 : 1980~2060 (통계청, 2012)

구분 (천 명)		1980	1990	2000	2010	2020	2030	2040	2050	2060
인구수 (천 명)	0~14세	12,951	10,974	9,911	7,975	6,788	6,575	5,718	4,783	4,473
	15~64세	23,717	29,701	33,702	35,983	36,563	32,893	28,873	25,347	21,865
	65세 이상	1,456	2,195	3,395	5,452	8,084	12,691	16,501	17,991	17,622
인구 구성 (%)	0~14세	34	25.6	21.1	16.1	13.2	12.6	11.2	9.9	10.2
	15~64세	62.2	69.3	71.7	72.8	71.1	63.1	56.6	52.7	49.7

	65세 이상	3.8	5.1	7.2	11.1	15.7	24.3	32.3	37.4	40.1

노령화지수 : 유소년인구(0~14세) 100명에 대한 고령인구(65세 이상 인구)의 비

2065년 노령화지수								
국가	한국	일본	중국	영국	미국	베트남	러시아	인도
값	576.6	334.1	215.7	179.9	153.7	152.3	138.4	113.6
증감 (2000-2065)	542.3	219.2	188.2	96.4	96.9	132.0	70.2	101.0

연도별 체류외국인 현황 [단위 : 명] : 전체 인구대비 체류외국인 비율 4.57%(2018년)

	2015	2016	2017	2018
체류외국인	1,899,519	2,049,441	2,180,498	2,367,607
- 장기체류	1,467,873	1,530,539	1,583,099	1,687,733
- 단기체류	431,646	518,902	597,399	679,874
불법체류자	214,168	208,971	251,041	355,126

취업자격 외국인 현황 [단위 : 천 명]

구분	2014	2015	2016	2017	2018
전문인력	49,503	48,607	48,334	47,404	46,851
단순기능인력	567,642	576,522	549,449	534,076	548,140

연도별 외국인주민 현황 [단위 : 명]

구분	2013.1.1	2014.1.1.	2015.1.1.	2015.11.1	2016.11.1.	2017.11.1.
전체인구(명)	50,948,272	51,141,463	51,327,916	51,069,375	51,269,554	51,422,507
외국인주민(명)	1,445,631	1,569,470	1,741,919	1,711,013	1,764,664	1,861,084
비율(%)	2.8	3.1	3.4	3.4	3.4	3.6

구분	계	국적미취득자						국적 취득자	외국인 주민 자녀
		소계	외국인 근로자	결혼 이민자	유학생	외국국적 동포	기타 외국인		
외국인 주민(명)	1,861,084	1,479,247	495,792	160,653	117,127	276,750	428,925	169,535	212,302
비율(%)	100.0	79.5	26.6	8.6	6.3	14.9	23.1	9.1	11.4

대학(원) 외국인 유학생 수 (2019년) [단위 : 명]

시도	설립	전체		전문대학		교육대학		일반대학		대학원	
		계	여	계	여	계	여	계	여	계	여
전국	계	160,165	92,030	11,484	4,939	18	15	111,587	65,813	35,506	20,114
	국립	25,078	13,326	1	0	18	15	15,846	8,527	8,543	4,212
	공립	816	599	7	7	0	0	589	462	220	130
	사립	134,271	78,105	11,476	4,932	0	0	95,152	56,824	26,743	15,772

결혼이민자 현황(연도별·성별·지역별·국적별) [단위 : 명]

		2010	2011	2012	2013	2014	2015	2016	2017	2018
합계		141,654	144,681	148,498	150,865	150,994	151,608	152,374	155,457	159,206
성별	남자	18,561	19,650	20,958	22,039	22,801	23,272	23,856	25,230	26,815
	여자	123,093	125,031	127,540	128,826	128,193	128,336	128,518	130,227	132,391
지역	경인	77,401	78,372	79,469	79,905	78,802	78,769	78,585	80,570	83,015
	영남	29,033	29,608	30,642	31,689	32,036	32,506	33,101	33,713	34,299
	호남	15,317	15,489	15,745	15,852	15,936	16,001	16,145	16,086	16,137
	충청	14,678	15,283	16,067	16,545	16,528	16,705	16,211	17,161	17,710
	기타	5,225	5,462	5,668	5,773	5,851	5,981	6,563	6,118	6,257
국적	중국	66,687	64,173	63,035	62,400	60,663	58,788	56,930	57,644	58,706
	베트남	35,355	37,516	39,352	39,854	39,725	40,847	41,803	42,205	42,460
	일본	10,451	11,162	11,746	12,220	12,603	12,861	13,110	13,400	13,738
	필리핀	7,476	8,367	9,611	10,383	11,052	11,367	11,606	11,783	11,836
	기타	21,685	23,463	24,754	26,008	26,951	27,745	28,925	30,425	32,466

전체 학생 수 : 5년간 연평균 약 18만 명 감소하였으며, 감소세 지속 예상

구분	2014	2015	2016	2017	2018
합계	6,333,570	6,137,374	5,931,646	5,773,998	5,633,725

국내 다문화 학생 증가 추이 (중앙다문화교육센터 통계 자료) [단위 : 명]
(5년간 매년 1만 명 이상 증가, 2008년에는 전체학생 대비 2.2%를 차지함)

연도	2010	2011	2012	2013	2014	2015	2016	2017	2018	2019
학생수	31,788	38,678	46,954	55,780	67,806	82,536	99,186	109,387	122,212	137,225

연도	2015	2016	2017	2018	2019
국내출생	68,093	79,134	89,314	98,263	108,069
중도입국	6,529	7,418	7,792	8,320	8,697
외국인학생	8,174	12,634	12,281	15,629	20,459

연도	2015	2016	2017	2018	2019
초등학교	60,283	74,024	82,806	93,116	103,958
중학교	13,856	15,105	15,983	18,127	21,747
고등학교	8,387	10,057	10,598	10,969	11,520

2019년	학제	계		국제결혼 가정				외국인 가정	
				국내출생		중도입국			
시도		계	여	계	여	계	여	계	여
전체	초등학교	103,881	50,909	83,602	40,914	5,148	2,586	15,131	7,409
전체	중학교	21,693	10,926	15,891	7,987	2,131	1,120	3,671	1,819

전체	고등학교	11,234	5,807	8,464	4,371	1,220	637	1,550	799
전체	(일반고)	6,349	3,584	4,884	2,771	631	372	834	441
전체	(특목고)	603	233	476	163	52	30	75	40
전체	(특성화고)	3,810	1,777	2,730	1,269	491	213	589	295
전체	(자율고)	472	213	374	168	46	22	52	23
전체	각종학교	417	163	112	33	198	81	107	49
전체	계	**137,225**	**67,805**	**108,069**	**53,305**	**8,697**	**4,424**	**20,459**	**10,076**

외국국적동포 현황 (연도별·국적별·체류자격별) [단위 : 명]

		2011	2012	2013	2014	2015	2016	2017	2018
합계		550,931	538,277	602,226	704,536	754,427	775,715	841,308	878,665
국적별	중국	477,163	447,877	512,120	606,964	647,717	652,028	702,932	728,539
	미국	40,786	44,567	45,253	46,426	46,737	46,050	45,177	45,011
	캐나다	11,351	12,988	13,586	14,598	15,397	15,959	15,947	15,933
	기타	21,631	32,845	31,267	36,548	44,576	61,678	77,252	89,182
체류 자격별	거주(F-2)	31,111	13,374	11,409	11,791	11,639	10,867	10,733	10,488
	재외동포(F-4)	136,702	189,508	235,953	289,427	328,187	372,533	415,121	444,880
	영주(F-5)	36,162	49,716	65,699	74,870	82,360	86,549	89,426	92,245
	방문취업(H-2)	303,368	238,765	240,178	282,670	285,342	254,950	238,880	250,381
	기타	43,588	46,914	48,987	45,778	46,899	50,816	87,148	80,671

난민인정자 현황 (연도별, 성별, 국적별) [단위 : 명]

		2011	2012	2013	2014	2015	2016	2017	2018
합계		42	60	57	94	105	98	121	144
성별	남자	27	39	35	62	54	48	69	73
	여자	15	21	22	32	51	50	52	71
국적	미얀마	24	18	19	4	32	41	35	36
	방글라데시	2	16	10	2	12	9	8	7
	에티오피아	0	4	3	43	11	12	23	14
	파키스탄	1	0	9	12	18	6	9	13
	콩고DR	6	4	1	3	1	0	0	8
	기타	9	18	15	30	31	30	46	66

(2) 한국 다문화사회 관련 주요 개념

① 다문화 시대의 이민정책과 유형

	차별적 배제 모형	동화 모형	다문화주의 모형

정책 정향성	국가 및 사회가 원치 않는 이민자의 영주 가능성을 막고 내국인과 차별적 대우를 유지하려 함	'국민됨'을 전제로 조속한 동화를 지원하고 제도적으로 내국인과 평등하게 대우하려함	소수자의 동등한 가치를 인정하고 이에 대한 보존을 지원하며, 적극적 조치 등 우대 조치를 마련하려 함
정책 목표	인종적 소수자의 제거 및 최소화	소수자의 주류사회 동화	다양성 인정과 공존을 통한 사회통합
국가 역할	적극적 규제	제한적 지원	적극적 지원
이주민에 대한 관점	이방인, 위협적 존재	완전한 동화를 전제로 인정	상호 존중과 관용
평등 개념	차별의 정당성 강조	사회보장 및 기회의 평등	적극적 조치
법적 수단	단속 및 추방	비차별의 제도화	제반 권리의 허용
정주화	불가능	비교적 가능	가능
국적 부여 원칙	속인주의, 엄격한 조건	속지주의, 용이한 조건	속지주의, 이중국적 허용
정체성	이질화	동질화	이질화
사례 국가	독일, 일본	프랑스, 영국	캐나다, 호주

② 외국인주민

범주		특성
한국 국적을 가지지 않은 자	외국인근로자	체류자격이 기술연수(D-3), 교수 등 취업분야(E-1~E-7, E-9~E-10, 방문동거(F-1) 중 'F-1-4', 방문취업(H-2)인 자
	결혼이민자	체류자격이 거주(F-2) 중 'F-2-1', 영주(F-5) 중 'F-5-2', 결혼이민(F-6-1~3)인 자
	유학생	체류자격이 유학(D-2), 일반연수(D-4) 중 'D-4-1'인 자
	외국국적동포	체류자격이 '재외동포(F-4)' 중 국내 거소신고자
	기타	체류자격이 외국인근로자, 결혼이민자, 유학생, 외국국적동포에 해당하지 않은 자
한국 국적을 취득한 자	혼인귀화자	외국인 중 한국인과의 '혼인'으로 국적을 취득한 자
	기타 사유 귀화자	외국인 중 한국인과의 '혼인' 외의 사유로 국적을 취득한 자 *한국인이 국적상실 후 회복한 경우 및 북한이탈주민은 제외
외국인주민 자녀	외국인 부모	부모가 모두 '출생 시부터 한국인'이 아닌 경우
	외국인-한국인 부모	부모 중 한쪽이 '출생 시부터 한국인'이 아닌 경우
	한국인 부모	'출생 시부터 한국인'인 부모 사이에서 출생하였으나 부(또는 모)가 이혼 후 '출생 시부터 한국인'이 아닌 자와 재혼한 경우

③ 장기 체류자격 (출입국관리법 제12조 관련) <개정 2019. 12. 24.>

체류자격 (기호)	체류자격에 해당하는 사람 또는 활동범위
1. 외 교 (A-1)	대한민국정부가 접수한 외국정부의 외교사절단이나 영사기관의 구성원, 조약 또는 국제관행에 따라 외교사절과 동등한 특권과 면제를 받는 사람과 그 가족
2. 공 무 (A-2)	대한민국정부가 승인한 외국정부 또는 국제기구의 공무를 수행하는 사람과 그 가족
3. 협 정	대한민국정부와의 협정에 따라 외국인등록이 면제되거나 면제할 필요가 있다고 인정되는 사람과 그

(A-3)	가족
4. 문화예술 (D-1)	수익을 목적으로 하지 않는 문화 또는 예술 관련 활동을 하려는 사람(대한민국의 전통문화 또는 예술에 대하여 전문적인 연구를 하거나 전문가의 지도를 받으려는 사람을 포함한다)
5. 유　학 (D-2)	전문대학 이상의 교육기관 또는 학술연구기관에서 정규과정의 교육을 받거나 특정 연구를 하려는 사람
6. 기술연수 (D-3)	법무부장관이 정하는 연수조건을 갖춘 사람으로서 국내의 산업체에서 연수를 받으려는 사람
7. 일반연수 (D-4)	법무부장관이 정하는 요건을 갖춘 교육기관이나 기업체, 단체 등에서 교육 또는 연수를 받거나 연구활동에 종사하려는 사람[연수기관으로부터 체재비를 초과하는 보수(報酬)를 받거나 유학(D-2)·기술연수(D-3) 체류자격에 해당하는 사람은 제외한다]
8. 취재 (D-5)	외국의 신문사, 방송사, 잡지사 또는 그 밖의 보도기관으로부터 파견되거나 외국 보도기관과의 계약에 따라 국내에 주재하면서 취재 또는 보도활동을 하려는 사람
9. 종교 (D-6)	가. 외국의 종교단체 또는 사회복지단체로부터 파견되어 대한민국에 있는 지부 또는 유관 종교단체에서 종교활동을 하려는 사람 생략
10. 주재 (D-7)	가. 외국의 공공기관·단체 또는 회사의 본사, 지사, 그 밖의 사업소 등에서 1년 이상 근무한 사람으로서 대한민국에 있는 그 계열회사, 자회사, 지점 또는 사무소 등에 필수 전문인력으로 파견되어 근무하려는 사람[기업투자(D-8) 체류자격에 해당하는 사람은 제외하며, 국가기간산업 또는 국책사업에 종사하려는 경우나 그 밖에 법무부장관이 필요하다고 인정하는 경우에는 1년 이상의 근무요건을 적용하지 않는다] 생략
11. 기업투자 (D-8)	가. 「외국인투자 촉진법」에 따른 외국인투자기업의 경영·관리 또는 생산·기술 분야에 종사하려는 필수전문인력으로서 법무부장관이 인정하는 사람(국내에서 채용하는 사람은 제외한다) 생략
12. 무역경영 (D-9)	대한민국에 회사를 설립하여 경영하거나 무역, 그 밖의 영리사업을 위한 활동을 하려는 사람으로서 필수 전문인력에 해당하는 사람[수입기계 등의 설치, 보수, 조선 및 산업설비 제작·감독 등을 위하여 대한민국 내의 공공기관·민간단체에 파견되어 근무하려는 사람을 포함하되, 국내에서 채용하는 사람과 기업투자(D-8) 체류자격에 해당하는 사람은 제외한다]
13. 구직 (D-10)	가. 교수(E-1)부터 특정활동(E-7)까지의 체류자격[예술흥행(E-6) 체류자격 중 법무부장관이 정하는 공연업소의 종사자는 제외한다]에 해당하는 분야에 취업하기 위하여 연수나 구직활동 등을 하려는 사람으로서 법무부장관이 인정하는 사람 생략
14. 교수 (E-1)	「고등교육법」제14조제1항·제2항 또는 제17조에 따른 자격요건을 갖춘 외국인으로서 전문대학 이상의 교육기관이나 이에 준하는 기관에서 전문 분야의 교육 또는 연구·지도 활동에 종사하려는 사람
15. 회화지도 (E-2)	법무부장관이 정하는 자격요건을 갖춘 외국인으로서 외국어 전문학원, 초등학교 이상의 교육기관 및 부설어학연구소, 방송사 및 기업체 부설 어학연수원, 그 밖에 이에 준하는 기관 또는 단체에서 외국어 회화지도에 종사하려는 사람
16. 연구 (E-3)	대한민국 내 공공기관·민간단체으로부터 초청을 받아 각종 연구소에서 자연과학 분야의 연구 또는 산업상 고도기술의 연구·개발에 종사하려는 사람[교수(E-1) 체류자격에 해당하는 사람은 제외한다]
17. 기술지도 (E-4)	자연과학 분야의 전문지식 또는 산업상 특수한 분야에 속하는 기술을 제공하기 위하여 대한민국 내 공공기관·민간단체로부터 초청을 받아 종사하려는 사람
18. 전문직업 (E-5)	대한민국 법률에 따라 자격이 인정된 외국의 변호사, 공인회계사, 의사, 그 밖에 국가공인 자격이 있는 사람으로서 대한민국 법률에 따라 할 수 있도록 되어 있는 법률, 회계, 의료 등의 전문업무에 종사하려는 사람[교수(E-1) 체류자격에 해당하는 사람은 제외한다]
19. 예술흥행 (E-6)	수익이 따르는 음악, 미술, 문학 등의 예술활동과 수익을 목적으로 하는 연예, 연주, 연극, 운동경기, 광고·패션 모델, 그 밖에 이에 준하는 활동을 하려는 사람
20. 특정활동 (E-7)	대한민국 내의 공공기관·민간단체 등과의 계약에 따라 법무부장관이 특별히 지정하는 활동에 종사하려는 사람
21. 비전문취업 (E-9)	「외국인근로자의 고용 등에 관한 법률」에 따른 국내 취업요건을 갖춘 사람(일정 자격이나 경력 등이 필요한 전문직종에 종사하려는 사람은 제외한다)
22. 선원취업 (E-10)	다음 각 목에 해당하는 사람과 그 사업체에서 6개월 이상 노무를 제공할 것을 조건으로 선원근로계약을 체결한 외국인으로서 「선원법」제2조제6호에 따른 부원(部員)에 해당하는 사람 가. 「해운법」제3조제1호, 제2호, 제5호 또는 제23조제1호에 따른 사업을 경영하는 사람 생략
23. 방문동거 (F-1)	가. 친척 방문, 가족 동거, 피부양(被扶養), 가사정리, 그 밖에 이와 유사한 목적으로 체류하려는 사람으로서 법무부장관이 인정하는 사람

	나. 다음의 어느 하나에 해당하는 사람의 가사보조인 생략
24. 거주 (F-2)	가. 국민의 미성년 외국인 자녀 또는 별표 1의3 영주(F-5) 체류자격을 가지고 있는 사람의 배우자 및 그의 미성년 자녀 나. 국민과 혼인관계(사실상의 혼인관계를 포함한다)에서 출생한 사람으로서 법무부장관이 인정하는 사람 다. 난민의 인정을 받은 사람 라. 「외국인투자 촉진법」에 따른 외국투자가 등으로 다음의 어느 하나에 해당하는 사람 생략 마. 별표 1의3 영주(F-5) 체류자격을 상실한 사람 중 국내 생활관계의 권익보호 등을 고려하여 법무부장관이 국내에서 계속 체류하여야 할 필요가 있다고 인정하는 사람(강제퇴거된 사람은 제외한다) 바. 외교(A-1)부터 협정(A-3)까지의 체류자격 외의 체류자격으로 대한민국에 5년 이상 계속 체류하여 생활 근거지가 국내에 있는 사람으로서 법무부장관이 인정하는 사람 사. 비전문취업(E-9), 선원취업(E-10) 또는 방문취업(H-2) 체류자격으로 취업활동을 하고 있는 사람으로서 과거 10년 이내에 법무부장관이 정하는 체류자격으로 4년 이상의 기간 동안 취업활동을 한 사실이 있는 사람 중 다음 요건을 모두 갖춘 사람 생략
25. 동반 (F-3)	문화예술(D-1)부터 특정활동(E-7)까지의 체류자격에 해당하는 사람의 배우자 및 미성년 자녀로서 배우자가 없는 사람 [기술연수(D-3) 체류자격에 해당하는 사람은 제외한다]
26. 재외동포 (F-4)	「재외동포의 출입국과 법적 지위에 관한 법률」제2조제2호에 해당하는 사람(단순 노무행위 등 이 영 제23조제3항 각호에서 규정한 취업활동에 종사하려는 사람은 제외한다)
27. 결혼이민 (F-6)	가. 국민의 배우자 나. 국민과 혼인관계(사실상의 혼인관계를 포함한다)에서 출생한 자녀를 양육하고 있는 부 또는 모로서 법무부장관이 인정하는 사람 다. 국민인 배우자와 혼인한 상태로 국내에 체류하던 중 그 배우자의 사망이나 실종, 그 밖에 자신에게 책임이 없는 사유로 정상적인 혼인관계를 유지할 수 없는 사람으로서 법무부장관이 인정하는 사람
28. 관광취업 (H-1)	대한민국과 "관광취업"에 관한 협정이나 양해각서 등을 체결한 국가의 국민으로서 협정 등의 내용에 따라 관광과 취업활동을 하려는 사람(협정 등의 취지에 반하는 업종이나 국내법에 따라 일정한 자격요건을 갖추어야 하는 직종에 취업하려는 사람은 제외한다)
29. 방문취업 (H-2)	가. 체류자격에 해당하는 사람: 「재외동포의 출입국과 법적지위에 관한 법률」제2조제2호에 따른 외국국적동포(이하"외국국적동포"라 한다)에 해당하고, 다음의 어느 하나에 해당하는 18세 이상인 사람 중에서 나목의 활동범위 내에서 체류하려는 사람으로서 법무부장관이 인정하는 사람[재외동포(F-4) 체류자격에 해당하는 사람은 제외한다] 생략
30. 기타 (G-1)	별표 1, 이 표 중 외교(A-1)부터 방문취업(H-2)까지 또는 별표 1의3의 체류자격에 해당하지 않는 사람으로서 법무부장관이 인정하는 사람

④ 다문화 이론

㉠ 용광로 이론

- 미국이 다양한 인종과 민족의 문화를 흡수하는 사회라는 개념으로 사용되어 왔음
- 여러 나라의 문화를 용광로에 녹여 동화된 하나의 새로운 동질 문화를 형성하려는 이상주의적 이론 (장인실 외, 2013)

㉡ 모자이크 이론

- 캐나다의 Gibbon은 용광로 이론을 미국이 이민자들의 뿌리를 없애려고 시행한 정책이라고 비판하였음
- 캐나다는 이민자들의 문화적 특성을 인정하고 더불어 살아가는 이상적 다문화사회의 모습을 모자이크 이론으로 제안하였음 (서종남, 2012)

㉢ 샐러드 볼 이론

• 다양한 고유문화의 특성을 살릴 뿐만 아니라 스스로 문화를 선택할 수 있는 문화다원주의에서 비롯됨
• 샐러드 볼 안에 담긴 각 재료들의 개성을 존중함으로써 사회통합을 이루려는 것임

㉣ 문화생태 이론
• 문화생태 이론은 서로 다른 문화적 배경을 가진 사람들이 상호균형을 유지하며 함께 살아가는 생태계 같은 모습을 의미한다는 논리 (서종남이 만든 다문화 용어, 2007)
• 참다운 사회는 다양한 문화와 인종들이 서로 다르다는 그 자체를 인정하고 받아들이면서 차별하지 않는 대자연의 아름다운 모습처럼 더불어 살아가는 이상적인 세상이라는 것임

⑤ 다문화학교 : 각종학교로서의 다문화학교

• 각종학교 : 일반학교와 유사한 체계로 운영되지만, 다른 일반학교 및 특수학교와 달리 특수직업교육이나 언어교육 등을 특화하여 교육하는 대안학교 및 기타학교를 말함(오영훈·김창아·조영철, 2014)
→ 지구촌학교(다문화 대안 초등학교 인가, 2012년 3월 개교), 서울다솜학교(공립 대안 특성화학교 인가, 2012년 3월 개교), 한국폴리텍다솜학교(사립 대안 특성화학교 인가, 2012년 3월 개교), 인천한누리학교(공립 다문화 대안 초·중·고등학교 서립 인가, 2013년 3월 개교)

㉠ 인천한누리학교

가. 설립 목적
• 다문화가정 학습자들이 공립학교를 포함한 일반 정규학교로 진입하는 것을 돕고, 그들이 일반학교에서의 생활뿐만 아니라 일상적인 사회생활도 무리 없이 이어갈 수 있도록 돕기 위한 인문계형 위탁 학교
나. 입학 대상
• 국제결혼가정 자녀, 중도입국자가정 자녀, 외국인가정 자녀 증 하나를 충족해야 하며, 한국 국적 취득 후 3년이 경과되면 제외됨
다. 교육과정 내용
• 교육부가 고시한 정규 교육과저의 50%와 인천한누리학교에서 계획한 특성화 교육과정 50%를 함께 운영
• 학습자의 한국어 능력 향상과 다문화 능력 및 특기적성 계발을 위한 교육과정으로 구성됨
라. 교원 : 교사는 교육공무원이지만 교사의 지원을 통해 근무하는 방식으로 충원함 (전문 상담교사와 다문화언어강사 등과 같이 학교의 특성에 맞는 전문교사가 계약직으로 고용되어 근무함)

㉡ 지구촌학교

가. 설립 목적
• 초등학교는 정규학교로 졸업할 수 있는 시스템과 위탁교육 시스템을 병행하고 있으며, 중학교는 위탁교육 기관으로 지정되어 위탁교육이 가능함
나. 입학 대상 : 인천한누리학교와 같음
다. 교육과정 내용
• 교육부가 고시한 교육과정을 기본으로 하지만, 다문화 교육과정을 함께 운영함
• 다문화 교육과정은 기독교 세계관을 포함하며 공동체교육과 정체성 교육 및 다중언어교육 등으로 구성됨
라. 교원 : 사립학교 교원 선발 과정을 통해 선발함 (다문화언어강사 등의 계약직도 함께 고용되어 있음)

㉢ 서울다솜학교

가. 설립 목적
• 한국 최초의 공립 다문화 대안학교이자, 다문화가정 학생을 위한 전문 직업교육을 실시하는 '특성화' 학교
나. 입학 대상: 인천한누리학교와 같으며, 고등학교 입학 희망 학생만 선발하여 교육함
다. 교육과정 내용
• 정규 교육과정과 전문 직업교육 및 다문화교육을 실시하고 있음
• 전문 직업교육은 컴퓨터미디어과와 호텔관광과의 2개 학과로 전공을 구분하여 운영하고 있음

라. 교원 : 공립학교 교사가 지원하여 근무하는 방식으로 교원을 충원함 (전문상담교사와 다문화언어강사 등의 계약직이 고용되어 있음)

㉣ 한국폴리텍다솜학교

가. 설립 목적
- 충청북도교육청으로부터 설립 인가를 받아 개교한, 사립형 다문화 특성화 대안학교로 다문화가정 학생을 대상으로 함

나. 입학 대상 : 다른 다문화학교와 유사하며 고등학교 입학 희망 학생만 선발함

다. 교육과정 내용
- 정규 교육과정과 전문 직업교육 및 다문화교육을 실시하고 있음
- Computer 기계과, Plant 설비과, Smart 전기과로 전공을 개설하여 운영하고 있음

라. 교원 : 사립학교 교원 선발 기준에 따른 선발과정을 통해 고용됨 (전문 상담교사와 다문화언어강사 등의 계약직 교사가 고용되어 있음)

<참고문헌>

강미영(2010), 통합 인지적 관점을 기반으로 한 쓰기 모형 구성에 관한 연구, 인하대학교 대학원 박사학위 논문.
강승혜·강명순·이영식·이원경·장은아·강상진(2006), 한국어 평가론, 태학사.
강현화·고성환·구본관·박동호·송원용·이호권·이홍식·임동훈·정승철·진제희(2016), 한국어 교원을 위한 한국어학, 한국방송통신대학교 출판문화원.
강현화·고성환·구본관·박동호·송원용·이호권·이홍식·임동훈·정승철·진제희(2016), 한국어 교원을 한국방송통신대학교 출판문화원.
강현화·김선정·김은애·김종수·이미혜·정명숙·최은규(2016), 한국어 교원을 위한 한국어교육학, 한국방송통신대학교 출판문화원.
곽호완·박창호·이태연·김문수·진영선(2008), 실험심리학 용어사전, 시그마프레스.
국립국어원(2005), 외국인을 위한 한국어문법1, 커뮤니케이션북스.
국립국어원(2005), 외국인을 위한 한국어문법2, 커뮤니케이션북스.
국립국어원(2017), 국제 통용 한국어 표준 교육과정 적용 연구 4단계 연구보고서.
국제한국어교육학회(2009), 한국어 이해교육론, 형설출판사.
국제한국어교육학회(2010), 한국어 표현교육론, 형설출판사.
국제한국어교육학회(2013), 한국 문화교육론, 형설출판사.
권재일(2013), 한국어 문법론, 태학사.
김경희·이순애(2019), 한국어교육능력검정시험 최종모의고사, 시대고시기획.
김남미(2016), 친절한 국어 문법, 나무의철학.
김명광(2019), 외국어로서의 한국어 교육과정론, 소통.
김미윤(2004), 비판적 다문화교육의 관점에서 본 청소년참여의 과제, 청소년문화포럼, 10(1), 124-137.
김방한(2015), 언어학의 이해, 민음사.
김성규·정승철(2011), 소리와 발음, 한국방송통신대학교 출판부.
김영순·오영훈·정지현·김창아·최영은·정소민·최승은·조영철(2016), 처음 만나는 다문화교육, 북코리아.
김유경·조애저·최현미·이주연(2008), 다문화시대를 대비한 복지정책방안 연구 : 다문화가족을 중심으로, 2008-14 연구보고서, 한국보건사회연구원.
김청자·서경숙(2015), 예비 한국어 교사를 위한 한국어교육 용어집, 박이정.
김훈·이수정(2019), 한국어교육능력검정시험 30일 안에 다잡기, 시대고시기획.
남기심·고영근(2007), 표준국어 문법론, 탑출판사.
남기심·이정민·이홍배(2004), 언어학개론, 탑출판사.
남성우·허용·진기호·박기선·정연희·진정란·김재욱·고명균·허경행(2006), 언어교수이론과 한국어교육, 한국문화사.
민현식(2003), 국어 문법과 한국어 문법의 상관성, 한국어 교육, 14(2), 5-142.
민현식(2005), 한국어 교사론: 21세기 한국어 교사의 자질과 역할, 한국어 교육, 16(1), 131-168.
박승우(2019), 다문화 교육과 정책의 이해, 영남대학교출판부.

박우진(2014), 문화적응 어려움을 겪는 중국 유학생의 소시오드라마 경험, 숭실대학교 대학원 박사학위 논문.
박재의(2009), 초등학교 다문화 교육과정 발전 방향 연구, 경북대학교 대학원 박사학위 논문.
박종대(2017), 한국 다문화교육정책 사례 및 발전 방안 연구: 상호문화주의를 대안으로, 한국외국어대학교 대학원, 박사학위 논문.
박천응(2009), 다문화 교육의 탄생, 국경없는마을.
박휴용(2005), 아시아 이주노동자들의 언어인권에 대한 언어생태론적 고찰, 아세아 연구, 48(4), 205-232.
박휴용(2016), 다문화교육론, 동문사.
배고운(2011), Tandem 언어 학습법을 기반으로 한 한국어 교육 방안, 부산외국어대학교 대학원, 박사학위 논문.
배두본(2006), 외국어 교육과정론, 한국문화사.
서덕주(2017), 한국어교육능력시험 가나다 기출문제집, 진흥북스.
서영우(2019), 서영우 국어 문법편, 사피엔스넷.
서울대학교 국어교육연구소 편(2014), 한국어교육학 사전, 하우.
서울대학교 언어교육원 공편(2012), 한국어교육의 이론과 실제1, 아카넷.
서울대학교 언어교육원 공편(2012), 한국어교육의 이론과 실제2, 아카넷.
서울대학교 한국어문학연구소(2017), 한국어 교육의 이론과 실제1, 아카넷.
서울대학교 한국어문학연구소(2017), 한국어 교육의 이론과 실제2, 아카넷.
서종남(2012), 다문화교육: 이론과 실제, 학지사.
서종학·이미향(2007), 한국어 교재론, 태학사.
설규주·이두희·김명정(2010), 학교 NIE 교육과정 개발을 위한 기초 조사 연구, 한국언론진흥재단.
송향근·권혜경·김령·김양순·김유선·김은령·김장식·담결·박인애·배고운·배정선·신은경·이은경·이양금·이정·주서연·차숙정(2016), 예비교사를 위한 한국어교육론, 하우.
신승용(2013), 국어음운론, 역락.
안혜진(2019), 한국어교육능력검정시험 5년간 기출문제해설, 시대고시기획.
양명희·김정남(2011), 한국어 듣기교육론, 신구문화사.
연세대학교 한국어교원양성과정 총동문회(2018), 한국어 교육능력 검정시험 대비 핵심 이론&기출문제 총정리, 한올출판사.
오은순(2008), 다문화교육을 위한 교수·학습 지원 방안 탐색 세미나, 교육광장, 27, 65-71.
유혜령(2010), 국어의 형태·통사적 공손 표지에 대한 연구, 청람어문교육, 41, 377-409.
윤평현(2008), 국어의미론, 역락.
윤희수(1994), 영어의 동의어 분석, 언어과학연구, 11, 281-298.
이금희(2017), 한국어에 나타나는 문법화와 어휘화 현상에 대하여, 국어학, 81, 91-114.
이기문·이호권(2009), 국어사, 한국방송통신대학교 출판부.
이기용(2014), 중등학교 교사용 다문화 교수 역량 척도 개발 및 타당화, 한국교원교육연구, 31(4), 423-444.
이기용(2018), 다문화사회 교수방법론, 공동체.
이선재(2019), 2020 선재 국어, 에스티유니타스.
이승연(2013), 응용언어학개론, 태학사.
이은경·이윤진(2019), 한국어 교원 자격 취득을 위한 한국어 교육실습, 한국문화사.
이응백·김원경·김선풍(1998), 국어국문학 자료 사전, 한국사전연구소.
이정모·이정모·감기택·김정오·박태진·김성일·신현정·이광오·김영진·이재호·도경수·이영애·박주용·곽호완·박창호·이재식·강은주·김민식(2009), 인지심리학, 학지사.
이철우·이희정·강성식·곽민희·김환학(2019), 이민법, 박영사.
이혜경·이진영·설동훈·정기선(2016), 이민정책론, 박영사.
이화성(2012), 프로젝트 학습을 활용한 한국 문화 수업 모형 연구: 한국 음식 문화 주제를 중심으로, 경희대학교 대학원, 석사학위 논문
임은빈(2016), 의미단위 끊어 읽기 지도가 한국어 학습자의 읽기 이해에 미치는 영향, 이화여자대학교 대학원, 석사학위 논문.
임홍빈·안병철·장소원·이은경(2011), 바른 국어생활과 문법, 한국방송통신대학교 출판부.
장인실·김경근·모경환·민병곤·박성혁·박철희·성상환·오은순·이윤정·정문성·차경희·차윤경·최일선·함승환·허창수·황매향(2013), 다문화교육의 이해와 실천, 학지사.
전숙자·박은아·최윤정(2009), 다문화 사회의 새로운 이해, 그린.

지현진(2014), 한국어 교재 대화문의 구조 연구 : 대화분석 관점에서의 인접쌍(adjacency pairs)을 중심으로, 한국외국어대학교 대학원 석사 논문.
총신대학교 한국어학당(2015), 외국어로서의 한국어교육의 이론과 실제1, 참.
총신대학교 한국어학당(2015), 외국어로서의 한국어교육의 이론과 실제2, 참.
하시우치 다케시·홋타 슈고, 서경숙·니시야마 치나 역, (2016), 법과 언어, 박이정.
한국교육심리학회(2000), 교육심리학 용어사전, 학지사.
한국방송통신대학교 평생교육원 편(2006), 외국어로서의 한국어교육학, 한국방송통신대학교 출판부.
한국방송통신대학교 평생교육원 편(2007), 외국어로서의 한국어학, 한국방송통신대학교 출판부.
한재영·박지영·현윤호·권순희·박기영·이선웅(2005), 한국어 교수법, 태학사.
한재영·안경화·박지영·권순희(2011), 한국어교육: 용어 해설, 신구문화사.
한재영·안경화·박지영·권순희(2011), 언어학 용어 해설, 신구문화사.
허용·김선정(2013), 대조언어학, 소통.
허용·김선정(2013), 외국어로서의 한국어 발음 교육론, 박이정.
홍종명(2009), 한국어 수업 의미협상 과정에서 나타난 문제발생 표지(indicator) 연구, 언어와 문화, 5(3), 345-362.
Banks, J. A., 모경환·최충옥·김명정·임정수 역, (2008), 다문화교육 입문, 아카데미프레스.
Beaugrande, R. A. & Dressler, W. U., Introduction to textlinguistics, 김태옥·이현호 역, (1991), 담화·텍스트 언어학 입문, 양영각.
Brown, H. Douglas., 권오량·김영숙 역, 2008, 원리에 의한 교수: 언어 교육에의 상호작용적 접근법, 피어슨에듀케이션코리아.
Brown, H. Douglas., 이흥수·박매란·박주경·이병민·이소영·최연희 역, (2006), 외국어 학습·교수의 원리, 피어슨 에듀케이션 코리아.
Brown, H. Douglas., 이흥수·박주경·이병민·이소영·최연희·차경환·이성희 역, (2015), 외국어 학습·교수의 원리, 피어슨 에듀케이션 코리아.
Halliday, M. A. K. Mclntosh, A. & Strevens, P., The linguistic sciences and language teaching., 이충우·주경희 역, (1993), 언어 과학과 언어 교수, 국학자료원.
TOPIK KOREA 한국어평가연구소(2017), 한국어 교육능력 검정시험 한국어교원 3급 합격을 위한 길라잡이, 참.

Baker, R. W., McNeil, O. V. & Siryk, B. (1984). Journal oh Counseling Psychology. Expectation and reality in freshmen adjustment to college to college.
Banks(2008). An Introduction to Multicultural Education(4th ed.). Boston: Allyn and Bacon.
Banks, J. A., & Banks, C. A. M. (2004). Handbook of Research on Multicultural Education(2nd ed.). San Francisco : Jossey-Bass.
Bennett(2007). Comprehensive Multicultural Education: Theory and Practice.(6th ed.). MA: Allyn and Bacon.
Bennett(2011). Comprehensive Multicultural Education: Theory and Practice. Boston: Pearson.
Brown, H. D. (2000), Principles of language learning and teaching, Longman.
Brown, H. D. (2000), Teaching by principles: An interactive approach to language pedagogy, Pearson Education.
Brown, J. D. (1995). The elements of language curriculum: A systematic approach to program development. Heinle & Heinle Publishers.
Doughty, C. & Williams, J. (1998). Pedagogical choices in focus on form, In C. Dorghty. & J. Williams. (Eds.), Focus on form in classroom second language acquisition, pp. 197~261, Cambridge University Press.
Grant, N. (1987), Making the most of your textbook, Longman.
Haugen, E. (1971). The ecology of Language. In D. Anwar(Ed.)(1972), The Ecology of Language: Essays by Einar Haugen, Stanford: Stanford University Press.
Lado, R. (1957), Linguistics across cultures: Applied linguistics for language teachers, University of Michigan Press.
Littlewood, W. (1981), Communicative language teaching: An introduction, Cambridge University Press.
Long, M. H. (1991), Focus on form: A design feature in language teaching methodology, In K. de Bot., R.

B. Ginsberg. & C. J. Kramsch. (Eds.), Foreign language research in cross-cultural perspective, pp. 39~52, John Benjamins Publishing Company.

Moreno, Z. L. (1964). Psychodrama: Firstvolume. 3rd ed., ed., New York. Beacon House.

Richard, J. C. (2001). Curriculum development in language teaching. Cambridge University Press.

Rumelhart, D. (1984), Understanding In J. Flood. (Ed.), Understanding comprehension: Cognition, language, and the structure of prose, international Reading Association.

Sleeter, C. E., & Grant, C. A. (2009). Making Choices for Multicultural: Five Approaches to Race, Class, and Gender(6th ed.). New York: John Wiley &Sons.

Stevick, E. (1972), Evaluating and adapting language materials, In H. Allen. & R. Campbell. (Eds.), Teaching English as a second language: A book of readings, McGraw-Hill.

Taylor, H. D. & Sorensen, J. L. (1961), Culture capsules, The Modern Language Journal 45-8, pp. 350~354.

Wilkins, D. A. (1976). Notional syllabus: A taxonomy and its relevance to foreign language curriculum development. Oxford University Press.

교육부, www.moe.go.kr
교육통계서비스, www.kess.kedi.re.kr
국가법령정보센터, www.law.go.kr
국립국어원, www.korean.go.kr
국립국제교육원, www.niied.go.kr
다문화가족지원 포털 다누리, www.liveinkorea.kr
사회통합정보망, www.socinet.go.kr
세종학당재단, www.ksif.or.kr
외국인고용관리 시스템, www.eps.go.kr
이주배경청소년지원재단 무지개청소년센터, www.rainbowyouth.or.kr
재외동포재단, www.okf.or.kr
중앙다문화교육센터, www.edu4mc.or.kr
출입국·외국인정책본부, www.immigration.go.kr
큐넷, www.q-net.or.kr
통계청, www.kostat.go.kr
하이코리아, www.hikorea.go.kr
한국국제교류재단, www.kf.or.kr
한국산업인력공단 고용허가제통합서비스, www.eps.hrdkorea.or.kr
한국산업인력공단, www.hrdkorea.or.kr
KOICA, www.koica.go.kr
TOPIK 한국어능력시험, www.topik.go.kr

한국어교육능력검정시험 대비 필수 핵심 이론서

발　행 | 2020년 2월 10일
저　자 | 정훈
펴낸이 | 한건희
펴낸곳 | 주식회사 부크크
출판사등록 | 2014.07.15.(제2014-16호)
주 소 | 서울특별시 금천구 가산디지털1로119 SK트윈타워 A동 305호
전　화 | 1670-8316
이메일 | info@bookk.co.kr

ISBN | 979-11-272-9718-3

www.bookk.co.kr